Dire...
Philip...

Philippe GLOA...

Ré...
Pierre JOSSE
*assisté de*
Benoît LUCCHINI, Yves COUPRIE,
Florence BOUFFET, Solange VIVIER
et Véronique de CHARDON

# LE GUIDE
# DU
# ROUTARD

# 1991/92

# BRETAGNE

Hachette

*à Loïc Caradec*

## Hors-d'œuvre

Le G.D.R., ce n'est pas comme le bon vin, il vieillit mal. On ne veut pas pousser à la consommation, mais évitez de partir avec une édition ancienne. D'une année sur l'autre, les modifications atteignent et dépassent souvent les 40 %.

Chaque année, en juin ou juillet, de nombreux lecteurs se plaignent de voir certains de nos titres épuisés. A cette époque, en effet, nous n'effectuons aucune réimpression. Ces ouvrages risqueraient d'être encore en vente au moment de la publication de la nouvelle édition. Donc, si vous voulez nos guides, achetez-les dès leur parution. Voilà.

## Spécial copinage

– *Restaurant Perraudin* : 157, rue Saint-Jacques, 75005 Paris. ☎ 46-33-15-75. Fermé les samedi et dimanche. A deux pas du Panthéon et du jardin du Luxembourg, il existe un petit restaurant de cuisine traditionnelle. Lieu de rencontre des éditeurs et des étudiants de la Sorbonne où les recettes d'autrefois sont remises à l'honneur. Soupe à l'oignon, gigot au gratin dauphinois, pintade aux lardons, pruneaux à l'armagnac. Sans prétention ni coup de bâton. D'ailleurs, c'est notre cantine, à midi.

La société de locations de voitures LOCAR propose 10 % de réduction pour nos lecteurs sur ses tarifs « week-end », « journée », « semaine » et « mois ».
– *LOCAR* : 34, rue des Fossés-Saint-Bernard, 75005 Paris. ☎ 46-33-13-13. Métro : Jussieu.

**IMPORTANT** : les routards ont enfin leur banque de données sur Minitel : 36-15 ROUTARD. Vols superdiscount, réductions, nouveautés, fêtes dans le monde entier, dates de parution des G.D.R., rencards insolites, petites annonces et aussi un jeu rigolo et divertissant avec des voyages à gagner.

*Pouch ou l'Enfance du vagabond,* (éditions Denoël) : Bernard Pouchèle, un ami, un routard, un vrai, qui a traîné son grand corps tanné sur toutes les routes de France et de Navarre, publiait en 1989 un très beau livre sur ses aventures itinérantes : *l'Étoile et le Vagabond.* Il récidive en 1990 avec la saga d'un môme de huit ans au cours de la dernière guerre, racontée avec un humour décapant. Plein de tendresse aussi pour des tas de marginaux qui valaient bien la peine qu'on parle d'eux. Et, surtout, il démontre comment on ne peut, hélas, échapper à la logique de l'incompréhension et au manque affectif qui jettent tant de jeunes sur la route...

# TABLE DES MATIÈRES

## L'ILLE-ET-VILAINE

## LA VALLÉE DE LA VILAINE

## VANNES ET LE GOLFE DU MORBIHAN

## LA PRESQU'ILE DE RHUYS ET LA VILAINE MARITIME

## LA ROCHE-BERNARD ET LE PAYS DE VILAINE

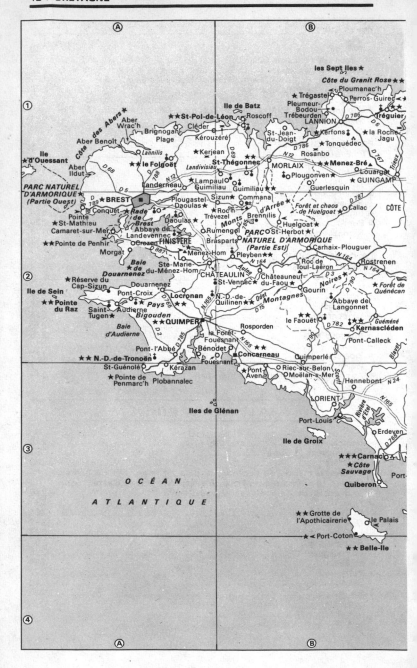

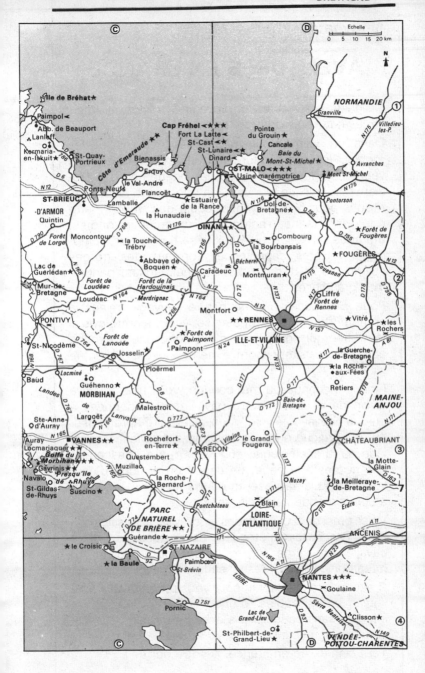

**Nouveauté** *(mars 91) :*

# AVENTURES EN FRANCE

Ce guide est d'abord un voyage à travers les merveilles naturelles de notre pays.

Dans ce relief mouvementé, les terrains et les roches, les températures et les précipitations, la végétation, les cours d'eau, les phénomènes d'érosion par la pluie, le vent, la mer sont autant de raisons pour que la France recèle des trésors naturels : montagnes neigeuses presque arrondies, murailles verticales, plateaux désertiques, verts pâturages, rivières capricieuses formant des gorges splendides et des cascades tumultueuses, panoramas grandioses...

Pour avoir accès à cette nature sauvage, mieux la comprendre, la sentir et s'en souvenir, à notre avis, il faut l'aborder soi-même : c'est donc une approche active de ces sites, sportive même, qui est présentée ici.

France inconnue ou mal connue, voici une nouvelle façon de découvrir notre pays : des randonnées à pied, à cheval ou à vélo, vous savez faire ; progresser en ski nordique ou alpin, vous avez déjà fait. L'escalade ou la spéléologie, cela vous tente ; descendre des rivières à la nage, en canoë ou en luge d'eau, vous n'avez jamais osé, et pourtant vous y êtes prêt, à condition que cela soit facile.

Voici près de 200 balades sportives accessibles à tous. Pas besoin d'être féru de spéléologie, d'être cavalier troisième fer, grimpeur octogradiste ou marathonien des cimes : il suffit d'en avoir envie.

C'est un livre qui est fait pour vous procurer des souvenirs impérissables d'une nature grandiose et intense, sans danger mais avec parfois un petit frisson bien agréable !

Tout cela existe en France. A votre portée !

# LE GUIDE DU ROUTARD
# « LANGUEDOC-ROUSSILLON »

**SAVEZ-VOUS...**

... qu'à Odeillo une grille empêche les loups d'entrer dans l'église ?
... qu'un ermitage niché dans la falaise des gorges de Galamus a été transformé en gîte d'étape ?
... que le patron du plus bel hôtel de Narbonne n'est autre que l'ancien guitariste d'Higelin ?
... qu'à Arles-sur-Tech un sarcophage s'emplit mystérieusement d'une eau miraculeuse ?
... où manger un steak mongol dans le Gard ?
... d'où vient la toile de jean ?
... où approcher des loups de très près sans crainte ?
... où dormait Gérard Philipe pendant le festival d'Avignon ?
... si la bête du Gévaudan était un animal féroce ou un maniaque sexuel, style M le Maudit ?
... que les camisards ont inventé la guérilla moderne ?
... que Le Vigan est la seule commune de France à avoir une statue de Coluche dans un jardin public ?

Entre villages oubliés de montagne et petits ports de pêche, des chefs-d'œuvre d'art roman. Au milieu des anciennes voies romaines et des belles ruines cathares, la vigne !

Ici, Catalans ou Occitans, Roussillonnais ou Languedociens se retrouvent sous le meilleur ensoleillement de France, effaçant les querelles de clocher autour d'un bon vin de pays, d'un cassoulet ou d'un match de rugby.

Traquant trésors enfouis et mystères religieux, bravant gorges profondes et régions désertiques, on sillonne cette région entre une randonnée pyrénéenne et une corrida nîmoise, ébloui par les processions de Collioure, le pont du Gard, la cité de Carcassonne ou un curieux paquebot échoué sur la romantique côte vermeille...

---

# LE GUIDE DU ROUTARD
# « MIDI-PYRÉNÉES »

**SAVEZ-VOUS...**

... que le célèbre pays de Cocagne se situait tout près de Toulouse ?...
... qu'un crime ou délit commis au plus fort d'un accès de fureur du vent d'autan permet d'obtenir parfois des circonstances atténuantes de la part de la justice ?
... que Toulouse-Lautrec dissimulait du cognac dans sa canne ?
... qu'on doit au sandwich oublié dans une grotte par un berger la création du fameux roquefort ?
... que les fans des temps héroïques de l'aviation peuvent pour 120 F dormir aujourd'hui à Toulouse dans la chambre inchangée de Saint-Exupéry ?
... que, dans certains restaurants de l'Aubrac, une curieuse coutume consiste à faire encore tourner l'aligot autour de la tête des convives ?
... par quel cheminement bizarre la morue séchée, élevée au rang de plat régional dans l'Aveyron, devint le plat favori des mineurs de charbon ?
... que l'ancêtre du ballon de foot est exposé au prieuré d'Ambialet, dans le Tarn ?

Le Midi-Pyrénées, complètement enclavé, sans accès à la mer, est une terre qui s'adresse aux aventuriers de la plongée en pays profond et aux fous d'architecture rurale. C'est enfin une région qui saura enchanter les amateurs d'authentique et de chaleureuse hospitalité. Paysage sans cesse renouvelé, jalonné de sites médiévaux, villages de rêve aux charmes incroyables.

Du projet Hermès à la beauté émouvante de Conques, de la dernière puce électronique au chef-d'œuvre roman de Moissac, voici une région tournée résolument vers l'avenir, mais qui a su conserver le meilleur de son passé.

# L'ATLAS DU ROUTARD

Une création originale du Routard : l'univers sur papier glacé. **L'Atlas du Routard** est né du mariage de notre équipe et d'un grand cartographe suédois, Esselte Map Service, dont les cartes sont célèbres dans le monde entier.

Des cartes en couleur, précises, détaillées, fournissent le maximum d'informations. En plus des cartes géographiques, **l'Atlas du Routard** propose des cartes thématiques sur la faune, les fuseaux horaires, les langues, les religions, la géopolitique et les « records » des cinq continents : les plus grandes altitudes, les plus grands lacs, les plus grandes îles...

Et aussi 40 pages de notices, véritables fiches d'identité offrant pour chaque pays des données statistiques (superficie, population...) ainsi que des commentaires sur le « vrai » régime politique, les langues. Elles donnent des renseignements pratiques indispensables à la préparation du voyage (monnaie, décalage horaire et les périodes favorables au tourisme).

Pour compléter ces informations, **l'Atlas du Routard** dresse un bref portrait du pays. Des symboles tenant compte de l'intérêt touristique, des conditions de voyage et, bien sûr, des indications sur le coût de la vie, figurent en regard de chaque notice.

En fin d'ouvrage, un index de plus de 15 000 noms.

Un petit format, une grande maniabilité, une cartographie exceptionnelle et un prix défiant toute concurrence. Comme d'habitude !

Enfin !

# LE GUIDE DU ROUTARD « PAYS DE L'EST »

Désormais, plus besoin de jouer au passe-muraille pour visiter l'Europe de l'Est ! Hongrie, Pologne, ex-RDA, Tchécoslovaquie, Bulgarie et Roumanie ont ouvert leurs frontières.
1989, année révolutionnaire entre toutes, aura vu l'inimaginable survenir : les mammouths du Kremlin empaillés par Gorby le Sympathique, la chute d'un mur due à sa maladie honteuse, Havel, écrivain dissident, ovationné sur les balcons de Prague, les tables rondes de Walesa, les élections autorisées en Bulgarie, une libéralisation accrue en Hongrie et la fin du « mauvais génie » des Carpates ! Ça fait beaucoup.
Ce guide des pays de l'Est est devenu chaque jour plus urgent. Jusque-là trop officiel pour être original, le tourisme à l'Est peut enfin se pratiquer « à la routarde ». Ce qui n'est pas déplaisant, tant ces pays regorgent de richesses humaines et artistiques. Berlin redevient la métropole vivante qu'elle avait à moitié cessé d'être. Prague se révèle un paradis des marcheurs urbains, romantique à mourir, tandis que Bohême et Moravie dévoilent leurs belles villes médiévales. La Pologne nous apprend qu'elle n'est pas seulement un chantier naval sans cesse en grève. La Bulgarie démontre qu'on avait tort de n'y voir qu'un yaourt ! Quant au Roumain, il s'avère (surtout si vous êtes francophone) un citoyen hospitalier et drôle, gentil et cultivé, malgré les ruines laissées par le Conducator. Et saviez-vous que la Hongrie, en plus d'être un bien beau pays, n'avait pas attendu la perestroïka pour servir de modèle libéral au bloc communiste ?
Les routards s'y précipiteront donc pour deux raisons : un coût de la vie étonnamment faible pour l'Europe et un passé culturel trop longtemps dissimulé par un rideau opaque.
Car on ne s'y ennuie pas, que l'on aime Kafka, Mozart ou Dracula, la vodka polonaise, le goulasch hongrois ou l'artisanat bulgare, les musées emplis de chefs-d'œuvre, les châteaux historiques ou les symboles tellement exotiques d'un monde socialiste qui nous fascina tant.

## LA LETTRE DU ROUTARD

5, rue de l'Arrivée                 92190 Meudon

*Abonnez-vous à
"La Lettre du Routard"
le complément indispensable
des "Guides du Routard"*

*Philippe Gloaguen*

Bon nombre de renseignements sont trop fragiles ou éphémères pour être mentionnés dans nos guides, dont la périodicité est annuelle.

Quels sont les meilleures techniques, nos propres tuyaux, ceux que nous utilisons pour rédiger les GUIDES DU ROUTARD ?

Comment découvrir des tarifs imbattables ? Quels sont les pays où il faut voyager cette année ? Quels sont les renseignements que seuls connaissent les professionnels du voyage ?

De plus, de nombreuses agences offrent à nos abonnés des réductions spéciales sur des vols, des séjours ou des locations. Quelques exemples tirés du 1ᵉʳ numéro :
– Un tour du monde sur lignes régulières pour 7 400 F.
– Une semaine de ski tout compris pour 1 900 F.
– Les rapides du Colorado pour 220 dollars.
– Une semaine de location de moto en Crète pour 1 160 F.
– Des réductions sur les matériels de camping, compagnies d'assurances, de 5 à 25 %...

Enfin, quels sont nos projets et nos nouvelles parutions ?

Tout ceci compose « LA LETTRE DU ROUTARD », qui paraît désormais tous les 2 mois. Cotisation : 90 F par an, payable par chèque à l'ordre de CLAD CONSEIL, 5, rue de l'Arrivée, 92190 MEUDON.

-------------------------------------------------

**BULLETIN D'INSCRIPTION A RETOURNER**
à CLAD CONSEIL : 5, rue de l'Arrivée
92190 Meudon.

Nom de l'abonné : _____

Adresse : _____

_____

_____

*LA LETTRE DU ROUTARD
5, rue de l'Arrivée   92190 Meudon
Nom : R. de la Porterie
Membre n° : 1.234.56A
Carte valable jusqu'au 5.3.85
Carte gratuite et à votre nom*

(Joindre à ce bulletin un chèque bancaire ou postal de 90 F. à l'ordre de CLAD CONSEIL)

# LA BIBLIOTHÈQUE DU ROUTARD

Qu'elles furent longues, ces 12 h de bateau Santorin-Athènes ! Et le train Vancouver-Winnipeg ! Si vous aviez au moins pensé à emporter un bon bouquin...

Des livres pour le routard ?... Nous y pensions depuis longtemps. D'abord parce que les vacances sont un moment propice à la lecture. Ensuite, parce que l'on voyage aussi dans sa tête, même quand on arpente les routes... Et puis – vanité mise à part – quel plaisir de mettre ses pas dans ceux illustres qui ont précédé ! Car s'il est des voyageurs qui savent écrire, il est des écrivains qui aiment voyager...

Voici notre bibliothèque idéale : 444 livres pour une soixantaine de pays. Bien entendu, nos critiques sont totalement subjectives (on ne se refait pas !) ; on espère pourtant qu'elles vous guideront utilement...

Nous avons tenté de satisfaire tous les goûts : ceux des amoureux de littérature classique comme ceux des bédophiles, des amateurs de polars et des fanas d'ethnologie ou d'histoire. Tradition « Routard » oblige, nous avons favorisé les collections de poche : c'est tellement plus maniable et plus agréable pour le budget !

**Et pour cette chouette collection, plein d'amis nous ont aidés :**

Albert Aidan
Catherine Allier
René Baudoin
Jean-Louis de Beauchamp
Lotfi Belhassine
Nicole Bénard
Cécile Bigeon
Jacques Biscleglia
Hervé Bouffet
Francine Boura
Yves Bourgeon
Kirsten Branum-Burn
Pierre Brouwers
Jacques Brunel
Justo Eduardo Caballero
Daniel Célerier
Kamil Chaabna
Jean-Paul Chantraine
Bénédicte Charmetant
Nicole Chartier
Pascal Chatelain
Marjatta Crouzet
Roger Darmon
Éric David
Marie-Clotilde Debieuvre
Jean-Pierre Delgado
Sophie Duval
François Eldin
Éric et Pierre-Jean Eustache
Alain Fish
Claude Fouéré
Guy François
Leonor Fry
Bruno Gallois
Carl Gardner
Cécile Gauneau
Philippe Georget
Gilles Gersant
Michel Gesquière
Michel Girault
Florence Gisserot
Hubert Gloaguen
Jean-Pierre Godeaut
Vincenzo Gruosso

Jean-Marc Guermont
Florence Guibert
François Jouffa
Jacques Lanzmann
Alexandre Lazareff
Denis et Sophie Lebègue
Ingrid Lecander
Patrick Lefèvre
Raymond et Carine Lehideux
Martine Levens
Kim et Lili Loureiro
F.-X. Magny et Pascale
Jenny Major
Fernand Maréchal
Corine Merle
Colette Monsat
Maria Helena Mora
Helena Nahon
Jean-Paul Nail
Jean-Pascal Naudet
Jorge Partida
Denise Pérez
Bernard Personnaz
Jean-Pierre Picon
Jean-Alexis Pougatch
Antoine Quitard
Jean-François Rolland
Catherine Ronchi
Marc Rousseau
Frédérique Scheibling-Seve
Jean-Luc et Antigone Schilling
Patrick Ségal
Julie Shepard
Charles Silberman
José Antonio da Silva
Isabelle Sparer
Régis Tettamanzi
Claire Thollot
Jean-Claude Vaché
Yvonne Vassart
Sandrine Verspieren
Marc Verwhilgen
Didier Vidal
François Weill

Nous tenons à remercier tout particulièrement **Patrick de Panthou** et **Olivier Page** pour leur collaboration régulière.
**Direction :** Adélaïde Barbey
**Secrétariat général :** Christian Robin
**Édition :** Marie-Pierre Levallois
**Secrétariat d'édition :** Yankel Mandel
**Préparation lecture :** Nicole Chatelier
**Cartographie :** René Pineau et Alain Mirande
**Fabrication :** Gérard Piassale et Françoise Jolivot
**Secrétariat :** Anne-Sophie Buron
**Direction des ventes :** Jérôme Denoix et Lucie Satiat
**Direction commerciale :** Olivier des Garets et Monique Lemaître
**Informatique éditoriale :** Catherine Julhe et Dominique Charles.
**Relation presse :** Catherine Broders, Anne-Sophie Naudin et Martine Leroy
**Service publicitaire :** Claude Danis et Marguerite Musso

**Régie publicitaire :** Top Régie, 58, rue Saint-Georges, 75009 Paris

**Pour ce guide, nous remercions Fernand Maréchal et :**

M. Collas
Eric Jacquemet
Annie Le Goff
Jacques Le Goff
Charlotte Letessier
Dorothée Letessier
Marie Lostys et leurs amis
Annick Monot, Vincent Jullien et
Maud pour son sourire

Olivier Page
Christine Payne
Jean Picollec, ses amis de
Bretagne et de la Closerie
des Lilas
Philippe Rogel
Yves le Sidaner
François Vertadier

---

# LE GUIDE DU ROUTARD
## « ALPES »
## (hiver, été)

### SAVEZ-VOUS...

... où dormir dans un superbe chalet pour 40 F la nuit ?
... que, dans le plus haut village d'Europe, des gens vivent encore à l'ancienne, avec leurs bêtes dans la maison ?
... que l'air de Longefoy est très recherché pour la conservation et le séchage des jambons ?
... où l'on parle encore lo terrachu, le patois des contrebandiers ?
... que le glacier de Bellecôte était une propriété privée ?

Les vacances de ski sont certainement les plus coûteuses qui soient ; pas étonnant que depuis des années des centaines de lecteurs nous réclament un tel ouvrage !
Voici donc nos 40 meilleures stations : les plus célèbres côtoient des villages oubliés mais toutes ont été sélectionnées selon des critères très rigoureux : ambiance, prix, type de ski (alpin, fond, été...), vie nocturne, activités d'après-ski, activités sportives, randonnées, etc.
Mais les citadins qui en ont assez d'avoir leur voisin de palier comme voisin de serviette sur des plages bondées où dégouline l'huile à bronzer aimeront aussi ce guide : on y trouve toutes les adresses pour des vacances d'été à la montagne et des itinéraires originaux qui sentent bon le soleil et les alpages fleuris.
Le Guide du Routard des Alpes hiver-été : des coups de cœur et des coups de gueule... En tout cas, le résultat passionnant d'une enquête de six mois, menée par des spécialistes amoureux de la montagne.

---

**IMPORTANT :** les Routards ont enfin leur banque de données sur Minitel : 36-15 (code ROUTARD) : vols superdiscount, réductions, nouveautés, fêtes dans le monde, dates de parution des G.D.R, rencards insolites, petites annonces et un jeu avec des voyages à gagner.

---

**Maison de la Bretagne.** Centre commercial Maine-Montparnasse, 17, rue de l'Arrivée, 75015 Paris. ☎ 45-38-73-15. Métro : Montparnasse. Tout pour organiser ses vacances ou ses week-ends. Particulièrement compétent.

## PAR LA ROUTE

### L'autoroute A11, l'Océane

Un nom très tonique pour une superbe quatre-voies qui fonce tout droit vers l'Océan et les embruns. De Paris à Rennes, comptez quatre heures grand maximum. On évite Le Mans et Laval. L'autoroute traverse les bons vieux pays : champs de blé de la Beauce, collines ondulées du Perche, bois de pins autour du Mans, campagne de la Mayenne, étonnamment bien conservée. On arrive alors au péage fatidique, 15 km avant la bretelle de Vitré. Une allure de poste frontière où l'on paie pour les kilomètres que l'on vient de faire. Pas pour ceux qui viennent. Le péage est symboliquement installé à la limite même du duché de Bretagne. Certains séparatistes insolites prévoient, en cas d'indépendance, de transformer l'endroit en poste de douane. De l'autre côté, on est en Bretagne. L'autoroute ne s'appelle plus autoroute mais voie express. C'est une quatre-voies, gratuite sur l'ensemble du réseau breton.

### Les petites routes tranquilles

● *Pour le nord de la Bretagne,* Le Mont-Saint-Michel (hélas en Normandie), Saint-Malo et Dinard. La classique N12 est une brave et bonne route, autrefois celle des diligences, aujourd'hui celle des automobilistes diligents. Nuance ! Passez par Verneuil, L'Aigle, Alençon, Domfront. Arrêtez-vous là ! C'est à Domfront, à la cour du château (reste un donjon), que Chrétien de Troyes rédigea son fameux cycle arthurien mettant en scène Lancelot du Lac et les chevaliers de la Table ronde. A savoir par cœur avant de poser les pieds en sol breton. Mais Domfront est encore en Normandie. La Bretagne est toute proche. Et Le Mont-Saint-Michel, phare de l'Occident médiéval, dessine déjà sa silhouette pointue à l'horizon.

● *Pour la haute Bretagne* (c'est-à-dire l'Ille-et-Vilaine, par opposition à la basse Bretagne bretonnante) et le pays de Fougères, sortez de l'autoroute à Laval, si vous venez de Paris. Prenez la départementale 798. C'est une petite route chargée d'histoire qui traverse un bocage digne du XIX\* siècle, époque où Hugo et Balzac flânèrent dans cette région de « marches ». Inspirés par les épisodes de la chouannerie, ils écrivirent *Quatre-vingt-treize* et *Les Chouans.* Novembre 1793, des dizaines de milliers de Vendéens, affamés, poursuivis par les républicains, forment un immense cordon de misère tentant de s'échapper par la Manche. C'est cette fameuse et dramatique « virée de galerne » qui passa par Ernée, au nord de la Mayenne. C'est au cœur des bois et des landes de cette région que Jean Chouan livra bataille avec ses hommes contre les Bleus.

● *Pour Redon et le pays gallo,* l'idéal est de musarder en Anjou avant d'y arriver. C'est la meilleure façon de saisir le contraste entre les deux provinces. D'un côté, les villages clairs et l'influence de la Loire. De l'autre, le granit et le schiste, roches fières et dures qui affleurent dès Châteaubriant et le pays de la Mée. Une départementale méconnue vous mènera à Redon par Guémené-Penfao, à ne pas confondre avec Guémené-sur-Scorff, patrie de l'andouille.

● *Pour Vannes, Lorient, Quiberon, Carnac et toute la côte sud de la Bretagne,* principal accès par la voie express Nantes-Quimper-Brest qui dessert très bien le littoral et se ramifie en de nombreuses routes secondaires. Mais on préfère y arriver par la route du centre de la Bretagne, celle qui part de Rennes, passe par la forêt de Brocéliande (escale indispensable) et Ploërmel.

● *Pour le Finistère,* la voie express qui relie Rennes à Brest par Saint-Brieuc est le chemin le plus rapide. La route la plus belle, c'est celle du centre encore une fois : Loudéac, Mur-de-Bretagne, Huelgoat. Deux voies assez larges, peu de tournants vicieux, et surtout des échappées formidables sur l'Argoat, pays des bois et des rivières à saumons.

● *Pour Nantes et la Loire-Atlantique,* l'accès le plus rapide reste l'autoroute l'Océane de Paris au Mans, la N23 entre Le Mans et Durtal (Maine-et-Loire), puis à nouveau l'Océane jusqu'à l'ancienne capitale des ducs de Bretagne. Le tronçon d'autoroute manquant a été mis en service en 1989 et permet la liaison directe Paris-Nantes. Mais la plus belle manière d'arriver dans la ville d'Anne de Bretagne est sans conteste de suivre les rives de la Loire. Pour cela, sortez à Angers, passez par la corniche Angevine, Chalonnes, Ingrandes (limite de l'Anjou et de la Bretagne), Saint-Florent-le-Vieil, Liré (patrie de Joachim du Bellay), et la D751 par Champtoceaux. Encore mieux : descendez la Loire en bateau comme les souverains d'autrefois.

## PAR LE TRAIN

Le voyage commence sur le parvis de la gare Montparnasse. Un libraire vend tous les livres qu'il faut sur la Bretagne, le kiosque à journaux étale évidemment les 22 éditions régionales d'*Ouest-France,* un magasin s'appelle *le Dolmen* et vend des croissants chauds... On s'y croirait presque.

### Venant de Paris

● *Paris-Rennes :* le T.G.V. Atlantique met 2 h 04 pour relier Paris à Rennes.

● *Paris-Nantes :* le T.G.V. Atlantique met 2 h pour relier la capitale à Nantes.

● *Paris-Brest :* le trajet le plus connu. A donné son nom à un gâteau réputé. Comptez moins de 5 h, pas pour le digérer, mais pour avaler le trajet. Ce grand classique de l'histoire ferroviaire passe par Rennes, Lamballe, Saint-Brieuc, Guingamp, Plouaret, Morlaix, Landivisiau, Landerneau, et se termine à Brest, le bout du monde : *Pen ar dec !*

● *Paris-Quimper :* même durée à peu près. Un grand classique qui dessert Redon et Auray notamment. Changement à Rennes pour les rames T.G.V. avec réservation.

● *Paris-Saint-Malo :* dommage que Chateaubriand ne soit plus là pour commenter un si beau voyage ! La ligne est directe via Rennes. Plusieurs départs par jour. Comptez 3 h 30.

● *Paris-Le Croisic :* comptez 3 h environ via Nantes, maintenant, avec le T.G.V. Chic !

● *Paris-Quiberon :* uniquement l'été. Le train s'arrête à Auray. Insolite : le passage de la voie ferrée sur le tombolo sableux qui relie le continent à la presqu'île de Quiberon. Le morceau de dune est si étroit que seules la voie ferrée et la route peuvent se faufiler. L'isthme mesure quelques dizaines de mètres à cet endroit.

● *Paris-Roscoff :* direct jusqu'à Morlaix. Changement, puis un petit train style micheline gagne Roscoff et vous permet de prendre le bateau pour l'Irlande (Cork) ou l'Angleterre (Plymouth).

### Venant de province

● *Lyon-Brest :* via Nantes, par le Rhône-Océan. 13 h de trajet.

● *Toulouse-Bordeaux-Nantes-Brest.* Il y a même des trains venant de Toulon via Marseille jusqu'à Brest, via Lorient, devinez pourquoi ? Durée 16 h.

### Lignes intérieures

Le dépaysement est garanti, comme on dit. Un trajet inattendu par monts et par vaux, de gare en gare.

● *Guingamp-Carhaix :* une charmante invitation au voyage. En profiter avant que la S.N.C.F. ne ferme ces vieilles petites lignes que la nature sauvage transforme parfois en de véritables tunnels de verdure.

● *Saint-Brieuc-Pontivy :* par Loudéac. Un autre itinéraire dans l'Argoat des collines et des petits bourgs.

**Train + vélo, train auto-couchette + wagon-lit, train + autocar :** toutes les formules existent. Renseignez-vous à la gare Montparnasse (☎ 45-82-50-50). Pour les vélos, une quinzaine de gares bretonnes louent des deux-roues à la journée. La formule de voitures à la descente du train est de plus en plus courante grâce aux services de certaines agences comme *Budget*. Vous pouvez à défaut faire voyager votre propre voiture dans le train qui vous mène en Bretagne. Quant aux autocars, c'est une bonne solution pour gagner certaines localités du littoral où le train ne va pas. Et il y en a beaucoup dans ce cas.

**Réductions :** comme pour les autres régions de France, demandez la *carte Jeunes*, si vous êtes jeune (de 12 à 26 ans), la *carte Couple-Famille* si vous êtes en couple. Cette dernière vous donne droit à 50 % de réduction à partir de la deuxième personne. Le trajet doit débuter en période bleue.

## PAR AVION

● *Avec Air Inter :* au départ d'Orly-Ouest, destinations variées. Brest (1 h de vol), Quimper, Lorient, Nantes, Rennes. Des tarifs avantageux pour les jeunes (de 12 à 25 ans) et pour les étudiants (de 25 à moins de 27 ans).
Tarifs réduits accessibles à tous : tarifs « Super Loisirs » sur 21 destinations intérieures dont Brest et Nantes. Conditions : aller-retour obligatoire ; réservation, émission et paiement simultanés ; nuit du samedi au dimanche sur place. « Carte Évasion », qui permet de voyager sur tous les vols bleus en semaine, tous les vols bleus et blancs du vendredi 12 h au dimanche minuit. Cette carte, valable 1 an, offre une réduction de 22 à 46 % selon le trajet. En vente dans toutes les agences de voyages.
*Renseignements et réservations :* 14, avenue de l'Opéra, 75002, Paris. ☎ 45-39-25-25.
Minitel : 36-15 code AIRINTE. Tous les horaires de vols, les tarifs et les réductions.

● *Avec T.A.T. :* liaisons sur Saint-Brieuc, Vannes et Lannion au départ de Paris. Et Nantes au départ de la province. Tarifs promotionnels intéressants sur les allers-retours, à condition de rester 2 nuits minimum sur place en semaine ou la nuit du samedi au dimanche. Dans ce cas, durée maximale du séjour : un mois. Sur les allers simples, tarifs réduits pour les jeunes de moins de 27 ans, pour les femmes (sans aucune condition, eh oui !) et pour les personnes de plus de 65 ans. Renseignements à Paris : ☎ 42-79-05-05, et à Nantes : ☎ 40-84-82-82. Minitel : 36-15 code TAT.

● *Avec Brit Air :* la compagnie régionale frappée symboliquement de l'hermine et du triskèle breton. Basée à l'aéroport de Morlaix-Ploujean, ☎ 98-62-10-22, elle rayonne vers la Grande-Bretagne (Londres, Plymouth), l'Irlande (Cork) et certaines villes de France (Lyon, Caen, Le Havre, Toulouse).

● *Avec Finist'Air :* une petite compagnie toute jeune qui relie le continent aux îles bretonnes. *Lorient-Belle-Ile*, ☎ 97-31-41-14 ; *Brest-île d'Ouessant*, ☎ 98-84-64-87. Idéal pour découvrir la côte bretonne. Les avions n'ont que six places. Prix raisonnables.

● *Avec Air Morbihan :* avion et hélico-taxis. Basé sur l'aéroport de Vannes, ☎ 97-60-67-67.

# ET POURQUOI PAS L'AVION ?
# ÉVADEZ-VOUS AVEC TAT
# A PARTIR DE 800 F* A/R

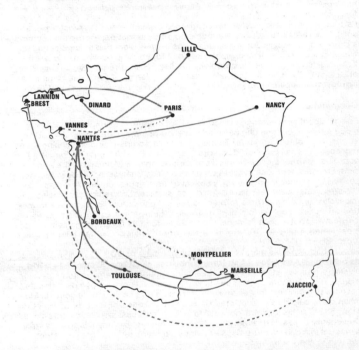

* Tarif valable pour tous sur vols désignés dans la mesure des places proposées
à ce tarif.
---- Lignes saisonnières.
Réseau et tarif susceptibles de modifications sans préavis.

Renseignements-réservations auprès de TAT
Tél. 40 84 82 82 ou de votre
agence de voyages

**TAT**

*LES RÉGIONS ONT DE L'AMBITION. NOUS AUSSI.*

« La Bretagne est l'élément résistant de la France », pensait l'historien Michelet. Il voyait juste : ici, la terre et les hommes affrontent depuis des siècles les assauts furieux de la Nature et les vicissitudes de l'Histoire.

Quel est donc ce curieux trident, découpé et hérissé comme aucune autre région connue, qui s'avance telle une gueule inquiétante au milieu de l'océan Atlantique ? C'est la Bretagne, le Vieux Pays, comme l'appellent les Anciens.

Regardez le Massif armoricain sur votre atlas, entouré de ses trois mers : Atlantique, Manche et... Atlantique et Manche mêlangés. « Ici a commencé, il y a bien longtemps, un dialogue immense entre terre et vagues où se sont façonnés les hommes », nous dit Michel Le Bris, écrivain passionné par cette Bretagne à la fois vécue et rêvée.

Partout, la terre et la mer se rencontrent d'étrange manière. Ainsi les abers, anciennes vallées fluviales remontées deux fois par jour par les marées, comme à Lannilis ou à l'Aber-Ildut, mais aussi dans le pays bigouden et le golfe du Morbihan. Et les insolites flèches sableuses de Mousterlin (Fouesnant), du sillon de Talbert (Pleubian) et de Quiberon. Et les îles : Sein, Bréhat, Groix, Ouessant, etc., autant d'univers à l'échelle humaine où le temps s'écoule au rythme des marées, tout simplement.

## Géographie

Poing du continent européen tendu vers l'Atlantique, la Bretagne apparaît sur le globe terrestre comme une péninsule, grande comme la Belgique : 34 200 km² et pas très haute : 384 m au Tuchen Gador, le sommet de cette chaîne montagneuse (n'ayons pas peur des mots !) qui va de Brest à Lamballe. Parallèle à la côte sud, les montagnes Noires vont de Locronan à Malestroit en s'applatissant. Entre les deux, une succession de cuvettes : Châteaulin, Loudéac, Rennes. Le Massif armoricain est aussi vieux que les Vosges ou les Ardennes. Les schistes constituent les deux tiers de sa surface. Le granit et le gneiss, les micaschistes, les quartzites forment le reste d'une croûte terrestre aux formes très arrondies mais parfois bien marquées. Les petites routes tortueuses de l'Argoat en sont la conséquence. Même au fin fond de la campagne centrale, on n'est jamais à plus de 100 km de la mer dont l'influence se fait sentir partout (voir « Climat »).

La côte battue par les marées supporte un marnage de 10 à 12 m en Manche et de 5 à 6 m en Atlantique. Le littoral a connu des variations du niveau de la mer à plusieurs reprises au cours des âges géologiques. La dernière transgression marine, dite flandrienne, n'est pas si vieille puisque la mer a noyé des sites déjà occupés par l'homme, par exemple le cromlec'h d'Er Lanic dans le golfe du Morbihan ou le quai du Conquet près de Brest. Les zones basses de Brière et du Mont-Saint-Michel ont été noyées, la ville d'Ys aussi peut-être, en baie de Douarnenez ? Les estuaires des fleuves, désormais envahis par la mer, pénètrent loin dans la terre. Caps et plages alternent sur une côte en festons qui fait tout le charme du littoral breton.

## Démographie

Les Bretons constituent 5 % de la population française, cela classe la Bretagne au 6e rang des régions administratives avec une population de 2 792 800 habitants au recensement de 1990 (+ Loire-Atlantique). Après avoir fortement décliné entre 1911 et 1936, la population des départements de l'Ouest s'accroît selon des taux variables, entre 1968 et 1990 : + 6,3 % en Côtes-d'Armor avec maintenant 537 700 habitants, + 9 % en Finistère avec 838 200 habitants, + 22,3 % en Ille-et-Vilaine avec 798 200 habitants, + 14,5 % en Morbihan avec 618 700 habitants, et + 22 % en Loire-Atlantique avec 1 051 000 habitants.

Le dernier recensement souligne un certain ralentissement de la croissance démographique observée de 1962 à 1982. 35 villes ont plus de 10 000 habitants. Alors qu'en 1982 la population urbaine ne dépassait pas 56 % en Bretagne (73 % pour le reste de la France), ce taux est passé à 67 % en 1990. L'emploi reste encore une préoccupation majeure ici comme ailleurs pourtant,

en 15 ans, les femmes au travail sont passées de 35 à 41 % de la population active disponible.

## Économie

### ● *L'agriculture*

Elle reste encore — mais pour combien de temps ? — une ressource essentielle pour la Bretagne malgré un effectif ne dépassant pas 14 % des actifs. Les cultures céréalières couvrent un tiers des surfaces cultivées mais le maïs pour le fourrage et les protéalgineux gagnent du terrain. Quelques secteurs privilégiés par la qualité du sol sous un bon climat (exemple : le Clos Poulet entre Saint-Malo et Cancale, ou la Ceinture dorée de Roscoff) produisent d'excellents légumes : 87 % des artichauts, 76 % des choux-fleurs, 30 % des pommes de terre, 28 % des haricots verts cultivés en France.

### ● *L'élevage et la pêche*

L'élevage a fait des progrès considérables au cours des 30 dernières années ; on est passé de la stabulation libre à l'élevage hors sol avec des rendements mirobolants (mais attention aux chutes cycliques des cours du cochon !). La Bretagne est première pour la production de porcs (la moitié de ce qui est consommé en France) et de volailles : 75 millions de poules et 12 millions de dindes. Elle se classe bien aussi pour le bœuf de boucherie, le lapin, le pigeon, etc. Le beurre et les œufs, quelques fromages s'exportent partout en Europe. La Bretagne, c'est 11,5 % de la production agricole nationale, 21,1 % des productions animales ! Décidément, on ne risque pas d'y mourir de faim ! La pêche industrielle a pour ports d'attache Lorient, Concarneau et Saint-Malo. La pêche artisanale, très diversifiée, active et lucrative, occupe de nombreux ports tout au long du littoral, de telle sorte que la Bretagne fournit 45 % de la consommation nationale. L'ostréiculture, l'aquaculture et la mytiliculture (élevage des moules) trouvent partout des sites favorables souvent convoités par l'urbanisation touristique.

### ● *L'industrie*

Les industries agro-alimentaires : salaisons, laiteries, conserveries de légumes et de plats cuisinés découlent naturellement de l'agriculture, au point que la Bretagne peut être considérée comme la première région nourricière de la France. Les industries de biens d'équipement, excepté l'usine d'automobiles Citroën à Rennes, n'atteignent jamais des dimensions extraordinaires. D'ailleurs, l'industrie occupe à peine 20 % des actifs ; quelques pôles spécialisés existent toutefois : télécommunications à Lannion, électronique à Brest, construction navale à Saint-Nazaire, cosmétique à La Gacilly. Le bâtiment et les travaux publics ajoutent 8 % à l'effectif du secteur secondaire. On construit beaucoup, bien et beau, en Bretagne. Les grands chantiers routiers sont en voie d'achèvement, exemple le pont de Nantes et le plan routier breton. Il n'y a pas de gigantesques marinas sur la côte. L'architecture bretonne paraît soignée, même les nouveaux quartiers (le Colombier à Rennes) ne font pas trop penser à Ker-Chicago ! Pourvu que ça dure !

### ● *Le tertiaire*

C'est incontestablement le tertiaire (administrations, armée, commerce, transports, services, tourisme) qui développe l'emploi en Bretagne : 60 % des actifs. Les universités regorgent d'étudiants qui gagnent brillamment leurs diplômes (voir la liste des Bretons contemporains célèbres). Le secteur bancaire régional, Crédit Mutuel de Bretagne en tête, manifeste un furieux esprit conquérant bien sympathique d'ailleurs. Ils recommandent aux Bretons de placer leur argent en Bretagne plutôt qu'en Suisse ! On ne peut qu'approuver ! Quelques commerçants entreprenants, tels les épiciers Cam à Gouesnou, Leclerc à Landerneau ou Le Roch (Intermarché) à Lorient, le couturier Guy Cotten à Concarneau, les bouchers Gad à Landivisiau et Bigard à Quimperlé, les pâtissiers Gaillard à Locminé et Petit à La Trinité-sur-Mer, se sont taillé de sacrées parts de marché ! *Le tourisme* en Bretagne marche bien, merci. La région occupe le 2ᵉ rang pour les vacances d'été en France. L'hôtellerie s'est bien rénovée, y compris l'hôtellerie de plein air. On ne s'ennuie pas le soir dans les stations balnéaires. Les plus vénérables bénéficient d'un petit « lifting » grâce aux subsides de l'État. D'ores et déjà, on peut aller en vacances en Bretagne, il y a de quoi y passer de bons

# La Carte Jeunes, ça devrait être obligatoire.

moments. On vous en dira plus sur ce sujet dans les pages qui suivent (c'est notre boulot).

Quelques technopoles de ce qu'on appelle les activités quaternaires concentrent des industries de pointe : à Rennes, Atalante ; à Nantes, Atlanpole ; à Vannes, PIBS ; à Lannion, CNET ; et à Brest, Iroise. Autour de ces sites, des sous-traitants s'installent, ils ne resteront pas longtemps anonymes.

## Un découpage administratif surprenant

L'actuel découpage administratif de la Bretagne relève plus d'un mauvais surréalisme que de la raison pure. La preuve : Nantes et la Loire-Atlantique ont été rattachées aux Pays de la Loire, région créée de toutes pièces par l'administration. Ainsi, on place hors de Bretagne le château des Ducs de Bretagne, symbole éclatant de l'État breton avant son rattachement à la France, et demeure natale de la duchesse Anne de Bretagne, future reine de France. Ce découpage est une atteinte à l'intégrité historique d'un pays qui s'est toujours battu, au fil des siècles, pour préserver ses frontières. Il est le fruit d'une vision technocratique hasardeuse, aujourd'hui totalement dépassée par l'ouverture des régions à l'Europe. Nous avons bien pris soin de vous présenter ici la Bretagne entière.

## Le nationalisme breton

Militants autonomistes qui bataillent pour l'indépendance de la Bretagne, défenseurs de la langue et de la culture bretonnes, barbouilleurs de panneaux routiers, dynamiteurs de perceptions ou de pylônes électriques, les nationalistes bretons n'ont qu'un symbole de ralliement : le *gwen ha du* ! En français : le blanc et noir, c'est-à-dire le drapeau breton, aux 5 bandes noires qui symbolisent les évêchés de haute Bretagne et quatre bandes blanches pour ceux de basse Bretagne, à savoir : Cornouaille, Léon, Trégor, Vannetais. Ce drapeau a pavoisé pour la première fois la maison de la Bretagne à Paris, le 30 juillet 1937. Dans les défilés, il se porte à bout de bras au-dessus de la tête.

Éclaté et multiforme, le militantisme breton est insaisissable car c'est une nébuleuse effervescente constituée ou reconstruite de groupuscules parfois rivaux et dont l'existence est souvent éphémère. Les légalistes sont essentiellement représentés par l'Union démocratique bretonne qui a beaucoup flirté avec le parti socialiste. L'Armée révolutionnaire bretonne (officiellement dissoute) reste le bastion de la lutte armée. Entre eux, on trouve : *Diwann*, animateur de l'école en breton ; *Stourn-ar-Brezhoneg* qui prône le bilinguisme officiel ; *Emgann* qui rassemble des rénovateurs ; *Kendalc'h* qui enseigne la musique et la danse bretonnes. La télévision et les radios diffusent des émissions en langue bretonne. Dans les Côtes-d'Armor les panneaux routiers sont bilingues, le drapeau breton flotte sur quelques bâtiments officiels, et bon nombre de voitures portent la plaque BZH pour « Breizh » : « Bretagne ». Voilà quelques expressions du nationalisme breton qui a sa littérature, sa presse, ses mouvements culturels plus ou moins engagés politiquement. Il n'est pas facile de faire la distinction entre le régionalisme de bon aloi et le nationalisme exacerbé. Pour en savoir plus, contacter les Renseignements généraux.

## Quelques dates importantes

| | |
|---|---|
| Vers 2200 av. J.-C. | Le peuple, mal connu, des bâtisseurs de mégalithes élève les menhirs, les dolmens et les allées couvertes. |
| IVe-Ier siècle av. J.-C. | Expansion des Celtes en Armorique. Le pays est partagé entre plusieurs tribus : Osismes et Curiosolites au nord, Vénètes, Redones et Namnètes au sud. |
| 56 av. J.-C. | Victoire des soldats de Jules César sur les Vénètes et occupation romaine de l'Armorique. |
| Vers 400 apr. J.-C. | Pourchassés par les Angles et les Saxons, les Bretons de l'île de Bretagne (l'actuelle Grande-Bretagne) traversent la Manche et s'établissent en Petite Bretagne où ils fondent des ermitages, ébauches des futures paroisses. |
| 831 | Destitution du comte de Vannes, Wido, remplacé par Nominoë. |

# CARTE EVASION
# BREST-PARIS 475<sup>F</sup>*

## PRIX ALLER SIMPLE

*Robert Levillain sillonne la France pour établir son arbre généalogique et rend très souvent visite à une nouvelle vieille branche.*

La carte Evasion, 630 F, valable un an, vous permet de bénéficier de tarifs réduits (dans la limite des places proposées à ces tarifs) sur tous les vols bleus en semaine, tous les vols bleus et blancs du vendredi midi au dimanche soir (également certains jours de fêtes) sur toutes les lignes intérieures d'Air Inter ainsi que sur celles d'Air France sur Paris-Nice et Paris-Corse. La carte Evasion Plein Ciel, pour 1550 F par an, vous offre en plus tous les avantages de la formule Plein Ciel.

*Taxe de sûreté non-incluse.

AIR INTER BREST
Renseignements et réservation
Tél. 98.84.73.33
ou votre agent de voyages

| | |
|---|---|
| 846 | Constitution de la monarchie, Charles le Chauve reconnaît l'indépendance de la Bretagne et Nominoë comme souverain. |
| 939 | Arrêt des invasions normandes par Alain Barbe-Torte. |
| 1341-1365 | La guerre de succession entre les Blois et les Montfort ravage la Bretagne et se termine par l'accession d'un Montfort, Jean IV, au trône ducal. |
| 1406 | Naissance de Gilles de Rais, à Machecoul, le « Barbe-Bleue » réputé pour ses crimes atroces. |
| 1399-1442 | Règne du duc Jean V, le père du siècle d'or breton. Couronné à Rennes, il règne à Nantes dans son magnifique château. Il bat monnaie, nomme des ambassadeurs auprès du pape, lève sa propre armée, donne à son pays un essor formidable. Sa résidence d'été est la superbe forteresse de Suscinio (Morbihan). |
| 1488 | Triste défaite de l'armée bretonne à Saint-Aubin-du-Cormier, en Ille-et-Vilaine, et signature du regrettable traité du Verger qui place la Bretagne sous la houlette française. La France est exsangue. La guerre de Cent Ans l'a complètement ruinée. |
| 1491 | Anne de Bretagne devient reine de France en épousant Charles VIII. |
| 1498 | Ce dernier meurt, elle épouse Louis XII. |
| 1514 | La fille d'Anne de Bretagne, Claude de France, épouse le futur François I<sup>er</sup>, qui n'est encore que comte d'Angoulême et duc de Valois. |
| 1532 | Date fatidique pour la Bretagne. En août, à Vannes, les états de Bretagne signent l'acte d'union de la Bretagne à la France, laquelle promet de respecter les privilèges bretons mais ne tiendra qu'à moitié ses engagements. |
| 1675 | Révolte des Bonnets rouges à la suite de l'impôt sur le papier timbré. Répression brutale par le duc de Chaulnes, gouverneur de la province. |
| XVI<sup>e</sup>, XVII<sup>e</sup> et XVIII<sup>e</sup> siècles | Apogée de l'art religieux et populaire en Bretagne. On construit d'innombrables églises, chapelles, calvaires, croix, fontaines, avec ce fabuleux matériau qu'est le granit. |
| 1718 | Le marquis de Pontcallec participe à un complot pour la « défense des libertés bretonnes ». Il sera décapité en 1720. |
| 1768 | Naissance à Saint-Malo de Chateaubriand qui deviendra écrivain, diplomate, ministre. |
| 1789 | Révolution en Bretagne. Les représentants de la province fondent le Club breton qui deviendra le club des Jacobins. |
| 1793-1799 | La chouannerie se développe autour de ses chefs historiques : Cadoudal, La Rouërie, du Boisguy. La dramatique virée de galerne des Vendéens s'achève par le massacre de Savenay, près de Pontchâteau. |
| 1828 | Naissance de Jules Verne à Nantes. |
| 1919-1939 | Renaissance du mouvement nationaliste breton : création du journal *Breiz Atao*, du parti autonomiste breton (1927) et du parti nationaliste breton (1932). Premiers attentats autonomistes (1932). |
| 1940-1945 | Environ 150 hommes de l'île de Sein répondent à l'appel du 18 Juin et gagnent Londres à bord de leurs |

# CROWN BLUE LINE
# LA FRANCE VERTE EN BATEAU BLEU

Et si vous décidiez de vivre vos vacances sur des routes tranquilles ?
Sans feu rouge ? Sans embouteillages ?
Embarquez en famille sur l'un des 360 bateaux de la CROWN BLUE
LINE, sans permis, entièrement équipé de la batterie de cuisine à la
literie ...
Et suivez tranquillement le cours des canaux à la découverte des plus
beaux paysages des régions françaises. Très vite, vous manoeuvrez
votre bateau comme un vrai marinier ! Vous accostez quand vous
voulez pour visiter un village, gôuter une spécialité locale ou encore
vous évader à bicyclette sur un chemin de halage.

Vous avez le choix entre 14 bases réparties à travers toute la France :
ALSACE, BOURGOGNE, LOIRE, BRETAGNE, LOT,
AQUITAINE, MIDI, CAMARGUE.

---

N'hésitez pas à demander le catalogue des croisières fluviales CROWN BLUE LINE.

Nom ............................................... Prénom ...................................

Adresse .................................................................................................

..............................................................................................................

Code Postal ......................................... Ville ..........................................

ROUT L

CROWN BLUE LINE - BP 21 - 11400 CASTELNAUDARY - Tél. : 68.23.17.51
CROWN BLUE LINE PARIS / QUITZOUR - 19-21 Quai de la loire - 75019 PARIS
Tél. : 42.40.81.60

bateaux de pêche. La Résistance bat la campagne. A la Libération, les ports de Saint-Nazaire, Lorient et Brest sont réduits en cendres.

1957     Mouvement pour l'Organisation de la Bretagne (MOB).

1966     Premiers plastiquages par le Front de Libération de la Bretagne.

1970-1980     Complète renaissance culturelle et économique sous l'impulsion du CELIB. Alan Stivell et Per Jakez Hélias font un tabac dans le monde entier.

1972     Rattachement discutable de la Loire-Atlantique à la très artificielle région des Pays de la Loire.

7 mai 1989     Explosion de l'hôtel de région de Nantes.

## Les druides

C'est au pays de Galles, sur l'île d'Anglesey (autrefois Mona), que se situait le saint des saints du druidisme ancien. Jules César en parle déjà dans *la Guerre des Gaules*. Ce qui ne l'empêcha pas de massacrer les druides qui y habitaient. Des druides, des bardes et des ovates, on en trouvait dans tous les pays de langue brittonique et gaélique : Irlande, Écosse, Cornouailles, Devon, île de Man et, bien sûr, dans notre chère Bretagne péninsulaire.

Les druides étaient placés au sommet de la hiérarchie sociale, avant le roi celte. Ils étaient tout à la fois prêtres, juges et professeurs. D'où l'origine de leur nom : *druwi-des*, c'est-à-dire « les très voyants », « les très savants ». Interprètes de la volonté divine, ils étaient chargés des sacrifices à Ésus, à Teutatès, à Taranis, à Bélénus (dieu solaire, d'où les nombreux Bel-Air que l'on trouve sur la carte), les principales divinités du panthéon druidique.

Ils avaient sacralisé la nature, les arbres et les plantes. C'est ainsi que le chêne, arbre supérieur, était vénéré des druides comme représentation celtique de Zeus. Vêtu d'une robe blanche, le druide grimpe à l'arbre et, armé d'une faucille d'or, recueille le gui dans un linge blanc. Au gui l'an neuf ! L'expression vient de là.

C'est une erreur de croire que les druides ont dressé les dolmens et les menhirs. Ces mégalithes existaient déjà, bien avant l'arrivée des Celtes. Les druides les ont peut-être utilisés pour leur rituel.

### ● Les nouveaux druides aujourd'hui

On ne les rencontre pas facilement. Ils sont très discrets et ne souhaitent pas être dérangés pour rien. Pourtant, ils sont bien là : un million en Grande-Bretagne, 60 000 en France, toutes tendances confondues. Beaucoup de chapelles dissidentes, de branches sectaires, de rameaux fanatiques. Reste la branche traditionnelle du *Gorsedd breton,* le Collège des druides, des bardes et des ovates de Petite Bretagne.

## Les pardons

Aucune terre d'Europe ne possède autant de monuments religieux que la Bretagne. Car entre les Bretons et Dieu, pendant longtemps, il n'y eut pas l'ombre d'un nuage... Alors, on édifia des églises dont les clochers étaient de vrais morceaux de bravoure, on sculpta des calvaires et des croix comme autant de prières. C'est de ce fonds religieux, transmis depuis des siècles, que les pardons découlent naturellement. Leur but : rendre hommage annuellement et collectivement au saint local, véritable intercesseur entre les hommes et la transcendance. Chaque paroisse a le sien, parfois plusieurs, disséminés dans la campagne, au hasard des chapelles. Aussi les pardons sont-ils nombreux et variés. Certains ont gardé un ton franchement religieux, d'autres beaucoup moins. A chacun ses goûts, à chacun sa piété.

### ● Liste des grands pardons bretons (parmi les plus typiques, orginaux, fervents, de longue tradition, classés par ordre chronologique)

– *Jeudi de l'Ascension :*     Notre-Dame-de-Délivrance, Quintin (22).

– *3e dimanche de mai :*     pardon des Chevaux, Saint-Herbot (29) ; grand pardon (international) de la fête de saint Yves, Tréguier (22).

| | |
|---|---|
| – *Dimanche et lundi de Pentecôte :* | Saint-Mathurin, Moncontour (22). |
| – *Lundi de Pentecôte :* | fête des Oiseaux de la forêt de Toulfouën, Quimperlé (29). |
| – *Dimanche de la Trinité :* | Notre-Dame-de-Callot, Carantec (29) ; Notre-Dame-de-Tout-Remède, Remungol (29). |
| – *Dernier dimanche de juin :* | pardon de Saint-Pierre-Saint-Paul, Plouguerneau (29). |
| – *1ᵉʳ dimanche de juillet :* | Sainte-Barbe, pardon du Feu, fête des pompiers, Le Faouet (56). |
| – *2ᵉ dimanche de juillet :* | Notre-Dame-de-Bon-Secours, Guingamp (22) ; Petite Troménie, Locronan (29). |
| – *3ᵉ dimanche de juillet :* | Saint-Carantec, Carantec (29). |
| – *26 juillet :* | Grand pardon de Sainte-Anne, Sainte-Anne-d'Auray (56). |
| – *4ᵉ dimanche de juillet :* | pardon islamo-chrétien, Le Vieux-Marché (22). |
| – *1ᵉʳ dimanche d'août :* | Notre-Dame-de-Penety, Persquen (56). |
| – *15 août :* | Notre-Dame-de-la-Clarté, Perros-Guirec (22) ; pardon de la Madone des motards, Porcaro (56) ; Notre-Dame-du-Roncier, Rostrenen (22) ; Notre-Dame-de-Quelven, Guern (56) ; Notre-Dame-de-Roscudon, Pont-Croix (29). |
| – *Dimanche après le 15 août :* | Notre-Dame-de-Crénénan, Ploërdut (56). |
| – *Dernier dimanche d'août :* | pardon de Sainte-Anne-la-Palud (29). |
| – *1ᵉʳ dimanche de septembre :* | Notre-Dame-de-Rocamadour, bénédiction de la mer à Camaret (29) ; Notre-Dame-de-Penhors, le plus important du pays Bigouden, Saint-Guénolé-Pouldreuzic (29) ; grand pardon du Folgoat (29 ; 2ᵉ dimanche quand le 8 est un dimanche). |
| – *3ᵉ dimanche de septembre :* | Notre-Dame-du-Roncier, Josselin (56). |
| – *Dernier dimanche de septembre :* | pardon de la Saint-Michel, Plouguerneau (29). |

**Histoire condensée de la musique bretonne**

Comme en Irlande, il est difficile de séparer la musique bretonne de l'histoire de la Bretagne. Tant durant les différentes révoltes au cours des siècles passés que pendant l'époque plus contemporaine, cette histoire se raconte à travers des complaintes ou des chansons plus humoristiques. Vers 1960, les *festounoz* renaissent. Les sœurs Goadec sont redécouvertes et les *bagadou* se répandent dans les cercles celtiques. La tradition des bardes revient de nouveau avec Glenmor, entre autres. De jeunes chanteurs font leur apparition (Servat, Kirjuhel, Gweltaz ar Fur). Au même moment, Alan Stivell, après avoir appris la cornemuse et séjourné à Glasgow, fonde le Bagad Bleimor. Il s'intéresse également au rock'n'roll et à la génération montante du folksong, venant des Etats-Unis.

En août 1972 a lieu le premier festival pop celtique à Kertalg, où se produisent aussi des groupes plus traditionnels.

Au même moment, la nouvelle musique bretonne sert de support aux différentes luttes en Bretagne. Le plus bel exemple est sûrement le gigantesque rassemblement antinucléaire où plus de cent mille personnes se retrouvent à Plogoff pour un week-end de Pentecôte mémorable.

Peu de chanteurs (nationalistes) bretons ont connu la consécration du « showbiz » international. Seul Alan Stivell va colporter le message culturel – plus que politique d'ailleurs – au-delà des frontières de la Bretagne. Mais, depuis quelques années, il faut admettre que la création originale est assez restreinte.

### Où écouter de la musique ?

Lors de la grande vague folk au milieu des années 70, les *bistrofolk* font leur apparition en Bretagne.

Ils ont créé des festivals où la musique bretonne côtoie la musique des autres pays celtiques frères. Le plus connu est le Festival interceltique de Lorient qui se déroule durant la première semaine d'août.

Un autre festival, pas spécifiquement breton mais qui se déroule pourtant tous les ans en Bretagne durant la première quinzaine d'août et mérite le détour : la fête du Chant-Marin. Durant 3 jours et 3 nuits, des groupes musicaux, avant tout bretons et britanniques mais également de toutes les mers du monde, se succèdent sur différents podiums et « bateaux musique » ancrés dans un port. A cette occasion, nombreuses expositions et démonstrations ayant trait à la marine à voile. Renseignements à la revue *Chasse-Marée* de Douarnenez dès janvier : ☎ 93-92-66-33.

N'hésitez pas à entrer dans la danse, car des gens plus expérimentés ne refuseront pas de vous donner quelques conseils. Une recommandation toutefois : les chaussures de ville genre talons hauts ne sont pas des plus conseillées.

### La danse

Originellement, on dansait en deux occasions : au moment d'une noce ou bien pendant les fêtes locales. A cela s'ajoutent les *festou-noz*. Le *fest-noz* (fête de nuit) est un bal populaire breton dans lequel on pratique les danses traditionnelles et on boit beaucoup de cidre et d'hydromel. Revenu à la mode il rassemble des centaines, voire des milliers de personnes qui dansent sur la musique de sonneurs ou suivant le rythme de chanteurs de *kan ha diskan*. Dans la plupart des danses, dans les différents « pays » de Bretagne, on danse suivant un programme généralement composé de trois parties : une danse, un bal et une autre danse « en rond ».

Les danses « en rond » peuvent être en chaîne fermée ou chaîne ouverte ; dans ce dernier cas, une personne conduira la danse.

Le bal est généralement constitué de plusieurs couples qui se reforment en chaîne lors d'une marche « au pas ». Toutes ces danses diffèrent suivant les pays. Parmi l'ensemble, on peut retenir :

— *la gavotte* : en haute Cornouaille et pays de Pontivy (Morbihan).
— *l'en dro* : dans le Morbihan, au sud de Pontivy et Guéméné-sur-Scorff.
— *le laride* : dans la même région que l'en dro.
— *le plinn* : dans le centre de la Bretagne autour de Carhaix, Callac et au sud de Guingamp, ainsi que la danse *fisel*.

Pour en savoir plus sur toutes ces danses et leur histoire, un livre à lire, la « Bible » de tous les danseurs : *la Tradition populaire de danse en basse Bretagne*, de J.-M. Guilcher, aux éditions Mouton.

### Les instruments et les musiciens

— La *veuze* : cornemuse bretonne à un bourdon du pays nantais, proche de la cornemuse médiévale.
— La *fiddle* : violon utilisé de façon traditionnelle en Irlande et en Écosse. Revient à la mode depuis quelques années.
— Le *biniou-koz* est l'instrument le plus représentatif de la musique bretonne. Il est constitué d'une poche gonflée à l'aide d'un tuyau par le sonneur qui joue sur une sorte de petit tuyau comprenant 6 trous.
— Le *biniou-braz* est similaire à la cornemuse écossaise, mais sa popularité en Bretagne ne remonte qu'aux années 40.
— La *bombarde* (ancêtre du hautbois) comporte six trous et une ou plusieurs clés. C'est un instrument dont il est fatigant de jouer à cause de la contraction des muscles faciaux, permettant de pincer l'anche avec les lèvres et de souffler simultanément.
— Les *tambours* et *grosses caisses* sont généralement utilisés dans les bagadou.
— La *vielle à roue* est identique à celle du Berry.
— La *harpe celtique* connaît un retour de faveur depuis le début des années 70 avec Alan Stivell.
— La *clarinette* (ou *treujenn-gaol* en breton) est également pratiquée depuis la fin du XVIIIe siècle en Bretagne.

– Un couple de sonneurs est généralement constitué d'un joueur de biniou-koz et d'un *tabalarder* (joueur de bombarde), ou alors de deux tabalarders.
– Un *bagad* (pluriel : *bagadou*) est un ensemble de joueurs de bombarde, de biniou-braz et de percussions. Les bagadou sont regroupés dans la B.A.S. *(Bodadeg Ar Sonerien)*, assemblée des sonneurs.
– Un cercle celtique se compose de musiciens, danseurs et chanteurs.
– Le *kan ha diskan* (chant et refrain) est une chanson poussée par deux ou trois chanteurs qui se relaient pour les différents couplets, tout en reprenant le refrain en commun.
– L'*orgue* est également pratiqué en Bretagne, souvent avec une bombarde.

## La langue bretonne

Des mots plutôt rocailleux, une syntaxe complètement originale et donc différente de celle du français, une grammaire et un vocabulaire singuliers : on est bien dans un pays étranger en écoutant parler un vieux paysan breton.
Comme le gallois et le cornique (Cornouaille), le breton est issu du brittonique, lui-même rameau historique du celtique. Outre-mer, la branche gaélique a donné naissance à l'irlandais, au manxois (île de Man) et au gaélique d'Écosse. Ces parentés entre les langues font qu'aujourd'hui encore un marin de Cardiff arrivera à comprendre un marchand d'oignons de Roscoff.
Aux origines de la Bretagne, on trouve des colonies d'émigrants bretons, venus de l'île de Bretagne au V° siècle et pourchassés par les Angles et les Saxons. C'est du V° au IX° siècle, époque du vieux breton, que la toponymie et les patronymes voient le jour. Ils conserveront jusqu'à aujourd'hui leur forme originale. Curieusement, on n'a jamais parlé le breton à Rennes ou à Nantes, pourtant capitale historique du duché. En revanche, on le parlait bien à Guérande, Pornichet, Redon et Dol. Au fil des siècles, la langue bretonne a reculé devant la francisation des élites. La III° République, qui a donné ordre aux instituteurs de faire la guerre à ce « patois vulgaire », décrète qu'il est interdit de « cracher par terre et de parler breton ». C'est seulement dans les années 70, avec le réveil culturel breton, que la langue bretonne a pu gagner à sa cause les milieux intellectuels et universitaires. *Diwann*, association bien connue, pourra alors ouvrir ses écoles bilingues désormais intégrées à l'Éducation nationale. Diwann instruit 600 élèves, l'enseignement du breton concerne 12 000 personnes dans l'académie de Rennes.
Selon un sondage récent établi par Radio Bretagne-Ouest, le breton est utilisé aujourd'hui par près de 800 000 personnes. On le parle à l'ouest d'une ligne nord-sud, allant de Plouha (28 km de Saint-Brieuc) à Vannes (Morbihan). *Breizh atao !*

● **Quelques mots de la langue bretonne**

| | |
|---|---|
| *Aber :* | ria, c'est-à-dire estuaire en Finistère-Nord et aven en Finistère-Sud. |
| *Avel :* | vent. |
| *Bara :* | pain. |
| *Bihan :* | petit (Le Bihan, patronyme très fréquent : les Bretons sont petits, comme chacun sait !). |
| *Braz :* | grand (*Mor-Braz* : l'Océan, par opposition à *Mor-Bihan* !). |
| *Coat :* | bois, forêt. |
| *Coz :* | vieux (*ar tad koz* : le grand-père ; *ar vamm coz* : la grand-mère). |
| *Dour :* | eau. |
| *Enez :* | île. |
| *Feunteun :* | fontaine. |
| *Gast ! :* | putain ! (juron le plus répandu). |
| *Gwin :* | vin. |
| *Heol :* | soleil. |
| *Hir :* | long, menhir signifiant « pierre longue ». |
| *Huel :* | haut (le contraire de *izel* : bas ; *Breizh izel* : la Bretagne occidentale). |
| *Iliz :* | église. |
| *Kastell :* | château. |
| *Kenavo :* | au revoir. |
| *Ker :* | un des toponymes les plus répandus en Bretagne. Signifie « village », « hameau », « groupe de maisons ». |

| | |
|---|---|
| *Lan :* | lieu sacré, monastère, ermitage. |
| *Lann :* | lande, ajonc, et Dieu sait s'il y en avait ici. |
| *Loc :* | lieu isolé, ermitage, fondation religieuse. |
| *Mad :* | bon (*dloavez mad :* bonne année ; *digemer mad :* bienvenue). |
| *Men :* | pierre, rocher. |
| *Menez :* | ou *méné,* colline érodée, arrondie au sommet : Menez Bré. |
| *Meur :* | grand, vaste. *Botmeur* = grand buisson. |
| *Mor :* | mer. |
| *Nevez :* | neuf. |
| *Penn :* | bout, tête (*Penn Ar Bed :* le bout de la terre = le Finistère). |
| *Pesked :* | poisson. |
| *Plou, pleu, plo, plu :* | paroisse. Le toponyme le plus répandu avec *ker*. Le *plou* est l'organisation du territoire cultivé, cf. *plough :* « charrue » en anglais. Il regroupe de nombreux hameaux dispersés dans la campagne. Son origine, très ancienne, remonte à la colonisation de l'Armorique par les Bretons au V<sup>e</sup> siècle de notre ère. |
| *Roc'h :* | crête, rocher de schiste, le contraire du *menez*. |
| *Taol :* | a donné *tol,* et *dol.* Table, dolmen, table de pierre. |
| *Tref, Trev, tre :* | trève, division de paroisse. |
| *Trez :* | sable, grève. |
| *Ty, ti :* | maison individuelle (*pen ti :* cabanon des Marseillais, en mieux !). |
| *Yar-mat !* : | à votre santé ! |

● **Noms propres (quelques exemples)**

| | |
|---|---|
| *Briand :* | ce nom signifiait « élévation », « privilège ». Très courant en Bretagne. |
| *Le Gall :* | ce nom vient de *gallus,* gaulois. La langue française est désignée en breton par le mot *galleg*. |
| *Le Goff :* | signifie « forgeron », « personnage aux pouvoirs magiques ». |
| *Morvan :* | vient de *meur man* qui signifie « grand esprit », « grande pensée ». |

● **Expressions d'origine bretonne en français**

| | |
|---|---|
| *Bande de ploucs :* | « plouc » vient du toponyme *plou* (voir ci-dessus). Un « plouc », terme forgé par les non-Bretons évidemment, désigne un niais, un sot, un type mal dégrossi. Éminemment péjoratif, ça va de soi. |

## Quelques Bretons contemporains célèbres

Il y eut la duchesse Anne de Bretagne, la plus célèbre de l'histoire de la province, province qu'elle apporta en dot au roi de France. Tout le monde se souvient des Surcouf, Chateaubriand, Laennec, Aristide Briand... Au fait, Jack Kerouac, le poète écrivain de la « beat generation », était d'ascendance bretonne. Et puis il y a des personnages contemporains qui n'évoluent pas dans le microcosme politique, et dont on rappelle ici l'origine bretonne. Ce choix est tout à fait subjectif et par ordre alphabétique.

● **Gérard d'Aboville :** le rameur solitaire, a traversé l'Atlantique. Il habite Crac'h quand il ne tente pas d'autres aventures extraordinaires.

● **José Artur :** né à Saint-Brieuc. Journaliste animateur de radio.

● **Alain Bellec**, alias **Barrière :** né en 1935 à La Trinité-sur-Mer. Ingénieur des Arts et Métiers, et chanteur de charme. A quitté son café-théâtre de Carnac pour vivre à Montréal.

● **Fulgence Bienvenüe :** né à Uzel. Créateur-concepteur du métro. Le seul à donner son nom à une station de son vivant.

● **Louison Bobet :** né en 1925 à Saint-Méen. Gagne 3 fois de suite le tour de France avant de créer la thalassothérapie de Quiberon puis celle de Biarritz.

● **Alan Cochevelou**, alias **Stivel :** né à Langonnet, apprend la harpe celtique avec son père. En 1969, il fait découvrir au grand public de l'Olympia la nouvelle musique bretonne poétique et symphonique. C'est le seul chanteur-musicien bretonnant à être passé au Top 50 !

● *Yves Coppens :* né il y a 56 ans à Vannes. Bourse de la vocation Bleustein-Blanchet et paléontologue, on lui doit la découverte, dans le désert d'Éthiopie, des ossements de Lucie, la plus ancienne hominidée connue sur la planète Terre.

● *Claire Brétécher :* née en 1943 à Nantes. La dessinatrice géniale que tout le monde connaît.

● *Jacques Chazot :* né à Locmiquélic. Le seul homme au monde à danser sur les pointes.

● *Jean-Loup Chrétien :* né en 1938. Étudie à Saint-Brieuc pour devenir général d'aviation. Il vole maintenant dans le cosmos avec les Soviétiques.

● *Étienne Daho :* l'étudiant rennais est brusquement entré dans le show-bizz, ses copains de fac disent qu'il n'a pas attrapé la grosse tête.

● *Cardinal Jean Daniélou :* de l'Académie française. Ce jésuite finistérien a renouvelé la théologie patristique. Il serait tout de même mort – selon un journal satirique paraissant le mercredi – en pleine extase dans l'exercice de ses saintes onctions chez une hétaïre parisienne !

● *Patrick Dupond :* né à Rennes, danseur étoile et directeur de la danse à l'Opéra de Paris.

● *Irène Frain :* Lorientaise, agrégée des lettres. Commence par écrire des contes, puis connaît le succès avec *le Nabab* en 1982, fresque historique romancée. Elle publie maintenant des romans de style balzacien.

● *Glenmor* (terre-mer) : Émile Le Scan est né à Maël-Carhaix en 1931. Il a eu le courage de populariser la chanson bretonne en lui donnant un ton politique. Il aurait été un grand recteur sous Nominoé, ou chef chouan plus récemment.

● *Xavier Grall :* né à Landivisiau en 1930, poète et journaliste, ancien rédacteur en chef de *la Vie catholique*. Défenseur de la culture bretonne, cet écrivain prit de son vivant des positions très tranchées qu'il défendait avec un lyrisme fou. A lire ou à relire.

● *Jean-Edern Hallier :* possède encore le château de la Boissière à Briec, berceau de la famille. Romantique, tumultueux, provocateur dans le verbe et dans son comportement, cet écrivain spécialiste des farces et attrapes rêve d'entrer à l'Académie française.

● *Per Jakez Hélias :* né à Pouldreuzic. Célèbre auteur du *Cheval d'orgueil* (2 millions d'exemplaires vendus), chronique de la Bretagne profonde au début du siècle.

● *Bernard Hinault :* né en 1954 à Yffiniac, il fut la grande vedette du cyclisme mondial entre 1975 et 1986. Aujourd'hui reconverti dans l'industrie, et définitivement de retour au pays, on le voit encore pédaler d'un rendez-vous à un autre.

● *Max Jacob :* né en 1876 à Quimper, une plaque dessinée par Jean Cocteau désigne sa maison natale. Peintre et poète, il mena une vie de bohème avec les artistes du Bateau-Lavoir à Paris.

● *Alfred Jarry :* écrivain et comédien, a partagé sa jeunesse entre Laval et Saint-Brieuc.

● *Louis Jouvet :* né à Crozon. Comédien monstre sacré, professeur de tant de générations d'artistes.

● *Catherine Langeais :* née à Lanester, elle est restée des décennies la reine mère du petit écran, où elle s'imposait par son charme et une parfaite maîtrise d'une technique pourtant nouvelle.

● *Dominique Lavanant :* de Morlaix. Comédienne et écrivain très attachée à sa province.

● *Auguste Le Breton :* né à Lesneven en 1915, s'évade de son orphelinat et fréquente la pègre parisienne. Il s'émancipe par l'écriture en adoptant l'argot littéraire. Certains de ses polars ont été transposés à l'écran.

● *Thierry Le Luron :* repose pour l'éternité dans le cimetière de La Clarté à Perros-Guirec, berceau de sa famille.

● **Marcel Le Servot** : de Quimper. L'ancien cuisinier de l'Élysée sous Giscard et les suivants.

● **Charles Manac'h** : né en 1910 à Plouigneau. D'abord professeur de philo, la guerre en fait un militaire plutôt diplomate. Il occupe différents postes au Quai d'Orsay avant de devenir le premier ambassadeur de France à Pékin.

● **Général Jacques Pâris de Bollardière** : né en 1907 à Châteaubriant. Après le prytanée militaire et Saint-Cyr, il fait une brillante carrière chez les parachutistes, jusqu'à la bataille d'Alger. Démissionne de l'armée pour dénoncer la torture, sacrifiant ainsi sa carrière à son honneur.

● **P.P.D.A.** : journaliste écrivain d'origine bretonne, qui pêche la crevette pendant ses vacances à Trégastel d'où il est originaire.

● **Nicolas Peyrac** : de Saint-Brice-en-Cogles. Jeune chanteur sage et romantique.

● **Henri Queffélec** : né à Brest en 1910. Auteur du roman *Un recteur de l'île de Sein*, transposé à l'écran sous le titre *Dieu a besoin des hommes*. Son fils **Yann** a reçu le prix Goncourt pour *Noces barbares* et sa fille **Anne** est une pianiste virtuose : sacrée famille !

● **Gilbert Renault** : alias **colonel Rémy**. Vannetais, grand résistant, écrivain.

● **Alain Resnais** : de Vannes. Cinéaste qui a souvent filmé son pays natal.

● **Alain Robbe-Grillet** : né à Brest en 1922. Un des pères du nouveau roman.

● **Charles Vanel** : né à Rennes. Le comédien aux 200 films.

● **Kofi Yamgnane** : ingénieur agronome. Authentique Sénégalais et néanmoins maire de Saint-Coulitz, dans le Finistère.

*Et quelques grands patrons :*

● **Vincent Bolloré** : à 29 ans, il devient P.-D.G. d'une entreprise de papier à cigarettes, familiale et centenaire, à Ergué-Gabéric. Le voilà aujourd'hui à la tête d'un groupe financier et industriel qui touche à tout, avec succès.

● **Yvon Bonnot** : semble aussi solide que le granit rose sur lequel il est né il y a 53 ans, à Perros-Guirec donc ! Vice-président du Conseil régional, on lui doit le renouveau du tourisme breton, aux destinées duquel il préside.

● **Alexis Gourvennec** : en 1961, il assiège la sous-préfecture de Morlaix à la tête d'un commando de jeunes paysans léonards mécontents. Il prend la tête du Crédit Agricole du Finistère, avant de fonder la compagnie maritime Brittany Ferries, pour transporter en Angleterre les artichauts et les choux-fleurs bretons.

● **Jean Guyomarc'h** : né à Vannes en 1923. A 30 ans, il quitte la minoterie familiale pour créer une usine d'aliments pour le bétail. Aujourd'hui, le groupe qu'il a fondé emploie 5 200 personnes + 55 chiens : les goûteurs du Royal Canin.

● **Jean-Jacques Henaff** : de Pouldreuzic. L'industriel du pâté breton : la petite boîte bleue, vous connaissez ?

● **Édouard Leclerc** : surnommé couramment l'épicier de Landerneau où commença, en 1949, l'aventure des centres Leclerc. Sixième enfant d'une famille qui en comptait treize, ex-séminariste, il est le pionnier en France de la grande distribution. C'est aussi un vrai génie de la

● **Xavier Leclerc** : de Morlaix. Président fondateur de la compagnie aérienne Brit'Air.

● **Louis Le Duff** : de Rennes. Boulanger-pâtissier devenu un roi de la briocherie et autres croissanteries.
communication.

● **Loïk Le Floch-Prigent** : né à Brest en 1943, mais originaire de Guingamp. Actuellement P.-D.G. d'Elf-Aquitaine, après avoir dirigé Rhône-Poulenc.

● **Patrick Le Lay** : de Saint-Brieuc, patron de la chaîne TF1 et secrétaire général du maçon Bouygues.

● **Alain-Dominique Perrin** : né à Nantes. P.-D.G. de Cartier (les montres, vous connaissez ?) et grand mécène des arts et des lettres.

● **Jean Picollec :** éditeur passionné par sa Bretagne natale. Un copain à nous.

● **François Pinault :** né à Évran, il y a 54 ans. Parti de rien en 1963, il s'est constitué un petit empire dans la filière bois. Plus par générosité que par intérêt, il va financer le reboisement de la forêt de Brocéliande détruite par l'incendie de l'été 1990.

● **Yves Rocher :** fabrique des produits cosmétiques à base de plantes à La Gacilly, bourg de 2 100 habitants, dont il est bien sûr le maire (et le père bienfaiteur).

● **Yves Sabouret :** de Saint-Cast. P.-D.G. de la 5.

### Des caricatures de Bretons et de Bretonnes

● **Astérix et Obélix :** ils ont fait sourire la France puis le monde entier, toutes catégories d'âges et de cultures confondues. Ils sont gaulois/armoricains, personnages mythiques nés du génie d'Uderzo et de Goscinny qui connaissaient parfaitement l'histoire : la vraie. La preuve en est que nos auteurs n'ont jamais soumis la Bretagne à Rome. Même si Astérix a un comportement étrange, il campe un vrai caractère de Breton : résistant, libertaire et fort en gueule !

● **Bécassine :** c'est la caricature la plus infamante de la Bretagne, le symbole le plus honni des Bretons, l'abjection même. Née en 1905 de l'imagination de Caumery et du pinceau de Pichon, cette stupide bonniche est originaire d'un village fictif, Clocher-les-Bécasses, près de Quimper. Avec sa bouille ronde, sa mine enfarinée aux joues roses, son œil morne et son allure pataude, quasi grotesque, Bécassine a quand même réussi à séduire les millions de Français abonnés à *La Semaine de Suzette* dans les années 30 et 40.

### Les Bretons de Paris

Montparnasse ! Tout le monde descend. Et tous les Bretons descendirent sur les quais avant de jeter l'ancre dans le quartier de la gare. Tel fut le début de l'histoire : celle de migrants pauvres chassés par l'exode rural. Un peu à la manière des Asiatiques du XIIIe arrondissement, les Bretons du début du siècle formèrent des clans, ouvrirent des cafés au nom de leur ville d'attache, fondèrent cercles, amicales et associations folkloriques (aujourd'hui culturelles), maintinrent en vie les traditions du pays.
Montparnasse : terminus ! Montparnasse : symbole du départ et de l'arrivée, comme cette rue du Départ qui répond à cette rue de l'Arrivée, au pied de la tour. Sous l'immense dalle de béton du parvis, bien des gens ignorent que c'est grâce à un Breton d'Uzel, Fulgence Bienvenüe, que le grand chantier du métro a pu se faire sous la capitale. Il fut le seul à donner son nom à une station de son vivant.

### Adresses utiles à Paris

Sur Paris, l'association la plus active est *Ti Ar Vretoned* (autrefois appelée la « Mission bretonne ») située au 22, rue Delambre, 75014. M. : Montparnasse, Vavin ou Edgar-Quinet.
Ne pas manquer de passer à la *Librairie Breiz,* 10, rue du Maine, 75014 (M. : Montparnasse, Edgar-Quinet ou Gaîté). Très riche fonds de livres, de disques, journaux et périodiques bretons, souvenirs, jolies cartes postales, etc. Accueil hyper sympa, ça va de soi !
Retour au centre commercial de Montparnasse qui abrite la *Maison de la Bretagne :* informations touristiques et association *Pilhaouer* qui remet chaque année le prix Bretagne au meilleur écrivain breton.

### Le routard à pied en Bretagne

Au Moyen Age, tout Breton qui faisait son *Tro-Breizh* (tour de Bretagne, à pied bien sûr) était certain de gagner le paradis. Il fallait suivre un itinéraire précis dit « pèlerinage des 7 Saints », à savoir : Brieuc, Malo, Sanson (Dol), Patern (Vannes), Corentin (Quimper), Pol (de Léon), Tugdual (Tréguier). C'est un beau circuit que nous recommandons.
La Bretagne dispose de 2 500 km de sentiers à parcourir à pied. Il faut distinguer 3 types d'itinéraires : sentier côtier, sentier de grande randonnée et chemin de halage.

– *Le sentier côtier ou de douanier* date de 1791 ; il a été réanimé par la loi du 31 décembre 1976 qui oblige les riverains du domaine public maritime à laisser un passage de 3 m entre la limite de leur propriété et celle des plus hautes eaux. Le Morbihan est le département qui offre les plus longs itinéraires ; sur les 66 communes d'un littoral long de 800 km, 20 municipalités ont rouvert 280 km de sentiers côtiers : voir les îles, La Trinité-sur-Mer, Guidel, Quiberon, Carnac, Arradon, Arzon, Penestin.

– *Le sentier de grande randonnée*, le fameux GR, est emprunté par des milliers de Français, amateurs de randonnées pédestres. Ce sentier suit les servitudes de passage, les chemins vicinaux, allées forestières et chemins de halage. Il est toujours très bien balisé pour permettre de revenir à son point de départ. Ce sont les circuits de pays : tour des Chouans à partir de Vitré, du Pays gallo autour de Loudéac, des montagnes Noires depuis Gourin, etc.

– *Le chemin de halage* longe en principe les 360 km du canal de Nantes à Brest, le canal d'Ille-et-Rance, le Blavet. Il devait permettre le passage des chevaux halant les chalands censés approvisionner la marine en temps de guerre, *dixit* Condorcet en 1786 ! Le barrage de Guerlédan, inauguré en 1930, va noyer 18 écluses et mettre un terme à la destination économique du canal qui devient une voie d'eau à vocation touristique. C'est un itinéraire superbe surtout entre Malestroit et Châteaulin. La vallée du Blavet n'est pas mal non plus. Suivre le chemin de halage à pied constitue une découverte originale et insolite de la Bretagne centrale.

Les voies romaines constituent des itinéraires pas toujours faciles à repérer, pourtant de nombreux tronçons existent encore. Pour les amateurs, cela peut constituer un « raid » original, à préparer en liaison avec les sociétés locales d'histoire et d'archéologie.

– *Henri Guillou*, 95, vieille route de Rosporden à Quimper, a édité le topoguide de la VIA : *Condate-civitas Aquilonia* par Sulin (Rennes-Quimper via Castennec à Bieuzy-les-Eaux dans le Morbihan).

L'*Association bretonne des relais et itinéraires* gère 130 gîtes d'étape le long de ces sentiers. Elle met à la disposition du routard authentique des vélos, calèches et canoës ; elle édite des topoguides sur les GR, les sentiers côtiers et sur les voies d'eau, en vente à :

– *L'ABRI :* 9, rue des Portes-Mordelaises, 35200 Rennes. ☎ 99-31-59-44.
– *Les Amis des Chemins de Ronde*, dont la devise est « J'y marche, j'y veille », d'Oléron au Mont-Saint-Michel. Programme des sorties et topoguides à Arc 56, Le Lomer, 56760 Pénestin. ☎ 99-90-36-80.

## Le routard à cheval

Il n'est pas interdit – ni impossible en général – d'aller à cheval là où l'on passe à pied. Pour tout ce qui concerne l'équitation, voici quelques adresses :
– *Ligue équestre de Bretagne :* rue Georges-Collier, 56100 Lorient.
– *Poney club de Bretagne :* P.C. de Fenicat, 35170 Bruz. ☎ 99-57-16-30.
– *Ligue de tourisme équestre de Bretagne :* 8, rue de la Carrière, 56120 Josselin. ☎ 97-22-22-62.
– *Comité breton d'endurance équestre :* Le Stang, 29112 Edern. ☎ 98-57-34-61.
– *Association des Cavaliers des Côtes-d'Armor :* Saint Blaise, 22170 Plelo. ☎ 96-92-41-67.

## Le routard à vélo

La Bretagne est très agréable à parcourir à bicyclette, que ce soit sur la route ou en tout-terrain. Voici deux adresses où vous trouverez tout ce que vous voulez savoir sur le cyclotourisme et le V.T.T. en Bretagne.
– *Ligue de Bretagne de cyclotourisme :* 5, lotissement Belle-Vue, 56250 Saint-Nolff. ☎ 97-45-42-54. Le responsable est Jean-François Meaude.
– *Bretagne Vélo Tout-Terrain :* 2, square de Locminé, appt 9836, 35700 Rennes. ☎ 99-63-73-71.
Ces deux organismes sont affiliés à la F.F.C.T. (Fédération française de cyclotourisme) : 8, rue Jean-Marie-Jégo, 75013 Paris.

## Le climat breton

Est-ce parce que le climat est réputé pour ses caprices que le mot utilisé en breton, *an amzer*, est un mot féminin ? Nulle part ailleurs le ciel ne change aussi rapidement : gris et nuageux un jour, d'un bleu pur le lendemain. Brumeux à l'aube, clair à midi, parfait dans la soirée. Nulle part ailleurs le ciel n'a d'aussi belles couleurs. Car, ici, le temps marche avec les marées et suit les cycles de la lune. « Il pleut toujours en Bretagne », dit-on. Comme s'il ne pleuvait pas ailleurs en France !

Erreurs, clichés et préjugés défavorables ont dessiné une Bretagne promontoire archi-humide de l'Europe occidentale. Il y pleut, bien sûr. Mais il y fait beau aussi. Très beau même, quand le vent l'a décidé. Curieusement, il pleut moins à Rennes qu'à Toulouse, à Carnac qu'à Nice, à Brest qu'à Biarritz. Entourée par deux mers, la Manche et l'Atlantique, la péninsule armoricaine jouit d'un vrai climat océanique, doux et tonique. Il ne fait jamais très froid, ni trop chaud. L'air du littoral est si riche en iode que le seul fait de le respirer est déjà une cure de bien-être. Allez-y en arrière-saison, si vous le pouvez. Vous aurez un temps souvent exceptionnel. C'est en hiver que la Bretagne subit ses plus fortes tempêtes.

● *La côte nord :* moins de 15 jours de gelée par an. Les vents dominants viennent de l'ouest et du nord-ouest sur la côte du Finistère, avec des secteurs abrités comme Roscoff et l'île de Batz où passe le Gulf Stream, un courant chaud favorable à la création de microclimats.

● *La côte sud :* climat plus ensoleillé, plus chaud, plus sec. A Carnac (Morbihan), on compte seulement 128 jours de pluie en moyenne par an et 2 055 h de soleil. Par comparaison, Biarritz compte 177 jours de pluie par an. La température moyenne dans le Morbihan est de 18° en été. La côte sud du Finistère jouit aussi de ces avantages avec des microclimats : pays de Fouesnant, pays bigouden. C'est autour de La Baule qu'il pleut le moins.

● *Répondeurs météo*

Grande nouveauté, les prévisions de chaque centre départemental sont accessibles par le 36-65-02-29 pour le Finistère, 36-65-02-56 pour le Morbihan, 36-65-02-22 pour les Côtes-d'Armor et ainsi de suite pour chaque département. La météo marine sera obtenue au 36-65-08-08 : prévisions jusqu'à 20 milles des côtes.

### Le « 15 octobre noir » des Bretons

Le 15 octobre 1987, à 0 h 30, le vent souffle à 185 km/h à Ouessant. La Bretagne subit alors la tempête la plus dramatique, la plus dévastatrice depuis 40 ans. Heureusement, elle n'a pas été meurtrière : un miracle !

A son réveil, une grande partie de la population, qui avait dormi du sommeil du juste (comme un certain préfet d'ailleurs, qui n'a pas cru bon de déclencher le plan ORSEC), découvre le désastre : ports de plaisance saccagés, arbres déracinés, végétation grillée par un vent humide, chaud et très salé, toits arrachés, pilônes abattus, etc.

Il faut malheureusement déplorer la perte d'une bonne partie de la forêt bretonne : le mont Frugi à Quimper est rasé ! La forêt de Quénécan, les forêts du Cranou et de Lanvaux ressemblent à une peau de léopard : les massifs se trouvent percés de clairières, comme si une bombe avait explosé là. On notera que l'Armor (la côte) n'a pas plus souffert que l'Argoat (le pays des bois). Certains secteurs sont intacts : le golfe du Morbihan par exemple. Dieu merci ! la nature reprendra le dessus, il n'y a aucune raison de sombrer dans le pathos. Le charme de la Bretagne est en perpétuelle régénération.

### Goémon et goémoniers

Les goémoniers traditionnels, mi-marins, mi-paysans, existent toujours mais ils sont peu nombreux. En revanche, une nouvelle génération de goémoniers est apparue, sur la côte du Léon, un des lieux les plus découpés et rocheux de Bretagne, qui fournit 80 % de la production française. Depuis les années 50, le métier a beaucoup changé : tracteurs et remorques ont remplacé chevaux et charrettes. Le goémon de rive, lui, n'a pas changé. Ce fameux « Fucus vesiculosus » a des bulles que les gosses font éclater entre leurs doigts. Il accroche à la roche. Il constitue l'essentiel de la récolte. On l'utilise comme engrais. On récolte d'autres types d'algues, dont la laminaire. Ce géant des côtes bretonnes peut atteindre 5 m de long. Impressionnant ! Il pousse en mer où on le ramasse à l'aide d'un scoubidou, sorte de grande pince hydraulique, mue comme une grue à bord des bateaux. Aujourd'hui, les usines se chargent de brûler les algues ; des cendres on tire la soude pour en extraire l'iode. Il faut 100 t de soude pour extraire une seule tonne d'iode. D'où la nécessité de grosses récoltes. Les directeurs d'usines se frottent les mains devant les perspectives d'avenir. Après les engrais et les bains d'algues, les chercheurs concoctent actuellement des produits alimentaires comestibles avec les algues brunes, vertes ou rouges. Le Centre d'algologie de Pleubian, en liaison avec l'INRA à Quimper, a mis au point des recettes de pain, pâté, saucissons, plats composés, etc. Il est temps de parler bonne bouffe !

### Gastronomie bretonne

Longtemps considérée comme une cuisine exclusivement paysanne, rustique et familiale, la cuisine bretonne d'aujourd'hui se met à l'heure de la haute cuisine. Les chefs, de plus en plus nombreux, reviennent s'installer au pays. C'est le signe de la grande vitalité qui règne dans les cuisines de Bretagne. Beaucoup de gourmets, et de gourmands, redécouvrent avec candeur le formidable patrimoine culinaire de ce vieux pays : l'univers des fruits de mer, le monde des volailles et des viandes en général. Les Bretons avaient quelque peu oublié les douceurs du sucre : ils les redécouvrent désormais et inventent de fabuleux desserts. On réhabilite les grands plats dont la Bretagne a le secret. Heureusement pour nous, les prix restent toujours très abordables et les additions relativement légères.

Profitez de vos vacances en Bretagne pour goûter ses produits frais cueillis ou pêchés. La coquille Saint-Jacques par exemple est draguée en hiver seulement, l'été c'est la saison des langoustines ! Faites vôtre notre devise de touriste gastronome : cuisine région, cuisine passion, cuisine saison. Et maintenant, à table !

● *Fruits de mer :* un plateau de fruits de mer, c'est une véritable invitation au voyage, avec les crevettes et les moules bien sûr, mais aussi les crabes et les langoustines du Guilvinec, les praires de Locquémeau, les huîtres du Bélon, de Cancale, des abers et du golfe du Morbihan. N'oubliez pas non plus les fameuses coquilles Saint-Jacques d'Erquy, ni les moules du Vivier-sur-Mer ou les ormeaux de la baie de Quiberon et les pousse-pied de Belle-Île. Quant au homard, il reste le roi des crustacés et le crustacé des rois...

● *Éclade et mouclade :* la mytiliculture (élevage des moules) est pratiquée au moins autant que l'ostréiculture (élevage des huîtres) en Bretagne. On mange les moules de plusieurs façons ; à la marinière, en éclade et en mouclade.

L'éclade est un plat d'été : sur une plaque d'ardoise on dispose les coquilles, le ventre en bas, bien serrées. Elles sont couvertes d'aiguilles de pin auxquelles on met le feu. Une fois consumées, on souffle les cendres et, dessous, les moules sont cuites.

La recette de la mouclade est plus élaborée. Il faut ouvrir les moules en les chauffant avec un peu de vin blanc sec et un bouquet garni, puis on jette l'une des coquilles. Avec le jus de cuisson, faire un roux blanc enrichi d'un jaune d'œuf et surtout d'une pointe de curry (jamais de safran). Verser cette sauce sur les moules et servir bien chaud.

● *Les poissons* forment à eux seuls une vraie encyclopédie de la mer. De la sardine au thon, du rouget à la raie, du maquereau au lieu, de la lotte au grenadier, et même de l'anguille au congre, il y en a pour tous les goûts.

● *Crêpes et galettes :* les Italiens ont leur pizzerias, les Bretons leurs crêperies. Il y en a partout. La crêperie reste le chef de file de la vie pas trop chère en Bretagne. D'un côté, les « froment » (sucrées). De l'autre, les « blé noir » (salées).

Les garnitures sont extrêmement variées : beurre, confiture, œuf et saucisse grillée constituent la base traditionnelle (éviter les merguez !).

● *Les fars bretons :* dans le Léon (Nord-Finistère) on prépare encore le *poulou-dig*, un gros gâteau fait avec de la farine de blé noir, du beurre et du lait parfumé au rhum. Ce dessert à la consistance et tous les mérites du pudding anglais. Le gâteau le plus courant en Bretagne, le plus rustique aussi, a pour nom *far*. Il mêle la farine de blé noir (préparation salée) ou de froment (préparation sucrée) aux œufs et au lait. L'originalité consiste dans l'intégration de pruneaux *(prunadz farz)*, de lard *(kig a farz)*, ou de sang de porc (le *farz gwad* d'Ouessant) ! Les fars bretons, aux multiples compositions, peuvent être considérés comme la base de la cuisine rustique.

● *La vérité sur le homard à l'armoricaine :* la fierté des Bretons dût-elle en souffrir, la recette qui recommande de trancher cru le homard, puis de le cuire dans de l'huile d'olive, et enfin de le napper avec de la sauce tomate épicée, est la recette instinctivement inventée par le bon cuisinier Pierre Fraisse en 1860, dans son restaurant *Le Peter's,* au 24 du passage des Princes à Paris. Comme on peut le deviner, il n'y a rien d'armoricain dans le traitement de la pauvre bête !

En revanche, force nous est de reconnaître l'origine bretonne du *curry gosse,* ce mélange d'épices mis au point par un apothicaire lorientais du temps de la Compagnie des Indes. De là à faire croire au touriste gastronome que toutes les préparations à base de tomate et d'épices sont armoricaines... il y a un abus que le *Guide du Routard* veut corriger. Le curry gosse est un mélange d'épices. Le goût varie selon le dosage des épices qui le composent. Le pharmacien Pinson, à Lorient, dépositaire grossiste du curry gosse, ne nous a pas livré son secret.

● *Spécialités et produits bretons*

– *Viandes, volailles :* canard nantais, guiborée ou boudin aux raisins secs de Jugon, andouille de Guéméné-sur-Scorff, agneaux de pré-salé d'Ouessant, foie gras de Mauron et de Rieux, boudin blanc de Bannalec, saucisses briochines, poularde de Janzé.
– *Légumes :* primeurs de Plouhinec, d'Iffiniac, Cancale, Saint-Pol-de-Léon et des maraîchers de Nantes. Choux-fleurs et artichauts de la Ceinture dorée de Roscoff. Salicornes du-Tour-du-Parc. Oignons d'Erdeven. Endives de Châteaulin.
– *Algues comestibles :* laminaria digitata et hyperborea, moissonnées à Pleubian et à Plougueneau, sur la côte nord.
– *Fruits :* cerises de Fouesnant, fraises de Plougastel et de Colpo, melons du pays nantais, marrons de Redon, kiwis de Plouay et kiwaïs du Bono.
– *Fromages :* fromage de chèvre du Morbihan, fromage des trappes bretonnes (Campénéac et Timadeuc), curé nantais, crémet nantais, Saint-Gildas-des-Bois.
– *Pâtisseries :* crêpes dentelles de Quimper, fouaces du pays nantais, craquelins de Saint-Malo, *kouing aman* de Douarnenez (réchauffé au four : un régal !), galettes bretonnes de Roudouallec et de Pont-Aven.
– *Boissons :* cidre de Fouesnant, de Messac ; liqueur de Plougastel ; muscadet et gros-plant du pays nantais ; eau-de-vie de cidre, la *lambic.* En Bretagne il y a deux boissons mythiques : le *chouchen* (hydromel) et la *cervoise* (bière). La première est de Rosporden, la seconde vient de Morlaix (la Coreff) ou de Saint-Servant-sur-Oust. Toutes ces boissons réjouissaient les chevaliers de la Table ronde !

## Les sports de glisse

Le vent n'agite plus guère les ailes des moulins sur la côte bretonne (encore à Erdeven, à Ambon, etc.). Mais il pousse désormais des quantités d'engins sur l'eau : base de vitesse de la rade de Brest, ou sur le sable pour la plus grande joie des « funs » de la glisse ! Les grandes étendues de grève découvertes à marée basse : baie de Saint-Brieuc ou golfe normand-breton, et ces anses où le vent n'a pas le temps de soulever les vagues, ni même de former la houle, sont propices à l'exercice de sports nouveaux. On pratique le char à voile à Cherrueix, à Saint-Pierre-Quiberon, la planche à voile sur roulettes pneumatiques au Fort-Bloqué à Ploëmeur. La grande fête de la planche de saut *(fun-board)* a lieu à La Torche, commune de Penmarc'h. Le surf s'avère possible à Belle-Ile, à Plouescat. Dans les pages suivantes on signale les meilleurs « spots » de la côte avec « shove break » ou « peak ». Patrice Belbeoc'h, Anne Herbert, Hervé Piegelin, les stars bretonnes du fun-board nous comprendront bien. Alors rendez-vous à la Torche-au-Pô à Carnac ou à La Baule pour le Grand Triangle, la plus grosse concentration mondiale de planches à voile !

## Les sports traditionnels bretons

– *L'essieu de charrette :* il s'agit d'un essieu de charrette légère ou de char-à-bancs, d'arbre carré de section et d'un poids d'environ 47 kg. Il est présenté sur deux rondins ou deux pierres de même épaisseur entre lesquels se tient l'athlète. Le jeu consiste à lever l'essieu à bout de bras au-dessus de la tête, le plus grand nombre de fois possible en 2 mn. Entre chaque lever, l'athlète doit obligatoirement reposer l'essieu sur les rondins sans le lâcher des mains.

— *Lancer de la pierre lourde* : c'est en réalité un poids de meunier de 20 kg. Le lanceur dispose d'un élan de 2,13 m et il peut lancer à une ou deux mains, mais sans se servir de l'anneau. Chaque concurrent a droit à trois essais mais ne doit pas mordre sur la marque qui lui est imposée.

— *Bâton de bouillie* : le jeu se pratique entre deux adversaires qui s'affrontent selon un tirage au sort préalable. Le bâton est une pièce de bois de 50 à 60 cm de longueur, de section cylindrique. La planche est fixée de chant sur le sol, elle a 2 m de longueur, 20 cm de hauteur. Les joueurs sont assis par terre, face à face, de part et d'autre de la planche, les pieds à plat contre elle. Une partie se fait en deux manches, éventuellement une belle. Est déclaré vainqueur celui qui aura fait passer la planche à son adversaire ou qui lui aura fait lâcher le bâton.

— *Lever de la perche* : elle est d'acier éprouvé, cylindrique et d'une longueur de 6 m, munie d'un curseur de 23 cm. Le jeu consiste à lever la perche à la verticale et à la maintenir dans cette position pendant au moins 3 secondes afin que le bas bout pénètre légèrement dans le sol. Une fois ce bas bout au sol, l'essai est terminé, le joueur se saisit de la perche et la pose à terre. Chaque concurrent a droit à trois essais par point fixe du curseur. Ce curseur est déplacé d'une distance appréciée par l'arbitre après chaque essai réussi.

— *Tir à la corde* : d'une longueur de 25 à 32 m. D'un diamètre de 45 mm. Un témoin central : un ruban jaune de 30 cm et deux témoins latéraux situés chacun à 3,50 m de part et d'autre du témoin central. Il y a deux équipes de 6 tireurs chacune plus un hisseur et un remplaçant. Le hisseur ne peut jamais toucher la corde pendant le jeu ni servir de remplaçant. Le remplacement d'un tireur se fait au cours d'un match mais jamais pendant un tiré. Les tireurs sont pieds nus, il leur est interdit de tirer couché ou assis ; si quelqu'un tombe, il doit lâcher la corde et se relever avant de la reprendre. Le fait de creuser des trous dans le sol ou de marquer celui-ci à coup de talon disqualifie. Par ailleurs, le dernier tireur n'est pas autorisé à s'enrouler la corde autour du corps.

— *Relais avec charge de 50 kg* : chaque équipe comporte 6 hommes sans remplaçant et chaque concurrent parcourt 120 m avant de transmettre le sac de 50 kg à son équipier. La charge doit être remise derrière le piquet de départ et tout sac tombé à terre doit être relevé par le coureur sans aucune aide. Les concurrents franchissent leur obstacle dans leur couloir et le fait de jeter la charge n'importe où et n'importe comment disqualifie. Elle doit être posée debout, au lieu indiqué.

## Notre sélection de musées en Bretagne

Il n'est pas interdit au routard de faire de ses vacances une « re-création », un « ressourcement » intellectuel, spirituel et artistique. Alors, nous lui proposons notre sélection des meilleurs musées en Bretagne (sans ordre de classement, on n'ira pas jusque-là !).

— *Rennes-Sud*. Écomusée La Bintinais, route de Châtillon-sur-Seiche. 10 ha où l'agriculture du passé et d'aujourd'hui est mise en scène.

— *Rennes*. Musée de Bretagne. Préhistoire et histoire régionale, meubles, costumes, objets d'un classicisme de bon aloi, donc pas ennuyeux du tout.

— *Montfort-sur-Meu*. Écomusée très éclectique, de la minéralogie à l'architecture, touche à tout avec génie.

— *Concarneau*. Musée de la Pêche. Toutes les techniques de tous les âges et de tous les pays.

— *Groix*. Écomusée, histoire et ethnographie de la vie insulaire, particulièrement intéressant pour comprendre l'habitat.

— *Carnac*. Musée de Préhistoire. 5 000 objets du paléolithique au Moyen Age, très pédagogique et moderne.

— *Port-Louis*. Musée de l'Atlantique et de la Compagnie des Indes. La grande histoire maritime !

— *Quintin*. Deux châteaux dans un parc. Petite et grande histoire font bon ménage. En 1990, on y exposait une superbe collection de pots de chambre !

— *Dinan*. Le donjon du château. Le site et le mobilier valent une visite et la rencontre avec les souvenirs d'Anne de Bretagne.

— *Pleumeur-Bodou*. Tourisme technique de haut niveau. Histoire des Télécoms et radôme.

— *Douarnenez*. Musée du Bateau. 100 pièces exposées dans une ancienne conserverie et bientôt un grand bassin réservé à une exposition à flot.

— *Brest*. Océanopolis, aquarium et centre de culture scientifique et technique de la mer.

### Les villes d'art et d'histoire

AURAY (Morbihan)
DINAN (Côtes-d'Armor)
FOUGÈRES (Ille-et-Vilaine)
QUIMPER (Finistère)

RENNES (Ille-et-Vilaine)
SAINT-MALO (Ille-et-Vilaine)
VANNES (Morbihan)
VITRÉ (Ille-etVilaine)

### Les petites cités de caractère

BÉCHEREL (Ille-et-Vilaine)
CHÂTEAUGIRON (Ille-et-Vilaine)
CHÂTELAUDREN (Côtes-d'Armor)
COMBOURG (Ille-et-Vilaine)
GUERLESQUIN (Finistère)
JOSSELIN (Morbihan)
JUGON-LES-LACS (Côtes-d'Armor)
LA ROCHE-BERNARD (Morbihan)
LE FAOU (Finistère)

LIZIO (Morbihan)
LOCRONAN (Finistère)
MALESTROIT (Morbihan)
MONCONTOUR-DE-BRETAGNE (Côtes-d'Armor)
PONTRIEUX (Côtes-d'Armor)
QUINTIN (Côtes-d'Armor)
ROCHEFORT-EN-TERRE (Morbihan)
ROSCOFF (Finistère)
TRÉGUIER (Côtes-d'Armor)

Ces villes adhèrent à une sorte de charte de qualité dont les critères sont très exigeants sur divers plans : accueil, décoration florale, architecture, etc.

### Les communes du patrimoine rural

Des petits villages bénéficient d'un label particulier pour la qualité du site, de l'habitat, de leur animation typique. Il s'agit de Saint-Juvat et Tonquédec (en Côtes-d'Armor), Plouvin-les-Morlaix, Commana, Plougonven (en Finistère), Paimpont (en Ille-et-Vilaine), Ploërdut et Géhenno (en Morbihan).

# LE FINISTÈRE

Être à la hauteur d'un pays
– c'est être...
nuage –
puis, se dissiper.

Philippe Denis
(*Églogues*, éditions Mercure de France).

Le Finistère, *Pen ar Bed*, bout de la terre (il va falloir désormais s'habituer à une signalisation routière bilingue, comme dans les Côtes-d'Armor ! Décision du Conseil général de ce département), comprend le pays de Léon, la Cornouaille et, au milieu, les monts d'Arrée et les montagnes Noires. Une terre capable d'offrir en quelques dizaines de kilomètres les paysages les plus contrastés qui soient. Près de 1 000 km de côtes déchiquetées bordant d'immenses étendues de terres cultivées, de landes ou de bocage. Une terre présentant par endroits l'une des plus grandes densités humaines du pays et, à peine plus loin, des zones quasiment inhabitées...

Une terre qui a su se défendre contre le bétonnage inconsidéré de ses sites et qui offre aux exégètes, en plus, des coins complètement vierges, où le temps semble vraiment s'être arrêté. Le Finistère, un des plus fascinants musées de pierre qui puissent exister, alignant les plus beaux calvaires, fascinants enclos paroissiaux, superbes « cathédrales de campagne », etc. Considéré généralement comme une vieille terre de tourisme, il ne finira pourtant pas de vous surprendre par sa capacité d'offrir des villes et des villages qui n'ont jamais connu d'embouteillages, des sites très loin de crouler sous le poids des boutiques de « bignouzeries » !

Notre balade commence à Morlaix, à la frontière des Côtes-d'Armor. Nous aurions pu tout aussi bien démarrer à Quimperlé, au sud. Il fallait bien commencer quelque part ! Nous ne l'avons pas regretté d'ailleurs et avons dégusté pratiquement tout de suite le dessert : les enclos paroissiaux...

## – LE TRÉGOR FINISTÉRIEN ET LE LÉON –

## MORLAIX (29210)

Cité ancienne agréable, bien plus qu'une ville étape. Site assez original, avec ses vieilles maisons s'étageant de part et d'autre de la rivière de Morlaix et l'immense viaduc coupant la ville en deux, lui conférant en quelque sorte une troisième dimension. Patrie du poète Tristan Corbière *(les Amours jaunes)*, de Fanch Gourvil, spécialiste de la langue bretonne (et qui fit l'un des premiers *Guides bleus Bretagne*) et d'Albert Le Grand, auteur de la fameuse *Vie des saints en Bretagne*.

### Un peu d'histoire

Ville bourgeoise, Morlaix s'enrichit du commerce maritime et fut longtemps rivale de Nantes et Saint-Malo, avant d'être détrônée par Brest au XIX° siècle. Sa devise calembour, « S'ils te mordent, mords-les! », datait d'une sévère déculottée infligée à une flotte anglaise au XVI° siècle. L'incongru viaduc fut construit en 1861 pour le chemin de fer Paris-Brest et mesure près de 60 m. Les Anglais essayèrent de le bombarder massivement lors de la dernière guerre, mais le manquèrent. Beaucoup de vieilles maisons y laissèrent en revanche leur peau. Dur bilan, surtout que des dizaines d'entre elles, parmi les plus belles, avaient déjà disparu lors de la construction du viaduc. Il en reste cependant beaucoup, heureusement !

## Adresses utiles

– *Office du tourisme :* place des Otages (plan A1-2). Sous le viaduc, au centre.
☎ 98-62-14-94. Bien documenté et accueil sympathique. Propose des visites
guidées théâtrales, tous les mercredis de juillet et août, une façon originale de
découvrir l'histoire d'une ville de 16 650 habitants, au riche passé maritime.
– *Poste centrale :* rue de Brest. Donne derrière l'hôtel de ville.
– *Gare S.N.C.F. :* rue Armand-Rousseau. ☎ 98-88-08-88. Construite en 1864,
elle dispose du poste d'aiguillage le plus moderne du réseau français, mais les
25 millions de francs qu'il a coûté se répercutent sur le prix du billet...
– *Location de vélos :* Le Gall, 1, rue de Callac. ☎ 98-88-60-47.
– *Radio-taxi :* ☎ 98-88-36-42.

## Où dormir ?

### ● Bon marché

– *Auberge de jeunesse :* 3, route de Paris. ☎ 98-88-13-63. Ouvert de Pâques
à octobre. A 15-20 mn à pied de la gare.
– *Hôtel des Halles :* 23, rue du Mur (place Allende). ☎ 98-88-03-86. Fermé le
dimanche. Très bien situé. Au centre. Tout près de la maison de la reine Anne.
Chambres agréables avec douche ou lavabo, autour de 100 F. Au restaurant,
bons petits menus à 44 et 60 F.
– *Hôtel Saint-Melaine :* 75, rue Ange-de-Guernisac. ☎ 98-88-08-79. Au pied
du viaduc, côté port. Emprunter la Grande Venelle pour atteindre ce petit hôtel
familial. Dans une rue calme. Chambres correctes bon marché (de 105 à 128 F).
Petit déjeuner 20 F. Resto proposant un bon menu à moins de 50 F. Un peu
sombre, mais patron sympa.

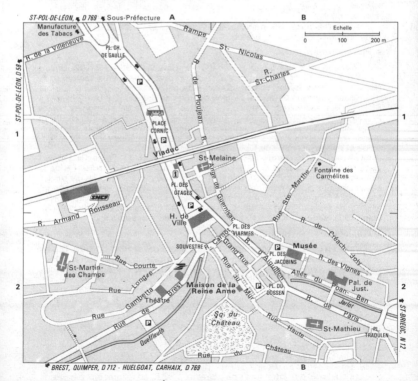

*Morlaix*

– *Hôtel-bar Au Roy d'Ys :* 8, place des Jacobins. ☎ 98-88-61-19. Chambres doubles à partir de 75 F (petit déjeuner non compris). Hôtel simple mais très propre.

● *Plus chic*

– *Hôtel du Port :* 3, quai de Léon (rive gauche du port de plaisance). ☎ 98-88-07-54. Chambres avec kitchenette et vue sur le port. Calme et confort assurés pour 200 F. Pas de restaurant. Ouvert toute l'année.

**Où dormir dans les environs ?**

– *Chambres d'hôte Kérélisa :* à Saint-Martin-des-Champs (3 km de Morlaix). ☎ 98-88-27-18. M. et Mme Aliven, exploitants agricoles, ont entièrement rénové une ancienne maison de maître. Les chambres sont toutes équipées de douche ou bains avec lavabo et w.-c. Compter 130 F pour une personne, 150 F pour deux avec douche et 160 F pour deux avec bains. Le petit déjeuner est compris et le grand jardin est à la disposition des hôtes.

**Où manger ?**

● *Bon marché*

– *Ar Bilig :* 6, rue Au Fil. Petite rue entre la place de Viarmes et la place des Jacobins. ☎ 98-88-50-51. Ouvert à midi et jusqu'à 21 h 30. Fermé le dimanche midi et le lundi. Une des meilleures crêperies de la ville. Repas à 45 F environ.
– *El Marisco :* 15, rue Ange-de-Guernisac. ☎ 98-88-70-99. Ouvert tous les jours midi et soir jusqu'à 22 h 30, sauf le jeudi et en novembre. Décor assez chaleureux. Spécialités espagnoles comme la *merluza a la gallega,* la *parillada,* la *zarzuela,* etc. *Paella* au poisson ou avec demi-langouste. Menu à 58, 70, 75, 110 et 150 F.
– *Crêperie l'Hermine :* 35, rue Ange-de-Guernisac. ☎ 98-88-10-91. Petits prix dans un cadre typiquement breton.

● *Prix moyens*

– *Le Passé Simple :* 21 *bis,* place Charles-de-Gaulle. ☎ 98-88-71-02. Ouvert de 12 h à 14 h 30 et de 19 h 30 à 22 h 30. Fermé le lundi et le samedi midi. Dans un mignon décor et une bonne atmosphère, une délicieuse cuisine, d'après les gourmets de la ville. Plateau de fruits de mer à 110 F ou 12 huîtres à 48 F. Ah, les spécialités : marmite trégorroise, escalope de saumon au beurre de vermouth, ris et rognons de veau aux morilles, etc. Menus à 49, 75, 95 et 125 F (ce dernier avec saumon fumé, jambon de Parme et melon, trou normand, filet de canard aux pommes miellées, etc.). Tous les menus avec fromage et dessert, comme au Club Med !
– *La Marée Bleue :* 3, rampe Saint-Mélaine. ☎ 98-63-24-21. Petite rue donnant place des Otages, à côté de l'église. Service le soir jusqu'à 21 h 30. Fermé le lundi et le dimanche soir, les 15 derniers jours de novembre et en février. Resto à spécialités de poisson et fruits de mer, possédant une très bonne réputation. Menu à 66 F correct (service compris, boisson en sus), à 90 et 130 F (avec assiette de fruits de mer, escalope de saumon à l'oseille et pâtisserie maison). Menu de la mer avec 9 huîtres et filet de barbue au graves blanc.

● *Plus chic*

– *Restaurant de l'Hôtel de l'Europe :* 1, rue d'Aiguillon. ☎ 98-62-11-99. Ouvert midi et soir, jusqu'à 21 h. Le patron propose 3 menus à 95, 135 et 215 F comprenant : carrelet vapeur au chèvre frais, ailes de raie aux raisins et muscat, plateau de fromages, pâtisseries ou sorbets maison. A la carte, on peut savourer le sauté de lotte au vin de Loire, la langouste en papillote de saumon fumé, le bar rôti au cidre fermier, la marmite de langoustines au basilic, etc. L'hôtel possède 67 chambres encore un peu kitsch quoique rénovées, louées entre 120 et 290 F.
– *Brocéliande :* 5, rue des Bouchers. ☎ 98-88-73-78. Fermé le mardi et le soir à 22 h. Après la place des Halles, remontez la rue Haute. Dans un vieux quartier sympa, un petit resto qui tient dans la ville une place originale. Bon accueil. Décor chaleureux rappelant un appartement traditionnel de bourgeoisie de province. On s'y sent bien. Bonne cuisine, pas si chère que ça. Goûtez à la quiche aux langoustines, à la lotte sur lit de poireaux à 62 F, au magret aux pétales de roses à 72 F, à l'escalope savoyarde, etc.

**Où manger aux environs proches ?**

– *Auberge du Vieux Chêne* : 12, place de la Liberté, Locquénolé, 29231 Taule. ☎ 98-72-24-27. A environ 7 km au nord de Morlaix. Prendre, en direction de Carantec, la D73 qui suit la rivière de Morlaix. C'est ensuite signalé. Sur une adorable petite place, en face de l'église. Clientèle *middle-class* pas trop guindée. Large éventail de menus : 59, 85 (moules à la crème, 8 huîtres, truite de mer braisée), 115 (deux entrées, anguille et truite fumées en salade, brochette de lotte au citron) et 165 F (tartare de saumon frais, aiguillette de canard, noix de saint-jacques à l'orange, etc.). Semble toutefois avoir beaucoup perdu ces derniers temps en qualité de cuisine et accueil.

**A voir**

– *La balade des venelles* : d'abord, pour 2 F, procurez-vous à l'office du tourisme le dépliant décrivant différents circuits pour découvrir les merveilleuses demeures de la ville. Notez les bois sculptés et les statues d'angle. Voici, pour les pressés, les rues les plus intéressantes :

● Place de Viarmes et rue Ange-de-Guernisac, *maisons* du XVe siècle à pans d'ardoises. *Église Saint-Mélaine*, du XVIe siècle, de style gothique flamboyant. Possibilité de parvenir par la venelle aux Prêtres ou celle du Créou à l'esplanade du Calvaire (à côté du viaduc), d'où l'on embrasse le panorama sur la ville des deux côtés.

● Sur le versant opposé à l'église Saint-Mélaine, par la venelle de Laroche, on atteint Notre-Dame-des-Anges. Beau point de vue. De là, rejoignez la rue Longue (par la rue Courte !) qui offre quelques séduisantes demeures du XVIIe siècle.

● *Maison de la reine Anne* : rue du Mur. La plus belle de Morlaix. Ouverte tous les jours en juillet-août. L'une des dernières « maisons à lanternes ». Architecture unique datant du XVe siècle. Les pièces s'ordonnent autour d'une sorte d'atrium, et un escalier à vis, en général superbement sculpté, combiné à des passerelles, les relie à elles à chaque étage (quelques poutres d'escalier rescapées des démolitions au musée). D'autres demeures anciennes, place des Halles (place Allende) et Grand-Rue, l'épine dorsale de la vieille ville. A l'entrée de la Grand-Rue, c'est un bonhomme épuisé qui soutient un encorbellement depuis 300 ans.

● Prolongement de la rue du Mur, les rues Haute et Basse sont également pittoresques. Rue Basse, l'*église Saint-Matthieu* ne possède de l'édifice original que sa tour du XVIe siècle. A l'intérieur, un joyau : la statue « ouvrante » de la Vierge, du XVe siècle. Panneaux intérieurs polychromes.

– *Le musée des Jacobins* : place des Jacobins (plan B2). Ouvert de 10 h à 12 h et de 14 h à 18 h. Fermé le mardi. Intéressant musée régional. Installé dans une ancienne église. Souvenirs de la mer, vieilles gravures, peintures de l'ancien Morlaix, belles statues des chapelles environnantes. Colonnes d'escalier. L'une d'entre elles, de 1557, mesure près de 11 m ; elle est sculptée dans un chêne d'un seul tenant. Coffres à grains et lits clos du XVIIe siècle. Notez les survivants des porte-cuillères en bois qu'on abaissait avec une poulie. Nombreux objets domestiques paysans (barattes, rouets, peignes à chanvre) et outils agricoles. Quelques toiles dignes d'intérêt : un beau paysage d'Hippolyte Lebas et, surtout, les œuvres d'un artiste local, Charles Penther, peintre des bouges et endroits glauques. Notez le remarquable *Une porte s'ouvrit*. Silhouettes grouillant à travers la fumée.

– *La manufacture de tabac* : quai de Léon ☎ 98-88-15-32. Possibilité de visite le mercredi après-midi. Téléphoner pour rendez-vous. Héritière de l'ancienne manufacture de la Compagnie des Indes, on y fabrique plusieurs centaines de millions de cigares et quelques tonnes de tabac à chiquer. Au XIXe siècle, elle employa jusqu'à 1 800 personnes (aujourd'hui : 500).

– *Le Télégramme de Brest* : rue Anatole-Le-Braz. ☎ 98-62-11-33. Visite de cette importante entreprise de presse, le matin, du lundi au vendredi. Téléphoner pour rendez-vous.

– *Le viaduc* : comment ne pas le voir ? Il impose la masse de ses larges piles pour permettre au chemin de fer de franchir le Dossen à 58 m de hauteur. Achevé en 1863, il mesure 292 m de long. Un peu plus en aval, le viaduc routier de la RN 12, à 4 voies, mesure près de 1 km de long mais n'a pas la même élégance. C'est néanmoins un bel ouvrage !

### Allez, on se met tous à la Coreff !

En 1985 eut lieu un événement extraordinaire pour les vrais buveurs de bière (en tout cas au niveau de la Bretagne) : la naissance d'une bière (*cervoise* en breton) bretonne, la Coreff.
Contrairement à la quasi-majorité des bières françaises et allemandes, la Coreff est une bière à haute fermentation (comme la *Guinness*, les bières britanniques et celles des trappistes belges). On ne lui adjoint pas de gaz carbonique pour la refroidir et la filtrer, ça se fait naturellement. De même, pas besoin d'en rajouter pour la tirer à la pression. Ça se fait tout seul, par aspiration à la pompe à main. Composants choisis rigoureusement : il faut de l'orge maltée de Valenciennes, du houblon de Bourgogne et de Bavière, des levures anglaises de haute fermentation. La sélection des cafetiers en fonction des conditions de tirage et de stockage très précises en feront pour longtemps une bière artisanale. Ambrée à 4,5° ou brune à 7,5°, avec étiquette noire, la Coreff est une *bitter* ni filtrée, ni pasteurisée. Aujourd'hui, moins de cent cafés vendent la Coreff dans le Nord-Finistère et les Côtes-d'Armor. Laissons le mot de la fin à un patron de bistrot : « La Coreff étant très chargée en houblon, dont on connaît les vertus apaisantes, nous constatons que les consommateurs sont beaucoup plus calmes depuis qu'ils en boivent !... » Merci à la revue *Ar Men* pour toutes ces bonnes infos.
Possibilité de visiter la brasserie, les salles de brassage, de fermentation et de mise en bouteille. A la sortie, dégustation !
— *Brasserie des Deux-Rivières :* 1, place de la Madeleine. ☎ 98-63-41-92. Visite mercredi et jeudi par groupe de 10 personnes. Téléphoner pour rendez-vous.

### Où boire un verre ? Où manger un bon gâteau ?

— *Ty Coz :* 10, venelle Au-Beurre, près de la place des Halles (place Allende). Ouvert tous les jours jusqu'à 1 h (sauf le jeudi). Le dimanche, ouvert à partir de 19 h. Roger LeJan, le patron, fait penser à Obélix, à cause de sa moustache et de sa corpulence ! Il fut le premier à servir de la Coreff en Bretagne. A l'étage, les « accros » des *darts* (fléchettes) et du billard anglais apprécient l'ambiance de cette taverne qui possède une cheminée six fois séculaire.
— Dans le quartier Saint-Matthieu, quelques bistrots et boîtes animés, notamment rue des Brebis et place du Marchallach.
— *Pâtisserie Le Faucheur :* 24, Grand-Rue. ☎ 98-63-27-75. Décor quelconque, mais on peut y déguster de bons gâteaux, dont l'onctueux *kouing aman*. Fermé le lundi.
— *Au Four Saint-Mélaine :* 1, venelle du Four. ☎ 98-88-10-22. Réputé aussi pour ses excellents gâteaux bretons.
— *Les Danseurs de Lune :* 29-31, rue Longue. ☎ 98-88-54-79. Au cœur de la vieille ville. Café sympa, ambiance familiale. C'est d'ailleurs tenu par deux sœurs, Cathou et Véro. Ouvert tous les jours de 17 h à 1 h, sauf le lundi.

### *DE MORLAIX À LOCQUIREC*

● *Dourduff et Plouézoc'h :* à 6 km, par la jolie route suivant la rive est de la rivière de Morlaix. On passe d'abord le charmant petit port de Dourduff pour atteindre Plouézoc'h. Jolie vue sur l'aber. Église intéressante avec clocher ajouré et tourelle. Début août, pardon de Saint-Antoine.

● *Le grand cairn de Barnenez :* vieux de 7 000 ans, l'un des plus importants sites mégalithiques de France, qui fut à deux doigts de terminer comme matériau de construction de routes départementales. En effet, une carrière de pierres fut ouverte dans le tumulus et ce, malgré la découverte de plusieurs chambres intactes, d'un considérable intérêt archéologique. Seule l'obstination de quelques journalistes et chercheurs du C.N.R.S. parvint à arrêter l'exploitation de la carrière. Les travaux de restauration et de dégagement du cairn durèrent 13 ans. Le résultat est superbe. Un gag qui démontre le manque de considération dans lequel on tient science et culture en France : un ministre de la Vᵉ République refusa de présider l'inauguration du cairn sous prétexte que les travaux avaient débuté sous la IV° !

Sur son promontoire, le cairn domine la baie comme un monument grec. Vu de loin, il dégage en effet une réelle valeur esthétique par les harmonieuses proportions de ses terrasses en dégradé. Long de 80 m, haut de près de 10 m, il est entièrement constitué de pierres sèches. Les chambres funéraires sont des dolmens à couloir. Au nombre de 11, quelques-unes sont ouvertes au public. On peut visiter le site de 9 h 30 à 12 h et de 14 h à 18 h 30. Fermé le mercredi. Entrée payante.

● *Térénez* : petit port de l'autre côté de Barnenez ; les couchers de soleil sur la baie de Morlaix, ses îles, le château du Taureau à l'entrée, y sont somptueux. Ensuite, c'est une succession de petits ports, comme *Diben*, cachés parmi les rochers déchiquetés et les blocs granitiques. Grande plage à *Saint-Samson*. Pittoresque *pointe de Primel* avec son amoncellement de roches rougeâtres. *Plougasnou* possède une église intéressante du XVIe siècle, avec une tour à flèche ornée de quatre clochetons. Porche Renaissance.
– *Office du tourisme :* ☎ 98-67-31-88.
Toute la région est peu urbanisée. Nombreuses fermes isolées dans un treillis de routes étroites.

● *Saint-Jean-du-Doigt :* village situé dans une petite vallée. Église avec un pittoresque cimetière : ossuaire, arche d'entrée monumentale de style flamboyant, fontaine baroque, calvaire et chapelle du XVIe siècle, à la remarquable architecture et à charpente sculptée, composent un ensemble exceptionnel. La relique du doigt du saint (conservé dans l'église depuis le XVe siècle) est censée favoriser de nombreuses guérisons. Grand pardon le 24 juin. On y allume un grand feu de joie *(tantad)*.
Possibilité d'effectuer un circuit de petite randonnée à partir de l'église. D'une longueur de 6 km environ, il permet, à travers une jolie campagne, la rencontre de vieux moulins. Renseignements à l'office du tourisme de Plougasnou ou à la mairie (☎ 98-67-34-07). Figure bien sûr dans la brochure *40 P.R.* éditée par le Comité départemental du tourisme.
Jolie route côtière de Saint-Jean-du-Doigt à Locquirec (par Poul-Roudou).

### Campings de la région

– *Camping de la baie de Térénez :* à Plouézoc'h, situé en bord de mer. ☎ 98-67-26-80. Fermé de septembre à Pâques. Confortable. Petite épicerie. Resto-bar, piscine.
– Trois campings à Plougasnou : *le Trégor* (☎ 98-67-37-64), *Milin Ar Mesqueau* (☎ 98-67-37-45) et *Primel-Trégastel* (☎ 98-72-37-06).
– *Camping à la ferme Croas Men :* près de Garlan, à 7 km à l'ouest de Morlaix. Ouvert toute l'année.

### Où dormir chic et pas trop cher ?

– *Hôtel Menez :* au hameau de Saint-Antoine. A 500 m de Plouézoc'h et de la route côtière (la D76). On y accède aussi par la D46 depuis Morlaix. ☎ 98-67-28-85. Ouvert toute l'année. Fermé en mai ainsi que les samedis et dimanches hors saison. C'est une solide construction de granit dans le style du pays, située dans un très grand jardin verdoyant. Accueil sympa. Calme assuré. La campagne et de petites randonnées adorables tout autour. De 184 à 210 F la double.

## LOCQUIREC (29241) ⎯⎯⎯⎯⎯⎯⎯⎯⎯⎯⎯⎯⎯⎯⎯⎯⎯⎯

Charmant petit port à la frontière des Côtes-d'Armor, bénéficiant d'une situation exceptionnelle. Le village, d'une belle homogénéité, s'étire sur un promontoire rocheux offrant pas moins de 9 plages aux estivants. Les distances étant faibles sur cette minuscule presqu'île, cela permet de varier ses habitudes de bronzage. En outre, Locquirec, bien protégée des vents, bénéficie d'un climat très doux et iodé. Superbes plages des Sables-Blancs, au nord. Face à la rade, à marée basse, s'étend l'une des plus belles grèves du Finistère, paradis des chercheurs de coques. Église du XVIIe siècle avec clocher à tourelle d'escalier. A l'intérieur, arcades flamboyantes et, à la croisée du transept, lambris décorés

de 1712. Admirez le talent joyeux et naïf de l'artiste qui sculpta les figures poly-chromes du retable au maître-autel.
Un chemin de douanier permet de faire le tour de la presqu'île.

– *Office du tourisme* : sur le port. ☎ 98-67-40-83.
– Pardon de Saint-Jacques et fête de la mer, le dernier dimanche de juillet.

**Où dormir ? Où manger ?**

– *Hôtel du Port* : très agréable établissement, avec vue sur la mer. ☎ 98-67-42-10. Façade couverte de lierre, petits balcons, accueil sympathique. Chambres impeccables de 150 à 250 F la double. Fermé de novembre à mars.
– *Hôtel Pennenez* : sympa aussi. Belle bâtisse dans un coin calme, pas loin de la mer. ☎ 98-67-42-21. Prix modérés, de 115 à 165 F la double.
– *Camping municipal* : à 1 km, sur la route de Plestin-les-Grèves. En bord de mer et bon marché.

● *Plus chic*

– *Hôtel des Bains* : ☎ 98-67-41-02. Très connu depuis que l'on y a tourné le film *Hôtel de la plage*.

*LA CÔTE DE MORLAIX À ROSCOFF*

● *Locquénolé* : à 7 km vers Carantec. Enfoui dans la verdure, petit village tout mignon. L'église du XIe siècle avec son clocher ajouré et son petit enclos ver-doyant, le calvaire, la fontaine, la petite place, son vieux café, forment un char-mant ensemble. Un arbre de la liberté s'y élève toujours. Belle vue sur le port de Dourduff, de l'autre côté.
Carnaval, le dimanche de Pâques. Enfin, ne pas oublier de manger à l'*Auberge du Vieux Chêne* (voir chapitre sur Morlaix, « Où manger aux environs proches ? »).

● *Carantec* : une des stations balnéaires les plus touristiques de la région. Assez chic. Le site est hyper protégé : à l'est par la pointe du Diben, à l'ouest par la pointe de Roscoff. Au milieu, l'*île de Callot*. Avant d'arriver, on aperçoit le *château du Taureau*, édifié au XVIe siècle pour se défendre de la perfide Albion, et devenu par la suite prison (Blanqui y fut enfermé), puis un centre nautique. Maintenant, plus rien. Cette bâtisse qui date de 1544 pourrait bientôt devenir un gîte marin, à condition qu'on puisse y accoster et surtout repartir ! Nous, on approuve, mais faites vite car il y a péril en la demeure.
Superbe plage du Kelenn dominée par la célèbre *Chaise du curé,* un rocher d'où l'on a un chouette panorama sur la baie et la pointe de Roscoff. Les prêtres de la paroisse y venaient autrefois méditer face à la mer. Plein d'autres plages sur la pointe qui s'étire. Évidemment, beaucoup de monde en été.
L'île de Callot s'atteint aisément à marée basse. Plages de sable fin et petite chapelle du XVIe siècle. Agréable balade dans la verdoyante pointe de Pen Al Lann.
– Trois campings.
– *Office du tourisme* : rue Albert-Louppe. ☎ 98-67-00-43. Ouvert du 1er avril au 15 septembre, de 10 h à 12 h et de 14 h 30 à 18 h 30 (sauf dimanche et fêtes). En basse saison, ouvert les mardi et vendredi aux mêmes heures. Infor-mation sur un intéressant circuit de petite randonnée d'une quinzaine de kilomètres.

**SAINT-POL-DE-LÉON** (29250) ━━━━━━━━━━━━━━━━━━━━

Ce sont des émigrants gallois qui trouvèrent d'abord le site sympathique, dont Pol Aurélien, qui devint par la suite le premier évêque de la région.
Aujourd'hui, c'est la capitale de l'artichaut breton (importé d'Italie au XVe siècle) et du chou-fleur « prince de Bretagne ». Au « marché du Cadran » de Kérisnel débarque toute la production légumière du Nord-Finistère. Ce qui fait de Saint-Pol le premier marché et centre d'expédition de primeurs de France. Un marché a lieu le matin à 8 h (renseignements à l'office du tourisme).

– *Office du tourisme*. ☎ 98-69-05-69.

## Où dormir ? Où manger ?

– *Hôtel-restaurant les Routiers* : 28, rue Pen-ar-Pont. Près de la gare S.N.C.F. de Saint-Pol. ☎ 98-69-00-52. Chambres neuves à 160 F pour deux. Menus de 40 à 100 F. Ouvert toute l'année.
– *Camping municipal de Plougouln* : ☎ 98-29-81-82. Ouvert du 15 juin au 15 septembre. Vue sur la mer.
– *Le Baladin* : 9, rue d'Armorique, à Cleder, entre Saint-Pol et Plouescat. ☎ 98-69-42-48. Menus entre 62 et 225 F, de quoi contenter tout le monde.

## A voir

– *La chapelle Notre-Dame-du-Kreisker* : construite à partir du XIVᵉ siècle. Époustouflant clocher gothique, avec la flèche la plus haute de Bretagne (78 m). Chef-d'œuvre de légèreté et d'équilibre, et merveille de sculpture avec ses clochetons d'angle ajourés, ses balustrades et gargouilles (près d'une centaine d'ouvertures !). Intéressant portail nord, de style flamboyant, avec une multitude d'éléments décoratifs.
Côté ouest, admirable verrière en plein cintre et rosace du XIVᵉ siècle. Retable de chêne du XVIIᵉ siècle.

– *La cathédrale* : reconstruite à partir du XIIᵉ siècle sur les ruines d'une église romane détruite par les Danois. Imposants clochers hauts de 55 m. Chœur de style flamboyant avec une soixantaine de stalles du XVIᵉ siècle superbement sculptées. Observez les dossiers finement ciselés, du travail d'orfèvre. Au-dessus, dais polychromes.
– *La vieille ville* : nombreuses demeures anciennes pittoresques des XVIᵉ et XVIIᵉ siècles. Notamment dans les rues du Général-Leclerc (nᵒˢ 9, 12, 30 et 31), Rosière (nᵒˢ 6 et 9) et du Petit-Collège (hôtel de Kéroulas, avec un beau porche gothique). Mairie dans l'ancien palais épiscopal. Place du Petit-Cloître, maison « prébendale » du XVIᵉ siècle.

## Aux environs

● *Le petit port de Mogueriec* : commune de Sibiril, sur la route entre Saint-Pol et Roscoff. Ce petit bourg est le 1ᵉʳ port français de la pêche au crabe (et au homard...).
– *Hôtel-restaurant la Marine* : sur le port. ☎ 98-29-99-52. Chambre pour trois avec douche : 188 F. Bonne cuisine, menus à partir de 75 F.

## ROSCOFF (29211)

L'archétype du port breton dynamique et qui a su pourtant conserver intacts tout son charme et son homogénéité architecturale. Le nouveau port a seulement été se faire construire un peu plus loin, pour ne pas faire d'ombre à la vieille rade. Adorable front de mer que domine l'étrange et baroque clocher de Notre-Dame-de-Kroaz-Baz. A la fin du XIXᵉ siècle, le climat doux et vivifiant de Roscoff en fit le premier centre de repos et de soins pour convalescents et tuberculeux.

## Un peu d'histoire

Ancien repaire de corsaires, Roscoff eut longtemps maille à partir avec l'« Anglois », le véritable ennemi héréditaire. Nombre de batailles navales se déroulèrent au large. En 1548, Marie Stuart y débarqua à l'âge de 6 ans pour se fiancer au dauphin. En 1746, après Culloden, l'ultime bataille et défaite des Écossais face à l'expansionnisme anglais, c'est encore à Roscoff que « Bonnie Prince Charlie », héritier de la couronne d'Écosse, vint se réfugier. Jusqu'à la Révolution française, Roscoff fut l'un des ports français les plus prospères. En 1828, Henri Ollivier eut l'idée d'aller vendre à nos cousins anglais sa surproduction d'oignons roses du Léon. Ça marcha si bien qu'en 1930 près de 1 500 colporteurs, que toutes les ménagères anglaises appelaient des « Johnnies », traversaient la Manche avec leurs vélos chargés de tresses d'oignons roses. Depuis, les ventes de primeurs se sont développées considérablement. Alexis Gourvenec, ancien syndicaliste paysan, créa une compagnie maritime, la Brittany Ferries, l'une des plus spectaculaires réussites de ces 20 dernières années.

**Adresses utiles**

– *Office du tourisme :* chapelle Sainte-Anne, rue Gambetta. ☎ 98-69-70-70. En face du vieux port. Organise des sorties en mer avec un patron pêcheur.
– *Location de vélos :* Desbordes, rue Brizeux. ☎ 98-69-72-44.

## Où dormir ?

● *Bon marché*

– *Auberge de jeunesse :* sur l'île de Batz, à Creach ar Bolloc'h. ☎ 98-02-30-02. Fait école de voile du 1er avril au 31 octobre. Évidemment, superbement située et très recherchée. En haute saison, réserver impérativement.
– *Hôtel des Arcades :* 15, rue Amiral-Réveillère. ☎ 98-69-70-45. Dans le vieux centre. Petit hôtel sympa offrant des chambres correctes pour deux, de 135 à 230 F. Excellent rapport qualité-prix. Tenu par une direction jeune, ce qui fait qu'un certain souffle passe à travers la maison. Au rez-de-chaussée, vidéo avec du rock et de la pop. Restaurant panoramique.

● *Prix moyens*

– *Hôtel des Chardons Bleus :* 4, rue Amiral-Réveillère. ☎ 98-69-72-03. Fermé en décembre et janvier. Établissement rénové. Accueil sympa. Chambres agréables de 200 à 280 F. Excellente cuisine (voir « Où manger ? »).
– *Hôtel des Alizés :* quai d'Auxerre. ☎ 98-69-72-22. En face du port, vers l'est. Bénéficie d'une vue exceptionnelle. Ouvert toute l'année. Un vieux charme. Belles chambres à 200 F environ.
– *Hôtel Le Triton :* rue du Docteur-Bagot (Roc'higou). ☎ 98-61-24-44. Fermé du 1er décembre au 15 janvier. Un petit hôtel moderne fort bien tenu. A environ 500 m du port et du centre. Chambres de 180 à 280 F.
– *Hôtel Bellevue :* rue Jeanne-d'Arc ; situé près des viviers, en bord de mer. ☎ 98-61-23-38. Fermé de mi-novembre à mi-mars. Propose d'agréables chambres, la plupart avec vue sur le large, de 120 à 300 F la double. Resto panoramique. Spécialités : gratin de queues de langoustines, blanquette de filet de sole, magret de canard à l'orange.

● *Plus chic*

– *Hôtel Talabardon :* place de l'Église. ☎ 98-61-24-95. Grande maison de caractère, en granit. Chambres impeccables de 250 à 425 F en haute saison. Resto (menus à 99, 150 et 240 F).
– *Hôtel Brittany :* bd Sainte-Barbe. Vers les viviers, en bordure de la mer. ☎ 98-69-70-78. Ouvert de fin mars à début novembre. Hôtel tout neuf ayant intégré dans sa construction des éléments d'un vieux manoir du XVIIIe siècle, notamment d'élégantes arcades gothiques. Piscine, sauna. Décoration raffinée, atmosphère médiévale. Chambres superbes autour de 320 F la double. Resto (menus de 98 à 160 F). Possibilité de demi-pension.

● *Campings*

– *Camping municipal :* sur la pointe de Perharidy, vers Santec. ☎ 98-69-70-86. Ouvert de Pâques à fin septembre.
– *Camping de Kerastat :* à 2 km du centre, sur la route de Saint-Pol-de-Léon. ☎ 98-69-71-92. Ouvert du 10 juin au 10 septembre.

## Où manger ?

– *Crêperie de la Poste :* rue Gambetta. ☎ 98-69-72-81. Ouvert le midi et de 16 h à 22 h. Bonnes crêpes pas chères et galettes de sarrasin (aux champignons, lardons, andouille, fruits de mer, forestière, coquilles Saint-Jacques, etc.).
– *Les Chardons Bleus :* 4, rue Amiral-Réveillère. ☎ 98-69-72-03. Fermé le jeudi sauf juillet et août. Un des meilleurs rapports qualité-prix de la ville. Bonne atmosphère. Menu à 70 F avec salade composée, navarin de lieu. Au menu à 120 F : six huîtres, assiette de jambon cru, ou salade tiède de carrelet, désossé de volaille, etc. Plateau de fruits de mer à 150 F. Également un menu à 180 F.

● *Très chic*

– *Le Gulf Stream :* situé au sud de l'Institut marin. ☎ 98-69-73-19. Ouvert de mars à octobre. Une grande baie vitrée donne directement sur jardin et mer.

Cuisine imaginative, surtout à base de produits de la mer. Premier menu à 130 F. Un autre à 180 F. Très belles chambres à 360 F.

**A voir**

— *L'église Notre-Dame-de-Kroaz-Baz* : édifiée au XVI° siècle en gothique flamboyant. Étonnant clocher à lanternons Renaissance qui fait plutôt penser au château de Disneyland. Proportions extérieures remarquables. Dans l'enclos, deux ossuaires de la même époque. Sur les murs, tout autour, reliefs de tritons, animaux marins, navires. A l'intérieur, comme pour beaucoup d'églises « maritimes », plafond en forme de carène de navire renversée. Poutres et sablières sculptées. Magnifique retable de bois style baroque avec tabernacle à caryatides, belle chaire à baldaquin, et baptistère du XVII° siècle. L'été, visite commentée de l'église.
Sur la place, en face du chevet, au n° 23, superbe demeure avec fenêtres à accolade.

— *Musée-aquarium* : place Georges-Teissier. ☎ 98-69-72-30. A deux pas de l'église. Ouvert du 1er juillet au 7 septembre, de 9 h à 12 h et de 14 h à 19 h. De fin mai à fin juin, de 10 h à 12 h et de 14 h à 18 h. De mi-avril à fin mai et de mi-septembre à mi-octobre, n'ouvre que l'après-midi. Dans une quarantaine d'aquariums, possibilité de voir évoluer, entre autres : torpilles, hippocampes, gorgones, vers spirographes, pieuvres, calmars, congres géants et échinodermes (les oursins, ophiures, astéries et holothuries, quoi !). Intéressantes expositions thématiques également.

— *Le circuit des vieilles maisons* : autour de l'église, avenue Albert-de-Mun, rue Armand-Rousseau (la rue la plus ancienne), rue Amiral-Réveillère s'élevaient les superbes demeures des riches armateurs dont il reste bon nombre d'exemples. Admirer leurs façades décorées, les lucarnes sculptées, les escaliers à vis. Face à la chapelle Saint-Ninien, rue Amiral-Réveillère, deux d'entre elles se disputent le titre de *maison de Marie Stuart* pour l'avoir accueillie (en fait, elles furent construites peu après). A côté, belle tour de guet, vestige des anciens remparts.
Tout au bout du port, vers les viviers, petite *chapelle Sainte-Barbe*.

— *Petit musée militaire de 39-45* : Le Rhun, route du car-ferry. Ouvert toute l'année de 9 h à 12 h et de 14 h à 19 h.

— *Le figuier de Roscoff* : extrait du premier guide de la ville (1908) : « ... Dans une belle propriété particulière (ancien couvent des Capucins), on admire un figuier gigantesque qui fut, dit-on, planté... en 1621. Les branches s'étendent horizontalement de part et d'autre d'un petit mur qui soutient les troncs. Cet arbre couvre 600 m² de superficie et est soutenu par un grand nombre de piliers. Ce qui le rend fort curieux, au point de vue botanique, c'est que l'arbre entier provient d'un tronc unique dont les drageons, s'étendant horizontalement sur une certaine longueur, presque au ras de terre, se sont recourbés vers le sol pour y prendre racine. Ils ont formé ainsi de nouveaux troncs, issus du premier, auquel ils restent liés par de véritables racines aériennes très volumineuses. »
Au fait, ne cherchez pas cette merveille botanique. Elle a été abattue en 1987 pour permettre la construction d'un bâtiment. Le texte est seulement là par ironie. Parlez-en aux habitants de Roscoff, ils regarderont tous le bout de leurs chaussures. Inquiets des projets du promoteur, certains d'entre eux avaient pourtant vite introduit une demande de classement. Elle arriva deux jours après le « crime ». C'était notre rubrique : « La bêtise devrait mobiliser les chercheurs autant que le sida ! »

— *Pardon de Sainte-Barbe* : le 3° lundi de juillet.

— *Le phare* : sur le vieux port. Haut de 25 m, on peut le visiter. Téléphonez au gardien au 98-69-70-06.

— *Le Jardin exotique* : à 20 mn à pied du centre ville. Du port, prendre la direction Car-Ferry. ☎ 98-69-70-45. Plus de 500 variétés des quatre coins du monde s'épanouissent en bordure de mer.

**Quitter Roscoff**

Nombreux bus et autorails pour Saint-Pol-de-Léon et Morlaix.

● *En bateau*

Pour les Bretons et leurs voisins proches, c'est le port d'embarquement le plus pratique pour l'Angleterre et l'Irlande.
– *Pour Plymouth :* deux ou trois départs quotidiens en haute saison.
– *Pour Cork* (Irlande) : nombreux tarifs spéciaux intéressants. Réduction pour les étudiants, tarifs « week-end », « excursion » pour les voitures. Gratuité pour les véhicules s'ils transportent quatre personnes adultes payantes (sauf de fin juin à fin août). En haute saison, deux bateaux par semaine.
– *Brittany Ferries :* gare maritime. ☎ 98-61-22-11. Réservation en Bretagne : ☎ 98-69-76-22. En Normandie : ☎ 31-96-80-80. A Paris : ☎ 42-96-63-25.

## L'ÎLE DE BATZ (29253)

Petite île adorable en face de Roscoff, qu'on atteint en 20 mn en bateau. Longue de 4 km, large de 1,5 km. Peu de voitures mais 40 tracteurs remplacent les chevaux sur environ 50 micro-exploitations agricoles. Un super microclimat y permet même une flore quasi méditerranéenne. Un peu plus de 700 habitants qui vivent de la culture des choux-fleurs, des oignons, des pommes de terre, de quelques primeurs et de la récolte du goémon. Peu d'arbres, mais une vingtaine de petites plages de sable fin.
Possibilité de faire le tour de l'île en 3 h. En partant vers l'ouest, vous atteindrez le *fort de Beg Seac'h*, puis le *Toul ar Zarpant* (le « trou » ou le « lieu du Serpent »), éboulis de rochers où saint Pol Aurélien aurait noyé un dragon qui terrorisait l'île. Ne dit-on pas que, depuis, la mer fait un bruit bizarre ? Comme un roulement, sans cause explicable.
Le *grand phare*, édifié en 1836, vous permet en 211 marches de monter à 64 m et de bénéficier d'une large vision de la côte. Les rochers de Roc'h ar Mor, à côté, voisinent avec des plantes grasses aux noms étranges : ficoïdes, dracénas, lavatères, etc. Prenez rendez-vous avec le gardien : ☎ 98-61-75-37.
A l'ouest de l'île, superbe *Grève Blanche* s'étirant sur 800 m de sable fin. On dérange courlis et hirondelles de mer.
A propos, si un autochtone vous fait un grand sourire, c'est l'occasion d'affûter votre breton : *Nag hi zo kaer, an enez !* (« Qu'elle est belle, votre île ! »)
Le 14 Juillet, sur la plage, courses de chevaux de goémoniers. Jeux bretons : lever de perche, etc. Dernier dimanche de juillet : pardon de Sainte-Anne. Feux de joie dans les dunes, à l'est de l'île, près de la chapelle en ruine. Fête de la Mer à la mi-août.

### Comment y aller ? Où dormir ?

– *Les Vedettes blanches :* en été, bateau toutes les heures dans les deux sens. De Roscoff, de 7 h 30 à 20 h. De Batz, de 6 h 30 à 20 h. Se prend à marée haute du port de plaisance. A marée basse, depuis l'estacade. En hiver, bateau toutes les 2 h environ. Renseignements : ☎ 98-61-76-98 ou 98-61-79-66.
Possibilité également de balade dans la baie de Morlaix tous les jours à 14 h 30 (du 20 juin au 15 septembre).
– Dormir à l'*auberge de jeunesse de l'île de Batz* (voir chapitre « Où dormir à Roscoff ? »)
– *Camping :* renseignements, ☎ 98-61-77-76.
– Trois hôtels : *Roch ar Mor,* ☎ 98-61-78-28 ; *Ker Noël,* ☎ 98-61-79-98 ; et *Grand Hôtel,* ☎ 98-61-78-06.
– *Adresse utile : Association pour le développement et l'animation de l'île de Batz* (prononcez « Bâ »). ☎ 98-61-79-90.

*AU SUD DE MORLAIX*

Au sud de Morlaix, quelques bourgs intéressants. Pour ceux qui disposent d'une voiture, l'occasion aussi d'effectuer quelques étapes gastronomiques dans un rayon de 25 km. Jolie campagne (fort peu fréquentée) dont le relief déjà sauvage annonce les monts d'Arrée. Région très propice aux balades à pied.

## PLOUGONVEN (29216)

Village à environ 12 km de Morlaix. Propose un remarquable enclos paroissial, paradoxalement l'un des moins connus. Église de style flamboyant avec clocher à galerie et tourelle. Particulièrement intéressantes sont les gargouilles, figures grotesques ricanantes. Très imposant calvaire sur une base octogonale. C'est, dit-on, le deuxième de Bretagne pour l'ancienneté (1554). Au premier niveau, on trouve toutes les scènes classiques de la vie du Christ avant la Crucifixion. Au deuxième, la Flagellation, le Couronnement d'épines, etc. A part le Christ et la Vierge, notez que les personnages portent des costumes de bourgeois et de paysans du XVIe siècle. L'un des gardes est même armé d'une arquebuse ! L'ossuaire présente de belles fenêtres à arcades trilobées.

A proximité passe le *Jarlot*, un gentil chemin de randonnée pédestre ou à vélo. Une originalité : c'est l'ancienne voie ferrée Morlaix-Carhaix, transformée adroitement en promenade. Balade sur le sentier des landes du Cragou. Activités dépendant de la *S.E.P.N.B.* ☎ 98-99-67-67.

### Où dormir ? Où manger dans le coin ?

– *Camping municipal de Kervoazou* : renseignements, ☎ 98-78-64-04.
– *Auberge de Kroajou-Mein* : La Croix-de-Pierre. ☎ 98-72-52-55. A mi-chemin de Morlaix et de Plougonven. Ouvert le midi et le soir jusqu'à 21 h 30. Fermé le mercredi. Charmante vieille demeure et salle à manger au décor rustique chaleureux. Sympathique accueil. Bonne petite cuisine sans prétention, à tous les prix. Menus à 56, 86 et 120 F.
– *Ferme-auberge* : Pen-an-Neach, près du Ponthou (commune de Plouégat-Moysan, 29248 Guerlesquin). A 6 km au nord-est de Plougonven. ☎ 98-79-20-15. Ouvert tous les jours en haute saison. En basse saison, fin de semaine seulement. Toujours réserver. Excellentes crêpes et galettes, salades bretonnes, etc.

● *Plus chic*

– *L'Orée du Temps* : dans la rue principale de Plougonven. ☎ 98-78-71-41. Ouvert midi et soir jusqu'à 22 h 30. Fermé le samedi midi et le mardi, ainsi qu'en octobre. Ouvert récemment et possède déjà une bonne réputation. Cuisine assez inventive. Menus de 90 à 245 F.

## GUERLESQUIN (29248)

Commune du parc naturel régional d'Armorique, un gros bourg hors des sentiers battus, qui mérite le détour. Situé à 24 km de Morlaix et environ 10 km de Plougonven, il présente une homogénéité architecturale exceptionnelle et donne une idée assez précise de ce à quoi pouvait ressembler un village breton dans le passé. Il s'ordonne essentiellement autour d'une rue très large, bordée de maisons de caractère et qui va en s'évasant. Au milieu, différents bâtiments civils s'inscrivent harmonieusement dans cette logique architecturale. Après l'église s'étendent la place Matray, le grand jardin, les vieilles halles, puis le *Présidial*, une curieuse bâtisse carrée du XVIIe siècle ornée d'élégantes tourelles d'angle. Elle servit jadis de prison.

Autre caractéristique de la région, elle dépend économiquement de façon quasi exclusive des abattoirs Tilly. Pour nombre de paysans et de familles, ce sont les seuls débouché ou possibilité de travail. Plusieurs centaines de milliers de poulets passent de vie à trépas chaque jour. 80 % de la production est exportée vers les pays de l'Est et l'Arabie Saoudite.

– *Chemin de petite randonnée* intéressant, de 8 km. Renseignements : ☎ 98-72-84-20.
– *Fête* le dimanche suivant le 15 août : *Ar Oastell*, festin chantant des moissonneurs.

### Où dormir ? Où manger ?

– *Hôtel des Monts d'Arrée* : 14, rue du Docteur-Quéré. ☎ 98-72-80-44. Dans la rue principale, une belle maison de granit. Chambres correctes de 140 à 230 F. Bon resto (fermé le dimanche soir), menus à 65 et 140 F. Possibilité de demi-pension.

● *Dans les environs*

– *Chambres à la ferme :* Kerviniou, 29610 Plouigneau. ☎ 98-79-20-58. Parcours fléché à partir de l'échangeur de la voie express Saint-Brieuc-Morlaix. A 12 km de Morlaix. 3 chambres confortables à 150 F, petit déjeuner compris.

## SCRIGNAC (29216)

C'est déjà le début des monts d'Arrée, puisque le bourg culmine à 210 m, sur une petite colline. Jolie route de Guerlesquin à Scrignac, autre commune du parc régional. Il a su garder tout autour un beau bocage. A quelques kilomètres à l'ouest s'étendent les *landes* et les *rochers du Cragou*, but intéressant de balade. Vous y rencontrerez fort peu de monde. En revanche, faune très riche et possibilité de remonter vers Plougonven par le *Jarlot*, très beau chemin de randonnée qui passe à 2 km au nord de Scrignac. Sur les possibilités du coin, renseignements à la mairie. ☎ 98-78-10-15. En attendant, venez donc vous régaler à l'une de nos adresses préférées en Finistère.

### Où manger ?

– *Restaurant Henaff :* dans la rue principale. ☎ 98-78-20-08. Venant de Guerlesquin, sur la droite, peu avant d'arriver à la place principale. Pas de nom, il est juste écrit « restaurant » sur une grande bâtisse blanche aux volets bleus. Ouvert tous les jours, mais seulement le midi. Grimpez les quelques marches qui mènent à la salle à manger. Chaleureuse atmosphère, et la patronne est adorable. Pas de menu, vous goûterez la bonne et copieuse cuisine familiale du jour. D'abord, une soupe onctueuse et parfumée avant d'aborder deux autres entrées, puis le plat du jour (on vous souhaite d'arriver jusqu'aux tripes maison !), fromage, dessert, café. Le litre de gros rouge trône sur la table. Tout cela pour 45 F ! Mais ce qu'on retient avant tout, c'est la qualité de l'accueil. Une adresse rare qu'on regrette déjà de vous avoir donnée !

## – LE CIRCUIT DES ENCLOS PAROISSIAUX –

Entre Landerneau et Morlaix, au nord des monts d'Arrée, une région qui concentre les plus grands chefs-d'œuvre architecturaux et de sculpture en Bretagne. D'un enclos à l'autre, un enchantement permanent, une course folle à l'émotion, au frisson artistique...

### L'origine des enclos

Aux XVIe et XVIIe siècles, la Bretagne est riche et le sentiment religieux très fort. Ces deux éléments sont donc grandement à l'origine de la prolifération des enclos. Un commerce maritime prospère (en 1533, à Anvers, le plus grand port commercial de l'époque, sur 1 000 navires enregistrés, plus de 800 sont bretons), l'adaptation des gens au sarrasin ou blé noir (qui poussait bien en sol pauvre) permet l'exportation du seigle et du froment. Mais ce qui rapporte le plus, à l'époque, c'est le lin dont on tisse des toiles qui sont massivement vendues en Angleterre (expansion du port de Morlaix), en Espagne et au Portugal. Les tisserands, tout à la fois agriculteurs et artisans, deviennent une classe très aisée. Pour finir, indiquons également la production de papier, largement exporté (beaucoup de moulins à papier entre Léon et Trégor).
Les paroisses, en plus du revenu des propriétés et fermes, bénéficient donc de cette prospérité. D'importants dons en nature (coupons de toile, animaux, etc.) sont faits à la sortie de la messe dominicale aux « fabriques » ou marguilliers, notables élus chaque année pour gérer les biens de la paroisse. Des ventes aux enchères ont parfois lieu tout de suite après devant l'église et rapportent énormément d'argent. Riches donc, avec l'accord et le soutien des fidèles, les paroisses se lancent dans l'édification des enclos paroissiaux. Ce sont des signes extérieurs de richesse à la gloire de Dieu. Le phénomène de concurrence et d'émulation entre bourgs et villages intervient aussi. Le paysan pauvre éprouve de la fierté à posséder la plus belle église de la région, au même titre que le hobereau local. Celui-ci, en revanche, en y consacrant tant d'argent, a

l'impression de se faire pardonner d'être riche, de se dédouaner en quelque sorte. Cet état d'esprit pousse naturellement les paroisses dans l'escalade de la magnificence et du démesuré. Ce qui explique, aujourd'hui, la disproportion entre la taille réduite de certains villages et l'ampleur architecturale de certains enclos paroissiaux. Il arrive souvent que telle paroisse, jalouse de l'église d'une autre, copie et édifie le même clocher quelques années plus tard, mais plus haut, et toujours plus richement décoré.

C'est Louis XIV qui amorce la chute de l'art breton en provoquant le déclin économique de la Bretagne. Pour développer la « production nationale » et le commerce des draps français, Colbert taxe lourdement les draps venant d'outre-Manche. Par mesure de rétorsion, les Anglais cessent d'acheter les toiles bretonnes, et la Bretagne connaît ainsi une crise économique dramatique. Il est évident que cette taxation n'est pas exempte d'arrière-pensées politiques, puisque Louis XIV et le pouvoir central voient aussi d'un bon œil l'affaiblissement économique de la Bretagne. Puis, les guerres avec l'Angleterre font bien évidemment cesser tout commerce. La paix revenue, l'Angleterre ayant entre temps développé ses propres industries et trouvé d'autres marchés, la Bretagne voit ses ressources financières s'amenuiser considérablement. Enfin, le coup de poignard final est un édit du roi de 1695 interdisant toute construction nouvelle sans nécessité reconnue. La Bretagne cesse toute production artistique de grande ampleur et Saint-Thégonnec est le chant du cygne de l'art breton.

### Qu'est-ce qu'un enclos ?

Pour résumer : l'enclos paroissial se compose généralement d'une porte ou arche monumentale et d'un mur d'enceinte, d'un calvaire, d'une chapelle funéraire ou ossuaire, et, bien entendu, d'une église. L'ensemble présente, malgré la variété des édifices, une très belle harmonie, une unité de lieu quasi théâtrale. Le nom de la porte, *porz a Maro* (porte de la mort), la présence de l'ossuaire et de l'*Ankou*, cet étrange personnage féminin, symbole de la mort et de la misère, qui décore souvent sous la forme d'un squelette tenant une faux ou un arc avec flèche, pourraient laisser croire que le Breton possédait une vision profondément morbide de l'existence. Il n'en est rien. Le Breton, grâce à l'héritage celte, pratiquait plutôt une cohabitation fantasmatique avec la mort, comme ces femmes, en Inde, qui lavent leur linge tranquillement à côté des bûchers brûlant les corps.

L'enclos est avant tout le lieu de rencontre des morts et des vivants. On ne cache pas la mort. Elle n'est pas honteuse comme à notre époque. On apprend à vivre avec, dans un rapport évidemment teinté de merveilleux, d'allégorie et de poésie.

### SAINT-THÉGONNEC (29223)

Peut-être le plus imposant des enclos paroissiaux, apogée de l'art breton du XVIIe siècle. Fusion du style Renaissance et des premières influences du baroque qui arrivent d'Italie. Saint-Thégonnec vient du gallois *Connog*, l'un des moines ayant fui au VIe siècle le pays de Galles, devant l'avance des Scots et des Angles. L'ensemble, de la première pierre jusqu'au dernier élément du retable à l'intérieur de l'église, demanda près de deux siècles de construction. On pénètre dans l'enclos par une porte triomphale (1587) qui a, elle, largement emprunté au style Renaissance, notamment dans la partie supérieure avec les deux lanternons. On visite toute l'année de 8 h à 19 h. Renseignements : ☎ 98-79-61-06.

### Où dormir ? Où manger ?

– Camping : possibilité de planter la tente au fond du parking qui est sur la grande place (gratuit). Robinet d'eau et, pour les w.-c., aller au centre du village.
– Hôtel du Commerce : 1, rue de Paris. ☎ 98-79-61-07. A deux pas de l'enclos paroissial. Fermé samedi et dimanche, et en août. Repas « routiers » à midi en semaine. Accueil sympa. Bonne et copieuse nourriture bon marché. Pour 45 F : potage, hors-d'œuvre, plat du jour, fromage et dessert (boisson comprise « ouvriers », non comprise « passage », est-il précisé sur le menu !). Salle à manger agréable avec mur en pierres sèches. Ambiance animée. Quelques chambres à louer (mais priorité aux routiers, bien sûr).

– *Chambres d'hôte :* 20, avenue Kerizella. ☎ 98-79-63-86 et 98-79-65-30.
Chez Mme Kergadallan, 3 chambres tout confort, dont 2 avec salon commun.
170 F pour deux, petit déjeuner compris. Possibilité de se faire des repas froids.
Possède également la boutique *Anty Korn*, bijoux celtes et artisanat local.
– *Crêperie Steredenn :* 6, rue de la Gare. ☎ 98-79-43-34. Ouvert de 11 h 30 à
22 h du 15 juin au 1er septembre. Accueil agréable des patrons, Christine et
Alain. Feu de bois dans la cheminée. 150 crêpes différentes, bonnes et bon
marché.

● **Plus chic**

– *L'Auberge de Saint-Thégonnec :* 6, place de la Mairie. ☎ 98-79-61-18.
Fermé dimanche soir, lundi hors saison, lundi midi en saison, et en janvier et
février. Service midi et soir jusqu'à 21 h 15. Réservation en saison très
recommandée. Cadre élégant et raffiné, mais pas pesant. Clientèle assez chics
d'hommes d'affaires. Service impeccable. A la carte, on monte facilement à
180 F, mais Alain Le Coz, le chef-cuisinier, a eu la bonne idée d'offrir un menu à
99 F (boisson en sus) à l'exceptionnel rapport qualité-prix qui propose, entre
autres, une marinade de coquilles Saint-Jacques à cru au citron vert, un foie de
veau sauté à l'ail doux et ses galettes de maïs, une ronde de délicieux fromages
de chèvre et un dessert. Imbattable ! Il y a même un menu à 70 F (le midi seulement). A la carte, beaucoup de choix : marmite de poisson de l'Atlantique au
sancerre, millefeuille de ris de veau et foie gras au porto, carré d'agneau,
coquilles Saint-Jacques à la fondue d'endives, etc. Bref, on pèse nos mots : une
des meilleures adresses du Finistère. Pour dormir, une dizaine de belles
chambres de 170 à 270 F. Que vous faut-il de plus ?

**A voir**

– *L'église :* paraît d'un style plus austère que l'ossuaire. Le clocher est la partie
la plus ancienne (1565). L'imposante sacristie date, quant à elle, de 1690. A
l'intérieur, chœur en bois sculpté polychrome, splendide chaire, démontrant
bien l'importance de la parole en cette fin du XVIIe siècle, grand *retable du
Rosaire* où la Vierge remet un rosaire à sainte Catherine et à saint Dominique.
Sur l'une des colonnes, *niche ouvrante de saint Thégonnec.* Enfin, notez dans la
nef, à droite au-dessus de la porte d'entrée, une autre niche ouvrante, avec une
remarquable *Vierge* trônant sur un arbre de Jessé. Cette église a été le théâtre
d'agissements étranges : durant une épidémie de typhus entre 1740 et 1743,
on inhuma 750 cadavres sous ses dalles.

– *L'ossuaire :* probablement le plus beau, le plus monumental de Bretagne.
Construit entre 1676 et 1682. Façade latérale : riche composition et ornementation parfaitement harmonieuses. Colonnes corinthiennes, niches à
coquille, etc. A l'intérieur, sous la crypte, une *Mise au tombeau* en bois, du
sculpteur de Morlaix Lespaignol (auteur du retable du Rosaire également).

– *Le calvaire :* l'un des derniers grands calvaires bretons. Édifié en 1610. La
base présente neuf scènes de la Passion. Si le style des personnages en costumes d'époque se révèle plutôt simple (et même assez naïf), en revanche, les
visages et attitudes des personnages actifs sont expressifs. Quelques détails :
l'un des deux individus qui fouettent Jésus tire la langue comme un débile, ceux
qui le giflent ont l'air plus bête et méchant que nature. Expression douloureuse
de Véronique qui tient la Sainte Face, ainsi que des femmes à côté.

– *Balade dans le coin :* Saint-Thégonnec se situe aussi sur le GR 380, de
Lampaul-Guimiliau à Morlaix.

**GUIMILIAU** (29230) ─────────────────────────

L'un des quatre plus importants enclos du Finistère doit son nom à saint Miliau,
descendant des anciens rois de Bretagne. A notre avis, il est plus spectaculaire
que Saint-Thégonnec, du fait de l'environnement moins ostensiblement touristique. Quand on s'en approche, on découvre peu à peu tous les éléments qui le
composent dans un même champ : porte monumentale, église, calvaire et
ossuaire, quel traveling pour un cinéaste !

**A voir**

– Après la *porte triomphale* s'élève le grand *calvaire* : édifié de 1581 à 1588, il présente plus de deux cents personnages. L'un de ceux que l'on préfère. Beaucoup de mouvement. Foisonnement de personnages. On s'y perd quelque peu. Les scènes sont plus travaillées, plus fines qu'à Saint-Thégonnec. Plusieurs sont admirables : la *Mise au tombeau* où une Vierge peu orthodoxe porte habit et coiffe d'une femme noble de l'époque (composition originale très maîtrisée). Pathétique *Descente de croix* avec un Christ tordu en deux (style et rythmes très modernes). Enfin, notez la scène, dite de *la Gueule de l'enfer*. Toute la symbolique de l'enfer (le Léviathan, monstre avalant les hommes), plus une histoire locale : Katell (Catherine) Gollet aurait pris un amant qui, en fait, était le diable. On peut la voir, le visage désespéré, corde au cou, menacée d'une grosse fourche. Les gros seins à l'air sont là pour nous rappeler la nature de la faute...

– *Église* de style gothique flamboyant avec quelques réminiscences Renaissance. Façade richement ornée avec un porche superbe, l'un des plus beaux du Finistère. Deux portes en plein cintre à l'entrée, avec bénitier au milieu, encadrées par une belle série d'*Apôtres* sous leur dais flamboyant. Facilement reconnaissables : Pierre et sa grosse clé, Jacques le Majeur, couvert de coquilles (Saint-Jacques), Jean, le seul sans barbe, etc. Notez la finesse du drapé de leurs vêtements.
L'intérieur vaut l'extérieur, la musique en plus. D'abord, le magnifique *baptistère* en chêne sculpté, époustouflante œuvre baroque de 1675. Du vrai travail d'orfèvre. Huit colonnes torsadées soutiennent un élégant baldaquin. *Chaire* de la même époque que le baptistère, présentant une égale richesse de décor sculpté. Dans la foulée, notez la remarquable *balustrade de chœur* et le *lutrin*. A droite, le *retable* au décor polychrome somptueux. *Bannières de procession* du XVIIe siècle, brodées d'or. Enfin, sous les voûtes de l'église, jolies poutres et sablières finement sculptées représentant animaux et scènes de la vie paysanne. L'*orgue*, construit par Thomas Dallan en 1677, tombé en ruine, démonté et entreposé dans le grenier de la mairie, a repris sa place au terme de 3 années de restauration moyennant 20 millions de francs. Gérard Guillemin, facteur d'orgues à Malaucène, a rendu son âme au vénérable instrument, qui a repris de la voix, et quelle voix dans ce superbe décor ! Pour une fois, il ne manquera rien à l'environnement de votre piété à la messe dominicale !

– *L'ossuaire*, petit chef-d'œuvre de classicisme et d'harmonie, abrite la boutique-librairie de l'enclos. En face, on note la grande sacristie en forme d'abside, rajoutée, comme pour beaucoup d'églises bretonnes, à la fin du XVIIe siècle (au moment de la Contre-Réforme).

## LAMPAUL-GUIMILIAU (29230)

Moins spectaculaire que celui de Saint-Thégonnec ou de Guimiliau, offrant un calvaire bien moins important, l'enclos paroissial de Lampaul-Guimiliau possède quand même une personnalité qui lui est propre et, surtout, une ornementation intérieure d'église plus riche. C'est le plus ancien de la « série ». Là aussi sont réunis tous les ingrédients de l'enclos : porte triomphale, calvaire, église et ossuaire. Les architectes ont également veillé à ce qu'ils apparaissent bien en perspective dans l'axe de l'arche.
La tour-clocher supportait une flèche de 70 m de haut qui fut abattue par la foudre en 1809. Porche gothique quasiment semblable à celui de Guimiliau. Normal, à l'époque, les architectes et artistes passaient leur temps à copier sur les voisins en essayant de faire mieux. Or, celui de Lampaul est de 70 ans plus ancien que celui de Guimiliau. On y trouve les *douze apôtres*, surmontés de leurs dais gothiques.
C'est l'une des églises les plus anciennes (1553), l'une des plus homogènes aussi. Grande harmonie des proportions. L'un de nos « coups de chœur ! ». A l'intérieur, à travers le chœur, l'une des plus belles *poutres de gloire* du Finistère. *Crucifixion* en bois polychrome. La Vierge, à gauche, semble supplier du regard l'audience des fidèles. Attitude extatique de Jean. Naïveté et vigueur de la frise qui court sur la poutre. Notez le mouvement extrêmement violent du flagellateur de droite.
Beau *baptistère* polychrome. Moins séduisant que celui de Guimiliau, mais il faut savoir que, le construisant quelques dizaines d'années après celui de Lampaul,

les paroissiens de Guimiliau voulaient que le leur écrase tous les autres. Pourtant, ici, on aime cette simplicité, teintée de ferveur.

Dans la foulée, belles stalles et balustrade du XVII<sup>e</sup> siècle, mais plus remarquables sont les retables. Notamment celui de gauche, *l'autel de la Passion*, intéressant par le sens du détail, la finesse de l'exécution (remarquez le soldat donnant un coup de pied au Christ). Panneau peu ordinaire : une *Nativité* avec la Vierge couchée. On en voit une douzaine en Bretagne.

Au milieu de l'église, à gauche, une *pietà* du XVI<sup>e</sup> siècle, sculptée dans un seul et même morceau de bois. Plus loin, belle *Mise au tombeau* en pierre.

**Aux environs**

● *Locmélar :* à 8 km au sud de Lampaul-Guimiliau. Enclos paroissial qui vaut le détour. Dans le cimetière, très jolie croix à double traverse du XVI<sup>e</sup> siècle. Clocher à galerie à balustrade. Très beaux *retables* à l'intérieur. Dans celui de *Saint-Hervé*, nos lecteurs instituteurs traqueront les gentilles fautes d'orthographe. Charmante composition montrant saint Hervé accompagné d'un loup qu'il a apprivoisé. Enfin, jetez plus qu'un œil sur les bannières ornées d'or, du XVI<sup>e</sup> siècle, la chaire, le baptistère, la Vierge de Pitié, etc.

● *Landivisiau :* à part le fait d'être le lieu de naissance du grand poète et journaliste Xavier Grall, gros bourg présentant peu d'intérêt. La nouvelle église, rebâtie au XIX<sup>e</sup> siècle, sans aucun charme, a cependant conservé son beau porche du XVI<sup>e</sup> siècle. Encadrement de la double porte d'une grande finesse. De la place de l'église, la petite rue de Saint-Thivisiau mène à une très vieille fontaine ornée de bas-reliefs du XVI<sup>e</sup> siècle également. Enfin, l'ossuaire dédié à sainte Anne, de la même époque, a été remonté entièrement au cimetière de la ville.

Population aujourd'hui : 8 253 habitants. Landivisiau a longtemps été un important centre d'élevage du cheval breton. Grande foire aux chevaux au printemps et à l'automne. La nouvelle activité se concentre autour d'une base aéronautique navale.

**Où dormir ? Où manger dans le coin ?**

– *L'hôtel de l'Enclos :* à Lampaul-Guimiliau. ☎ 98-68-77-08. Arrivé devant l'enclos paroissial (venant de Landivisiau), continuez 300 m, puis tournez à gauche. Construction moderne, mais plaisante, proposant d'agréables chambres (avec télé). Bon accueil. 230 F environ la double. Resto correct, qui propose des menus à 52, 75 et 137 F.

– *Le Terminus :* 94, avenue Foch, à Landivisiau. ☎ 98-68-02-00. Ouvert le midi et le soir jusqu'à 21 h 30. Fermé du vendredi soir au dimanche matin et au mois d'août. L'un des meilleurs « routiers » du Finistère. Du nord au sud, on vous vantera ses très copieux menus à 58 et 80 F en semaine, 90 et 115 F le dimanche, et son assiette de fruits de mer. Un exceptionnel rapport qualité-prix dans la catégorie « pas cher ». Quelques chambres.

**BODILIS** (29230) ─────────────────────────────────

Tout petit village, quelques kilomètres au nord de Landivisiau, qui possède pourtant l'une des églises les plus séduisantes du Léon. On est d'abord frappé par l'énorme tour-clocher de style flamboyant, puis par les proportions harmonieuses de l'église, enfin fasciné par le *porche*, admirable en tout point (à notre avis, plus beau que celui de Guimiliau, c'est tout dire !). Le granit ici a pris des couleurs, des teintes très expressives grâce à l'utilisation de la pierre de Kersanton dans certaines parties et pour les statues. De part et d'autre du portail aux lignes romanes, la Sainte Vierge et l'archange Gabriel. A l'intérieur du porche, les douze apôtres traditionnels sous leur dais. Frises et scènes inférieures d'une extrême richesse, mêlant symboles, signes chrétiens et ésotériques. Regarder attentivement : une foule de détails intriguent, comme cette femme bizarrement enlacée par un homme-serpent. En tournant autour de l'église d'ailleurs, on remarquera bien d'autres choses, notamment de mystérieux médaillons et gargouilles étranges. Belle sacristie rajoutée au XVII<sup>e</sup> siècle, œuvre de l'architecte qui construisit également la sacristie de La Martyre.

A l'intérieur, voûte en forme de carène de navire renversée. Nombreuses poutres et sablières sculptées (figures souvent intéressantes au bout de cer-

taines d'entre elles), notamment dans la nef à droite. Somptueux *retables* (dont celui de l'autel principal) par l'auteur de la chaire de Saint-Thégonnec. Notez celui dit *de la Sainte Famille*, avec l'Enfant Jésus donnant la main à ses parents pour traverser la rue !
Enfin, toujours côté droit, jouxtant la liste des morts 14-18, une *Mise au tombeau* polychrome superbe. Baptistère en pierre du pays.

## LA ROCHE-MAURICE (29220)

Dans un site magnifique, vous trouverez d'abord les ruines d'un château du XIIᵉ siècle, chargé de surveiller la vallée de l'Élorn. Puis l'*église Saint-Yves*, d'une architecture fort simple, mais son toit à longs pans semble la faire fusionner avec la terre. Superbe clocher. Le portail mêle harmonieusement styles gothique et Renaissance. C'est cependant à l'intérieur que vous admirerez les plus belles réalisations. D'abord le *jubé*, datant de la Renaissance et qui servait de séparation entre la nef et le chœur. Certaines lectures se déroulaient de la galerie. Entièrement en chêne polychrome, c'est l'un des plus beaux du Finistère. Notez les petites arcades, au pittoresque décor, sur chapiteaux corinthiens, les superbes panneaux côté chœur. Plafond à caissons. Au-dessus du jubé, Christ en croix avec la Vierge et saint Jean. Il faut s'attarder sur toutes les sculptures, tous les détails. Profusion de personnages et de symboles. Richesse de la polychromie.
Belles sablières sculptées et chaire du XVIIᵉ siècle. Niche avec saint Yves entre le pauvre et le riche (devinez vers qui va la préférence !).
Admirable *vitrail du chœur*, aux armes de la famille de Rohan, présentant, en d'éclatantes couleurs, pas moins de quatorze scènes de la Passion. Commencez la lecture en bas, à gauche, par les Rameaux.
Dans l'enclos, *ossuaire* aux harmonieuses proportions et aux fines sculptures. Avant la première fenêtre, au-dessus du bénitier, l'*Ankou* (la mort) menace de sa flèche : « Je vous tue tous ! »

## LANDERNEAU (20220)

Grosse ville commerçante de 14 300 habitants, ville carrefour sur le fleuve Élorn, à cheval sur le Léon et la Cornouaille. Un dicton local précise même que les citoyens de Landerneau ont « le nez en Léon et un autre appendice en Cornouaille ».
Pendant la période romaine, c'était déjà un lieu de passage important. Aux XVIᵉ et XVIIᵉ siècles, l'un des plus importants ports bretons. Chef-lieu du Finistère sous la Révolution française. Au début de ce siècle, l'agriculture et le commerce prirent le pas sur l'industrie textile. Landerneau devint le siège de la plus grosse coopérative agricole de France. Est-il étonnant, dans ces conditions, que la ville ait aussi été le cadre d'une des plus fantastiques aventures commerciales de ce demi-siècle et ait produit le phénomène Édouard Leclerc, connu également sous le surnom de « l'épicier de Landerneau » ?
On doit le célèbre : « Ça fera du bruit dans Landerneau » à une réplique théâtrale dans la pièce à succès d'un auteur breton. Référence au tapage qu'effectuaient les amis d'une veuve qui se remariait, pour empêcher un éventuel retour de l'esprit jaloux du mari défunt !
Quant à l'origine de l'expression « la lune de Landerneau », elle vient probablement du clocher de l'église Saint-Houardon qui en aurait porté une, en guise de girouette, plus grande que celle du château de Versailles quand Louis XIV emprunta le soleil des armoiries du prince de Rohan, alors suzerain du Léon. Par déférence, le prince s'inclina, mais le bon peuple se mit à dire en raillant : « Il ne nous reste que la lune de Landerneau. »
– *Office du tourisme* : pont de Rohan. ☎ 98-85-13-09. Ouvert toute l'année.

## Où manger ?

● **Bon marché**

– *Restaurant de la Mairie* : 9, rue de La Tour-d'Auvergne. ☎ 98-85-01-83. Salle à manger modernisée, cuisine régionale classique de qualité. Menu à 80 F généreux et fameux, mais on commence à 48 F !

● **Plus chic**

– *Le Clos du Pontic :* rue du Pontic. ☎ 98-21-50-91. Dans une rue perpendiculaire à l'Élorn, côté Cornouaille (venant de Quimper, c'est donc à droite). Vous découvrirez une grande villa cossue au milieu d'un parc. Cadre éminemment confortable, pour un vrai repas gastronomique. Fermé le dimanche soir, le lundi et le samedi midi. Réservation obligatoire. Cuisine fraîche et imaginative. Accueil très courtois et service souriant. Menus à 85, 150 et 190 F. Chambres de 240 à 270 F. Bref, est-il besoin de préciser que c'est une super adresse et qu'on vous envie déjà ?
– *L'Amandier :* 55, rue de Brest. ☎ 98-85-10-89. Ne paie pas de mine à l'extérieur, car la fête du bon goût se tient dans la salle à manger. Au menu à 145 F, œuf de caille en coque d'oursin, pigeon rôti, purée d'ail et petits navets, et notre gourmandise : le nougat glacé au coulis de menthe. Il y a 8 chambres de 160 à 300 F d'un bon confort et superbe décoration.

## A voir

– *Le pont de Rohan :* construit en 1510 pour franchir l'Élorn. C'est, avec le ponte Vecchio de Florence, le dernier pont habité d'Europe. Pour immortaliser le côté le plus photogénique, il vaut mieux venir le matin (l'après-midi, le soleil est de face).

– *Les vieilles demeures :* rive sud, à l'angle de la place Poul-Ar-Stang et de la rue Saint-Thomas, belles maisons médiévales. A deux pas de là, église Saint-Thomas, du XVIᵉ siècle, et ossuaire.
Rive nord, place du Général-de-Gaulle (ex-place du Marché), superbe *maison de la Duchesse Anne,* de 1664, d'autres dans la rue Fontaine-Blanche. Devant le Monoprix (lui-même ancien hôtel du XVIIIᵉ siècle) débute la rue du Commerce avec, là aussi, quelques demeures anciennes pittoresques.

– *Saint-Houardon :* église reconstruite en 1860, possédant cependant un remarquable porche Renaissance ayant servi de modèle pour bien d'autres églises de la région.

– *Descente de l'Élorn :* jusqu'à la rade de Brest, avec les vedettes Armoricaines. Retour en autocar, durée 2 h 30. Réservation : ☎ 98-44-44-04, et à l'office du tourisme.

## Aux environs

● **Pencran :** petit village certes, mais possédant un bel enclos paroissial. A 2 km au sud de Landerneau. *Calvaire* original : les deux larrons sont séparés de la croix centrale et encadrent l'entrée du cloître, avec ses pierres arrondies que l'on enjambe. *Église* avec clocher à doubles galeries. Les douze apôtres du porche (1552) voûté à clé pendante ont retrouvé, sous un dais au gothique flamboyant finement sculpté, leurs têtes perdues durant la Révolution. *Ossuaire* de 1594, ayant subi plus d'un avatar : il a été successivement école, bureau de tabac, habitation ; il sert maintenant de caveau familial à la famille de Rosmorduc.
Dans le cimetière tout proche, on découvre une authentique tombe cambodgienne !

## LA MARTYRE (29220) ─────────────────────────────

Situé à une dizaine de kilomètres de Landerneau, encore un petit village fleuri qui cache jalousement un enclos original, le plus ancien du Léon, une vraie merveille. Sur l'origine du nom, on ne possède curieusement aucun élément, personne ne connaît cette « Martyre ». Ce qu'on sait, en revanche, c'est que le bourg fut le théâtre d'une grande foire du drap au Moyen Age, qui déplaçait des acheteurs de Hollande, d'Angleterre et de la lointaine Irlande. Un Hollandais amoureux de La Martyre et de son histoire, Fons De Kort, découvrit dans une pièce de Shakespeare une référence au *daoulas,* un tissu renommé et fabriqué près de La Martyre. Or le père de Shakespeare, négociant en drap, vint souvent à la foire de La Martyre...

**A voir**

– *L'arche monumentale :* au milieu d'un haut mur, percée de trois portes un peu de guingois, néanmoins ornées d'une balustrade de style flamboyant. L'enclos est si petit qu'on y a aussi perché le calvaire.

– *L'église :* admirable *porche* du XV° siècle en forme de panier. Un des plus vénérables du Finistère. Il a acquis au fil des siècles, grâce à la pierre de Kersanton, une humanité profonde, une douce patine, une multitude de tons nuancés. Il donne même l'impression de s'enfoncer un peu sur le côté. Richement décoré, il présente sur son tympan une *Nativité* curieuse. La Vierge est, chose rare, couchée dans un lit. Le kidnappeur d'enfants du Léon a encore frappé : le petit Jésus a disparu, de même que la poitrine opulente de la Vierge, massacrée à coups de marteau par un des recteurs de la paroisse, particulièrement refoulé. On retrouve sous le porche l'*Ankou*, comme à La Roche-Maurice, sous forme de bénitier, qui semble étrangler quelqu'un.
Quand on examine l'ensemble de l'église, il se dégage une agréable impression d'architecture de bric et de broc, tant elle fut remaniée, enrichie de nouveaux apports au cours des siècles. Derrière s'élève la superbe *sacristie,* construite par les Kerandel de 1697 à 1699, présentant un dôme sur une base carrée, avec des cercles en compositions inscrites.
A l'intérieur : dans la nef, à gauche, intéressante charpente en bois avec poutres et sablières sculptées et polychromes. Vitraux du XVI° siècle dont le plus beau servit de modèle à plusieurs dizaines d'églises dans le Finistère. Les 8 colonnes du jubé supportent un arc couronné par le Christ en croix. Les lambris du plafond sont en réfection. Pour une fois, l'autel moderne en avant du chœur n'en détruit pas l'harmonie.

– *L'ossuaire :* construit en 1619. Notez l'étrange morte en forme de caryatide et bandée comme une momie (sirène d'un nouveau genre pour un voyage dans l'au-delà ?). Inscription en breton : *An, Maro, Han,* etc. (« La mort, le jugement, l'enfer froid, quand l'homme y pense il doit trembler. Fou est celui dont l'esprit ne prend garde qu'il faut tous trépasser. »). Remarquez que les Bretons n'utilisent absolument pas la métaphore des flammes de l'enfer, mais plongent plutôt dans la mythologie celtique : les eaux glacées des mers, les lacs brumeux, etc.

– Pardon, le 2° dimanche de mai et de juillet.

**Aux environs**

● *Ploudiry :* l'église, moins intéressante que celle de La Martyre (reconstruite au XIX° siècle), n'en possède pas moins un porche digne d'intérêt. Belles voussures sculptées. Ossuaire édifié en 1635 où frappe encore l'*Ankou.* Elle brandit de façon agressive une énorme flèche. Au-dessus des baies, cinq personnages sculptés assez finement, représentant toutes les classes sociales et symbolisant l'égalité de tous devant la mort.

**SIZUN (29237)** ────────────────────────────────

Un des plus beaux enclos paroissiaux. Curieusement, pourtant, pas de calvaire, juste une croix sur l'arche d'entrée. Village paisible, porte d'accès aux monts d'Arrée.

**Où dormir ? Où manger ?**

– *Camping municipal :* situé au bord de la rivière. Propre et pas cher. Douches chaudes, lavabos et w.-c.
– *Hôtel des Voyageurs :* 2, rue de l'Argoat. A côté de l'enclos. ☎ 98-68-80-35. Ouvert tous les jours, midi et soir jusqu'à 22 h 45. Le petit hôtel de province simple et correct. Chambres de 120 à 200 F. Resto avec bons menus à 48 et 55 F.
– *Restaurant les Quatre Saisons :* 2, rue de Brest. ☎ 98-68-80-19. Chambres bon marché à partir de 95 F (petit déjeuner compris). Au restaurant, menus de 64 à 114 F.

**A voir**

– *L'enclos* s'ouvre sur la plus imposante des entrées monumentales du Finistère. Longue de 15 m, percée de trois grandes arcades et surmontée d'une balustrade à lanternons. Dommage que le monument aux morts des dernières guerres gâte l'harmonie (historique) du site.

– Tout à côté, *l'ossuaire*, de la même époque (1585) et du même style que l'entrée. Baies en plein cintre, ornées de spirales et de caryatides, colonnes corinthiennes, exemple typique de style Renaissance bretonne. Dans leurs petites niches, les douze apôtres (tout étonnés de ne pas être sous le porche, pour une fois !).
A l'intérieur, petit *Musée ethnographique*. Ferme à 19 h. On y trouve de belles statues anciennes, costumes régionaux, lit clos breton, vaisselier, jolies broderies, etc., à acheter.

– *Clocher-porche* à la flèche élancée (construite au XVIIIᵉ siècle sur le modèle du Kreisker de Saint-Pol-de-Léon). A l'intérieur, retables intéressants, belles poutres et sablières sculptées.

**Aux environs**

● *Milin Kerroch :* à 1 km de Sizun, un petit centre de loisirs près d'un étang, pour familles. ☎ 98-68-81-56. Dans un vieux moulin restauré, un bar-crêperie-grill. Pédalos, divers jeux pour les enfants.

● *Maison de la Rivière, de l'Eau et de la Pêche :* installée dans le moulin de Vergraon. Ouvert du 15 juin au 15 octobre. ☎ 98-68-86-33. Pour les enfants et ados, une présentation didactique et vivante par panneaux, maquettes, documents divers de tout ce qui tourne autour de l'eau : poissons, pêche, flore, rôle de l'économie, préservation écologique, etc. Notez la baie vitrée derrière laquelle passent les saumons de l'Élorn.

## – LES MONTS D'ARRÉE –

« Parmi les chiens bleus,
Je partirai sans dire rien,
Dans les marais du Yeun Élez... »
(Xavier Grall.)

Couvrant en grande partie le parc naturel régional d'Armorique, c'est une Bretagne hors des sentiers battus, quasi intacte. Ce fut longtemps une terre de sorcellerie : lorsque l'âme d'un défunt refusait de quitter une maison (bruits, objets déplacés, etc.), on faisait appel à un prêtre-exorciste qui, par un certain rituel, faisait passer l'âme dans le corps d'un chien noir qu'on s'empressait de noyer ensuite.
Contrée mystérieuse donc, pleine de vibrations. Le terme « monts », dont le sommet culmine à 384 m, peut paraître un peu exagéré mais, sans être abrupt, le relief est réel et révèle de très beaux panoramas. Terre de contrastes où alternent bocages verdoyants et landes d'ajoncs et de bruyères, *menez* (mamelons de grès usés par l'érosion) et *roc'h* (sommets dépouillés, couverts de rochers schisteux déchiquetés). C'est une région très dépeuplée : à peine 40 habitants au kilomètre carré, à cause d'une terre pauvre soumise à un climat rude. On peut parler ici de Bretagne sauvage ! C'est tellement vrai que les 10 castors importés sur les berges de l'Ellez en 1968 y ont proliféré joyeusement (ne pas confondre le castor avec le ragondin, bien regarder la queue !).

### Le parc d'Armorique

Créé en novembre 1968, le parc naturel régional d'Armorique couvre 39 communes, soit environs 100 000 ha du Centre-Finistère, groupant 4 000 habitants. On trouve un hébergement collectif à Commana, au Mongau, à Saint-Éloy et à Bannalec. S'informer auprès du siège de la maison du parc au Menez-Meur, à Hanvec, 29224 Daoulas. ☎ 98-68-81-71 (voir carte du circuit des monts d'Arrée). On y découvre tout ce qu'il faut savoir sur le biotope, l'économie agraire, les traditions du pays, etc. Il faut visiter aussi d'autres expositions disséminées sur le territoire :

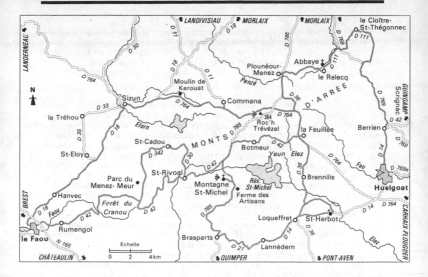

*Le circuit des monts d'Arrée*

— *Sizun :* moulin de Vergraon sur la rivière Elorn : initiation à la pêche au saumon.
— *Ouessant :* centre d'étude du milieu insulaire, maison Niou-Huella et le moulin.
— *Commana :* écomusée des moulins de Kérouat.
— *Trégarvan :* musée de l'École rurale, surprenant et un peu inquiétant !
— *Crozon :* maison des minéraux à Saint-Hernot, route du cap de la Chèvre, animée par un expert en cailloux et fossiles. Il organise des randonnées découvertes extraordinaires. Ainsi vous saurez tout sur le granit !
— *Saint-Rivoal :* maison Cornec, tout sur les techniques et traditions rurales.
— *Landevennec :* musée archéologique rassemblant le fruit des fouilles de l'abbaye.
— *Cleden-cap Sizun :* réserve d'oiseaux marins. Observation commentée par les spécialistes de la S.E.P.N.B., un site grandiose à observer en écoutant la musique de Neil Diamond.
— *Pleyben :* exposition sur l'architecture religieuse si riche dans le Finistère.
— *Brasparts :* ferme des artisans fabriquant des objets d'art de bon goût et de qualité.
— *Locronan :* village musée en lui-même, haut lieu du tourisme breton, fera bientôt partie des communes associées au P.N.R.A. ainsi que l'Hôpital-Camfrout et Telgruc.
A voir, quelques beaux sites :
Le lac du Drennec, le site du Yeun-oloz, la montagne Saint-Michel (un ancien volcan), la forêt du Cranou, et le Roc'h Trévezel, point culminant à 384 m, porte l'antenne de télévision qui arrose la Bretagne occidentale (on se souvient qu'elle avait été dynamitée, privant ainsi de spectacle les Finistériens pendant 6 mois).

## COMMANA (29237)

Charmant village sur une petite colline, au pied du Roc'h Trévezel. Bien sûr, également membre à part entière du circuit des enclos paroissiaux. Il offre un beau contraste, lové au milieu de son bocage velouté, avec, en toile de fond, la masse brune des monts d'Arrée.
Si vous venez de Plounéour-Menez (un petit enclos là aussi) ou de Guimiliau, ne pas emprunter les grosses départementales (D 11 et D 785), mais plutôt les routes qui musardent entre les fermes à la séduisante architecture rurale et les rangées de chênes nains.

## Où dormir ? Où manger ?

— *Crêperie* : place de l'Église. Spécialités bretonnes, *kig ha farz,* poulet au cidre.
— On trouve parfois des *chambres* à louer chez l'habitant.
— *Camping municipal Milin Nevez* : ☎ 98-78-00-13. Ouvert de fin juin à début septembre. 50 emplacements avec un excellent confort en bord de rivière. Ombragé. Jeux et services. Tout à fait recommandable et pas cher.

## A voir

— *L'église Saint-Derrien* : on y parvient par une porte monumentale à lanternons. L'église date de la fin du XVIe siècle et l'enclos a conservé son cimetière. Deux calvaires s'y élèvent. Impressionnante tour-clocher de 57 m de haut. Elle donne une impression de sévérité et d'austérité. A-t-on voulu qu'elle réponde aux roches déchiquetées des monts d'Arrée ? Tout en haut, le coq, très fier d'être le plus haut de la Bretagne. En effet, aux 57 m du clocher, il faut ajouter les 261,99 m de la colline (notez ce chiffre très précis, inscrit dans la pierre au pied de la tour).
Porche admirable de style Renaissance, copié sur celui de Saint-Houardon de Landerneau. Tout est harmonie, équilibre. Donne même un superbe effet de relief et de perspective grâce aux contreforts obliques de part et d'autre du portail, ornés de sculptures raffinées.
Pour une fois, à l'intérieur du porche, les douze apôtres accueillant traditionnellement les fidèles dans leurs niches n'ont pas été massacrés pendant la Révolution. Ils n'ont tout simplement jamais existé ! En effet, ils ne purent jamais être commandés, car les finances de la paroisse étaient exsangues après la construction de l'église (preuve que la concurrence entre paroisses coûtait une petite fortune aux villages !).
A l'intérieur, plusieurs merveilles vous attendent cependant : un très beau *baptistère* sculpté polychrome, du XVIIe siècle, aux gracieuses statuettes symbolisant les grandes vertus (la Justice, la Tempérance, la Foi, la Charité, l'Espérance). A vous d'y mettre les noms. A gauche de l'autel, violent coup de cœur, souffle coupé, bouche démesurément bée... devant le style baroque exubérant du *retable de Sainte-Anne* (et encore nous modérons-nous pour éviter un décalage trop grand entre notre émotion et la vôtre !). Impossible à décrire (il faudrait deux pages de commentaires dithyrambiques). Un détail historique important pour expliquer une telle richesse : en 1675, grande révolte contre les impôts levés par Louis XIV. Les paysans de Commana soupçonnèrent leur recteur (le curé) de connivence avec le pouvoir et s'emparèrent de lui. Pour la suite, nous vous livrons quelques extraits savoureux de la déposition des témoins aux autorités (orthographe et syntaxe respectées) : « Ils l'arrachèrent hors de sa maison, le traisnant et le foulant entre leurs pieds, lui baillèrent infinité de coups, exposé au soleil tête nue, terrassé trois ou quatre fois, réduit à demander inutilement l'extrême-onction, les uns disant qu'il le fallait lapider, les autres qu'il le fallait pendre à sa porte, les autres qu'il le fallait monter en haut du clocher et précipiter une pierre au col... » Finalement, le recteur arriva à s'enfuir sur les coudées et se fit soigner à Morlaix. Devant le repentir de ses paroissiens, il retira sa plainte et ceux-ci se saignèrent aux quatre veines pour offrir, en reconnaissance à l'église, le merveilleux retable de sainte Anne (vers 1682). Bon, maintenant nous vous laissons devant cette profusion de médaillons, guirlandes de fleurs, angelots, etc. Chaque décor de panneau est différent. Une richesse inouïe... A notre avis, peut-être le plus beau retable de Bretagne !
Intéressant *retable des Cinq Plaies,* à côté (Christ paisible montrant ses blessures et couronné de fleurs par les anges). Superbe *chaire* sculptée dans la manière des gros coffres paysans de la même époque. Bon, on arrête !
*L'ossuaire* comporte sur le côté, chose rare, les noms des « fabriciens » (mécènes-constructeurs) gravés dans la pierre.

## Aux environs

● *L'allée couverte du Mougau-Bihan* : appelée *al lia ven* en breton (« la loge de pierre »), c'est l'un des ouvrages mégalithiques les plus significatifs de la région. Situé dans un petit hameau perdu à moins de 2 km au sud de Commana, dans un très bel environnement. La tombe mesure 14 m de long et daterait de 2500 à 3000 avant J.-C. A l'intérieur, quelques traces de gravures dans la pierre.
Possibilité de dormir dans un *gîte d'étape* animé par le parc naturel régional d'Armorique. ☎ 98-21-90-69.

● *Plan d'eau du Drennec :* à environ 3 km de Commana. Belle balade de 7 km tout autour. En cours de route, quelques vieilles maisons pittoresques et de beaux points de vue. Activités nautiques, camping.

● *Les moulins de Kérouat :* dans un très beau site, à 4 km à l'ouest de Commana. Restauré par le parc naturel régional d'Armorique, cet écomusée donne une bonne idée de l'activité et des traditions de la région au temps passé. On y trouve deux moulins, la grange, le four à pain, le logis avec son ameublement typique.

● Pour ceux sensibles aux choses de la nature ou qui ont des enfants, possibilité de visiter l'*expo Art et Nature,* au petit village de *Kervelly* (environ 2 km au sud des moulins de Kérouat). Ouvert de juillet à septembre, de 10 h à 19 h. ☎ 98-78-03-43. Reconstitution par des tableaux en volume de la vie des oiseaux, des chevreuils, de la vie sous terre, etc. Plus quelques animaux en liberté (paons, faisans, etc.).

*VERS LE SUD*

Une balade superbe dans cette montagne bretonne usée et déchue (mais fière d'être née avant les Alpes). D'abord, malgré ses petits 370 m, en hiver (et même parfois en été), avec la brume et les brouillards, le *Roc'h Trévezel* est souvent invisible. On y bénéficie, par beau temps, d'un immense panorama. Sur le *roc Trédudon* s'élève la fameuse antenne qui fut plastiquée dans les années 70 par le Front de Libération de la Bretagne. Les Bretons furent privés de télé plusieurs mois. On assista alors à un renouveau des veillées et de la vie communautaire. Intéressant sujet de réflexion, non ?
Par la D 785, on parvient ensuite au *mont Saint-Michel-de-Brasparts* (Menez-Saint-Michel). De ses 380 m, on peut également plonger jusqu'à 50 km à la ronde. Petite chapelle.
Vers Brasparts, rendez visite à la *ferme Saint-Michel,* la maison des artisans (au pied du mont). Elle présente une intéressante production régionale : bois sculptés, cuirs, céramique, tissages, ferronnerie, bijoux, etc. Ouvert tous les jours du 15 juin au 15 septembre (fermé le mardi en basse saison). Renseignements : ☎ 98-81-41-13.

**SAINT-RIVOAL** (29190) ────────────────────────────

Arriver en fin d'après-midi d'une belle journée dans ce joli village se révèle un grand moment de douceur et de quiétude. Les routes qui y mènent, à travers le paysage vallonné, sont adorables (les D 42 et D 30). On sent que, quelque part, le temps est arrêté, agrippé sûrement au passage par un schiste bien déchiqueté. En cours de route, *Saint-Cadou,* tout paisible, presque désert. On raconte qu'une fille de Saint-Cadou ne se marierait jamais avec un gars de Saint-Rivoal !
A Saint-Rivoal, visitez la *maison des Techniques et Traditions rurales,* un écomusée installé dans la maison Cornec, une vieille demeure paysanne du XVIII° siècle. Notez l'escalier de pierre et l'« apothéis », cette aile avancée, caractéristique des constructions des monts d'Arrée. Visite tous les jours du 15 juin au 15 septembre de 13 h à 19 h. ☎ 98-68-87-76.
Beaux points de vue de trois sommets, cibles de chouettes balades : le *Pen-ar-Favot* (sur la vallée de Nivot), le *Pen-ar-Guer* (sur la vallée des Moulins) et la *montagne Saint-Michel,* dont les brochures touristiques locales s'indignent qu'elle soit attribuée à la bourgade voisine, Brasparts (alors qu'elle est située sur la commune).
Aux environs, petit *parc animalier de Menez-Meur.* Ouvert tous les jours de juin à septembre de 10 h 30 à 19 h. Le reste de l'année, les mercredis, dimanches et vacances scolaires. Sentiers de promenade.

**BRASPARTS** (29190) ────────────────────────────

*Tri dra zo dic'hallus da Zoue : Kompezan Brasparz !* « Trois choses sont importantes à Dieu, la première, c'est aplanir Brasparts », dit un proverbe breton.
A travers les collines recouvertes de bois, tourbières, cultures et riches pâtu-

rages, venez donc découvrir cette autre charmante bourgade, mise aussi en poème par Max Jacob. Dans l'enclos paroissial, un calvaire particulièrement intéressant. Sur la route, à droite à l'entrée du village (en arrivant du Mont-Saint-Michel), s'arrêter absolument à la *Librairie celtique,* tenue par un érudit passionné.

– *Syndicat d'initiative :* ouvert en juillet-août. ☎ 98-81-47-06. Hors saison, téléphoner à la mairie : 98-81-41-25.

### Où dormir ? Où manger ?

– Trois belles *chambres d'hôte* chez Jean Toutous, au *Tuchennou.* ☎ 98-81-43-02. A 1 km du village. Possibilité de camping à la ferme. Coin évidemment hyper agréable au milieu des prés et vallées boisées.
– Sur la commune, une dizaine de *gîtes ruraux.* Dans la région, ils sont pris d'assaut. S'y prendre donc à l'avance. De 1 000 à 1 400 F la semaine en juillet et août (900 F en basse saison). Pour tous renseignements, contacter le syndicat d'initiative ou la mairie.
– *Mme Boulouard* loue quelques chambres correctes et bon marché (douche à l'extérieur), en plein village (5, place des Halles). ☎ 98-81-41-61. Accueil sympa.
– *Auberge de Meilh Skiriou :* à quelques kilomètres sur la route du Faou (D21). ☎ 98-81-12-29. Dans un environnement idyllique, une campagne de rêve, on découvre cette adorable auberge. Vieille ferme dans le style de la région, au milieu des bosquets, taillis, bois, étangs. Balades superbes tout autour et possibilité de découverte des monts d'Arrée grâce à des associations du village. Chambres agréables avec douche à 148 F et 158 F avec kitchenette, et resto offrant d'excellentes crêpes. Menus à 72 F en semaine, 80 et 88 F le week-end. En haute saison, ouvert tous les jours, sauf le lundi et le mardi midi. Fermeture annuelle de mi-novembre à mi-février. Sinon, sur réservation. Stress urbain liquidé en deux jours, c'est garanti. Dans le parc, jeux et animations pour les enfants. Une de nos meilleures adresses. Il est préférable de réserver à l'avance (4 ou 5 jours).
– *Auberge Chez Maurice :* dans le centre de Brasparts. ☎ 98-81-41-55. Ouvert tous les jours, midi et soir jusqu'à 21 h, sauf le dimanche et d'octobre à novembre. Un gentil petit resto de village dispensant une bonne et copieuse nourriture. Bon accueil et cadre agréable. Compter de 55 à 75 F.

### A voir

– *L'enclos paroissial* propose plusieurs choses intéressantes et parfois originales. Il domine la vallée et livre le soir, quand la campagne n'est plus écrasée par la lumière, des nuances de vert tout à fait surprenantes.
● *Le calvaire* mérite qu'on l'étudie en détail (et puis, ça ne nous arrive pas trop souvent !). Édifié au début du XVIe siècle. Des anges recueillent le sang du Christ (probable référence au Graal, le célèbre vase des légendes celtiques). Le larron qui a survécu à l'usure du temps est littéralement plié en deux, en arrière sur la croix. Au-dessus, saint Michel terrassant le dragon. Mais le plus remarquable reste la pietà : ces trois femmes debout (position assez rare), le visage dur, fermé, les yeux dans le vide. Notez le rythme ondoyant et harmonieux des plis des vêtements, des jambes du Christ, des doigts, contrastant avec la raideur des personnages. Un chef-d'œuvre !
● *L'église* présente aussi un porche remarquable à trois lanternons et à contreforts obliques.
● *L'ossuaire,* de style flamboyant, possède, quant à lui, deux représentations de l'*Ankou* menaçant, l'une de la faux et l'autre de la flèche.

– *La galerie de Bretagne :* 43, rue Saint-Michel. ☎ 98-81-43-03. Librairie spécialisée en ésotérisme et celtisme. Fermée le mardi. En juillet, salon du livre ésotérique, expos.

– Le 15 août, pendant trois jours, *fête du village.* Petite *foire* le premier lundi de chaque mois.

### Aux environs

● *Lannédern :* enclos paroissial quasi complet avec ses cimetière, ossuaire, calvaire et église. Entre ces deux derniers, au lointain, s'élève le Menez-Mikael. Sur la façade de l'ossuaire, des têtes de morts à tibias croisés. Et puis l'*Ankou* est là, encore avec sa flèche, sur la fenêtre à gauche du porche de l'église. Sur le calvaire, saint Édern chevauche un cerf.

● *Loqueffret :* église du XVIe siècle au toit très bas. Calvaire édifié en 1576. Les larrons ont disparu. Fenêtres à accolade et intéressantes gargouilles.
– *Maison des Pilhaouerien :* 29126 Loqueffret. ☎ 98-26-40-32. Dans l'ancien presbytère. Ouvert en été. Ici, on retrace l'histoire des chiffonniers des monts d'Arrée, petits paysans pauvres itinérants qui collectaient chiffons, métaux et peaux de lapins, et commettaient, au passage, quelques menus larcins. Bien des chansons populaires racontent leurs exploits qui faisaient peur aux enfants.

● *Brennilis :* connu surtout pour sa centrale nucléaire, pionnière de l'atome il y a 30 ans, aujourd'hui éteinte à jamais pour non-rentabilité. Elle s'est reconvertie en fabrique de jambon et pâté (si, si !). Le village domine le Yeun Elez où les légendes celtiques localisent l'entrée de l'enfer. Église surmontée d'un joli clocher ajouré. A l'intérieur, intéressants panneaux sculptés polychromes du maître-autel. Calvaire avec pietà, à l'exécution fort sobre, mais non dénuée d'émotion.
– *Camping* de Brennilis, récemment installé au bord du lac, près du petit barrage de retenue E.D.F. Absolument charmant.
– *Musée Expo Youdig* (ou : le Rêve aux portes de l'Enfer) : Kerguevenet. ☎ 98-99-62-36. Ouvert tous les jours, toute l'année ; téléphoner avant si possible. Dans l'ancien atelier de mécanique générale de son mari, Annick Le Lann a reconstitué minutieusement un village des monts d'Arrée en miniature (40 m²). Pour rester dans la couleur du pays de Yeun Elez (diminutif : *Youdig*), elle a ramassé des milliers de petits morceaux d'ardoise dans les anciennes ardoisières de Maël-Carhaix. Personnages en laine et fil de fer. Une visite commentée avec passion et un grand talent d'orateur par Annick elle-même. A ne pas manquer.

## SAINT-HERBOT (29126)

Incroyable ! Alphonse Allais rêvait que l'on construise les villes à la campagne. Au Moyen Age, ils ne rêvaient pas, ils construisaient sans hésiter des mini-cathédrales en pleine nature. Saint-Herbot est l'une d'elles.
Édifiée du XIVe au XVIe siècle en style gothique flamboyant, dans un site sauvage à 6 km de Huelgoat. Cette « chapelle » est vraiment l'un des joyaux architecturaux du Finistère. A ne pas manquer. On est tout d'abord frappé par l'énorme tour de 30 m de haut inspirée de celle de Quimper. De très longues baies lui donnent néanmoins une certaine grâce et de la légèreté. Tout en haut, balustrade flamboyante. A son pied, le porche d'entrée, une merveille. Grand arc gothique au fin feuillage sculpté et double porte en anse de panier séparée par une colonne torsadée. Au-dessus, *statue de saint Herbot* entouré de deux anges. Côté route, un élégant escalier en fer à cheval. La partie faisant face au calvaire présente également un beau porche en accolade avec de fines sculptures. A l'intérieur, de part et d'autre, les classiques apôtres du rang serré. *Calvaire* édifié en 1571. Personnages sculptés dans le granit de Kersanton. Le groupe assez compact comporte de nombreux traits originaux si on l'observe bien attentivement. Surtout, détaillez les visages du Christ et des larrons. C'est à la limite de la caricature : paupières lourdes, traits bouffis. Un art étonnant, presque moderne dans sa démarche. Une liberté artistique proche de la dérision, unique en Cornouaille.
A l'intérieur de l'église, magnifique mobilier : *chancel* (clôture) en bois sculpté du XVIe siècle, *stalles* ouvragées de la même époque, surmontées d'un dais avec les évangélistes, les prophètes, etc.
Notez cette *pietà* polychrome où le Christ paraît tout petit dans les bras de la Vierge. N'est-ce point là, au niveau symbolique, tout simplement une mère éplorée, son enfant dans les bras ? Sur les deux tables de pierre, les paysans déposaient, autrefois, au mois de mai, quelques crins de leurs vaches en l'honneur de saint Herbot (patron des bêtes à cornes). *Gisant* de pierre du saint près du chancel. Dans le chevet, grand *vitrail de la Passion*, du XVIe siècle.

### Où manger ?

– *Le Relais de Saint-Herbot :* à 100 m de l'église, en bordure de la route Huelgoat-Loqueffret. ☎ 98-99-90-31. Ouvert à midi et le soir jusqu'à 21 h. Fermé le mercredi soir et de la Toussaint au 15 avril. Accueil sympa et cuisine soignée. Carte, et menus à 75 et 98 F. Quelques spécialités : le feuilleté aux petits légumes, la charlotte d'agneau aux aubergines, etc. Bons poissons.

### Où boire une bonne Coreff ?

– *Ty Élise* : à Plouyé. Tout petit et sympathique village, à 7 km de Saint-Herbot et d'Huelgoat, *in the middle of nowhere* ! Étonnant, vous y trouverez l'une de nos meilleures adresses de bistrot en Bretagne. Tenu par Byn, un Gallois truculent et bavard qui a su donner au lieu une personnalité attachante. Ouvert tous les jours de 12 h à minuit (1 h de juin à septembre). Décor et cadre n'ont pas changé depuis la révolte des Bonnets rouges : grande cheminée traditionnelle, comptoir de bois où l'on peut presque s'asseoir, vieilles pompes à bière d'où le patron vous tire des Kriek, Leffe, Coreff et Guinness sans reproche. Bref, n'en rajoutons plus, nous vous invitons expressément à connaître cette bien sympathique planète, Ty Élise...

## HUELGOAT (29218)

Une alliance forêt-chaos rocheux-végétation assez unique. Bien sûr partie intégrante du parc naturel régional d'Armorique, Huelgoat vous offrira de merveilleuses balades. Nombreux sentiers sillonnant la forêt et toujours baignés d'une belle lumière dorée.

Lors de la dernière tempête, la quasi-totalité de la forêt a été balayée, et des hectares doivent être replantés. Il reste tout de même de beaux massifs, dont celui qui entoure le gouffre de la rivière d'Argent (sur la route de Carfaix). Les bois de la Roche-Tremblante ont été mis à mal par les ouragans, le paysage fait peine à voir.

Pour expliquer ces curieux amoncellements de rochers, on raconte que, il y a très longtemps, les habitants de Plouyé et de Berrien se haïssaient tant qu'ils se jetaient sans cesse des pierres. Dans l'escalade de la haine, les pierres devenaient de plus en plus grosses et retombaient inévitablement au milieu... sur Huelgoat ! En réalité, ce paysage s'explique par l'érosion différentielle des roches soumises d'abord à un climat tropical puis semi-glaciaire. Ensuite le ruissellement a emporté les matériaux pourris et friables, tout simplement.

– *Syndicat d'initiative d'Huelgoat* : ouvert de juin à septembre. ☎ 98-99-72-32.

### Où dormir ? Où manger ?

– *Hôtel de Bretagne* : à deux pas du lac, 13, place Aristide-Briand. ☎ 98-99-71-13. Place tout à fait charmante. Chambres correctes avec douche ou lavabo, de 110 à 200 F. Resto. Possibilité de demi-pension.

– *Hôtel du Lac* : très central, rue du Général-de-Gaulle. ☎ 98-99-71-14. Fermé en novembre et en décembre. Évidemment, avec vue sur le lac. Petit hôtel bon marché. Pas toujours bien tenu. Double de 95 à 170 F. Menu à 55 et 90 F. A celui à 120 F : saumon fumé sur toast, confit de canard, etc. Mais aussi grill et pizzeria.

– *Camping du Lac* : à 700 m du centre. ☎ 98-99-78-80. Ouvert du 1ᵉʳ juin au 30 septembre. Très bien situé. Tout confort. Piscine.

– *Camping la Rivière d'Argent* : situé en bordure de la forêt domaniale d'Huelgoat et également en bordure de rivière. Le camping se trouve au carrefour de sentiers de grande randonnée (G.R. 37 Guerlédan-Douarnenez et G.R. 380 Plouegat-Moysan-Douarnenez). Camping familial de 80 emplacements.

– *Crêperie des Myrtilles* : place principale. ☎ 98-99-72-66. Fermé le lundi, en novembre et en décembre. Bonnes crêpes sucrées au froment ou au sarrasin. Aux beaux jours, on mange en terrasse.

– *La Crêperie de l'Argoat* : sur le front du lac. ☎ 98-99-71-72. Crêpes délicieuses et pas chères. L'accueil est chaleureux, et ils servent tard le soir. Fermé le mardi et en octobre.

### A voir

Le syndicat d'initiative propose une petite brochure détaillée des possibilités de balade dans la région. C'est pratiquement la carte, avec horaire et kilométrage. Profitez-en. Mais demandez conseil car certaines pistes ne présentent plus beaucoup d'intérêt pour cause de reboisement en cours.

D'abord, le *chaos du Moulin,* gros amoncellement de roches, suivi de la *grotte du Diable,* puis d'un théâtre de verdure. De là, tournez à gauche vers la rivière à la rencontre de la *roche Tremblante.* Ce caillou, de quelque 100 t, bouge si l'on appuie à un endroit très précis. Le *Ménage de la Vierge,* un éboulis de roches pittoresques, lui succède. Puis le chemin Violette, suivant toujours la rive gauche de la rivière d'Argent, mène à la route de Carhaix.

Globalement, le grand circuit des rochers de la forêt prend environ 3 h. Il permet aussi de voir le *Saut du Gouffre* (chute assez spectaculaire de la rivière d'Argent), la *promenade du Fer à Cheval,* la *mare aux Sangliers,* la *grotte d'Artus* (où sommeillait le roi Arthur), etc. Au départ du chemin qui mène à la roche Tremblante, possibilité de visiter un rucher et de déguster du miel si vous en avez envie.

### Aux environs

● *Kerguévarec :* sur la route de Plouyé. Petit groupe de vieilles fermes âgées de plus de deux siècles, avec puits vénérables.

● *Locmaria-Berrien :* tout petit village assoupi dans un paysage vallonné. Beaucoup de maisons de caractère, certaines fermées ou en ruine témoignent de la désertification de la région. Adorable église avec un toit très bas. Devant, de gros arbres aux troncs percés.
Possibilité de balades en roulotte le week-end, en mini-semaine \5 jours hors juillet et août) et durant une semaine (hors saison, et en juillet et août). Possibilité de circuits plus longs également. Départ à l'ancienne gare de Locmaria-Berrien (à 6 km d'Huelgoat). Tous renseignements : *Roulottes de Bretagne.* ☎ 98-99-73-28.

### Où dormir ? Où manger ?

– *Auberge de la Truite :* gare de Locmaria. A l'intersection de la petite route descendant du bourg et de la D 769. ☎ 98-99-73-05. En haute saison, ouvert tous les jours, midi et soir jusqu'à 21 h (sinon, fermé dimanche soir et lundi sauf en juillet et août et en janvier-février). On regrette de ne pouvoir se restaurer dans le bar-salon d'accueil aux superbes meubles rustiques bretons. Carte peu étendue, mais bonne cuisine. La terrine (délicieuse) est sur la table. Goûtez aux cailles bien en chair, aux viandes tendres, à la « truite de l'auberge ». Menus à 115, 160 et 300 F. Quelques chambres à louer à 98 et 160 F. A 100 m, un autre resto, moins cher, mais qu'on n'a pas testé.

● *Poullaouen :* située sur la très belle route touristique Huelgoat-Carhaix (la D 769). Une autre commune typique de l'Argoat. Village connu pour avoir exploité sur son territoire, jusqu'au début de ce siècle, les plus importantes mines de plomb argentifère de France. Célèbre aussi pour ses excellents danseurs et chanteurs de fest-noz. Les *sœurs Goadec,* ces quatre vieilles dames qui, poussées par Alan Stivell, connurent leur heure de gloire dans les années 70, sont originaires de Poullaouen. En haut du village, très belle *église* Renaissance. Façade assez originale avec de grandes et élégantes volutes de pierre sur les côtés. Colonnes superposées et une jolie balustrade au-dessus du porche.

● *Berrien :* situé sur la route Huelgoat-Morlaix. C'est la capitale de la lutte bretonne *(gouren)* du Finistère. Tout autour, une très jolie campagne quasiment sauvage et préservée : collines vallonnées, landes et bocages entrecoupés de petits bois. Un morceau de vraie Bretagne profonde. Village qui devrait a priori attirer les féministes et les agnostiques : en effet, il y a longtemps, les femmes du village résistèrent furieusement au bourrage de crâne des missionnaires chrétiens. Ils étaient régulièrement accueillis à coups de pierre, rendus responsables, par leur enseignement, du manque d'appétit sexuel des hommes du village.
Intéressante église des XV° et XVI° siècles (porche Renaissance). Nombreux vestiges mégalithiques et tumulus tout autour.
Fête annuelle le 1er dimanche de juillet. Renseignements touristiques à la mairie. ☎ 98-99-72-01.

● *Trédudon :* sur le flanc sud des monts d'Arrée, perdu dans landes et bocage, un de nos villages préférés. Jolie et typique architecture rurale. Sait-on que Trédudon, lors de la dernière guerre, fut le premier village résistant en France ? Malheureusement, ici la terre ne nourrit pas tous les enfants et les hivers sont longs et rudes. Le village s'est vidé. Le temps s'est arrêté. Les nobles demeures de granit se dégradent peu à peu... Il ne reste que quelques jeunes agriculteurs qui s'accrochent et des vieux un peu fatalistes devant leur porte.

### Où dormir ? Où manger ?

– *Ferme-auberge de Trédudon* : au centre de Trédudon. ☎ 98-99-61-65 et 98-99-65-71. Fermé en janvier et février et le dimanche soir. Yves et Herveline Berthou, de jeunes agriculteurs pleins d'idées et de courage, ont ouvert cette ferme-auberge pour revitaliser l'activité du hameau. 5 chambres adorables attendent les amoureux de calme et d'authentique (dont une familiale mansardée, très plaisante). De 120 à 200 F la double (petit déjeuner compris). Délicieuse nourriture paysanne : mousse de tomates, chèvre au cumin en croûte, épaule d'agneau aux poireaux à la crème, dégustation de fromages, bons desserts. Comptez entre 60 et 100 F le repas, servi dans une salle à manger pleine de charme. Réservation obligatoire. Ne pas manquer ce rendez-vous plein de naturel et de gentillesse.

● *La Feuillée :* une autre commune pittoresque des monts d'Arrée, l'une des plus « hautes » de Bretagne. Ce fut, autrefois, un des grands marchés aux bestiaux du Finistère. Aujourd'hui, un simple village sans histoire, au charme austère. Quelques vestiges d'une commanderie des Templiers. Bons festou-noz. Informations touristiques à la mairie. ☎ 98-99-61-52.
– *Camping, centre équestre des Monts d'Arrée.* ☎ 98-99-61-60.
– Un *hôtel*, la simplicité bretonne à l'état pur. Rustique et pas cher.

● *Botmeur :* une petite commune complètement à l'écart des axes touristiques, mais sur la jolie route de La Feuillée-Saint-Rivoal. Surplombe le mystérieux marais du Yeun Elez, à l'origine de tant de légendes. Dans les cours d'eau de la région, l'Elez, le Roudouhir et le Roudoudour, on a introduit le castor.
– *Camping municipal :* ouvert du 1er juillet au 31 août. ☎ 98-99-63-06.

## – LES MONTAGNES NOIRES –

Pour ceux qui « font » les monts d'Arrée, c'en est un peu le prolongement naturel. Là aussi, une Bretagne profonde pleine de mystère, quasi intacte, peu touristique et où ne manquent pas non plus les « bonnes vibrations ». On suppose que le nom de montagnes Noires signifie que de denses forêts les recouvraient dans le temps. Moins hautes, aspect plus doux que les monts d'Arrée. Au milieu, la vallée de l'Aulne. Terre de grande émigration aussi. A la fin du XIXe siècle, plus de 5 000 Bretons (surtout des environs de Gourin) s'exilèrent en Amérique. New York possède une petite communauté bretonne (on peut en voir jouer aux boules dans Central Park).

*Circuit des montagnes Noires*

## CARHAIX-PLOUGUER (29270)

Ville-carrefour commerçante (sept voies romaines s'y rejoignaient). La région fut aussi un haut lieu de la révolte des Bonnets rouges contre la fiscalité écrasante de Louis XIV. Près de 30 000 paysans y formèrent une véritable armée. L'une des cités bretonnes qui affirment le plus leur identité celtique (comme en témoigne, entre autres, une rue Bobby-Sands), signalisations bilingues breton-français, un centre culturel breton et une école de langue... bretonne, bien entendu ! C'est donc bien dans cette région que vous vivrez la culture bretonne de la façon la plus authentique. Fête de la langue bretonne en avril ou début mai. Patrie de La Tour d'Auvergne, spécialiste de langue et grammaire bretonnes, mais surtout connu pour avoir été nommé Premier Grenadier de France par Bonaparte pour son courage et sa générosité. Il est fêté chaque année, le dernier dimanche de juin.

Si Carhaix possède peu de monuments importants (en dehors du premier et seul crématorium de Bretagne, faut-il le signaler ?), elle propose cependant quelques splendides *maisons* Renaissance à encorbellement comme l'office du tourisme. L'*église Saint-Trémeur* a été reconstruite au XIXe siècle, mais a conservé son imposant clocher du XVIe (celui de Saint-Herbot servit de modèle). Remarquable portail ogival avec la statue de saint Trémeur qui se repose la tête. Il ne faisait pas bon se promener aux alentours le jour de la terrible tempête du 15 octobre 1987 : des blocs de 60 kg tombèrent du clocher (toujours en place, n'ayez crainte !).

Voyez aussi l'*église de Plouguer*, de style roman.

A 500 m, le hameau de *Petit-Carhaix*, avec des maisons d'artisans des XVIIe et XVIIIe siècles.

– *Office du tourisme :* 3, rue Brizeux. ☎ 98-93-04-42.

### Aux environs

● *Plounévézel :* vénérable *pont gaulois* et *chapelle Sainte-Catherine*, quelques kilomètres au nord-ouest de Carhaix.

● *Port-de-Carhaix :* à 6 km de Carhaix, carrefour important de la route et du canal de Nantes à Brest. Celui-ci fut construit à partir de 1811 et achevé en 1836. L'idée d'une liaison Brest-Nantes vint lors du blocus de Brest par les Anglais pendant la Révolution française. Le trafic commercial fut toujours assez faible, mais aida néanmoins au développement économique de la région. En 1914, les péniches furent réquisitionnées et ne revinrent jamais plus sur le canal, signant ainsi sa mort. Aujourd'hui, on peut s'offrir une gentille balade à partir de Châteauneuf-du-Faou (2 h aller-retour) avec le bateau *Ster-Aon*. Tous renseignements à l'office du tourisme de Carhaix (☎ 98-93-04-42) ou à *Argoat Plaisance*, port de Plaisance, BP 41, 29520 Châteauneuf-du-Faou. ☎ 98-81-72-11.

### Où dormir ?

– *Le Gradlon :* sur l'ancienne route de Brest, près de l'Église. ☎ 98-93-15-22. Ouvert toute l'année. Hôtel neuf avec ascenseur pour desservir 45 chambres à 250 F environ. Premier menu à 70 F.

### Où manger assez chic ?

– *Auberge du Pohor :* à Port-de-Carhaix. ☎ 98-99-51-18. Fermé le lundi et en février. Un resto cossu, décoration et atmosphère un peu chicos, possédant une bonne réputation dans toute la région. Menus à 68, 90 (cuissot de porcelet, saumon grillé), 120 (avec deux entrées, fromage et dessert) et 155 F (avec plateau de fruits de mer, coquilles Saint-Jacques en cocotte). Carte classique (coquelet rôti, confit de canard aux pommes, etc.). Compter 4 F de plus par menu le week-end.

### Où boire un verre ?

– *Tan-Dehy :* crêperie-bar, route de Brest. Rendez-vous des musiciens bretonnants. Ambiance celtique. Animation variée et parfois poétique !

## SAINT-HERNIN (29270)

Sur la route de *Spézet*, un tout petit village possédant cependant un enclos paroissial intéressant. Église de style typiquement cornouaillais, large toit très bas et clocher à balustrade. Niche avec deux belles statues. Ossuaire et calvaire. Sur ce dernier, les trois Marie ressemblent à celles de Brasparts. Au-dessus, saint Michel terrassant le dragon. Notez l'extraordinaire supplice des larrons : ils sont littéralement brisés en deux sur leur croix (le mauvais, en outre, montre plus de souffrance).

### Aux environs

● *Le calvaire de Kerbreudeur :* 1 km avant Saint-Hernin. Insolite apparition, sur le bord de la route, du plus ancien calvaire de Bretagne. Il serait, en cela, antérieur de quelques années à celui de Tronoën. Certaines parties, d'ailleurs, semblent sortir du même atelier. D'apparence très archaïque, il émeut assez par sa solitude dans le paysage remembré. Les scènes sculptées de la base, usées jusqu'à la moelle, ont perdu la plupart de leurs détails. Cependant, on reconnaît aisément le chemin de croix (les deux larrons tirés par une grosse corde) et saint Jean soutenant la Vierge. A l'un des coins, la Flagellation apparaît moins évidente. Dans la scène des Rois mages, ceux-ci portent l'habit à la Charles VII. A l'intérieur, Baptême du Christ, etc.

## CLÉDEN-POHER (29270)

Là aussi, ce modeste bourg rural nous offre l'un des enclos paroissiaux les plus harmonieux qui soient. Si vous vous trouvez dans le coin, à ne pas rater. Environnement paisible et verdoyant, et, par beau temps, baigné de lumière. Charmante *église* avec un élégant clocher. Au chevet, la traditionnelle sacristie en forme de carène de navire qui fut rajoutée, comme tant d'autres, au XVIII° siècle. *Ossuaire* possédant une fort belle porte gothico-Renaissance et, à l'angle du toit, la terrifiante *Ankou*. A l'intérieur, charpente d'origine avec figures grotesques sculptées sur les poutres. Pour finir, remarquable *calvaire*. Bien sûr, moins spectaculaire que ceux de Pleyben ou de Guimiliau, mais c'est le plus beau des petits calvaires, chef-d'œuvre d'équilibre et de symétrie. Pietà très sobre.

## SPÉZET (29135)

Au cœur des montagnes Noires, Spézet symbolise pour nous la vraie Bretagne, celle qui présente maints signes et particularismes bien vivants encore. Et, quand on se retrouve dans la nature, on ressent quelque chose d'indéfinissable dans l'atmosphère (on va se faire traiter de romantiques attardés, vous allez voir !). Sûr, en tout cas, que le coin émet de bonnes vibrations produites, peut-être, par le calme et la sérénité des bords de l'Aulne s'opposant sans cesse aux bruissements et aux mystères des montagnes Noires. Le mieux, pour le vérifier, est encore de venir parcourir les nombreux sentiers et chemins creux qui battent la campagne alentour. Ils livrent une quantité de petites surprises : ponts gaulois, menhirs, allée couverte, croix de chemin, fontaines, chapelles, éperons rocheux, ruisseaux, bois, landes et tourbières. Le syndicat d'initiative a, fort opportunément, édité une petite brochure avec tous les itinéraires possibles. Bien balisés.

### Adresses utiles

– *Syndicat d'initiative :* maison à côté de la chapelle Notre-Dame-du-Krann. Ouvert de 10 h à 13 h et de 14 h à 18 h.
– *Skanu e Droad :* 2, rue du Krann. ☎ 98-93-91-95. Association qui organise des randonnées pédestres et des visites commentées de juin à septembre. Comptez 5 h de marche sur un itinéraire le long du canal ou dans les montagnes. Les nuits de belle pleine lune, organise aussi une super *balade nocturne*. Téléphonez ou écrivez pour connaître jours et horaires.

## Où dormir ? Où manger ? Où boire ?

– *Hôtel-restaurant de l'Argoat* : route de Châteauneuf. ☎ 98-93-80-23. A l'entrée du bourg, pas loin de la chapelle Notre-Dame-du-Krann. Hôtel sympa offrant de belles chambres de 140 à 180 F. Menus à 55 et 135 F avec saumon fumé, escargots, un plat, salade, fromage et dessert). Bon à savoir, le patron, Yves Gervais, est tout disposé à venir vous chercher à la gare et, hors saison, il organise des forfaits logement-dîner avec bal rétro dans la salle des fêtes de Laz.

– *Ty Coz* : route de Châteauneuf. Bistrot sympa. Clientèle locale, mais assez renommé dans la région. Excellentes bières, atmosphère animée (surtout le soir), jeux divers. Parfois, sessions de musique.

– *Chambres d'hôte et camping à la ferme* : chez Jean et Annick Lollier, *Pendreigne*. ☎ 98-93-80-32. Ouvert toute l'année (camping quant à lui ouvert de juin à septembre). Deux chambres à 130 F et également un gîte avec deux chambres.

## A voir

– *Église du XVIII⁰ siècle* avec baptistère à dais et trois retables de la même époque. Ossuaire Renaissance.

– *Chapelle Notre-Dame-du-Krann* : à moins de 1 km du village. Enfoui dans les arbres, un édifice qui peut paraître d'abord sévère, mais qui révèle vite d'intéressants détails architecturaux. Élégant clocher Renaissance avec un escalier de pierre le long du toit. A l'intérieur, un ensemble exceptionnel de vitraux du XVI⁰ siècle. Maîtresse-vitre représentant la Passion avec une grande richesse de costumes. Retable de la Trinité avec personnages sculptés polychromes. Pas loin, une fontaine.

– Suivez ensuite la route pour Roudouallec à travers un paysage sauvage de haies et tourbières pour le site de *Notre-Dame-des-Montagnes-Noires*. Puis, grimpez à l'*éperon rocheux de Kudel*. Plus loin, sur la route Spézet-Gourin, accédez au *Roc'h Toullaeron* pour le panorama qu'il livre.

## Festivités

– *Pardon de Notre-Dame-du-Krann* : le dimanche suivant la Pentecôte (celui de la Trinité). Une tradition pittoresque dans la région. Des femmes, représentant chaque quartier du village (le bourg, l'eau, la montagne), collectent de l'argent pour acheter une énorme motte de beurre qui sera sculptée de motifs religieux. Jadis, du temps où l'on battait son propre beurre, on le récoltait directement dans les familles pour confectionner une motte par quartier (qui pesait 80 kg).

– *Fête de Kerlaviou* : quelques kilomètres à l'est de Spézet. Le dernier dimanche d'août. Jeux traditionnels bretons.

## Aux environs

● *Roudouallec* : église du XVI⁰ siècle. A la sortie du village, en direction de Laz, à 1 km environ, *allée couverte* (ancienne sépulture de l'âge de bronze). Ne pas manquer de se restaurer au *Bienvenue* (voir le texte « Roudouallec » dans la partie Morbihan, p. 276).

● *Saint-Goazec* : plusieurs *croix* dignes d'intérêt. L'une dans le village, avec une Vierge à l'Enfant. L'autre, en direction de Laz. Elle offre une *pietà* aux traits rudimentaires, mais ô combien émouvante. Le corps du Christ semble étrangement tenir tout seul en l'air !

● *Château de Trévarez* : sur la route de Châteauneuf-du-Faou. ☎ 98-26-82-79. Ouvert en juillet-août tous les jours de 11 h à 19 h. En avril, mai, juin et septembre, tous les jours de 13 h à 19 h (sauf le mardi). Le reste de l'année, les samedis, dimanches et jours fériés de 14 h à 18 h. Édifié à la fin du siècle dernier dans un parc de 75 ha, maintenant propriété du Conseil général. Surnommé aussi *le Château rose*, car construit en brique. Il a été endommagé par un bombardement en 1944 alors que les Allemands s'y reposaient. Grand parc fleuri, 400 variétés de rhododendrons, 360 variétés d'azalées, 125 variétés de camélias, séquoias, jardin japonais, petit zoo. Animation permanente, spectacles, expos, etc. Salon de thé.

● *Laz* : là aussi, ce petit village offre (au pied du calvaire) une *pietà* remarquable. Se rendre au cimetière, à 100 m de l'église. Sculptures aux attitudes stylisées au maximum, mais pas dénuées de vie. Marie-Madeleine, au regard tragique et

comme absent, saint Jean, habillé comme un notable, Vierge très digne. Superbe visage du Christ, presque serein et reposé.

– *Gîte d'étape* de Laz (☎ 98-26-82-70). Trois *chambres d'hôte* chez Mme Barré (☎ 98-26-84-73). A 2,5 km sur la route de Briec. Accueil sympa. En pleine campagne. Chambre à 116 F pour deux.

## CHÂTEAUNEUF-DU-FAOU (29119)

Le gros bourg, qu'on appelle « Lefou » en abrégé, s'étend sur la colline dominant l'Aulne. Site paisible et verdoyant, haut lieu de la pêche en rivière. Dans l'*église*, Paul Sérusier, de l'école de Pont-Aven, décora les fonts baptismaux.

– *Syndicat d'initiative :* rue de la Mairie. ☎ 98-81-83-90.

### Où dormir ? Où manger ?

– *Le Relais de Cornouaille :* 9, rue Paul-Sérusier. ☎ 98-81-75-36. Fermé le samedi et en octobre. Dans la rue principale. Resto très populaire dans la région. Grandes salles. Quand c'est plein, animation assurée. Menu à 90 F avec huîtres ou terrine du chef au porto, palourdes farcies ou feuilleté au saumon, plat et dessert. A 120 F, crabe mayonnaise, coquilles Saint-Jacques ou brochette de lotte, pintadeau basquaise ou grillade ou poisson. A 160 F, le grand jeu : plateau de fruits de mer, brochette de Saint-Jacques, coquelet à la diable ou escalope de volaille et dessert. Bref, vous nous aviez compris, une excellente adresse ! Une vingtaine de chambres autour de 170 F pour deux.
– *Centre de vacances de Penn-ar-Pont :* dans une boucle du canal, un complexe touristique comprenant un camping confortable, gîtes communaux à louer, tennis, piscine, location de vélos et pédalos. Renseignements : ☎ 98-81-81-25.
– *Manoir de Huelgars :* à Coray. ☎ 98-59-17-88. A 16 km de Châteauneuf, sur la D 36 en direction de Trégourez. Dans un belle maison de maître entourée d'un parc fleuri. 4 chambres confortables (120 F pour 2), et 2 chambres avec coin cuisine pour des locations à la semaine (700 F).

## SCAER (29390)

Petite commune possédant un assez riche patrimoine architectural, dans une jolie campagne. *Office du tourisme :* ☎ 98-59-42-10.

### Où dormir ?

– *Hôtel-restaurant Brizeux :* 56, rue Jean-Jaurès. ☎ 98-59-40-59. Ouvert toute l'année. Chambres entre 100 et 200 F. Cuisine classique, presque familiale. Idéal pour une agréable étape dans l'arrière-pays.

### A voir

– *Chapelle de Cascadec :* autrefois implantée à Scrignac, elle fut reconstruite là, pierre par pierre, en 1932 et récemment restaurée.
– *Chapelle Saint-Adrien :* une statue représente le saint ventre ouvert, est-ce parce qu'il soigne les maux d'intestins ?
– *Chapelle de Penver :* du XVe s., et *chapelle Coadry,* hauts lieux de l'histoire médiévale.
– *A Ker Glanchard,* Roger Guillaumet, l'un des 15 derniers charbonniers en exercice en France. Il dresse sa meule de chêne et de hêtre (il préfère ce dernier plus facile à cuire) qu'il couvre de terre végétale et de charbon, avec une cheminée au centre. 6 stères donnent, au bout de 24 h de combustion, 1 500 à 2 000 l d'un excellent charbon de bois.

## – BREST ET LA RÉGION DES ABERS –

## BREST (29200)

Grâce à son exceptionnelle situation géographique, au fond de sa grande rade au confluent de l'Élorn et de l'Aulne, Brest eut toujours une vocation maritime.

Les Allemands en ayant fait une base pour leurs sous-marins lors de la dernière guerre, la ville fut totalement rasée en 1944 par l'aviation alliée. Reconstruite après-guerre suivant un plan géométrique élaboré par l'architecte J.-B. Mathon, selon un avant-projet conçu par les Américains qui séjournèrent à Brest de 1918 à 1920. Vous ne lui trouverez pas, bien sûr, un charme fou. Cela dit, ça vaut le coup d'y passer quelques moments : pour sa rade, ses musées et quelques quartiers où l'on respire un air frais pas comme ailleurs...

Au fait, d'où vient ce fameux « Tonnerre de Brest ! » ? C'est simple : à chaque fois qu'un forçat s'évadait du bagne, on tirait quelques coups de canon pour donner l'alarme et prévenir les habitants. Déjà qu'il y avait du bruit dans Landerneau, ils sont bien bruyants, ces Bretons !

On appelle les Brestois des « Ptits zefs », comme le petit vent qui souffle toujours à « Brest mêm ! » (autre expression locale !).

## Un peu d'histoire

Déjà les Romains trouvèrent l'endroit sympa et défendable. On trouve des traces de leur camp dans l'enceinte du château. Pline l'Ancien y fit du tourisme. Objet de convoitise durant tout le Moyen Age, la ville passa alternativement entre les mains des Français, des Anglais et des Bretons. C'est sous Richelieu que Brest acquit son importance par la création du port de guerre et des arsenaux. Plus tard, Vauban s'occupa bien entendu des fortifications. En 1750, ouverture du bagne de Brest (qui ferma un siècle plus tard). Les forçats, au nombre de 2 000 environ, étaient marqués T.F. au fer rouge (travaux forcés) et enchaînés par deux (bonjour de supporter un collègue acariâtre pour 20 ans !). Les « travaux » se divisaient en « grande » et « petite fatigue ». La « grande », les travaux les plus durs, était réservée aux fortes têtes. Peu de loisirs, on s'en doute, mais on retiendra les « veillées rouges », soirées spéciales où les condamnés, assis en cercle, racontaient leurs exploits et crimes avec moult horribles détails. Napoléon III créa le port de commerce. En 1944, la ville eut à subir plus de 150 bombardements et un siège de 43 jours. Les Américains pénétrèrent dans un champ de ruines.

Aujourd'hui, Brest vit en grande partie grâce à la Marine nationale et aux arsenaux, où l'on construit en ce moment le porte-avion nucléaire *Charles-de-Gaulle*. Plus de 8 000 personnes en dépendent. Le port de commerce importe des matières premières pour l'alimentation animale, des bois et matériaux divers. On avait misé gros — trop gros même — sur la réparation des super-pétroliers désormais H.S. ! Aussi les formes de radoub immenses (à voir) ne sont-elles plus que des trous béants : dur, dur, la prévision économique !

## Adresses utiles

– *Office du tourisme :* place de la Liberté (plan B1). ☎ 98-44-24-96. Ouvert toute l'année. Situé près de la mairie. Bien documenté. Mais pas toujours très accueillant.

– *Comité départemental de voile :* port de plaisance du Moulin-Blanc. ☎ 98-41-50-03.

– *Gare S.N.C.F. :* ☎ 98-80-50-50. Réservation T.G.V. Paris via Saint-Brieuc, Rennes.

– *Centre culturel et des Congrès :* avenue Clemenceau. ☎ 98-44-10-10. Dit « le Quartz », situé entre la gare S.N.C.F. et l'office du tourisme. Ultramoderne. Programme de spectacles très variés.

– *Aéroport de Guipavas :* Air Inter, ☎ 98-84-73-33. Finist-Air, ☎ 98-84-64-87 (pour Ouessant).

## Où dormir ?

### ● *Bon marché*

– *Auberge de jeunesse :* Moulin-Blanc, rue de Kerbriant. ☎ 98-41-90-41. Accueil entre 18 h et 20 h. A 2 km environ de la gare. Dans un grand parc boisé, pas loin de la plage de Moulin-Blanc. De la gare, bibus n° 7. Arrêt à « Moulin-Blanc ».

– *Siam Hôtel :* 8, rue du Couédic (angle rue de Siam ; plan A2). ☎ 98-44-44-94. L'hôtel de Brest présentant le meilleur rapport qualité-prix dans les pas chers. Accueil aimable. Bien tenu. Chambres de 100 à 130 F.

– *Hôtel Bellevue :* 53, rue Victor-Hugo. ☎ 98-80-51-78. Dans une rue calme du

centre. Propre et confortable. Chambres de 110 à 190 F la double. Une bonne adresse.

– *Camping du Goulet :* ☎ 98-45-86-84. Le seul camping de Brest est situé à la sortie de la ville. Ouvert toute l'année. Pas vraiment plaisant mais ça peut dépanner. Prix d'un 2-étoiles. Pour y accéder : en sortant de la gare, allez droit sur le bâtiment de la Caisse d'Épargne, puis descendez vers la mer et, à gauche, prenez le pont de Recouvrance. Ensuite (car ce n'est pas fini), continuez tout droit sur 500 m jusqu'en haut de la rue puis tournez à gauche après le bar *le Radar,* direction l'arsenal que vous longerez jusqu'à une petite baie. Poussez encore au-delà du belvédère, suivez la route et prenez à droite au niveau des déménagements Le Floch. Ouf, c'est là l

– *Camping municipal Lokournan :* à Saint-Renan (10 km de Brest sur la D 5). ☎ 98-84-37-67. Pour ceux qui préfèrent camper hors de Brest. Ouvert du 15 juin au 15 septembre. Agréable et verdoyant.

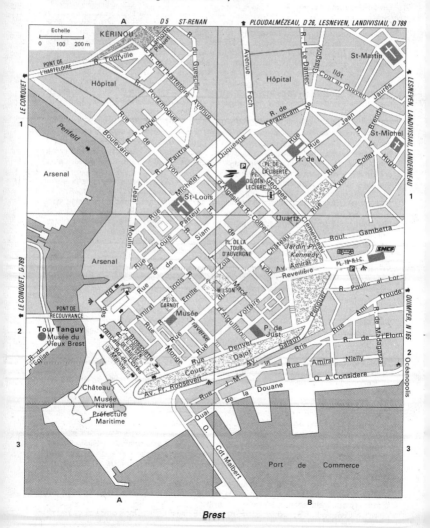

*Brest*

● *Plus chic*

– *Hôtel-restaurant des Voyageurs :* 15, avenue Georges-Clemenceau (plan B1).
☎ 98-80-25-73. Les nouveaux propriétaires, des jeunes, l'ont bien rénové. Il
est judicieusement situé à équidistance de tout (gare, restos, commerces et
quartiers sympa). Chambres agréables autour de 270 F la double. Abrite aussi
le meilleur *resto* de Brest (très cher aussi), mais possède des formules pour les
moins argentés à partir de 51 F, en brasserie.
– *Hôtel le Régent :* 22, rue Algésiras. ☎ 98-44-29-77. Hôtel neuf de
18 chambres avec douche et w.-c. pour 145 ou 195 F. Très joli salon-bar au
rez-de-chaussée. Et juste à côté, au n° 22, le pub *Tudor Inn* est très bien.

## Où manger ?

● *Bon marché*

– *Crêperie Moderne :* 34, rue Algésiras. ☎ 98-44-44-36. Une maison tout à
fait banale mais où les crêpes sont délicieuses, pas chères et servies aimablement.
– *Le Goéland :* place des Gares (S.N.C.F. et routière). ☎ 98-44-44-22. Fermé le
lundi soir et le mardi. Si vous avez une petite faim avant de partir, cette brasserie sert des plats rapidement composés et néanmoins très bons. Du croque-
monsieur au panaché de poisson. La déco marine ancienne nous a plu.
– *L'Écumoire :* 27, rue Danton. Dans le quartier Saint-Martin. Fermé le lundi.
Tout petit resto pas cher offrant des plats corrects de cuisine française et italienne (de 26 à 45 F).

● *Prix moyens*

– *Le Tire-bouchon :* 20, rue de l'Observatoire. ☎ 98-44-15-18. Ouvert midi et
soir jusqu'à 22 h 45. Fermé le samedi soir et le dimanche. Très central. Près du
lycée de l'Harteloire. Salle à l'atmosphère chaleureuse et accueil hypersympa.
Ici, pour une petite centaine de francs, vous dégusterez une excellente cuisine.
Beaucoup de choix, qualité constante et parts copieuses. Viandes particulièrement tendres, avec, en prime, un zeste d'humour de Bernard, le patron. Dans
cette catégorie, notre meilleure adresse. A côté, le café *Record* ne présente pas
de genre particulier, mais il reste ouvert tard et l'accueil est également sympathique.
– *Le Ruffé :* 1, rue Yves-Collet. ☎ 98-46-07-70. Service rapide jusqu'à 23 h 30
(c'est rare). Décor agréable, bien situé, près du Quartz. Cette nouvelle maison
tenue par des jeunes fera parler d'elle. Menu à partir de 50 F, mais il vaut mieux
choisir au-dessus. C'est fin et bon.
– *La Brocherie :* 61, rue Louis-Pasteur. ☎ 98-44-07-69. Fermé samedi midi et
dimanche midi. Près des halles Saint-Louis. Avec un décor aussi chic, on pourrait s'attendre à payer cher, eh bien non ! La formule express du midi ne
dépasse pas 45 F. Au menu du soir, offrez-vous d'autres gâteries pour 100 F.

● *Dans les environs*

– *Crêperie Blé Noir :* vallon du Stangalard. ☎ 98-41-84-66. Et bois de Keroual.
☎ 98-07-57-40. En deux sites proches sur la route de Gouesnou, ces
coquettes maisons transportent la gastronomie aux champs, à des prix doux.
– *Don Quichotte :* à 13 km de Brest sur la route du Conquet à Locmaria-
Plouzané. ☎ 98-48-42-17. Grande salle pour groupe. C'est un resto-cabaret
dansant où l'on mange bien. On rigole beaucoup, on danse longtemps à un prix
forfaitaire, boissons comprises, de 160 F le soir.
– *Auberge du Douvez :* au lieu dit Le Douvez, chapelle Saint-Yves, Guipavas.
Prendre la direction de Landerneau par la départementale Guipavas-Landerneau.
☎ 98-28-12-84. Ouvert midi et soir. Fermé le dimanche soir, le lundi et le
samedi midi. Réservation extrêmement recommandée. Une des meilleures
auberges de la région. Excellent accueil. Grillades au feu de bois, mais surtout
de succulentes spécialités : magret de canard aux airelles, darne de saumon
grillée à la menthe poivrée, etc. Plus celles qu'il faut commander 24 h à l'avance
(côte d'agneau farcie aux cèpes, cassolette de ris de veau aux morilles, etc.). En
semaine, menu à 69 F et à la carte. Le week-end à 124 et 165 F, et carte, bien
sûr. Bref, un grand moment culinaire assuré. Petite plage en bas du restaurant.

## A voir

Cette grande ville bétonnée ne se prête guère aux balades à pied. Il y a cependant quelques rues possédant des caractéristiques intéressantes et qui

méritent le déplacement. Le cours Dajot, dominant le port de commerce, la rue de Siam, maintenant coupée en son milieu par des fontaines. De l'eau encore dans cette rue de Siam chantée par Prévert : « Il pleut sur Brest Barbara... » Et puis il y a les rues chaudes de Recouvrance et le vieux quartier de Saint-Martin.

— *Château de Brest* (plan A3) : situé entre le pont de Recouvrance et le cours Dajot (construit au XVIII° siècle par les forçats). Date des XV° et XVI° siècles. Enceinte bien restaurée après la dernière guerre. Vestiges romains dans les fondations. Il abrite la préfecture maritime (ne se visite pas) et le *musée de la Marine*. Ce dernier est ouvert de 9 h 15 à 11 h 30 et de 14 h à 17 h 30. Fermé le mardi. Entrée payante. Nombreuses maquettes de bateaux, souvenirs de la mer, tableaux, instruments de navigation, etc.

— *Tour de la Motte-Tanguy* : à Recouvrance, à gauche du pont (plan A2). Ouvert tous les jours en juin et septembre de 14 h à 19 h. Juillet et août de 10 h à 12 h et de 14 h à 19 h. De janvier à mai, le jeudi de 14 h à 17 h, samedi et dimanche jusqu'à 18 h. Entrée gratuite. *Musée d'Histoire de Brest,* installé dans une tour du XIV° siècle. Les maquettes et les dioramas rappellent un peu que la ville ne fut pas toujours le bloc de béton blanc qu'elle est aujourd'hui.

— *Musée des Beaux-Arts* (musée municipal) : 22, rue Traverse (plan A2). ☎ 98-44-66-27. Ouvert tous les jours de 10 h à 11 h 45 et de 14 h à 18 h 45 sauf le mardi. Ouvert dimanche et jours fériés de 14 h à 18 h 45. Exposition de tableaux des écoles française, italienne et flamande des XVII° et XVIII° siècles. Une œuvre très forte : l'*Illumination de saint François Borgia*, de Pietro Della Vecchia, ou le fin du fin du morbide (on voit le visage se décomposer et l'assistance se boucher le nez). Également des œuvres intéressantes de l'école de Pont-Aven, etc. Expos temporaires.

— Possibilité de visiter l'*arsenal militaire*, accessible seulement aux citoyens français. Avoir sa carte d'identité. Entrée : port de la Grande-Rivière (route de la corniche).

— Nombreuses *balades en bateau* : visite de la rade et du port, remontée des fleuves (l'Aulne, l'Élorn), excursion à la presqu'île de Crozon, etc. Renseignements : *Vedettes armoricaines,* ☎ 98-44-44-04.

— *Parc du Vallon de Stangalard* : route du Stangalard. Vers l'aéroport de Guipavas (emprunter la D 712). Le ballon d'oxygène des Brestois. 35 ha de verdure, beaucoup d'oiseaux, bien sûr. Lieu de promenade des familles. On y trouve *le Blé Noir,* l'une des meilleures crêperies de Brest (ouverte tous les jours). 20 ha sont réservés au *Conservatoire botanique* qui y préserve toutes les plantes du monde menacées de disparition. 500 m² de serres. 52, allée du Bot. ☎ 98-02-63-14. Ouvert de 9 h à 20 h en été et de 9 h à 18 h en hiver.

— *Océanopolis* : port de plaisance du Moulin-Blanc. ☎ 98-34-40-40. Ouvert tous les jours de 10 h à 19 h du 1ᵉʳ juin au 15 septembre et de 10 h à 17 h en hiver. Fermé le lundi. Le tout nouveau « musée de la mer », situé dans un énorme tourteau blanc, véritable carrefour des dernières découvertes scientifiques et techniques. Vitrine de la planète bleue, à l'architecture futuriste, un temple scientifique que l'on peut comparer à la Villette ou au Futuroscope ! On fait voyager le visiteur à bord d'une sorte de magnifique navire. Vous y trouverez tout pour comprendre ce qui touche aux métiers de la mer, leurs possibilités, etc. Tout a été mis en place pour susciter l'intérêt des enfants. Médiathèque, aquariums géants, jeux, etc.

● *Quelques quartiers bien caractéristiques*

— *La place Guérin* : en haut de la ville, pas loin de l'église Saint-Martin (plan en haut de B1). La place Guérin demeure la dernière place forte de la convivialité à Brest. Lors de la dernière guerre, tout le quartier a miraculeusement échappé aux bombes, et il conserve un certain charme. Ruelles paisibles bordées de petits immeubles ou de pavillons, troquets d'avant-guerre, etc. Vieille population de quartier, à laquelle sont venus se joindre artistes et poètes attirés par les vibrations du coin. L'après-midi, les retraités viennent jouer aux boules, les mamans promènent les landaus. Le soir, bistrots et restos se remplissent de gens cherchant un peu de chaleur humaine.

— *Recouvrance* : de l'autre côté du pont mobile de Recouvrance (plan A2). Le « quartier chaud » de Brest. Filles à matelots, bars interlopes, matafs en bordée arpentent la rue de la Porte, la rue Vauban. Rue « Borda » : surnom donné aux élèves-officiers de marine. L'atmosphère est cependant bien tombée depuis Mac Orlan. C'est plus de l'ordre du mythe. En semaine, il y a des soirs où c'est carrément mort.

**Où sortir ? Où boire un verre ? Où écouter de la musique ? Où guincher ?**

● *Dans le quartier Saint-Martin*

– *Le café de la Plage :* place Guérin. ☎ 98-43-03-30. Bon, voilà, vous nous connaissez, pour ce qui est des troquets, on écume plutôt les quartiers pour trouver le plus sympa. On peut donc affirmer que, là, on a trouvé le plus chouette de Brest. Bref, venez donc humer l'atmosphère du lieu. Venez bavarder avec les gentils voisins (toutes générations confondues), les travailleurs du coin, les margeos, étudiants, chômeurs, artistes, que des gens bien comme vous et moi. Les clients ont manifesté leur solidarité au Nicaragua (de façon originale), en y expédiant plusieurs centaines de cordes de guitare (introuvables là-bas !). Revenez-y le lendemain, l'ambiance sera peut-être différente. Avec les mêmes clients ou d'autres. Ici, on trouve avant tout ce qu'on apporte. Et puis aussi de bonnes bières, petits vins, bons prix et tous les derniers tuyaux culturels. Le mercredi soir, des soirées cabaret sont organisées. Que dire de plus ? Venez...

– *Blues Time :* 46, rue Saint-Marc. Dans la grande voie des restos pas chers (qui donne dans la rue Jean-Jaurès). Ferme à 1 h. Là aussi, bar jeune et étudiant, assez animé.

– *A la Bonne Bouteille :* rue Saint-Marc. Beaucoup de bonnes bières, dans une ambiance pub. A l'étage, vous pourrez jouer : échecs, jeux de dame, etc. Clientèle étudiante.

● *A Kérinou*

C'est un vieux quartier en pleine restructuration depuis qu'il a perdu sa brasserie. Plutôt mort le soir, mais des troquets sympa arrivent à percer l'obscurité.

– *L'Étoile :* 53, rue Auguste-Kervern. ☎ 98-80-26-97. Un café-théâtre ouvert jusqu'à 4 h du matin. Excellents concerts de jazz, blues et rock. Jusqu'à 23 h, possibilité de grignoter des pizzas. Un des meilleurs lieux de rencontre et de spectacles de la ville. Téléphonez pour connaître le programme. Le mercredi est l'un des meilleurs jours.

– *Le Petit Bistrot Montmartre :* 136, rue Robespierre. ☎ 98-03-05-43. Ferme à 1 h. Dans le prolongement de la rue Auguste-Kervern. Là aussi, troquet jeune assez animé, expositions d'aquarelles et concerts de jazz tous les 15 jours.

● *Les boîtes*

– *Le Nautilus :* 82, rue de Siam (en plein centre, donc). ☎ 98-80-66-66. Dans le sous-sol de l'hôtel *Océania*. Voilà une petite discothèque pour les jeunes.

– *Le Sinclair :* 14, rue Kéréon. ☎ 98-43-43-63. Tous les mercredis, entrée gratuite et cocktail offert aux dames. On rencontre ici des gens de tous âges, venus écouter une musique variée dans un cadre élégant et tout à fait convivial (loubards, s'abstenir !).

– *Le Mélody :* pont Olivier, à Guipavas. ☎ 98-84-63-63. Voilà la boîte à la mode, très fréquentée par la jeunesse de la région. Ce n'est pas l'usine, mais presque ! L'ambiance est bonne, c'est vraiment le lieu où l'on s'éclate.

– En guise de conclusion, sachez que dans ce port il y a plus de 200 bars, 30 boîtes de nuit, et qu'on n'a pas pu tous les visiter... Question de santé !

---

**LE TREZ-HIR** (29217)

A une vingtaine de kilomètres, la station balnéaire des Brestois. Microclimat et belle plage. Éminemment touristique et bondée les week-ends ensoleillés. Jolie promenade jusqu'au *rocher de Bertheaume* (culminant à 60 m). De là démarre d'ailleurs un sentier qui suit le littoral jusqu'à la *pointe de Saint-Mathieu* à 9 km, (un peu plus de 2 h de marche). Nombreuses falaises rocheuses. Panoramas, depuis les pointes de Créac'h Meur et Saint-Mathieu, sur la presqu'île de Crozon. Par très beau temps, le regard peut porter jusqu'à la pointe du Raz et l'île de Sein.

Pour se rendre à Trez-Hir-Plougonvelin, *cars Saint-Mathieu*. 5 à 6 départs de Brest en semaine et 3 le dimanche. Également *cars Riou*, départs quotidiens de la gare routière de Brest.

– *Syndicat d'initiative :* bd de la Mer. ☎ 98-48-30-18.

### Où dormir ? Où boire un verre ?

– *Camping de la Bertheaume* : dans une anse, en bord de plage. Coin assez préservé. ☎ 98-48-32-37.
– *Camping Saint-Yves* : dans le centre de Trez-Hir et à 400 m de la plage. ☎ 98-48-32-11.
– *Hôtel Marianna* : plage de Trez-Hir. ☎ 98-48-30-02. Petit hôtel sympathique offrant d'agréables chambres à 180 F pour deux. Resto. Possibilité de demi-pension. Discothèque tout à côté.
– *Bar des Sports* : dans le centre de Plougonvelin. Fermé le lundi. Impossible à rater avec sa fresque amusante (figurant justement l'entrée du bar). Rien de particulier, mais patron sympa ayant su créer une bonne ambiance dans ce petit bistrot de village.

## LE CONQUET (29217)

Petit port de pêche ayant conservé beaucoup de charme et de naturel. Quelques vieilles demeures avec leurs portes gothiques. Au n° 1, rue Aristide-Briand, la *maison des Anglais*, la plus ancienne (XV° siècle). Port d'embarquement pour les îles d'Ouessant et de Molène. Sur la route de la pointe de Saint-Mathieu, jolie *plage de Porsliogan*. A la ferme *Keringar*, à 2 km du bourg, possibilité de randonnées à cheval. Une balade pittoresque : le tour de la presqu'île de Kermovan par un joli sentier côtier. Accès pour les piétons par la passerelle du Croac. Au bout, la récompense : la superbe *plage des Blancs Sablons*.

### Où dormir ? Où manger ?

– *La Taverne du Port* : 18, rue Saint-Christophe. ☎ 98-89-10-90. Bar-restaurant d'ambiance marine avec vue sur le port bien sûr ! Au menu à 58 F, terrine de poisson sauce verte, filet de merlu beurre nantais, pâtisserie maison. Ici, on peut entrer en relation avec les marins-pêcheurs.
– *Hôtel de Bretagne* : dans le bourg même. ☎ 98-89-00-02. Fermé hors saison le vendredi soir et le samedi. Petit hôtel familial offrant des chambres très modestes de 145 à 180 F. Demi-pension. Bonne table. Menus à 65 et 90 F (service compris, boissons en sus) avec mouclade crème persillée, filet de lieu farci. A la carte, comptez 120 F, bouillabaisse du pays de Cornouaille, hure de saumon au coulis de tomates, etc. Plateau de fruits de mer à 240 F pour deux. Petit déjeuner obligatoire, servi en salle uniquement et avant 10 h. Tant pis pour ceux qui font la grasse matinée !
– *Camping le Theven* : ouvert à Pâques et du 15 juin au 15 septembre. ☎ 98-89-06-90.

● *Plus chic*

– *La pointe Sainte-Barbe* : pas loin du port. ☎ 98-89-00-26. Fermé le lundi hors saison, et du 2 janvier au 6 février. Salle à manger panoramique en avancée sur un rocher. Restaurant réputé pour ses poissons et fruits de mer. Réservation recommandée. Une excellente adresse (mais en dehors de la période juillet-août). Conseil d'autochtones : pendant les flux touristiques, la qualité de la cuisine et du service baisse un peu (surtout le dimanche). Doubles de 163 à 273 F. Menus de 80 (en semaine) à 364 F.

### Bateau pour les îles d'Ouessant et de Molène

– *Départ de Brest* : à 8 h 30 toute la semaine, sauf le mardi.
– *Départ du Conquet* : à 8 h 30 toute la semaine, sauf le mardi. Le vendredi, bateau supplémentaire à 18 h 30 et le samedi à 13 h 30. Si la mer est mauvaise, l'escale du Conquet peut être supprimée. Renseignements : ☎ 98-80-24-68. Il est conseillé de réserver un peu d'avance.

## LA POINTE DE SAINT-MATHIEU (29217)

Jadis ville importante (qui compta au Moyen Age jusqu'à 36 rues). Bout du monde, la pointe de Saint-Mathieu n'est plus qu'un tout petit village dominé par un *phare* (ayant 50 km de portée). Ruines d'une *église abbatiale* dont le chœur est quasi intact. Flânez les soirs de tempête dans les ruines balayées par le jet lumineux du phare. Surréaliste ! Sublime ! Ou pathétique, à vous de sentir !

**Où manger ?**

– *Restaurant de la Pointe du Saint-Mathieu :* en face du phare. ☎ 98-89-00-19. Fermé le mardi et le dimanche soir (sauf en haute saison). Dans une maison datant du XIVe siècle. A l'intérieur, joli décor rustique. Menus à 100 F (bisque de langoustines, filet de morue fraîche, blanc de carrelet, pintadeau aux raisins), à 150 F (foie gras de canard mariné au porto, cassolette de crustacés, langouste rose bretonne rôtie, etc.), deux autres menus et la carte.

## L'ÎLE D'OUESSANT (29242)

« Qui voit Molène, voit sa peine. Qui voit Ouessant, voit son sang. » Ce proverbe suggère-t-il que l'approche de l'île est plutôt malaisée ? En tout cas, les images et les fantasmes sont bien cultivés à Ouessant : tempêtes monstrueuses, écueils et courants assassins, brouillard persistant, côtes déchiquetées, etc. Pas à tort assurément. Aussi sauvage que rebelle, l'île regarde le continent avec un superbe dédain (les îliens appellent les touristes des « chinchards », un poisson peu noble). Ses habitants sont des enfants émancipés qui ont largué les amarres familiales. Ouessant est un autre monde (comme Sein, Groix et les autres) que la mer cisèle, et que le vent pétrit pour rendre ces bouts de terre différents du continent (et la Corse alors ?).
Un resto de l'île possède une immense carte reproduisant tous les naufrages. Impressionnant ! Le 16 juin 1896, le *Drummond Castle* s'y échouait, faisant 400 victimes. Aujourd'hui, il y a moins de victimes, car les pétroliers géants ont un équipage réduit (trop ?). Leurs noms nous sont d'ailleurs familiers : *Torrey Canyon, Tanio, Olympic Bravery, Amoco Cadiz*, etc. Ouessant mesure 7 km de long sur 4 de large et compte environ 1 400 habitants et autant de moutons. Le croirez-vous, les Ouessantins furent autant agriculteurs que pêcheurs. On releva jusqu'à 120 exploitations. Aujourd'hui, il ne reste qu'un seul cultivateur mais il y a 40 000 parcelles. Jadis, en attendant plusieurs mois la paie du marin, la femme ouessantine devait assurer la subsistance de la famille. Même si le maire et le garde-champêtre sont encore des femmes aujourd'hui, Ouessant n'est plus l'île aux femmes. Le tourisme maintenant prend une place économique de plus en plus importante. Il contribue à banaliser petit à petit le caractère spécifique d'Ouessant et de ses habitants. Pourtant on n'a pas commis les ravages que connaissent de nombreux sites. Intégrée au parc naturel régional d'Armorique, l'île a su préserver son charme et son caractère. Complètement rabotée par l'érosion depuis des millénaires, la plus haute colline culmine à 60 m. C'est le moment d'y venir dégourdir vos vieilles jambes, à pied ou à vélo. Et puis, ce ne sont pas les longues étapes qui vous épuiseront !
– *Syndicat d'initiative :* place de l'Église, à Lampaul. ☎ 98-48-85-83. Hors saison, téléphoner à la *mairie :* ☎ 98-48-80-06.

**Climat et faune**

Curieusement, l'île connaît tout le long de l'année une température relativement clémente, voire douce. Les écarts entre l'hiver et l'été sont assez faibles et les pluies modérées. Seuls les vents sont fidèles à leur légende, ainsi que le brouillard qui isole parfois l'île de longues journées.
Il n'y a pas de hérissons ni de taupes à Ouessant mais on y trouve la pipistrelle (une petite chauve-souris). Les oiseaux, en revanche, sont nombreux (nicheurs, marins ou migrateurs). Les nicheurs sonnent comme des notes de musique : merle noir, grive musicienne, tourterelle turque, mésange charbonnière, hirondelle de cheminée, rousserolle effarvatte, traquet motteux, fauvette pitchou, pipit farlouse, bergeronnette printanière, etc. Un seul rapace : le faucon crécerelle, et un corbeau rare : le crave à bec rouge. Les oiseaux marins comprennent goélands, cormorans huppés, huîtriers pie, pétrels tempête, etc. Sur quelques rochers on peut observer une petite colonie de phoques gris, des petits pingouins et macareux. Pour observer les oiseaux de mer ou migrateurs (surtout en septembre), rendez-vous sur les pointes de Pern et de Penn ar Roch. Festival de puffins des Anglais, fous de Bassan, mouettes tridactyles, fulmars, limicoles, chevaliers, bécasseaux, gravelots et tourne-pierres...
Le mouton d'Ouessant est probablement le plus petit mouton du monde : 42 à 48 cm, et 13 à 18 kg. Il n'en reste plus que 30 de race très rustique pour vivre en plein air et brouter la lande en plein vent. Sa laine d'un brun foncé servait à fabriquer sans teinture le tissu, appelé berlingue, dont se vêtaient les femmes d'Ouessant, toujours en habit noir.

## Les coutumes du passé

Abandonnées depuis peu, elles témoignent bien du caractère particulier de l'île. La *proëlla*, par exemple, disparue depuis une vingtaine d'années seulement. Lorsqu'un marin périssait dans un naufrage, la famille confectionnait une petite croix de cire qu'elle disposait sur un drap blanc à même la table familiale, avec de l'eau bénite et la photo du défunt. Puis on priait toute la nuit. Cette veillée funèbre n'avait d'autre but que de faire revenir l'âme du mort dans l'île. Le lendemain, en procession, la croix de cire était portée à l'église puis, plus tard, au cimetière, dans un mausolée sur lequel on peut encore lire : « Ici nous déposons les croix de proëlla en mémoire de nos marins qui meurent loin de leur pays, dans les guerres, les maladies et les naufrages. »

## Comment y aller ?

– *En bateau :* voir chapitre « Le Conquet ».
– *En avion :* deux vols quotidiens par *Finist'Air* depuis l'aéroport de Brest-Guipavas. Renseignements : ☎ 98-84-64-87.

## Où dormir ? Où manger ?

La plupart des visiteurs ne viennent que pour la journée. Dommage, car surprendre l'île au petit matin, quel bonheur ! De plus, les hôtels sont à prix raisonnables et, à part les mois d'été, on est à peu près sûr de trouver de la place. En juillet-août, réservation obligatoire.
– *Hôtel de l'Océan :* dans le bourg. ☎ 98-48-80-03. Hôtel sympa. Chambres récemment modernisées à partir de 95 F. Très correct. Les n°⁵ 13, 14 et 15 donnent sur la mer. Bon resto. Le favori des gens du coin et des marins, c'est bon signe. Menus à 59, 78, 95 et 120 F. Ce dernier offre assiette de crustacés, palourdes farcies et poisson du jour. Le soir, parfois de la musique (folk, chants de marins). Une adresse vraiment recommandable.
– *Hôtel de Fromveur :* à côté du précédent. ☎ 98-48-81-30. Chambres fort bien tenues avec lavabo ou douche à partir de 105 F. Gentiment vieillot (meubles style Galeries Barbès, papier peint à fleurs). Salle à manger agréable. Au mur, une carte immense avec tous les naufrages de 1860 à 1980. Seule la cuisine ne sombre pas ! Menus corrects à 62 et 95 F (crabe farci au vieux rhum, rognons au madère, etc.).
– *Hôtel Roc'h-Ar-Mor :* même rue que l'Océan. ☎ 98-48-80-19. Beaucoup plus touristique. Chambres à partir de 100 F (douche à l'extérieur). Menus à 59, 78 et 113 F.
– *Camping municipal Pen ar Bed :* à l'entrée de Lampaul, la « capitale ». Bon marché.
– Possibilité de trouver des *chambres chez l'habitant.* Chez *Mme Avril,* bas du bourg, chambres confortables avec douche pour 160 F, petit déjeuner compris.

## A voir. A faire

– *Location de vélos* dès la descente du bateau. 60 F par jour. L'office du tourisme vend une carte bien illustrée de l'île. Les plus fortunés de nos lecteurs ne manqueront pas de s'offrir les deux ouvrages du parc régional sur Ouessant, *Enez Eussa.*

– *Lampaul :* la « capitale » de l'île se trouve à 3 km du port de débarquement. Gentil bourg plein de charme. Maisons éclatantes aux volets bleus ou verts. Émouvant cimetière marin. Le clocher de l'église fut offert par la reine Victoria en remerciement du dévouement des Ouessantins lors du naufrage du *Drummond Castle.*
Pour ceux qui ne restent que quelques heures, voici le circuit traditionnel :

– *Pointe de Pern :* pour s'y rendre, route agréable musardant entre les hameaux, les murets de pierres sèches et les *gwaskedou,* ces abris à moutons en étoile à 3 branches, faits de pierres et de mottes de gazon. A la pointe, rochers déchiquetés qu'usent inlassablement des tonnes de vagues. Quand il fait beau, on a droit à un doux clapotis et à une mer étale. Difficile de croire alors au surnom d'Ouessant : « l'île d'épouvante ». Le croiriez-vous, tous les rochers sont classés !
Possibilité de *randonnées à cheval :* ☎ 98-48-83-58.

– *Pointe de Créac'h :* à deux pas et demi. Sur sa falaise, le phare commande l'entrée de la Manche et voit défiler 300 bateaux quotidiennement. Créé en

1862, il possède une portée de 50 km. Là aussi, rochers impressionnants. Par mer calme, on trouve quand même des vagues pour se jeter dessus. Au retour, on passe près du dernier moulin de l'île, récemment restauré *(Karaes)*.

Un *musée des Phares et Balises* est installé près du phare de Créac'h. ☎ 98-48-80-70. Ouvert en été de 11 h à 18 h 30 du 1er juillet au 30 septembre, de 14 h à 18 h du 1er avril au 30 juin ; toute l'année sur rendez-vous, sauf juillet et août. Le centre présente au public une longue histoire technologique et humaine qui remonte à l'Antiquité.

– *Maisons des Techniques et Traditions :* dans le hameau de Niou-Huella. ☎ 98-48-86-37. Ouvert en été de 14 h à 18 h du 1er avril au 30 juin et de 11 h à 18 h 30 du 1er juillet au 30 septembre ; toute l'année sur rendez-vous. Fermé le mardi, sauf juillet et août. Deux demeures typiques transformées en écomusée. L'une des deux maisons de la fin du XVIIIe siècle possède encore son mobilier d'origine, le plus souvent en bois d'épaves (l'île ne possédant pas d'arbres). Présentation d'objets domestiques, outils, vêtements, etc., se rapportant à la vie ouessantine. Non seulement visite intéressante, mais aussi avec un petit contenu affectif. Notez les couleurs éclatantes (blanc, bleu) des meubles au rez-de-chaussée.

– *Le phare du Stiff :* à l'est de l'île, route directe depuis Lampaul. Le point le plus élevé. La Marine a édifié là une tour-vigie de 72 m avec un radar d'une portée de 50 miles pour surveiller le rail d'Ouessant : sens unique pour la navigation trans-Manche. Le premier phare fut édifié par Vauban. Sentier menant ensuite sur la presqu'île de Cadoran avec, là aussi, un point de vue pittoresque sur la baie de Beninou.

– *Autres balades possibles :* à la *pointe de Porz Yusin*, au nord de Lampaul, pour observer les oiseaux. Au sud, *la presqu'île de Feunten Velen* et ses falaises. Belle vue sur la pointe de Pern.

**Quitter Ouessant**

– *Pour Le Conquet et Brest* (avec arrêt à Molène) : départ tous les jours à 17 h, sauf le vendredi (19 h 30).
– *Pour Le Conquet :* le vendredi à 19 h 30 et le samedi à 10 h 30. Tous renseignements : ☎ 98-80-24-68.

## L'ÎLE DE MOLÈNE (29259)

A peine longue de 1,2 km sur 800 m de large. Toute plate, et pas un arbre sur le caillou, on l'appelle *l'île Chauve* (Molène vient de *moal enez*, « chauve » en breton). 400 personnes s'y accrochent. Curieux : on dit que gens d'Ouessant et de Molène ne s'entendent pas du tout ! Activités principales : le homard et le goémon. Paradoxalement, il y a ici plus de pêcheurs qu'à Ouessant la grande, car l'île possède un port mieux protégé. Petit bourg tassé autour de son église et de son sémaphore. Ici, oublier sa montre, on vit à l'heure solaire. A marée basse, découvrez un spectacle inhabituel d'îlots et de grandes étendues de goémon. Pour dormir : *chambres chez l'habitant* (renseignements à la mairie : ☎ 98-84-19-05). *Camping. Hôtel-restaurant Kastell An Doal.* ☎ 98-84-19-11.

## LA RÉGION DES ABERS

Les *abers* sont des rias (estuaires) s'enfonçant assez profondément dans les terres. Du Conquet vers Roscoff, superbe côte avec son pesant de coins encore préservés du tourisme de masse. On l'appelle encore la côte des Naufrageurs parce que, autrefois, certains paysans allumaient des feux pour égarer les navires qu'ils pillaient après leur naufrage, C.Q.F.D. !

● *Pointe de Corsen :* une falaise de 30 m de haut, le point le plus à l'ouest du pays (à part les îles, bien sûr). Considérée comme la frontière théorique entre la Manche et l'océan Atlantique. Environnement sauvage. Région très vallonnée révélant de jolis hameaux. De nombreuses maisons et fermes en ruine témoignent de l'âpreté de l'existence ici. Parcourir toutes les petites routes des alentours hors saison vous donne l'impression de visiter un autre pays. Rejoignez Porsmorguer, puis l'*anse de Porsmorguer*. Belle plage abritée. Départ du

sentier côtier qui longe les falaises. Environ 45 mn pour rejoindre la pointe de Corsen. De temps à autre, de jolies criques vous accordent un ruban de sable fin abrité. *Cross-Corsen :* du plus grand sémaphore de Bretagne, on surveille le trafic à l'entrée de la Manche. Poussez ensuite jusqu'à la *grève de Trézien.*
Si vous retournez sur Saint-Renan, ne manquez pas, à une dizaine de kilomètres, le *menhir de Kerloas,* le plus haut de Bretagne (12 m de haut). Il s'élève, hiératique, impressionnant, dans une campagne sévère. Bien indiqué depuis la route principale (la D5).

● **Lampaul-Plouarzel :** très jolie plage de sable blanc de Lampaul-Plouarzel, suivi de *Porspol,* son petit port. Le coin est assez touristique les mois d'été. Le camping de Lampaul se couvre de caravanes. Au mois de mai, c'est tellement gentil, dur de s'imaginer à quoi ça peut ressembler en juillet. Découvrez l'attachante *grève de Gouérou.*

### Où dormir ? Où manger ? Où boire un verre ?

— *Camping municipal :* assez confortable, prix modérés. Situé près du stade.
— *Camping à la ferme :* à 3 km de Plouarzel, au lieu dit *l'Anniouarn,* chez M. Joseph L'Hostis. ☎ 98-89-60-44. C'est bien fléché depuis la route Saint-Renan-Plouarzel. Gîtes à 130 F environ.
— *La Chaloupe :* petit resto sympa sur le port. Menu à 69 F copieux.
— *La Boulange :* à Plouarzel, à 3 km de Lampaul-Plouarzel. Situé pas loin de l'église. Endroit sympa pour boire un verre et écouter de la musique folk. Ouvre cependant de façon très irrégulière. Se renseigner avant. ☎ 98-89-31-04.

● **Très chic**

— *L'Auberge du Kruguel :* 7, rue de la Mairie, Lampaul. ☎ 98-84-01-66. Fermé le mercredi, le jeudi midi et le dimanche soir, sauf en juillet-août. Réservation recommandée. Au milieu du bourg, grande maison dans un jardin. Belle salle à manger de style cossu. Auberge possédant une bonne réputation dans la région. Menu à 160 F (boissons en sus) avec gâteau de crabe, fricassée de poularde, salade et dessert. A la carte, cher évidemment : selle d'agneau farcie en croûte, pigeonneau rôti à l'ail doux, saumon aux choux, selle de lapereau. Desserts répondant aux doux noms de « Blanc-manger aux fruits », « Rêve d'enfant », etc. Menu gastronomique à 250 F également.


## DE L'ABER-ILDUT À PORTSALL *(par le site de Trémazan)*

Ne manquez pas de musarder sur cette croquignolette route côtière allant de port en port. Soleil couchant sublime et rayon vert garanti sur facture ! C'est le pays des goémoniers qui possèdent des bateaux modernes. L'ancienne « guillotine » à main a été remplacée par le « skoubidou », une espèce de bras mécanique qui va couper les algues au fond.

● **L'Aber-Ildut :** c'est le plus petit des trois que vous traverserez en remontant la côte. Raison de plus pour le faire à pied (1,5 km environ). Petit sentier partant de Pont-Reur (sur la D28) et le reliant à Brelès (sur la D27). Les amateurs de manoirs paysans feront un tout petit détour pour admirer celui de *Kergroadès* (à moins de 2 km). Élégant, mais d'aspect sévère à cause de son granit gris. A propos justement, le granit du coin est l'un des plus réputés de Bretagne. D'abord il est rose, lui, et il servit à tailler le socle de l'obélisque de la Concorde à Paris. A *Brelès,* église du XVIe siècle dont le cimetière s'ouvre par une curieuse arcade.
Dans les environs, une trouvaille : quelques bouchers fabriquent un délicieux jambon à cuire fumé aux algues. La recette : plongez dans l'eau bouillante (sans aucun ingrédient !). Laissez cuire 1 h 30. Servez avec des pommes de terre à l'eau et, éventuellement, une vinaigrette.

● **Lanildut :** joli village encaissé au bord de l'aber. Maisons fleuries. Beaucoup de charme. Petite route menant au *rocher du Crapaud.* Beau point de vue. Possibilité de dormir au camping municipal. ☎ 98-04-30-05 ; au calme, dans la campagne mais près de la mer.

● **Melon et Porspoder :** Melon, mignon petit port naturel. A croquer. En revanche, Porspoder est un lieu de villégiature plus touristique. Station familiale avant tout. Normal, le bourg offre un bel ensemble : baie, chaos de rochers, sentiers côtiers, etc. *Hôtels* et un *camping.*

En bord de mer, peut-être découvrirez-vous l'un de ces *fours à goémon* artisanaux qui servaient jadis à brûler le goémon pour en extraire l'iode. Longue tranchée de 6 m de long et garnie de pierres plates pour éviter la dispersion de la chaleur.

● *Trémazan :* d'Argenton à Trémazan, la côte se fait toute douce. A notre avis, la plus belle portion de côte de la région. Pas urbanisée. De véritables pelouses viennent lécher la mer, ourlée d'une simple frange rocheuse. Adorable petite chapelle et grosse croix de granit pour faire du coucher de soleil un moment inoubliable. A Trémazan, pittoresque et imposant *château féodal* couvert de lierre. Il possède toujours son gros donjon carré du XIIᵉ siècle (et zut, et moi qui n'ai plus de pelloche !). Ce sont les marées qui alimentaient les fossés.

● *Portsall :* port de pêche charmant qui aurait bien voulu éviter de passer à la postérité le jour du naufrage du pétrolier *Amoco Cadiz* en 1978. L'une des plus gigantesques marées noires de tous les temps. On n'en voit plus la trace désormais (sauf dans les mémoires).

### Où manger dans le coin ?

– *Hôtel des Voyageurs :* devant l'église, à Ploudalmézeau. A 3,5 km de Portsall. ☎ 98-48-10-13. Bonne réputation dans la région. Menus à 65, 110, 160 F. Dans les deux derniers, plateaux de fruits de mer.
– *Crêperie du Château d'Eau :* à la sortie de Ploudalmézeau, route de Brest. ☎ 98-48-15-88. Ouvert de fin mars à fin septembre, de 10 h à 23 h. Elle occupe effectivement un château d'eau, à 112 m du niveau de la mer. Ascenseur ou 278 marches pour parvenir à la salle à manger panoramique. C'est l'une des curiosités du coin. Très touristique bien sûr.
– *La Salamandre :* place du Général-de-Gaulle, Ploudalmézeau. ☎ 98-48-14-00. Fermé le mardi. Chez des Bretons authentiques, tout le monde vient s'y régaler. Une des meilleures crêperies de la région.


## DE PLOUDALMÉZEAU À BRIGNOGAN

Traversée de l'*Aber-Benoît* et de l'*Aber-Vrac'h* qui abritent deux des principaux ports d'attache des goémoniers de fond : *Saint-Pabu* (pas pris !) et *Landéda*. L'usine de traitement des algues est à côté, à *Lannilis*. L'embouchure de l'Aber-Benoît offre de jolis points de vue. A 2,5 km de Lannilis, sur la rive sud de l'Aber-Vrac'h, s'élève le *château de Kerouartz*, du XVᵉ siècle, bel exemple d'architecture Renaissance bretonne. Il ne se visite pas, mais on peut admirer les structures extérieures. Il appartient à la même famille depuis 300 ans.
Vers Plouguerneau, superbe panorama sur l'aber après avoir passé le pont de Paluden.

### Où dormir ? Où manger dans la région ?

Les distances étant courtes, ne pas hésiter à sortir des sentiers battus pour découvrir nos adresses insolites. Voici notre meilleur choix :
– *Moulin de Garena :* vallée des Moulins. A 3 km de Lannilis. Après avoir traversé la D13, c'est à quelques centaines de mètres, dans un vallon boisé très agréable. ☎ 98-04-01-37. Ouvert tous les jours, midi et soir. Très recommandé de réserver pour le dîner. Comme son nom l'indique, c'est l'un des nombreux moulins à eau de la région, transformé aujourd'hui en restaurant. Très populaire parmi les gens du midi. Toujours plein de monde le midi. Il faut dire que le menu ouvrier à 45 F est imbattable avec ses deux entrées, le plat, fromage, dessert et café (et service compris). Le week-end, menu à 160 F. Pour se mettre en forme avant le repas, possibilité de piquer une tête dans la piscine. Que vous faut-il de plus ?
– *Restaurant des Abers :* 5, place Auditoire, à Lannilis. ☎ 98-04-00-29. A midi, un menu à 45 F simple mais copieux et apprécié des travailleurs du coin (sondage effectué à la sortie du resto !). Quelques chambres à prix très modérés aussi (120 F la « soirée étape »).
– *Restaurant breton :* à *Saint-Frégant*. Village à une dizaine de kilomètres à l'est de Plouguerneau. ☎ 98-83-05-33. Fermé en août et le dimanche. Situé en face de l'église. Petit resto qui n'a l'air de rien de l'extérieur, mais, quand on aperçoit la grande salle du fond, on se dit qu'ils ne l'ont pas construite pour dix personnes. Bonne et copieuse nourriture (et pas chère en plus). C'est bien simple :

le jeudi, c'est le jour du *kig a farz* (le couscous breton). Eh bien, arrivez à 11 h 55 si vous voulez être sûr d'avoir une place ! Accueil sympa bien sûr, et atmosphère animée garantie. Peu de touristes. Ah si, vous !

## PLOUGUERNEAU (29232)

Bourg agréable édifié, paraît-il, sur l'emplacement de Tolente, une ville un peu mythique qui eut son heure de gloire au IX⁰ siècle et qui disparut après avoir été pillée par les Normands. Patrie d'Yvon Étienne, un de nos chanteurs préférés.
Porte d'entrée aux magnifiques *plages de Lilia et de Saint-Michel*. Beau sable immaculé parsemé de rochers polis. Visite du *phare de l'île Vierge*.
Pour s'y rendre : bus quotidien Brest-Plouguerneau-Lilia. Renseignements : *les Cars des Abers*. ☎ 98-04-70-02.

– *Office du tourisme :* place de l'Europe. ☎ 98-04-70-93.

### Où dormir ? Où manger ?

– Deux *hôtels* et un *camping municipal*.
– *Le Lizen :* route de Saint-Michel, à Plouguerneau. ☎ 98-04-62-23. Ouvert de Pâques à septembre. Une des meilleures crêperies de la région, dans une vieille ferme rénovée. Accueil sympa.

### A voir

– *Le musée des Goémoniers :* ouvert de juin à septembre, de 10 h à 12 h 30 et de 15 h à 19 h 30, et le week-end hors saison, de 14 h 30 à 19 h. ☎ 98-04-60-30. Indispensable de visiter ce petit musée pour mieux connaître et comprendre le pays des Abers. De nombreux documents d'archives sur les goémoniers, des épaves superbes et des maquettes, une exposition d'anciens bateaux de goémoniers. Également des illustrations sur le phare de Plouguerneau et les massifs dunaires.

## GUISSÉNY (29249)

Entre Guissény et Brignogan, nous voici au cœur du pays pagan (pays païen). Nom donné aux gens et au pays par les missionnaires irlandais au V⁰ siècle. Ces pagans étaient de redoutables et efficaces pilleurs d'épaves, capables en une nuit de décharger la cargaison d'un navire échoué. Ce qui est sûr c'est que, pour cette population extrêmement pauvre, un naufrage représentait de nombreux mois de survie.
De Guissény à Brignogan, vous découvrirez encore des petits coins préservés. Vers Plouguerneau, la *grève de Zorn* se révèle également bien attachante. A Guissény, voyez l'*église* et son joli clocher à balcons superposés du XVII⁰ siècle. Quatre croix marquent l'entrée du cimetière. Superbe *retable* dans la chapelle de l'Immaculée-Conception.

### Où dormir ? Où manger ?

– *Ferme-auberge de M. et Mme Le Gall :* Keraloret. A quelques kilomètres de Guissény. Très bien fléché (suivez les petites pancartes roses). ☎ 98-25-60-37. Fermé aux vacances de la Toussaint. Accueil cordial et chambres agréables. Camping à la ferme. Bonne et solide nourriture paysanne. Menus à 60 et 100 F. Goûtez au jambon braisé, à l'agneau pastourelle, à l'onctueuse soupe maison ainsi qu'au cochon ou au mouton grillé à la broche. Chambres aux environs de 100 F. Excellent cidre bouché. La grande spécialité : le *kig a farz*. A commander la veille ou le matin de bonne heure. Bon, une adresse fort sympathique, disions-nous !

## BRIGNOGAN (29238)

Station balnéaire familiale qui s'urbanise cependant rapidement. Alentours fameux pour leurs chaos rocheux. Sur une des plages, ils ont la forme de crapauds. Ne ratez pas l'*anse du phare de Pontusval*, sa longue grève de sable blanc et la charmante *chapelle Pol*, construite dans les rochers (à 2,5 km au nord de Brignogan).

Sur la route de la chapelle, curieux *menhir « christianisé »*, de près de 8 m de haut et surmonté d'une croix.
Nous recommandons vivement la *plage de Ménéham*, à 2 km vers l'ouest (sur la commune de Kerlouan en fait). Sable fin. Assez sauvage. Pittoresques chaos de rochers.

– *Syndicat d'initiative :* ☎ 98-83-41-08. École de voile en été.

**Où dormir ? Où manger ?**

– *Ar Reder Mor :* avenue du Général-de-Gaulle. Dans le centre du bourg. ☎ 98-83-40-09. Moderne, sans charme particulier, mais correct. Chambres à 130 F.

● *Plus chic*

– *Hostellerie Castel Régis :* au port de Brignogan. ☎ 98-83-40-22. Située sur un pittoresque promontoire rocheux entre port et baie, au milieu d'un parc. Calme assuré. Piscine d'eau de mer chauffée. Atmosphère éminemment touristique. Chambres de 230 à 350 F. Menus à 108 et 198 F. Carte très chère.
– *Camping : Kéravezan.* Au nord du bourg, vers la plage des Crapauds. ☎ 98-83-41-65. Ouvert du 15 juin au 15 septembre.
– *Camping municipal : Kérurus,* à côté, dans la commune de Plouénour-Trez. A deux pas de la mer. ☎ 98-83-41-87. Ouvert du 15 juin au 15 septembre.

**GOULVEN** (29238) _____

Niché au fond d'une grande baie découvrant une immense grève sur plusieurs kilomètres, photos superbes garanties si le soleil joue avec les nuages.
Goulven possède l'*une des plus belles églises* du littoral. Clocher du XVIe siècle dans le style de Notre-Dame-du-Kreisker, à Saint-Pol-de-Léon. A droite du porche Renaissance, superbe porte de style gothique flamboyant. Remarquable autel de granit gris sculpté. Devant, un autre petit autel sculpté de scènes naïves polychromes. Ancien jubé du XVIe siècle utilisé comme tribune d'orgues. Vers Plouescat, vous longerez les fameuses *dunes de Keremma* qui font l'objet d'un soin attentif de la part du conservatoire du littoral.

**Où manger ? Où dormir dans le coin ?**

– *Camping O de Vras :* sur la commune de Plounevez-Lochrist. Pas loin de la mer. Belle plage près de la chapelle Saint-Guévroc.
– *Camping Keremma :* à Tréflez. ☎ 98-61-62-79. Ouvert du 15 juin au 15 septembre.
– *Hôtel-restaurant de la Butte :* situé sur la commune de Plouider (29260 Lesneven), à 2 km des plages de Keremma. ☎ 98-25-40-54. Belles chambres de 140 à 165 F. Mais c'est surtout le restaurant qui est réputé. Propose les meilleurs fruits de mer de la région. Réservation hautement recommandée.

**PLOUESCAT** (29221) _____

Gros bourg agricole où l'on cultive les tulipes et les choux-fleurs. Le marché se tient sous des halles avec une belle charpente en bois du XVIe siècle. Elles restent la seule attraction du pays depuis l'affaire du... *Zizi de pépé.* Ce gros rocher ithyphallique (dont la forme était en effet sans équivoque) n'avait jusqu'ici réussi à provoquer, depuis quelques siècles déjà, que sourires égrillards et grasses plaisanteries. La municipalité de Plouescat, suivant en cela une certaine vague moralisatrice très en vogue en ce moment, le fit tout simplement exploser en juillet 1987. Pour se venger, les artistes locaux firent émerger à coup de barbouille rouge, sur les rochers les plus polis et rebondis, un certain nombre de « Fesses de mémé ». On ne sait pas si la municipalité a voté de nouveaux crédits pour l'achat de lessive !
A part cela, plages évidemment superbes. Celles de *Pors-Meur,* de *Pors-Guen* allongent indéfiniment leur sable blanc très fin. Le royaume des véliplanchistes et des adeptes du char à voile. Harmonieux amoncellements granitiques.

### Où dormir ? Où manger ?

– *Hôtel de la Baie du Kernic* : 100, rue de Brest, à la sortie de Plouescat, route de Goulven. ☎ 98-69-63-41. Fermé le lundi et le dimanche soir hors saison, et en novembre. Pas dans un coin très intéressant pour séjourner, mais c'est une étape agréable et bon marché. Fort bien tenu. Chambres de 110 à 200 F (il y en a même à 80 F dans l'annexe). Resto qui a la faveur des autochtones et des vacanciers depuis pas mal de temps. Choix de quatre menus pour toutes les bourses, de 60 à 190 F.

## BERVEN (29225)

Grosse bourgade paisible possédant un intéressant *ensemble paroissial*. On y accède par une porte triomphale Renaissance à trois arches en plein cintre qui, curieusement, donne l'impression d'être inachevée. Église du XVI° siècle à l'aspect assez sévère avec clocher à lanternons ajourés et balustrades. Quelques gargouilles intéressantes. A l'intérieur, de belles sablières et poutres sculptées. Remarquable clôture du chœur en pierre et en bois.

### Où manger ?

– *Restaurant-hôtel des Voyageurs (Chez Simon)* : dans le centre du village. ☎ 98-69-98-17. Fermé dimanche soir et lundi. Réservation recommandée le dimanche midi. Un des restos les plus populaires de la région. Grande salle à manger de style rustique. Service impeccable. Menus à 50 et 60 F (avec deux entrées, assiette de crustacés, huîtres plates), 72, 95 (avec crustacés, jambon braisé, gigot d'agneau, etc.) et 135 F (carrément avec plateau de fruits de mer). Chambres correctes. Une de nos meilleures adresses.

### A voir aux environs

– *Le château de Kerjean* : à Saint-Vougay (5 km au sud-ouest de Berven), c'est le plus beau château du Léon, devenu propriété du département. Ouvert de 10 h à 19 h tous les jours en juillet-août, de 10 h à 18 h (sauf le mardi) en juin et en septembre. Pour les autres mois, renseignez-vous. Construit en 1560, il mélange avec bonheur l'architecture défensive et les apports somptueux de la Renaissance. Composé d'une enceinte, d'une cour carrée et de trois corps de bâtiment. Immenses cheminées. Beau mobilier breton (lit clos, coffres de mariages, huches, armoires, etc.). Tout autour, un parc splendide avec fontaine et colombier du XVI° siècle. En plus de la visite du château, il y a des expositions temporaires : renseignements, ☎ 98-69-93-69.

## LESNEVEN (29260)

Ville-carrefour et centre commercial important du Léon. Renommée pour la qualité de ses pâtisseries. Qui aurait imaginé que cette paisible bourgade pût voir naître le roi du revolver et de l'argot : Auguste Le Breton, auteur à succès de tant de polars sublimes (dont 9 portés à l'écran). Si la ville ne possède pas un grand charme en soi, il y a encore quelques vieilles maisons dans le centre et, surtout, un très intéressant *musée du Léon*. Installé 12, rue de la Marne, dans la Maison d'accueil, un ancien couvent des ursulines. Ouvert de 9 h à 12 h et de 14 h à 18 h (dimanche après-midi seulement et fermé le mardi). Préhistoire, période gallo-romaine, art religieux, beaux meubles et costumes traditionnels, galerie de tableaux, etc.

### Où goûter des pâtisseries ?

– *Pâtisserie G. Labbé* : 9, rue Notre-Dame. ☎ 98-83-00-25. La réputation de cet établissement s'étend à 50 km à la ronde. Possibilité d'y déjeuner.

## LE FOLGOËT (29260)

A 2 km de Lesneven, *le deuxième pèlerinage breton* en importance attire des milliers de personnes le premier dimanche de septembre. Étrange, un si petit village en pleine campagne, avec une basilique aussi imposante, presque une cathédrale... Une des plus belles églises de Bretagne.

**Un peu d'histoire, beaucoup de légendes !**

Vers 1315, dans un tronc de chêne, vivait un pauv' gars, Salaün, qui répétait sans cesse « Ave Maria, Ave Maria » en toutes circonstances. Il passait son temps à mendier du pain et à aller à la messe. Les gens l'avaient surnommé *Fol Goat*, le « fou du bois ». Un jour, il mourut et plutôt que de l'emmener au cimetière, pourtant pas loin, on l'enterra sur place, comme un chien, sans prières ni curé. Dieu doit détester les injustices, car il fit pousser sur la tombe un lis blanc. Sur ses pétales s'étalaient en lettres d'or « Ave Maria ». Comme le miracle dura plusieurs semaines, toute la Bretagne accourut et il fut décidé d'élever une chapelle. Jean IV, duc de Bretagne, ayant fait vœu de construire une basilique à la Vierge, décida de l'édifier au Folgoët, à l'endroit du miracle. Il posa la première pierre, partit et oublia de donner une suite. Ce n'est que 54 ans après que Jean V se rappela le vœu de son père et entama les travaux.

C'est au Folgoët que fut utilisée pour la première fois une pierre qui allait devenir fameuse ensuite dans l'architecture bretonne : le granit de Kersanton. La basilique fut achevée vers 1460. Louis XIV, qui n'aimait pas les Bretons (et qui était très mesquin, c'est connu), ravala la basilique au rang de chapelle ! Incendies, excès de la Révolution française (les apôtres du porche furent guillotinés !), puis changement de raison sociale (l'église fut transformée en porcherie, puis en caserne, c'est dans l'ordre des choses !) firent que l'édifice menaça réellement de tomber en ruine. C'est Prosper Mérimée, alors inspecteur général des Monuments historiques qui sauva Le Folgoët, en 1835, en rédigeant un rapport favorable à sa restauration.

**A voir**

– *La basilique :* flanquée de deux tours dont l'une culmine à 56 m et est considérée comme l'une des plus fines de Bretagne. Très beau portail sud, de style flamboyant. Juste en face du calvaire.
A l'intérieur, le *jubé,* l'un des chefs-d'œuvre de la sculpture médiévale. Taillé dans le granit de Kersanton en d'admirables proportions : trois élégantes colonnes supportent trois arches surmontées d'ogives en flèche. Remarquable rosace du chœur. Nombreux autels du XVᵉ siècle en granit aussi.

– *Le doyenné :* en face de la basilique. C'est l'ancien presbytère, manoir à tourelles du XVIᵉ siècle.

– *Musée du Folgoët :* statues de diverses époques et mobilier médiéval. Installé dans l'hôtel des pèlerins, construit il y a 50 ans en style néo-gothique. Ce qui fut une bonne idée, car l'ensemble des monuments du Folgoët présente ainsi une belle homogénéité.

– *Pardon :* 2ᵉ dimanche de septembre. L'un des meilleurs et des plus bretonnants.


## – CROZON ET SA RÉGION –


## LA PRESQU'ÎLE DE PLOUGASTEL _____

On y arrive par le *pont Albert-Louppe,* énorme ouvrage réalisé en 1930 par André Freyssinet. Il livre de remarquables points de vue sur la rade de Brest et l'Élorn. Mais bien vieux et trop étroit, il sera bientôt doublé par un autre beau pont haubané avec des pylônes de 114 m et une portée de 400 m. La presqu'île de Plougastel s'avance dans la mer comme les cinq doigts d'une main. Trop proche de Brest peut-être, ne possédant pas de plages connues ou à la mode, la plupart des visiteurs foncent plein sud vers celle de Crozon. Bon, ce n'est pas vraiment une erreur, parce que Crozon c'est super. Mais si vous avez le temps, venez vous perdre au milieu du bocage, dans un incroyable enchevêtrement de routes pas plus larges que votre voiture. De croquignolets petits ports vous attendent au bout. La presqu'île de Plougastel est réputée pour ses cultures de fraises, implantées depuis le XVIIIᵉ siècle. L'Angleterre est le client principal. A *Sainte-Christine,* jolie chapelle du XVᵉ siècle. La sainte est représentée avec une meule autour du cou. Après avoir demandé dix fois votre chemin, vous aboutirez au minuscule et adorable port de *Lauberlac'h*. A *Saint-Adrien*, chapelle et calvaires très anciens. Une crêperie, ouverte du vendredi au dimanche seulement (de 17 h à minuit). *Saint-Guénolé*, au fond d'un petit golfe, offre également une chapelle du XVIᵉ siècle. Montez ensuite au *point de vue du Keramenez* pour bénéficier du panorama sur une grande partie de la presqu'île, la rade de Brest et Crozon. Belle route jusqu'au petit port de *Tinduff*. C'est au bout de la pointe de l'Armorique que vivait un personnage célèbre de la presqu'île : Job l'Armor (Brassens en avait parlé dans une de ses chansons). Il tenait un vieux café bien sympa. Aux dernières nouvelles, ce serait fermé. Reste, pour la postérité, le cocktail diabolique qu'il avait inventé, le *franch-per* (trois quarts de menthe blanche et un quart de rhum brun). A prendre à jeun (bonnes suées garanties).

## PLOUGASTEL-DAOULAS (29213)

Gros bourg commerçant qui souffrit beaucoup de la proximité de Brest et fut cruellement bombardé. La ville, reconstruite, a évidemment perdu son charme d'autrefois. Elle reste célèbre pour son *calvaire* à personnages, dont la restauration a été financée par les aviateurs américains, auteurs du bombardement.
Il a été construit en 1602, sur le modèle de celui de Guimiliau, en action de grâce parce que la peste n'avait pas tué tout le monde dans le coin. C'est donc une *kroaziou ar vossen* (croix de peste), reconnaissable aux boules qu'on peut voir sur le fût de la croix et qui symbolisent les bubons de la maladie. Les 180 personnages, cependant, apparaissent assez figés. De même qu'à Guimiliau, on retrouve la légende de Katell Gollet sculptée dans la pierre (voir au chapitre de Guimiliau). Une curiosité, les deux tons de la pierre, granit de Kersanton et pierre ocre, dus probablement à la restauration.
Enfin, comme si ce calvaire ne souffrait déjà pas assez de son environnement piteux (place bétonnée), voilà t'y pas qu'un complexe commercial avec marché couvert devait être construit devant. Les travaux avaient déjà commencé, mais la résistance des commerçants, des écolos et de tous les gens de bon sens à Plougastel était très vive. Le tribunal de Quimper a réussi à empêcher cet attentat architectural. Ouf !

### Où manger chic ?

– *Le Chevalier de L'Auberlac'h* : 5, rue Mathurin-Thomas. ☎ 98-40-54-56. Ouvert tous les jours, midi et soir, jusqu'à 21 h 15 (sauf le dimanche soir). A 400 m environ du calvaire. Grande salle à manger à la décoration rustico-chicos assez agréable (cheminée, fenêtres à meneaux, boiseries). Beaucoup de fleurs, service impeccable. Clientèle classique middle-class. Réservation recommandée. Menu à 110 F au rapport qualité-prix très correct (service compris, boissons en sus) proposant une belle assiette de fruits de mer ou la terrine de tourteau, émincé de charolais ou aiguillette de blanc de volaille. Bons desserts. Menu à 160 F également assez séduisant (cocktail de langoustines et saumon fumé, escalope de saumon, sorbet, émincé d'agneau au jus de romarin ou magret de canard, grande assiette de desserts). En semaine, petit menu à 65 F le midi pour profiter du cadre.

### A voir

– *La Maison du Patrimoine* : 14, rue de l'Église. ☎ 98-40-21-18. Du 1ᵉʳ juillet au 15 septembre, ouvert de 10 h à 12 h et de 14 h à 18 h. Du 15 septembre au 15 octobre, de 14 h à 18 h. Fermé le lundi hors saison. Musée consacré au patrimoine de la presqu'île à travers différents thèmes, histoire, habitat, costumes, etc.

## DAOULAS (29224)

Situé à une vingtaine de kilomètres au sud de Brest, bourg qui connut au Moyen Age une grande renommée grâce au *daoulas*, une toile de grande qualité qu'on venait acheter des quatre coins de l'Europe. L'un des clients réguliers était le père de Shakespeare, marchand drapier de son état. Aujourd'hui, on y vient pour les vestiges de son abbaye fondée en l'an 500, et son cloître roman, unique en Bretagne. Expositions au centre culturel. ☎ 98-25-84-39. Ouvert de 10 h à 19 h en été (de 10 h à 12 h et de 13 h 30 à 17 h 30 hors saison).

**Où manger ?**

– *Café Paul* : 1, route de Quimper, à Daoulas. ☎ 98-25-85-41. Un café-mercerie depuis 1920, qui a conservé tout son décor. Salle à manger, avec vue sur la rivière. Accueil sympa. Bières irlandaises et plat du jour. Le dimanche matin, les gens s'y retrouvent. Une bonne petite adresse.

**A voir**

– *Porche du cimetière* : là aussi, cette porte monumentale de style gothique est assez rare. Ancien porche sud de l'église. Date du XVIe siècle. Admirez la richesse de la sculpture. Au fond du cimetière, calvaire très ancien. Le tout compose, avec les pittoresques demeures des XVe et XVIIe siècles alentour, un tableau assez touchant et homogène.

– *L'église* : construite au XIIe siècle. Longue nef sans transept. Beau type de roman breton. La pierre ocre utilisée donne à l'ensemble une chaleur inhabituelle. On notera aussi les harmonieuses proportions des colonnes voûtées, alliance de force et de grâce. Au chevet de l'église, l'ancien ossuaire sert aujourd'hui de sacristie. En contrebas, *chapelle Sainte-Anne*, de style Renaissance (ne se visite pas).

– *Le cloître* : seul exemple complet d'architecture romane dans le Finistère, 32 arches à colonnettes, avec chapiteaux finement sculptés de feuillages. Au milieu, un lavabo orné de têtes et de motifs géométriques.

– *Marché de Daoulas* : on y trouve, entre autres, de très jolis bouquets de fleurs séchées, à prix extrêmement compétitifs, et des plantes médicinales cueillies dans un jardin qui en possède 500 espèces.

## IRVILLAC (29224)

A 4 km de Daoulas, un village proposant une intéressante *église* gothique et Renaissance. Si l'intérieur ne présente rien de bien exceptionnel (à part une émouvante *pietà* du XVe siècle), en revanche, on notera le très curieux clocher à contrefort garni de tourelles de type baroque. Frappé par la foudre au XVIIIe siècle, le clocher fut reconstruit par des ouvriers italiens, ce qui expliquerait peut-être son côté exubérant.
A 3 km au sud-est, *chapelle Notre-Dame-de-Lorette*. Là aussi, un détail assez insolite, quasi unique en Bretagne : un calvaire en forme d'ancre de marine stylisée (d'autres y verraient plutôt une sorte d'arbre de pierre). Pour vous y rendre, empruntez la route d'Hanvec jusqu'au carrefour de Malenty (à 2 km environ). De là, un petit chemin mène à la chapelle.

**Où manger ?**

– *Ti Lannig* : dans la rue principale d'Irvillac. ☎ 98-25-83-62. Le midi seulement, du lundi au samedi. Fermé le mardi après-midi et la seconde quinzaine d'août. Les motorisés vagabondant dans Plougastel autour de midi seront récompensés de rendre visite à Irvillac (un peu en dehors des sentiers battus, mais authentiquement breton). Ils trouveront en Ti Lannig l'un des meilleurs restos populaires du Finistère avec un menu ouvrier à 41 F en semaine et d'autres menus de 75 à 250 F, ainsi qu'une formule « buffet ». Tenu par un couple de jeunes très sympa qui ont su donner une atmosphère chaleureuse au lieu. Nourriture saine, savoureuse, abondante et bon marché. Soirées cabaret, une à deux fois par mois. Téléphonez pour connaître le programme. Si c'est Yvon Étienne et son compère Gégé qui passent, précipitez-vous, super-soirée garantie !

**Où dormir ? Où manger dans la région ?**

– *Le Moulin de Poul Hanol* : à L'Hôpital-Camfrout (6 km environ au sud de Daoulas). ☎ 98-20-02-10. Dans l'un des coins les plus adorables de la région, découvrez cet ancien moulin, restauré avec un goût exquis et enfoui dans la verdure, au bord de l'anse de Kérouse. On y accède par l'ancienne route menant au Faou (la D 770). Traverser L'Hôpital-Camfrout, c'est sur la droite peu après. Les patrons, vraiment charmants, offrent huit chambres très mignonnes, décorées

dans le style du pays (la plupart avec salle de bains). Prix très modérés, de 80 à 130 F (conseillé de réserver). Dans l'agréable salle à manger, goûtez aux délicieuses crêpes maison. Bon, maintenant, venez donc découvrir ce bien séduisant moulin !
– *Les Routiers* : dans la rue principale de L'Hôpital-Camfrout. ☎ 98-20-01-21. Ouvert tous les jours à midi, et le soir le week-end. Fermé la 2ᵉ quinzaine d'août. Routier classique offrant, outre son sourire traditionnel, trois bons menus (avec langoustines et crabe) de 53 à 125 F.

## LE FAOU (29142) [prononcer « lefou »]

Ville très ancienne dont rue et place principales présentent l'un des plus beaux alignements de maisons médiévales de la région. Assez touristique et animée puisque sur la route de la presqu'île de Crozon). Superbes demeures à encorbellement et façades couvertes d'ardoises. Attardez-vous notamment sur celle de la *charcuterie Lennon* (sur la place) dont vous admirerez les poutres extérieures sculptées (et apprécierez aussi les bons produits, notamment l'andouille au lard !). L'église, près de la rivière, compose avec le village un charmant tableau. Aux environs, à 2 km, intéressante *église de Rumengol* (porche en gothique flamboyant, un autre en Renaissance bretonne).

### Où dormir ? Où manger ?

– *Le Relais de la Place* : au centre du bourg. ☎ 98-81-91-19. Une bonne étape. Chambres de 130 à 200 F. Menus à 60, 78 et 120 F.
– *La Vieille Renommée* : 11, place de la Mairie, à deux pas du précédent. ☎ 98-81-90-31. Fermé le lundi (sauf juillet et août) et en novembre. Belles chambres spacieuses à 130 F avec lavabo, à 210 F avec bains. A midi et jusqu'à 21 h, menu à 75 F. Menu à 130 F : huîtres, mousseline de poisson, filets de rouget à la citronnelle, panaché de la mer à l'aigrelette, etc.

## LA PRESQU'ILE DE CROZON

Longue presqu'île en forme de croix (est-ce bien un hasard en Bretagne ?). Promontoire de granit, terre dure à cultiver qui connut, comme en maints endroits, une hémorragie humaine impitoyable (près de 50 % des exploitations agricoles disparurent en vingt ans), terre qui échappa longtemps, du fait de son relatif isolement, à la boulimie des promoteurs. Terre, enfin, capable de combler les amoureux de falaises escarpées, de landes désertes, de plages secrètes, ourlées par une mer d'un bleu quasi permanent... Un des vrais visages de la Bretagne.

### *DU FAOU À CROZON*

Où l'on va voir que cette terre dure dégage en fait, si elle le veut, une troublante sérénité ! Depuis Le Faou, magnifique arrivée dans le fjord de l'Aulne. Route en corniche livrant des points de vue merveilleux. Paysages d'une douceur surprenante. On passe le fameux pont de Térénez. Dans le fond, à l'est, la silhouette arrondie du Menez Hom.

## LANDÉVENNEC (29146)

Après le pont de Térénez, enfin élargi et consolidé, tournez à droite. Puis, après avoir traversé une belle forêt, vous découvrez une sorte de carte postale exotique. En effet, sur une haute colline, témoin permanent des amours de l'Aulne et du Faou, poussent, grâce à un microclimat exceptionnel, toutes sortes de plantes méditerranéennes. Village charmant au romantique cimetière marin. Atmosphère paisible, propice aux méditations. Est-ce un hasard si le site plut à des moines bénédictins ?

### Où dormir ?

– *Hôtel Beauséjour* : dans la rue principale. ☎ 98-27-35-36. Ouvert toute l'année. Petit hôtel agréable entouré de palmiers. Site remarquable. Calme total.

Ambiance très touristique en haute saison et accueil assez conformiste. En basse saison, l'endroit rêvé pour une escapade amoureuse ou pour commencer à écrire un roman. Chambres correctes de 180 à 220 F (certaines avec vue directe sur le golfe). Resto.
– *Gîte rural* : s'adresser à la mairie. ☎ 98-27-72-65. Assez moderne, n'a pas le charme des vieilles demeures, mais c'est propre. 3 chambres de 4 lits et un dortoir.
– *Le Saint-Patrick* : ☎ 98-27-70-83. Juste avant l'église. Bon menu à 70 F avec des produits frais. Chambres à 130 F.

**A voir**

– *L'abbaye bénédictine* : ouverte de 9 h 30 à 12 h et de 14 h à 18 h (dimanche et fêtes de 15 h à 18 h). Les jardins sont en principe ouverts jusqu'au coucher du soleil. Très ruinée, il faut bien le dire, mais les travaux de restauration ont mis en valeur au maximum ce qu'il reste. Fondée au V⁰ siècle par saint Guénolé (Gwennolé). Elle se réclamait de la tradition irlandaise et eut un rôle considérable à l'époque dans la propagation de la foi. Détruite au X⁰ siècle par les Normands, l'abbaye renaquit un siècle plus tard (l'église abbatiale date de cette période). La Révolution française provoqua la fin de Landévennec. Derniers moines dispersés, bâtiments vendus aux enchères et servant ensuite de carrière de pierre. Un noble fortuné racheta le site à la fin du siècle dernier et consacra sa fortune à relever les ruines. Les panneaux explicatifs sont fort bien faits. Petite exposition sur l'histoire de l'abbaye. Remarquable bibliothèque contenant des volumes, introuvables ailleurs, sur tous les aspects de la culture celtique (traduction notamment de vieux textes irlandais).
Au retour, prenez la route qui longe l'estuaire de l'Aulne. Un belvédère offre un panorama remarquable sur l'île de Térénez, les boucles de l'Aulne, et le cimetière des vétérans, réformés, de la Royale. Peinture grise délavée entre eau bleue et verdure, bossoirs béants, désarmés, les bâtiments de la marine n'ont même plus de nom. Pourtant deux officiers mariniers veillent sur eux, jour et nuit, pour éviter le pillage des hublots en laiton et autres instruments étincelants. Un jour peut-être un gros ferrailleur achètera ces rescapés des grandes guerres, pour les démolir tranquillement.

**CROZON** (29160) ────────────────────────────

Carrefour principal de routes, cette bourgade donna son nom à la presqu'île, et c'est à peu près sa seule caractéristique. Ah si, Louis Jouvet y naquit (mais il n'était pas breton) ! Hypertouristique en été. Ne pas manquer quand même le superbe *retable* de l'église : 29 panneaux en bois sculpté et peint, du début du XVII⁰ siècle. 400 personnages y figurent, évoquant de façon naïve et décorative le martyre de 10 000 soldats convertis au christianisme et crucifiés sous le règne de l'empereur Hadrien.

– *Office du tourisme* : ☎ 98-27-07-92. Organise des sorties en mer avec un « patron pêcheur ».
– *Golf de Kersiguenou* : à Crozon. ☎ 98-27-10-28.

**Où manger ?**

– *La Pergola* : 25, rue du Poulpatre. ☎ 98-27-04-01. Fermé le lundi et en novembre. Dans le centre ville. Accueil souriant. Ambiance jardin. Cadre raffiné et de bon goût pour une excellente « nouvelle cuisine » (avec grosses portions). Menus à 58, 120, 155 et 220 F.
– *Le Mutin Gourmand* : 1, rue Graveran. ☎ 98-27-06-51. Ouvert tous les jours, toute l'année. Cadre rustique et chaleureux. Rendez-vous des habitués pour une très bonne cuisine. En semaine, VRP et employés du coin. Ambiance sympa. Menus à 90, 150 et 190 F.

**MORGAT** (29160) ────────────────────────────

Célèbre plage depuis de nombreuses années. Synonyme d'un certain tourisme institutionnalisé. Elle connut une grande vogue dans les années 30. La station se love au fond d'une baie splendide. Port de plaisance capable d'accueillir plusieurs centaines de bateaux. Il a reçu le label « station voile ». Hors saison, c'est une destination très agréable et un bon camp de base pour rayonner.

### Où dormir ? Où manger ?

● *Bon marché à prix moyens*

– *Hôtel des Grottes :* à l'entrée de Morgat. ☎ 98-27-15-84. Sans charme particulier, mais chambres très correctes et les moins chères de la station.
– *Hôtel de la Baie :* sur le port. ☎ 98-27-07-51. Fermé d'octobre à Pâques. Accueil impersonnel. Chambres pimpantes donnant sur la mer. On peut même choisir la couleur de son papier peint. Doubles de 115 à 200 F. Pas de resto.
– *Hôtel du Kador :* 42, boulevard de la Plage. ☎ 98-27-05-68. Hôtel de plage classique. Atmosphère assez conformiste, mais chambres correctes. Double avec douche à 190 F, avec vue sur la mer. Repas obligatoire en haute saison.
– *Le Julia :* 43, rue de Tréflez. ☎ 98-27-05-89. Fermé du 15 novembre au 15 février. Petit hôtel tout blanc, à 400 m environ de la plage. Jardin. Calme assuré. Belles chambres de 130 à 230 F. Menus de 60 à 150 F.
– *Camping les Pins :* à 3 km de Morgat, route de la Pointe de Dinan. ☎ 98-27-21-91. Ouvert de début juin à fin septembre. En pleine nature, au milieu des pins. Confortable. Possibilité de rejoindre la plage par un raccourci. Réservation obligatoire pour août.
– *La Grange de Toul Boss :* au port de Morgat. ☎ 98-27-17-95. Fermé de la fin septembre au début avril. Charmant restaurant. Crêperie en bord de mer. Un menu à 65 F vous offre, entre autres, des moules marinière en entrée, de la raie au beurre noir, puis salade ou fromage et un dessert. A la carte, un choix immense de crêpes (de 6 à 34 F), de fruits de mer et de poisson.

● *Plus chic*

– *Hôtel-restaurant de la Ville d'Ys :* à droite du port, dominant un peu l'horizon. ☎ 98-27-06-49. Ouvert d'avril à septembre. Situation assez exceptionnelle. Superbes chambres de 185 à 290 F (certaines avec petite terrasse). Bon resto.
– *Le Roof :* à l'entrée de Morgat, à droite. ☎ 98-27-08-40. Resto moderne sans charme excessif. Terrasse aux beaux jours. Possède une très bonne réputation dans le coin. Menu à 85 F avec soupe de poisson ou crustacés divers, filet de cabillaud au coulis de crustacés, etc. Menu à 135 F avec fromage en plus. Réservation très conseillée.

### A voir

– *Les grottes marines :* visite, en petits bateaux, de belles grottes de formes très variées. Celle de *l'Autel* fait 90 m de profondeur et révèle de jolies couleurs. Vente des billets au bureau des vedettes *Rosmeur,* sur le port. Réservation : ☎ 98-27-10-71. Durée : 45 mn. Tous les jours de mai à septembre. Les vedettes *Sirènes* assurent également la balade. ☎ 98-27-22-50.
– *Liaison en bateau Morgat-Douarnenez :* tous les dimanche et mercredi, en juillet-août. Durée 1 h 15. Renseignements : ☎ 98-27-09-54.
– *Sentier côtier du cap de la Chèvre :* il démarre des falaises de la pointe de Morgat, au bout du port. 8 km de super promenade par la pointe du Dolmen et de Rostudel. Retour en suivant la côte et par Ménesguen et Saint-Hernot.

## LE CAP DE LA CHÈVRE _____

Allez à la rencontre de ce paysage rude et sauvage de landes, jalonnées de petits hameaux. Région très bien protégée des constructions modernes et banales. Vous découvrirez au contraire de très jolies maisons typiques, notamment à Menesguen et Rostudel, le dernier hameau avant le sémaphore. Est-il besoin de décrire le panorama depuis le cap, sur la baie de Douarnenez et la pointe du Raz ? Les falaises atteignent parfois 100 m de haut. Petit chemin, sur la droite, 500 m avant le phare, menant au point de vue. Hors saison ou si vous y êtes un beau matin de très bonne heure, c'est tout simplement magique...

– *Plage de la Palue :* une des plus belles plages du département. En plein ouest, 2 km de long.

– *Plage de Lost-Marc'h :* nudistes et baigneurs textiles cohabitent. Pourtant la baignade en mer est très dangereuse.

– *Maisons des Minéraux :* à Saint-Hernot, route du cap de la Chèvre. ☎ 98-27-19-75. Ouvert du 15 juin au 15 septembre, de 10 h 30 à 19 h tous les jours ; de 14 h à 18 h, sauf le lundi, du 16 novembre au 15 octobre. Superbe collection de pierres du monde entier.

## LA POINTE DE DINAN

Appelée aussi le *château* de Dinan, à cause de son aspect massif et ruiné. Ça vaut le cap de la Chèvre. Promontoire livrant de superbes échappées sur roches et falaises déchiquetées. Petite plage de galets dans une crique au pied de l'observatoire. Chaos rocheux dans la mer. Au fond, on aperçoit l'immense plage de sable de l'anse de Dinan et les *Tas de pois* de la pointe de Pen-Hir. Jolie *plage du Goulien* avec un *camping* (à 200 m de la plage).

– *Crêperie Parc Yan Aod :* plage du Goulien, 29160 Crozon. ☎ 98-27-13-34. Grande maison en bord de plage. Ouvert toute l'année. Accueil sympa. Salle agréable pour déguster de bonnes crêpes et glaces.

## CAMARET (29129)

Port langoustier qui connaît une baisse d'activité dramatique. Sur la grève, les bateaux agonisent avec une pittoresque dignité. Bien sûr, ici, on compte désormais beaucoup sur le tourisme et la plaisance. Avec raison, c'est un port agréable dans une anse splendide. Beaucoup de monde en juillet-août. Le restant de l'année, pas de problème pour se loger.
C'est à Camaret que l'ingénieur américain Fulton expérimenta en 1801 son sous-marin de poche destiné à poser des bombes sur les flancs des navires anglais. Bonaparte n'y crut pas, et Fulton repartit aux États-Unis. Il aurait dû l'expérimenter dans un port néo-zélandais ! D'ailleurs les commandos « Action » de la D.G.S.E. s'entraînent tout près d'ici, à Roscanvel en rade de Brest !

– *Office du tourisme :* quai Toudouze. Sur le port. Ouvert de Pâques à octobre, de 9 h à 12 h et de 15 h à 19 h. ☎ 98-27-93-60. Bien documenté.

### Où dormir ? Où manger ?

– *Hôtel Vauban :* 4, quai du Styvel. ☎ 98-27-91-36. Fort bien tenu. Chambres à 120 et 140 F (avec douche). Celles du *Styvel*, à côté, vont de 110 à 180 F (☎ 98-27-92-74).
– *Hôtel de France :* sur le port. ☎ 98-27-93-06. Un peu plus chic. Chambres de 170 à 300 F. Au resto, bon menu de 65 à 138 F (avec tourteau mayonnaise, huîtres, palourdes farcies, coquilles Saint-Jacques). Plateau copieux à 160 F.
– *Camping de Lambezen :* prenez en direction de la pointe des Espagnols. Après, c'est bien fléché. Sur la colline surplombant la mer. Beau panorama. ☎ 98-27-91-41. Ouvert du 1er mai au 15 septembre.
– *Camping du Lannic :* ouvert du 1er juin au 15 septembre. ☎ 98-27-91-31. Un peu moins de confort, mais deux fois moins cher.
– *Bar de la Criée :* sur le port. Bon repas ouvrier pas cher. Le midi seulement. Fermé le dimanche. Au mur, araignée de mer et poisson volant empaillés. En salle, ambiance sympa.

### A voir

– *Musée de la Marine :* au bout du sillon de Camaret. Installé dans une tour fortifiée construite par Vauban. Ouvert du 1er juin au 30 septembre de 10 h à 12 h et de 14 h à 19 h. En basse saison, de 14 h à 18 h. Fermé du 15 novembre au 15 décembre et du 15 janvier au 15 février. Jolies gravures et estampes. Manuscrits et livres du grand poète et écrivain breton Saint-Pol-Roux. Maquettes de bateaux, sculptures sur bois et quelques armes. Plus, en prime, le nom sur la coque du trop célèbre *Torrey Canyon*.

– *Chapelle Notre-Dame-de-Roc'h-Amadour :* édifiée au XVIe siècle. Elle doit son nom aux nombreux pèlerins de Scandinavie, débarquant à Camaret pour se rendre au célèbre pèlerinage du Quercy.

– Aux environs, très belles *plages du Toulinguet et du Very'ach,* encadrant la pointe de Pen-Hir. Côte sauvage et vierge garantie.

– *Balade en bateau* aux falaises et à la *réserve ornithologique des Tas de pois*. Vente de billets au bureau des vedettes *Sirènes*, près de l'office du tourisme. ☎ 98-27-22-50. Tous les jours à 15 h du 15 juin au 5 juillet et du 26 août au 8 septembre. Du 6 juillet au 25 août, à 14 h 30 et 16 h.

– *Club de loisirs et centre nautique Léo-Lagrange :* à Camaret. ☎ 98-27-90-49. Cours intéressants de plongée sous-marine, voile et planche à voile à prix très raisonnables. Bien équipé et excellente ambiance. Pension complète ou externat. Autres activités proposées : kayak de mer, pêche, tennis, équitation, croisières de week-end sur de vieux gréements (avec possibilité de plongée).

## LA POINTE DE PEN-HIR

La plus touristique des pointes de la presqu'île. Quand c'est le coup de feu, des dizaines de cars avec les inévitables « Aaaarrrhh ! looovely ! ». Immense monument dédié aux Bretons de la France libre.
Entre Camaret et la pointe du Toulinguet, petits *alignements* de pierres *de Lagat Jar*, style Carnac. Sur la dune, face à la mer, vieille bâtisse en ruine : la maison du poète Saint-Pol-Roux. Dans la nuit du 23 au 24 juin 1940, un soldat allemand blessa par balles Saint-Pol-Roux et sa fille Divine ; il tua la domestique et viola Divine. Le manoir fut livré au pillage. Très affecté par cette tragédie, Saint-Pol-Roux mourut le 18 octobre 1940. Le manoir fut détruit en 1944. Divine survécut. Elle est morte en 1985, après avoir fait don à l'association « Arts, Mer et Culture » de documents concernant son père.
Ceux qui ont du temps peuvent effectuer le tour de la pointe des Espagnols, mais c'est moins pittoresque et on y rencontre trop de militaires. Normal, la base de sous-marins de l'île Longue est à côté.

### Quitter Camaret

– L'été, possibilité de prendre un car passant par Morgat, pour Le Fret. De là, bateau pour Brest. Renseignements à l'office du tourisme ou au 98-44-44-04.
– *Pour Brest :* avec la *Société Douguet*. ☎ 98-27-02-02. Car par Crozon, Telgruc, Landévennec et Argol.
– Liaison en car pour *Quimper*. Il s'agit d'un contrat passé avec la S.N.C.F.

## ARGOL (29146)

Petit village en dehors des sentiers battus, sur la D 60, peu après Telgruc-sur-Mer. Détour intéressant pour admirer un remarquable porche monumental d'enclos paroissial. On est surpris de découvrir une architecture aussi grandiloquente dans un bourg somme toute modeste. Dans les passages latéraux, on trouve les traditionnels échaliers (pierres qui empêchaient les bêtes de pénétrer). La porte principale est d'une grande richesse baroque avec ses lanternons. Au milieu, la seule représentation du roi Gradlon existant aujourd'hui (avec celle de Quimper). Cheval petit et râblé, cavalier fier et élégant.
Dans le coin, vous découvrirez de jolies plages peu urbanisées : *Trez-Bellec*, la plus grande, *Trez-Bihan*, crique bien protégée. Côte rocheuse escarpée du *Guern* qu'on peut suivre par un petit sentier.

– *Le musée des Vieux Métiers :* à la sortie du bourg. Il met en scène sabotier, vannier, rémouleur, cordier, tourneur sur bois, tondeur de moutons, fabricant de cuillères en bois. L'*association Micheriou-Koz-Ar-Vro* organise des stages. ☎ 98-27-14-34.

### Où dormir ? Où manger dans le coin ?

– *Le Relais de la Presqu'île :* rue principale d'Argol. A deux pas de l'église. ☎ 98-27-34-02. Ouvert tous les jours (téléphonez cependant pour le samedi soir, parfois un banquet). En semaine, copieux menu ouvrier à 44 F ; carte le week-end.
– *Camping Ar-Menez (Toull-An-An-Ken) :* à 500 m d'Argol, Ar-Menez. ☎ 98-27-33-02. Superbe camping dans une forêt de pins. Confortable. *V.V.F. et gîtes*, de 1015 à 1225 F la semaine.

● *Plus chic*

– *Auberge de Gerdann* : sur la route de Châteaulin (D 887), gare d'Argol. C'est bien indiqué. ☎ 98-27-78-67. Fermé le lundi soir et le mardi (sauf juillet et août), et en octobre. Réservation conseillée. Auberge de campagne offrant une bonne cuisine assez imaginative (mais devrait pour certains plats être un peu plus copieuse !). Menus à 75, 95 (mousseline de saumon fumé, fricassée de lotte) et à 130 F (truite fumée, ragoût de fruits de mer ou caneton au cassis), et à la carte bien sûr.
– *Auberge Ti Glaz* : à Saint-Nic (7 km d'Argol), en face de l'église. ☎ 98-26-50-45. Ouvert tous les jours à midi et les vendredi et samedi soir. Fermé le lundi. Très réputé pour ses repas pantagruéliques. Pour 165 F tout compris : amoncellement de charcuteries et cochonnaille, terrine de saumon, hors-d'œuvre variés, cochon grillé (grande spécialité), fromage de chèvre maison, crêpes dentelle, café. Vin au fût et à volonté. Avec animation maison, danse jusqu'à 3 h du matin. Beaucoup de monde dans une grande salle. Attention, c'est plutôt formule banquet que dîner d'amoureux. Beaucoup viennent en groupe. Toujours téléphoner avant pour réserver.

## LE MENEZ HOM

Montagne (probablement un volcan éteint depuis très très longtemps) qui culmine à 330 m et livre un panorama époustouflant à 360°. A 3 km de la chapelle du Menez Hom. Parking au sommet. Table d'orientation. Par temps clair, possibilité de voir la pointe du Van (près de la pointe du Raz), le cap de la Chèvre, la rade de Brest, les vallées de l'intérieur, etc.
– Le 15 août, *festival du Menez Hom* (au sommet). Site idéal pour écouter bombardes et binious, dont les notes se dispersent au gré du vent.
– Possibilité de vol en aile Delta avec le club *Bretagne vol libre*. ☎ 98-41-86-15.

## SAINTE-MARIE-DU-MENEZ-HOM

Dans ce petit hameau, perché sur l'un des derniers soubresauts des montagnes Noires, s'élève l'un des plus séduisants enclos paroissiaux du Sud-Finistère. Venez au lever du soleil, un jour clément, vous imprégner seul de la douceur romantique de l'enclos. Peut-être ressentirez-vous les vibrations qui le traversent et qui indiquent que le coin fut probablement aussi le théâtre d'un culte païen au soleil. La porte monumentale, le calvaire, la charmante chapelle dégagent une totale homogénéité avec les beaux arbres et la nature alentour. Au-dessus de la porte, sainte Marie dans sa niche. Le *calvaire*, du XVIe siècle, est sublime bien qu'il lui manque ses deux larrons (il ne reste que les socles) et qu'un des deux cavaliers entourant le Christ n'ait pu supporter son agonie. La chapelle nous offre un élégant clocher à dôme décoré de balustrades et une jolie façade Renaissance. A l'intérieur, belles sablières et de nombreuses et intéressantes statues.

## CHÂTEAULIN ET PORT-LAUNAY (29150)

Ville carrefour assise dans une boucle de l'Aulne, le long de laquelle se disputent des championnats cyclistes. Ancien port, elle en conserve la physionomie avec ses deux grands quais bordés d'arbres. Si la ville n'a pas grand-chose à proposer, les amateurs de belles églises ne manqueront point *Notre-Dame*, ancienne chapelle du château de Châteaulin. Depuis le virage, adorable ensemble enfoui dans la verdure : vieilles maisons qui s'étagent à côté, la porte gothique et ses petites marches, l'église, son clocher Renaissance à dôme et balustrade, l'ossuaire et le calvaire.
Dans un méandre de l'Aulne, *Port-Launay* compose, quant à lui, une des plus jolies cartes postales du coin. Maisons basses épousant la courbe du cours d'eau, sur fond de douce colline verdoyante. Ici accostaient autrefois de lourds bateaux. Désormais il n'y a plus que la vedette *Rosmeur* du Douarneniste Jean-Yves Gueguéniat, pour vous faire descendre l'Aulne jusqu'au cimetière de bateaux de Landévennec...

Rendez-vous ensuite à la *chapelle Saint-Sébastien,* quelques kilomètres au nord-ouest de Port-Launay. C'est l'une de ces petites églises qui ne font pas d'esbroufe, mais qui recèlent de vraies richesses. Comme beaucoup d'autres, elle fut édifiée pour contrer la peste. Porte monumentale et calvaire du XVIe siècle. A l'intérieur, la grave simplicité des grandes dalles de pierre s'oppose à l'exubérance des retables polychromes qui illuminent le chœur. Splendide poutre de gloire barrant la nef.

### Où dormir ?

– *Auberge des Ducs de Lin :* sur l'ancienne route de Quimper. ☎ 98-86-04-20. Terrasse panoramique qui domine la vallée. Une jeune équipe très sympa et compétente a repris cette maison qui avait déjà une bonne réputation. Chambres à 300 F. C'est chic et bon. Premier menu à 140 F. Excellent lieu de villégiature pour rayonner en Sud-Finistère.
– *Hôtel-restaurant le Chrismas :* 33, Grand-Rue. ☎ 98-86-01-24. Bon accueil et calme. Chambres avec douche à 180 F. Menus de 55 à 115 F.
– *Camping municipal Rodaven :* ☎ 98-86-32-93. Ouvert seulement l'été. Situé au bord de l'Aulne. Plutôt cher mais assez agréable. Très beaux sanitaires.

## PLEYBEN (29190)

Gros bourg qui aurait pu longtemps se contenter de gérer benoîtement son train-train quotidien, s'il ne possédait pas l'un des plus beaux calvaires de Bretagne, un pur chef-d'œuvre. Et pour se rappeler à votre bon souvenir, les vacances finies, on y fabrique également de délicieuses galettes bretonnes à grignoter l'hiver.

### A voir

– *L'église Saint-Germain :* on peut s'étonner qu'elle soit si imposante pour un village somme toute de proportions modestes. Le magnifique clocher Renaissance à lanternons est l'un des quatre plus beaux de Bretagne et servit maintes fois de modèle.
Façade peu ordinaire de style Cornouaille, à laquelle on a adjoint une flèche sur le côté reliée par une galerie. Au chevet, curieuse et élégante abside à dômes superposés. A l'intérieur, un enchantement : maître-autel de 1667, retable du Rosaire 1698, orgie de clefs pendantes, poutres décorées, superbes sablières sculptées polychromes (1571). Elles reproduisent, avec une inspiration et une imagination sans limite, scènes de la vie quotidienne et paysanne, ésotérisme, figures grotesques, dans un joyeux mélange de sacré et de profane, avec toujours la mort, l'Ankou, omniprésente... Plafond en forme de carène de navire renversée. Magnifique *vitrail de la Passion* (XVIe siècle) dont les couleurs ont conservé toute leur fraîcheur. Une bonne moitié de l'église est en complète restauration pour quelques années encore.

– *L'ossuaire :* édifié en 1550. L'un des plus anciens de Bretagne. Sa façade présente une belle ornementation. Le croiriez-vous, l'ossuaire servit de chapelle, mais aussi d'école et, au XIXe siècle, de... bureau de poste.

– *Le calvaire :* il daterait de 1555. Gênant la construction du clocher, il fut déplacé près d'un siècle plus tard et reçut de nouvelles sculptures. La date 1650 inscrite dessus fit longtemps croire qu'il était de cette période. Au milieu du XVIIIe siècle, il fut de nouveau déplacé et trouva sa place définitive. Ce qui rend ce calvaire unique c'est bien sûr l'aspect arc de triomphe de l'ensemble, massif et majestueux. Bien entendu, qu'elles soient perchées là-haut rend la lecture des sculptures plus malaisée, mais rien n'arrête nos lecteurs avides de détails insolites et de scènes saisissantes. Attardez-vous sur les costumes de nombreux personnages, véritable catalogue de la mode de l'époque. Il n'est pas en notre pouvoir de tout décrire, mais voilà quelques-unes de nos observations. Sur la plate-forme, notez combien le mauvais larron se contorsionne sur sa croix pour échapper à l'enfer à ses pieds. Remarquez le jeu des plis dans la Mise au tombeau : ceux du suaire semblent se prolonger sur la poitrine du Christ et les vêtements du personnage de gauche, créant une heureuse harmonie plastique. Dans la Cène, réalisée en 1650, le style se révèle moins lyrique, moins tourmenté, mais plus maîtrisé, plus sec aussi, que dans les scènes précédentes, etc. Bon à vous maintenant. Pleyben, un vrai *must* !

**Où boire un verre et écouter de la musique ?**

– *Run Ar Puns* : entre Chateaulin et Pleyben. ☎ 98-86-27-95. Dans une ferme ancienne, aux bâtiments traditionnels. Bonnes soirées-cabaret : jazz, folk, musique indienne, etc. Grand choix de bières. Jeux en bois de nombreux pays. Bons cocktails de fruits frais. Téléphoner pour connaître le programme.

## – AU SUD DE LA PRESQU'ÎLE DE CROZON –

### CAST (29150)

Bourg situé entre Châteaulin et Locronan. Si l'église, avec son vieux porche et son calvaire, est intéressante, c'est avant tout le superbe groupe sculpté devant, dit *Chasse de saint Hubert,* qui retient l'attention. Quasiment unique en Bretagne. Extrême finesse d'exécution. Vêtements d'époque (vers 1525). Saint Hubert est à genoux, entouré de ses bassets, devant un cerf, portant comme le veut la tradition, un Christ en croix dans ses cors.

**Où dormir ? Où manger ?**

– *Le Relais de Saint-Gildas* : 13, rue du Kreisker. ☎ 98-73-54-76. Service jusqu'à 22 h. Fermé le samedi et à la Toussaint. Dans la rue principale, près de l'église. Bon accueil. Chambres correctes de 100 à 200 F. Salle à manger agréable pour une copieuse cuisine de routier. Menu à 58 F (service compris, boisson en sus) avec langoustines mayonnaise, rôti forestier. A 78 et 125 F, avec terrine de fruits de mer, huîtres ou assiette du pêcheur. Menu gastronomique à 175 F avec plateau de fruits de mer, turbot sauce normande ou gigot d'agneau, etc.

### QUILINEN

Pour les « accros » de beaux calvaires bretons, une étape indispensable sur la route Châteaulin-Quimper. L'un des rares à posséder un socle triangulaire. Édifié au XVI° siècle, chaque côté mesure 3,90 m. Rapporté aux mesures de l'époque, cela correspond à 12 pieds, c'est-à-dire au nombre des apôtres présents sur le socle. Il y a là, de la part du sculpteur, un symbolisme évident. Le *calvaire*, avec ses personnages s'étageant harmonieusement, semble se projeter vers le ciel et nous y entraîner. Certains apôtres sont reconnaissables à leurs attributs (ex. : saint Pierre et sa grosse clé). Le mauvais larron est littéralement cassé en deux sur la croix. A *Saint-Vennec,* quelques kilomètres au nord de Quilinen, et à *Saint-Gouezec,* Notre-Dame-des-Trois-Fontaines, près de Briec, les calvaires présentent la même architecture.

### PLOGONNEC (29136)

Sur la route de Quimper à Locronan, Plogonnec nous offre une église du XVI° siècle, intéressante. De face, depuis la place principale, séduisant ensemble composé par la porte monumentale, la façade avec pignons en dents de scie et le clocher ajouré à tourelles et balustrades. A l'intérieur, de très beaux vitraux du XVI° siècle et les chapelles Saint-Pierre et Saint-Théleau.

### LOCRONAN (29136)

L'un des plus beaux villages de France, petite cité de caractère. Souvent utilisé pour le tournage de films. Polanski y réalisa *Tess* (avec Nastassia Kinski). Il ne put, à l'époque, tourner en Angleterre sur les lieux d'origine du roman, à cause de quelques démêlés judiciaires, et se rabattit avec bonheur sur Locronan. Grâce à lui, les derniers fils électriques disparurent sous terre. Philippe de Broca l'utilisa également pour certaines scènes de *Chouans* (avec Philippe Noiret et Sophie Marceau).

Le village possède une totale unité architecturale, ce qui est assez rare. Superbes demeures et hôtels particuliers des XVII° et XVIII° siècles s'ordonnant harmonieusement autour de la place principale et de son vieux puits banal.

## Un peu d'histoire

A l'origine de Locronan, on trouve un moine d'origine irlandaise, saint Ronan, venu trouver dans le coin paix et recueillement pour méditer. Sa renommée se perpétua et *la Troménie*, grande fête religieuse locale, reproduit chaque année en procession la balade qu'il effectuait chaque matin autour de la montagne. Locronan connut à partir du XIV° siècle une grande prospérité autour du tissage de la toile. Les nombreuses demeures Renaissance en témoignent. La fin des grands voiliers, la révolution industrielle signèrent au XIX° siècle l'arrêt de mort de la production locale. Au XVII° siècle, plus de 300 tisserands, 77 en 1836, 23 en 1872. Aujourd'hui, quelques artisans font cliqueter de nouveau leurs métiers à tisser.

## Quand venir ?

Le village est hypertouristique, conséquence inévitable de son charme unique. En plus des milliers de visiteurs traditionnels, il faut compter avec les dizaines de cars qui y déversent quotidiennement retraités réjouis et comités d'entreprise. Vous vous doutez que la malheureuse place principale arrive souvent vite à saturation. Aussi, nous vous conseillons vivement (surtout en été) de venir de très bonne heure le matin. Vous aurez le village pour vous tout seul et, surtout, une magnifique lumière rasante qui dore façades et vieilles pierres (diapos super garanties !).
– *Office du tourisme* : place de la Mairie. ☎ 98-91-70-14. En haute saison, ouvert de 10 h à 12 h 30 et de 14 h à 19 h. Sinon, tous renseignements à la *mairie* : ☎ 98-91-70-05.

## Où dormir ? Où manger ?

– *Hôtel du Fer à Cheval* : route du Bois-de-Nevet. A 1 km environ du village. ☎ 98-91-70-67. Construction moderne, mais architecture plaisante. Calme assuré. Chambres à 240 F. Menus à 80, 100 et 120 F.
– *Camping municipal* : à 700 m du bourg, sur la route de la chapelle. ☎ 98-91-87-76. Ouvert du 1er juin au 15 septembre. Ombragé par les pins.

● *Plus chic*

– *Manoir de Moëllien* : à 2 km de Locronan. Sur la commune de Plonévez-Porzay (29127 Plomodiern). ☎ 98-92-50-40. C'est bien fléché. Séduisant manoir du XVII° siècle, situé dans une merveilleuse campagne. Architecture élégante, gros blocs de granit, belles lucarnes sculptées. A l'intérieur, décoration exquise. Ameublement authentique. Atmosphère du passé, sans artifice. Accueil de grande qualité. Chambres très confortables, de 280 à 300 F, dans une annexe récente construite avec goût. Calme total, lever de soleil de rêve. Cuisine réputée servie dans la superbe salle à manger du manoir. Très conseillé de réserver. Menu à 112 F avec terrine de poisson chaude au huîtres (pain maison aux algues), composé de truite de mer et sandre, etc. Menu à 198 F : mousse de homard avec son foie gras chaud, médaillons de lotte, marguerite aux fruits rouges et son coulis. Bien sur, la carte, et deux autres menus à 68 et 148 F. Bon, vous avez bien compris, un splendide rapport qualité-prix et l'adresse idéale pour voyage de noces, couples en crise, convalescents, etc.

● *Très, très chic, et très cher*

– *Hôtel de la Plage* : à Sainte-Anne-la-Palud. ☎ 98-92-50-12. Fermé d'octobre à avril. Une grande maison isolée, en bord de plage, dans un site superbe. Tout le confort rêvé. Piscine, tennis, sauna. Cuisine réputée. Premier menu à 170 F en semaine seulement, car le dimanche la fête coûte au bas mot 220 F. Chambres de 480 à 680 F.

## A voir

– *L'église Saint-Ronan* : édifiée en 1420 avec l'aide des ducs de Bretagne. Chef-d'œuvre du flamboyant, elle n'a jamais subi ni adjonction, ni modification. La grosse tour carrée perdit sa flèche en 1808 à cause d'un coup de foudre. Porche inspiré de l'un de ceux de la cathédrale de Quimper. Sur sa droite, la

*chapelle du Penity,* édifiée à l'emplacement de l'église primitive et du tombeau de saint Ronan pour lui servir de reliquaire.

A l'intérieur : festival de merveilles. A droite de l'entrée, dans la chapelle, *gisant de saint Ronan,* en pierre de Kersanton (1430). Magnifique *Déposition de croix* en pierre polychrome de la même époque. Au-dessous, deux petits bas-reliefs de Jésus ressuscité.

Dans la nef, aux proportions massives et harmonieuses tout à la fois, le pavage en pente accentue la perspective. Attardez-vous sur la chaire, fascinante bande dessinée déroulant, en dix médaillons, la *vie de saint Ronan* (sculptée en 1707). Somptueux *retable du Rosaire,* du XVII⁰ siècle. A côté de l'autel principal, *saint Ronan dans une niche,* affublé d'un costume d'évêque. Le *vitrail* principal, de la fin du XV⁰ siècle, prolonge notre béatitude en 18 panneaux racontant la Passion.

Ne manquez pas ensuite d'aller au fond du cimetière pour une très belle vision du *chevet* (avec calvaire). En juillet-août, visite de l'église tous les jours (sauf dimanche). A 21 h, visite aux chandelles.

— *Chapelle Bonne-Nouvelle :* en bas de la rue Moal. Date de l'époque de l'église, modifiée ultérieurement. Petit calvaire et fontaine ancienne. La rue Moal fut la rue des tisserands, un temps la plus animée du bourg.

— *Musée municipal :* à côté de l'office du tourisme. Ouvert tous les jours en haute saison de 10 h 30 à 12 h 30 et de 14 h 30 à 19 h. Petit musée intéressant d'art et traditions populaires : vieux métier à tisser du XVIII⁰ siècle, costumes, mobilier, outils et objets domestiques. Œuvres de peintres locaux.

— Rue Lann, *maison familiale du peintre surréaliste Yves Tanguy.* En vacances ici, il y attira les frères Prévert, Breton, Éluard, etc.

— *La « montagne » de Locronan :* suivez la rue du Four jusqu'au croisement de la route de Châteaulin et de celle du camping. C'est à 2 km ensuite. Du *Plas Ar C'horn* (289 m), spectaculaire panorama sur la baie de Douarnenez et les montagnes Noires. Sur place, petite chapelle récente. On est ici sur l'une des collines inspirées de Bretagne.

**Les fêtes locales**

— *La Petite Troménie :* se déroule le 2⁰ dimanche de juillet, tous les ans qui ne sont pas de Grande Troménie. Symbolise la promenade qu'effectuait, pieds nus et l'estomac vide, saint Ronan, tous les matins. Procession avec les reliques du saint, sur un parcours de 4 km environ.

— *La Grande Troménie :* elle ne se déroule que tous les 6 ans et s'étend, quant à elle, sur un parcours de 12 km, en pleine campagne. Elle permet de marquer les limites qui déterminaient le territoire du saint, et reprend probablement un plus ancien parcours païen de l'époque des Celtes. Débauche de beaux costumes et de bannières paroissiales. Plusieurs dizaines d'oratoires fleuris jalonnent le chemin. La dernière Grande Troménie a eu lieu en 1989.

— Généralement en juillet, *festival de musique classique.* Concerts dans l'église et la chapelle Notre-Dame-de-Bonne-Nouvelle. Renseignements à l'office du tourisme.

**Aux environs**

● *Sainte-Anne-la-Palud :* en bord de mer, auprès d'une petite chapelle, se déroule, le dernier dimanche d'août, le plus important pardon du Finistère.

● Belle *forêt de Nevet* à côté. L'office du tourisme indique d'intéressantes promenades à pied aux alentours.

● *Kerlaz :* petit village sur la route de Douarnenez. Pittoresque petit enclos paroissial aux proportions du village. Belle porte triomphale Renaissance. Ossuaire de la même époque. Croix de 1645. Élégant clocher ajouré de l'église.

**DOUARNENEZ** (29100) ─────────────────────────────

Grand port de pêche et quatrième cité du Finistère. Ville ouvrière, Douarnenez ne possède certes pas un charme énorme, mais elle a, à nos yeux, bien des qualités que ne possèdent pas d'autres villes « charmantes». C'est l'une des capitales importantes de la mémoire bretonne. Ses héros ne sont pas des saints, des princes ou des belles dames, mais ses marins, ses ouvriers, le petit peuple...

En 1921, ils élurent le premier maire communiste de France mais, plus important encore, en 1924, crime de « lèse-majesté », la première femme conseillère municipale... alors que les femmes n'avaient pas même le droit de vote. Bien sûr, les autorités de l'époque se hâtèrent d'invalider l'élection (et les femmes durent encore attendre 22 ans avant d'exister politiquement !). Ensuite Douarnenez, haut lieu de la Résistance bretonne, se devait d'être l'une des capitales des voyages clandestins vers l'Angleterre, cela allait de soi. Et finalement, est-ce bien un hasard si c'est ici que naquit le plus vigoureux, le plus fascinant mouvement de renaissance de l'ethnographie bretonne avec la création du

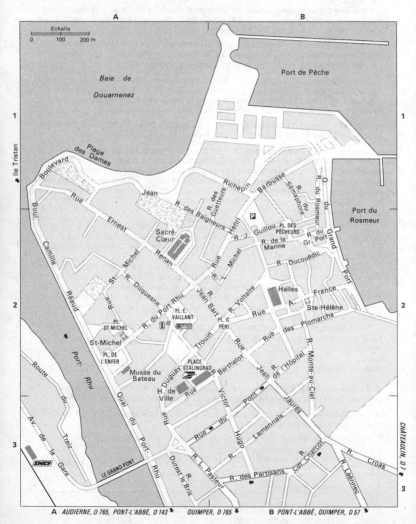

*Douarnenez*

*Chasse-Marée* et d'*Armen*, deux merveilleuses revues ? C'est également ici qu'existe la plus importante entreprise de sauvegarde de bateaux anciens de France.

Ville passionnée, ville vivante, ville aux particularismes bien sympathiques, Douarnenez offre donc un musée de la mer, unique en France, ainsi qu'une splendide église gothique flamboyante. Et, en prime, son vieux quartier de pêcheurs descendant vers la mer. Bon, bien sûr, vous étiez déjà convaincu que la ville valait largement le détour !

### Une Sodome et Gomorrhe de la Bretagne

C'est au large de Douarnenez qu'aurait été édifiée la ville mythique d'*Ys*, capitale de la Cornouaille à l'époque du roi Gradlon et qui possédait une réputation de plaisir et de débauche. Une voie romaine bordant la mer fit longtemps croire aux fondations de la digue ou des remparts protégeant Ys. C'est pourtant bien à une digue que, paraît-il, la fameuse cité dut sa perte.

La fille du roi Gradlon, tombée amoureuse d'un beau jeune homme (qui était en fait le diable), accepta, pour ses beaux yeux, de voler les clés des écluses (permettant l'écoulement des eaux du fleuve dans la mer) et de les lui remettre. Les écluses ouvertes, la marée s'y précipita. La ville en passe d'être engloutie, Gradlon parvint à s'enfuir avec sa fille en croupe, mais ne réussit à survivre qu'en l'abandonnant aux flots grondants. Ys disparue, le roi partit ensuite refonder sa capitale à Quimper. La légende raconte que, lorsque la mer est forte, on entend tinter les cloches englouties.

### Sauver le patrimoine maritime !

On en reste complètement ahuri ! On doit le musée et la sauvegarde de plus d'une centaine de bateaux (la plupart en voie de disparition) à... une poignée d'hommes et de femmes motivés uniquement par leur amour de la mer et passionnés de navigation et d'histoire. En moins de 10 ans, avec peu de moyens au début, ils ont couru tous les littoraux de France pour collecter les derniers bateaux traditionnels avant qu'ils ne disparaissent. Pourtant, à l'étranger, il existe depuis longtemps de grands musées maritimes. En France, si quelques individus, conscients et motivés, n'avaient pas entrepris cette démarche à temps, nous n'aurions rien, et, qui plus est, nous aurions perdu une grande partie de notre patrimoine (donc de notre histoire). Époustouflant !

Rendons donc hommage au prodigieux travail de l'association *Treizour*, de la revue *Chasse-Marée*, de la Fédération régionale pour culture maritime, des chercheurs d'*Ar Vag*, tous soutenus activement par la ville de Douarnenez.

Ces passionnés de la mer font partager leurs connaissances, en organisant des stages pratiques dans toutes les disciplines de la construction navale.

### Adresses utiles

– *Office du tourisme :* 2, rue du Docteur-Mével. ☎ 98-92-13-35. Ouvert tous les jours, toute l'année (de juin à septembre de 10 h à 19 h et hors saison de 10 h à 12 h et de 14 à 18 h). Visites guidées sur rendez-vous. Organise des sorties en mer avec un « patron pêcheur ».

– *Gare S.N.C.F. :* ☎ 97-74-00-23. En relation avec Brest et Quimper via Châteaulin.

### Où dormir ?

#### ● *Bon marché*

– *Hôtel de la Rade :* 31, quai du Grand-Port. ☎ 98-92-01-81. Hôtel ancien bien sympathique, donnant sur le port de Rosmeur et le grand large. Chambres avec lavabo, simples mais très bien tenues. Dans certaines, on a même droit aux poutres apparentes, avec papier peint bleu ciel et petits voilages aux fenêtres. Bon accueil. Une excellente adresse pour les petits budgets.

– *Hôtel des Halles :* centre ville. ☎ 98-92-02-75. Fermé le dimanche et en janvier. Donnant sur les halles comme son nom l'indique. Correct. Chambres doubles de 100 à 130 F.

– *Boulangerie-hôtel :* 70, rue Laennec. ☎ 98-92-13-96. Le boulanger fait aussi hôtelier. 85 F la chambre. Possibilité de prendre un petit déjeuner tout chaud à la boulangerie.

● *Campings*

— *Camping municipal le Bois d'Isis :* au lieu dit le Bois d'Isis, à Tréboul. Quartier résidentiel de l'autre côté du Port-Rhu. ☎ 98-74-05-67. Ouvert du 15 juin au 15 septembre. Au-dessus de la plage des Sables Blancs. A 400 m environ. Le moins cher de tous les campings du coin.
— *Camping Kerleyou :* dans le bois de Kerleyou, à 800 m des Sables Blancs. Camping 2 étoiles privé. ☎ 98-74-03-52 et 13-03. Ouvert de la mi-mai au 15 septembre.

● *Plus chic*

— *Hôtel de Bretagne :* 23, rue Duguay-Trouin. Dans le centre, près de la grande poste. ☎ 98-92-30-44. Moderne et fonctionnel, sans charme particulier. Chambres avec salle de bains de 168 à 190 F, et avec lavabo à 103 F.
— *Auberge de Kervéoc'h :* route de Kervéoc'h. A quelques kilomètres de Douarnenez, sur la route de Quimper. C'est bien signalé. ☎ 98-92-07-58. Adorablement située dans la campagne, une ancienne ferme aménagée de façon non moins adorable. Chambres à la décoration luxueuse, de 215 à 270 F. Superbe salle à manger rustique avec grande cheminée. Bonne cuisine, menus de 90 à 220 F. Réservation hautement recommandée.

### Où manger ?

— *Crêperie Chez Étiennette :* rue Anatole-France. A deux pas du port de Rosmeur. Dans un décor où le rose domine, bonnes crêpes dans la tradition du pays. Service toutefois un peu lent.
— *Restos de poisson et fruits de mer* le long du vieux port.
— *Le Tristan :* 25 bis, rue du Rosmeur. Dans la rue au-dessus du port. ☎ 98-92-20-17. En basse saison, fermé le mercredi et le dimanche soir. Le soir, service jusqu'à 21 h. Menus à 72 et à 105 F. Cuisine réputée, produits frais, mais dommage qu'il y ait un peu trop de plats à supplément.
— *Restaurant Chez Fanch :* 49, rue Anatole-France. ☎ 98-92-31-77. Fermé du 15 décembre au 31 janvier. En descendant vers le port. Spécialités de fruits de mer. Menus à partir de 58 F.

● *Plus chic*

— *Hostellerie des Arcades :* 67, rue du Commandant-Fernand. ☎ 98-74-00-64. Située sur les hauteurs de Tréboul. Fermé le lundi. Un classique de la ville. Salle à manger rustique et cossue. Menu à 80 F avec terrine, coquilles Saint-Jacques, plat et dessert. Au menu à 135 F, huîtres et terrine de saumon, contrefilet ou brochette de noix de Saint-Jacques. Chambres de 110 à 165 F environ.

### A voir

Douarnenez, qui a fusionné avec Tréboul et Ploaré pour ne faire qu'une commune, possède quatre ports : Tréboul (pour la plaisance), Port-Rhu (ancien port de cabotage désaffecté), le port moderne (pour chalutiers et langoustiers) et l'ancien port de Rosmeur (encore utilisé pour la petite pêche côtière). A l'entrée de Port-Rhu, l'îlot Tristan, refuge au XVII® siècle d'un célèbre bandit.

— *Musée du Bateau :* place de l'Enfer, quai de Port-Rhu. ☎ 98-92-65-20. Ouvert toute l'année de 10 h à 12 h et de 14 h à 18 h, et sans interruption de juin à septembre. Dans une ancienne conserverie du XIX® siècle, un musée véritablement unique. Il ne se contente pas de présenter des bateaux (français et étrangers) de façon aussi complète que possible, mais surtout il recrée autour du musée une animation authentique et vivante.
2 000 m² couverts situés face à la mer, sur Port-Rhu, l'ancien port de cabotage qui véhicule toute l'histoire industrielle et maritime de la ville. Ensuite, le musée s'articule sur deux approches : d'abord, présenter de façon didactique l'évolution des méthodes et techniques de construction navale, montrer concrètement comment se construit un bateau. C'est ainsi qu'à l'intérieur du musée, l'atelier reconstitué pour les visiteurs est aussi celui utilisé pour sauver et restaurer les bateaux récupérés. Vous y verrez tout l'outillage traditionnel, vous saurez tout sur la vie des pêcheurs, les *curragh* (embarcation traditionnelle irlandaise), les *coracles* gallois et autres bateaux. Des salles sont composées par thème, comme le travail des goémoniers, la vie à bord d'un navire, etc. Des artisans travailleront souvent en public : cordiers, charpentiers, scieurs de long, couseurs de voiles, etc.

Enfin, n'oublions pas la présentation d'embarcations d'autres pays, ainsi ce superbe *moliceiro*, bateau de transport portugais (goémon surtout) de la région d'Aveiro. Dans le cadre du musée ont lieu également des projections de films, des animations diverses, mais surtout, et c'est là ce qui rend ce musée aussi attachant, il offre la possibilité de participer à des activités hyperintéressantes à l'extérieur. En voici les principales :

● *Les Ateliers de l'Enfer :* non contents de restaurer les vieux bateaux, ils seront bientôt capables de reconstituer, d'après photos et documents, ceux qui ont complètement disparu. Ils proposent aux personnes intéressées différents stages de formation de haut niveau. Ouvert aux amateurs comme aux professionnels. Renseignements : ☎ 98-92-14-20.

● *Naviguer à l'ancienne :* sur une chaloupe sardinière, la *Telenn Mor,* possibilité de partir toute une journée en mer et d'apprendre les gestes du marin, les différentes manœuvres à bord, etc. Tous les jours en juillet-août de 9 h à 18 h. Un des temps forts de votre voyage breton ! Renseignements au musée.

● *Les Voiles d'Iroise : Solveig, Manureva* et *Ariane,* voiliers traditionnels, naviguent une grande partie de l'année. Ils peuvent embarquer pour de courtes campagnes des gens sérieusement motivés et à la recherche d'un apprentissage actif. Renseignements : *F.R.C.M.,* 5, quai de Port-Rhu, B.P. 34, 29172 Douarnenez. ☎ 98-92-89-30 et 98-92-36-94.

— Pour finir, ne manquez pas d'aller boire une vieille Kro *Chez Léo,* quai de Port-Rhu, à côté du musée. D'abord, parce que c'est la moins chère de la ville, ensuite parce que Léo est un barbu très sympa, « connu comme le houblon », et qu'il sait recevoir, dans son capharnaüm un peu poussiéreux, avec une chaleur parfois teintée d'humour légèrement à froid.

En amont de chez Léo, sur le même quai, un autre bar, *le Pourquoi-Pas ?* ☎ 98-92-76-13. S'il apparaît presque trop clinquant et racoleur le jour, mérite le détour passé 22 h. Dans un décor maritime où la Guinness coule à flots, plusieurs fois par semaine des animations sont proposées (chants de marins, musique irlandaise, etc.).

— En revanche, à deux pas du musée, que de l'eau bénite à la petite *chapelle Saint-Michel* du XVII<sup>e</sup> siècle. Quelques lambris peints intéressants.

— *L'église de Ploaré :* route de Quimper. Magnifique exemple de la Renaissance bretonne. Édifiée au XVI<sup>e</sup> siècle. Remarquable surtout pour son clocher flamboyant, avec flèche élancée à lanternons, culminant à plus de 60 m. Beau porche qui a perdu ses statues. A l'intérieur, retable sculpté.

Dans le cimetière, à deux pas, *tombe de Laënnec,* inventeur du stéthoscope.

— *Port du Rosmeur :* au bas du vieux quartier de pêcheurs, dont les ruelles dégringolent vers le quai. Gentille animation, vieux cafés de marins et restos touristiques.

— *Le port moderne :* à côté. On y débarque et met en conserve 1/5 de la production mondiale de thon. On trouve à Douarnenez la plus grande conserverie de France. Déchargement du poisson de 23 h à l'aube. Criée à partir de 6 h (sauf dimanche et jours fériés).

— *La librairie du Chasse-Marée :* rue Henri-Barbusse. Au-dessus du port. Occupe l'ancien « Abri du Marin ». ☎ 98-92-66-33. Ouvert de 9 h à 12 h et de 13 h 30 à 18 h (ouvert le samedi en période de vacances scolaires). Fermé le dimanche. Visite indispensable de cette attachante librairie qui diffuse *le Chasse-Marée,* revue d'histoire et d'ethnologie maritimes bimestrielle, créée en 1981 et ayant acquis très vite une grande notoriété par la richesse et le sérieux de ses articles. On peut dire que *le Chasse-Marée* a réveillé les gens et les a intéressés à leur patrimoine. Vous y trouverez aussi *Armen* (« le Caillou »), axé plus particulièrement sur les pays celtiques. Histoire des métiers, des traditions, des coutumes, etc. Excellentes enquêtes-reportages sur la Bretagne moderne. Même équipe à l'origine, mais rédaction différente. N'oubliez pas votre carnet de chèques, car vous aurez irrésistiblement envie de vous y abonner (ou d'acheter les numéros qui vous manquent). Pour finir, nombreux disques, chants de marins, cassettes, ouvrages d'art sur la voile et la navigation et livres généraux sur la mer, ses métiers, etc.

— *Les plages :* celle des *Sables Blancs* à Tréboul est la plus célèbre. A l'est du port du Rosmeur, par le sentier des Plomarc'hs, on atteint la *plage du Ris.* Environ une demi-heure de balade. En cours de route, beau point de vue sur l'ensemble du port.

**Fêtes et sorties en mer**

– *La grande fête des Bateaux* : se déroule, en principe, tous les deux ans. On en attend toujours plusieurs centaines : voiliers, goélettes, sloops, thoniers, caboteurs, chaloupes de toutes sortes. Expos, musique, atmosphère unique. A ne pas rater. Pour la prochaine fête, téléphonez à l'office du tourisme.
– *Festival cinéma des minorités nationales* : fin août, début septembre. ☎ 98-92-97-23.
– *Carnaval les Gras* de Douarnenez. Particulièrement animé.

**Aux environs**

● *Notre-Dame-de-Kerinec* : sur la D7, peu avant d'arriver à Confort. Une délicieuse chapelle dans un environnement verdoyant et paisible, complètement en dehors des sentiers battus. Édifiée du XIIe au XVIIe siècle. Harmonieuse architecture. A l'extérieur, une rare chaire à prêcher avec calvaire.

## CONFORT

Confort étant le terroir d'origine de la famille Gloaguen, nous insistons pour lui donner en ces pages une mention très honorable autant que méritée. C'est une petite bourgade à mi-route de l'itinéraire touristique Douarnenez-pointe du Raz, ce bout d'Europe offrant une vue panoramique unique sur les îles avec, en prime, les jours de tempête, le heurt titanesque des courants marins de l'Océan et de la Manche.
Dès l'arrêt à Confort, les amateurs d'architecture apprécieront un « rond-point » insolite, un beau *calvaire*, malheureusement un peu malmené autrefois par les révolutionnaires iconoclastes, et, depuis, également par les embruns et les tempêtes... Les douze apôtres manquants furent remplacés en 1870.
A côté, une magnifique *église* gothique, avec sa « roue à carillon » accrochée sous la voûte. Elle eut autrefois, paraît-il, le pouvoir de faire parler aux enfants ayant des difficultés d'élocution. Intéressantes sablières. Beaux vitraux du XVIe siècle contant la Bible, expliquée en direct par M. le Curé.
Non loin, quelques *restaurants* offrent, à des prix très corrects (50 à 100 F par personne), des menus de choix honorant la gastronomie bretonne et le bien-manger français.

## PONT-CROIX (29122)

Petite cité qui mériterait d'être appelée « de caractère ». Étape architecturale obligatoire pour l'*église Notre-Dame-de-Roscudon*. Édifiée au XIIIe siècle, son portail sud, ajouté un siècle plus tard, est un pur joyau. Festival de rosaces sculptées dans la pierre. La tour-clocher du XVe siècle servit, quant à elle, de modèle pour les flèches de la cathédrale de Quimper. A l'intérieur, piliers à fines colonnettes et chapiteaux supportant des arcades romanes. L'ensemble dégage une impression de légèreté et d'élégance remarquable. Retable et chaire du XVIIe siècle. La tempête du 15 octobre 1987 l'avait terriblement endommagée, mais elle a été restaurée et elle est encore plus belle !...
*Rues anciennes* autour de l'église. Empruntez les escaliers de la Grande-Rue-Chère, avec ses vieilles demeures, jusqu'à la rivière. Belle place de la République avec ses rangs de maisons d'une grande homogénéité architecturale. A la hauteur du n° 13 part une rue pavée, avec, sur sa droite, une fort belle maison médiévale.
– *Grand pardon de Notre-Dame-de-Roscudon*, le 15 août. Procession aux lumières, le 2e samedi d'août. Petit pardon le 1er septembre.
– *Office du tourisme* : place de l'Église. ☎ 98-70-40-66. Ouvert de 9 h à 12 h et de 15 h à 18 h.

## RÉSERVE DU CAP SIZUN

A 3 km au nord de Goulien, autour de la pointe de Castel ar Roc'h, s'étend l'une des réserves ornithologiques les plus célèbres d'Europe. Importante colonie

d'oiseaux migrateurs et nicheurs. Ouvert du 15 mars au 31 août, de 10 h à 12 h et de 14 h à 18 h. ☎ 98-70-13-53. En juillet et août, les lundis et jeudis, sont organisées, de 9 h à 12 h, des randonnées pédestres qui permettent la découverte du site et une meilleure approche des oiseaux.
Haute falaise de 70 m de haut et vaste lande de 2 km pour observer pétrels fulmar, goélands argentés, mouettes tridactyles (1 200 couples environ), craves à bec rouge, traquets motteux, cormorans huppés et autres fauvettes pitchou. L'observation s'effectue à partir de chemins bien balisés. Meilleure période, entre le 15 avril et le 15 juin.

**Où dormir ? Où manger ?**

– *Camping municipal Kerros :* à mi-parcours entre Poullan-sur-Mer et la pointe du Van, sur la D7. ☎ 98-70-06-04. Ouvert uniquement en juillet et août. Simple mais tranquille.
– *L'Embuscade :* à Goulien. ☎ 98-70-12-15. Cuisine correcte et service agréable. Un seul menu à 65 F.

## CLÉDEN - CAP-SIZUN (29113) ET LA POINTE DE BRÉZELLEC _____

Bourg proposant une *église* du XVIᵉ siècle au style un peu disparate, mais intéressante. Beau clocher ajouré, avec tourelle sur le côté et escalier extérieur. Séduisant porche sud. Au-dessus de l'ogive, balustrade flamboyante et bateaux sculptés. Curieux *monument aux morts* en forme de calvaire, avec un soldat et un marin de part et d'autre. Effarant, impressionnant, pour un si petit village, il aligne plus de cent noms d'hommes morts lors de la guerre 1914-1918 ! C'est là qu'on mesure vraiment le lourd prix que la Bretagne a payé à l'époque...
Aux alentours, allez faire quelques pas à la *pointe de Brézellec*. Garantie d'y trouver peu de monde, pour jouir du poignant combat des rocs et de la mer. Superbes falaises déchiquetées. Après le parking, suivez le chemin de terre à droite sur 300 m. Promontoire avec un gros rocher rond. Spectaculaire échappée sur toute la côte.

**Où manger ?**

– *L'Étrave :* à côté de l'église de Cléden. ☎ 98-70-66-87. Fermé le mercredi et d'octobre à avril. Resto possédant une solide réputation pour son homard à l'armoricaine. La moitié de la salle vient pour lui essentiellement. Comptez de 150 à 200 F par personne. Petit menu à 72 F correct. En revanche, le menu à 130 F se révèle très ordinaire, avec des plats d'une extrême banalité.

## LA POINTE DU VAN _____

Dix fois moins touristique que la pointe du Raz, elle n'attire pas les marchands de bignouseries et friandises en tous mauvais genres. Adorable *chapelle Saint-They*, au bord de la falaise, que le vent tente vainement de déraciner. Chemin côtier à suivre prudemment.
Petite route rejoignant ensuite la pointe du Raz et longeant la fameuse baie des Trépassés.

**Où dormir ? Où manger ?**

– *Hôtel de la Baie des Trépassés :* juste au bord de la mer. ☎ 98-70-61-34. Fermé du 5 janvier au 5 février. Gros hôtel cossu. Situation exceptionnelle, dans un environnement sauvage. Grande plage devant. Personne autour. Chambres de 130 à 238 F environ. En saison, demi-pension obligatoire (normal, où iriez-vous manger dans le coin ?). Grande salle à manger. Resto point de chute des groupes pour les repas. Ne pas trop compter sur de l'intimité le midi, les week-ends et en période de vacances. Menus à 78 et 120 F.
– *Le Relais de la Pointe du Van :* à 200 m du précédent, même propriétaire.

## LA POINTE DU RAZ _____

Bout du monde mythique dont les marins disaient : « Secourez-moi, Grand Dieu, à la pointe du Raz, mon vaisseau est si petit et la mer si grande ! » Michelet

*La pointe du Raz et le cap Sizun*

entendit là : « Ces sifflements qu'on croirait ceux de la tempête, sont les *crie-rien*, ombres des naufragés qui demandent la sépulture... »

A l'arrivée, l'immense parking obligatoire, la vingtaine de boutiques croulantes de souvenirs d'un goût, comme d'habitude, excellent, apportent le supplément de poésie qui aurait sûrement manqué en ces lieux. Par beau temps, depuis la statue de Notre-Dame-des-Trépassés, on aperçoit l'île de Sein et le phare d'Ar Men (à 20 km, l'un des plus éloignés des côtes de France). La pointe s'avance dans la mer, éperons s'effilochant en de multiples masses rocheuses déchique-tées. Un sentier côtier très escarpé permet d'en faire le tour et d'aller le plus près possible de l'Amérique. En basse saison, lorsqu'il n'y a personne, spec-tacle saisissant, bouleversant. Quelques passages vertigineux, notamment à la hauteur de l'*Enfer de Plogoff*, vaste trou que, même par temps clément, la mer s'obstine à combler furieusement...

Dans le hameau de *Lescoff*, un bon resto et une crêperie. Nombreuses vieilles maisons typiques.

## L'ÎLE DE SEIN (29162)

« Qui voit Sein, voit sa fin... ». Prolongement de la pointe du Raz (à environ 8 km), l'île apparaît comme une espèce de pince de crabe très mince, de 1,5 km de long sur 800 m de large (100 m dans les parties les plus étroites). Son point culminant s'élève à 6 m l Pas d'arbres, presque pas de buissons. Environ 500 habitants. En 1858, il y en avait à peine plus. Ils ne subsistent que de la pêche et vivent dans l'unique village, aux maisons pelotonnées les unes contre les autres. Ruelles étroites calculées pour permettre le passage des tonneaux. L'île fut submergée plusieurs fois. En 1868, femmes et enfants se réfugièrent sur les toits et dans le clocher. Le curé donna à tous l'absolution, mais la mer se retira. Les femmes les plus âgées portent encore la coiffe noire des veuves, adoptée définitivement après la dernière épidémie de choléra (en 1886).

Il n'y pousse rien bien sûr à part, sur de rares parcelles protégées par des murets, quelques pommes de terre. La moitié de l'année, les hommes partent s'embaucher sous d'autres cieux. Les pierres de l'église furent transportées (au début de ce siècle) depuis le port, une à une, sur la tête des femmes. A l'inté-rieur, on trouve un ex-voto offert par des marins anglais, sauvés en 1918 par une noce, marié en tête, qui affronta les vagues furieuses pour leur porter secours. Une curiosité : depuis un décret de Colbert, les habitants de Sein ne payent pas d'impôts locaux.

A 12 km de l'île s'élève le *phare Ar Men* dont la construction, commencée en 1867, dura 14 années, au prix de difficultés incroyables. La première année, le temps ne permit que sept accostages et... huit heures de travail. Son gardien n'est ravitaillé qu'une fois par semaine, le plus souvent dans des conditions atmosphériques terribles.

### Sein, le quart de la France !

L'île tout entière est compagnon de la Libération. En effet, après l'appel du 18 Juin du général de Gaulle, tous les hommes quittèrent l'île pour l'Angleterre.

150 au total, ne laissant sur l'île que vieillards, femmes et 145 enfants. Il n'en revint que 114.

En juillet 1940, le général passa en revue ses 600 premiers hommes. A chacun il demanda son origine. Il entendit 150 fois : « de l'île de Sein ». Étonné, il s'exclama : « Sein est-il donc le quart de la France ? »

**Comment y aller ? Où séjourner ?**

– *Vedette Biniou-II* : départ de l'embarquement Sainte-Évette à Audierne. Renseignements et réservations : ☎ 98-70-21-15 et 13-78. En principe, un départ quotidien du 7 juin au 7 juillet. Trois du 8 juillet au 28 août. Deux du 29 au 31 août et un du 1ᵉʳ au 6 septembre. Retour le soir même.
– *Service maritime départemental* : quai Jean-Jaurès. Assure également une liaison quotidienne (sauf le mercredi) toute l'année. En juillet et août, trois départs. Durée de la traversée : 1 h 10. ☎ 98-70-02-37 et 02-38.
– *Quelques meublés et chambres* chez les particuliers.
– *Quelques restaurants et crêperies.*

**PLOGOFF** (29113) _____

Une immense majorité de Français n'auraient jamais entendu parler de Plogoff si, de 1976 à 1981, il ne s'était pas transformé en village retranché d'Astérix pour refuser la centrale nucléaire prévue à la pointe du Raz. Il résista aux centaines de C.R.S. et gendarmes, envoyés mater la révolte. Tous les jours, des gens allaient à la messe de 17 h 30 pour le départ des camionnettes « mairie annexe » ! Une unité quasi sans faille, une volonté de fer, un étonnant sens tactique, un soutien de toute la Bretagne, une solidarité très importante des quatre coins du pays (100 000 personnes lors d'un rassemblement) contribuèrent largement à la victoire. Le président Mitterrand avait promis d'annuler le projet s'il était élu et tint parole. Une anecdote : sur la base de cet événement, le premier psychologue-sociologue à ouvrir un cabinet en Bretagne, récemment, en tant que profession libérale, réussit à remplir son carnet de commandes dès la première année, sur le thème : « Si une étude sociologique m'avait été commandée par E.D.F. sur le projet de la centrale nucléaire, j'aurais évidemment conclu à l'impossibilité de réaliser la centrale ! » Aujourd'hui, les slogans disparaissent peu à peu, lavés par les embruns. Mais il reste, toujours, au milieu de leurs murets de pierre, les vieilles demeures de granit typiques du pays.

**PRIMELIN** (29113) _____

Dans un petit hameau, à côté de Primelin, à 8 km de Plogoff, s'élève la plus belle église du cap. A ne pas rater.

– *La chapelle Saint-Tugen* : construite en 1535 et agrandie au XVIIᵉ siècle. Saint Tugen avait la réputation de guérir les maux de dents et les gens atteints de la rage. Tour carrée massive de style gothique flamboyant. Fontaine à l'extérieur. Séduisant enclos avec porte triomphale en ogive et calvaire avec belle pietà. Porche sud à tympan ajouré et orné des statues des apôtres. A l'intérieur, nef en forme de carène renversée. Belles sablières sculptées. Arcades ogivales, d'autres romanes avec chapiteaux rudimentaires. La disposition disparate des lieux apporte une touche originale. Dans un coin, la pièce où l'on enfermait les enragés. Intéressant retable central, ainsi que celui de droite. Bateaux ex-voto. Gracieuses peintures du XVIIᵉ siècle sur la paroi du baptistère.
*Pardon* le dimanche se situant vers la mi-juin. Procession la veille au soir, autour de la chapelle.

**AUDIERNE** (29113) _____

Au contraire de Camaret, Audierne est encore un port assez actif. Bateaux multicolores de toutes sortes égayent la ria du Goyen, bordée de demeures à l'harmonieux ordonnancement. Petit musée privé, *la Chaumière*, sur la route de la plage. Ameublement breton des XVIIᵉ et XVIIIᵉ siècles. Du côté de l'église moderne, vous trouverez du plaisir à parcourir ruelles et escaliers. Grande plage de sable fin à 1,5 km, vers l'ouest. C'est de là que vous embarquerez pour Sein.

— *Office du tourisme* : place de la Liberté. ☎ 98-70-12-20. Organise des sorties en mer avec un « patron pêcheur ».

### Où dormir ? Où manger ?

— *Hôtel des Dunes* : à 100 m de la plage. ☎ 98-70-01-19. Chambres correctes de 110 à 180 F. Pas toujours bien tenu. Demi-pension à 220 F par personne. Bonne cuisine. Menu à 57 F avec terrine de poisson, raie au vinaigre, far breton. A 68 F, huîtres ou charlotte aux fruits de mer, émincé de poisson blanc. Au menu à 100 F, gratinée d'huîtres, feuilleté de moules, etc.
— *Au Roi Gradlon* : sur la plage même. ☎ 98-70-04-51. Hôtel moderne. Chambres à 200 F. Menus de 70 à 180 F.
— *Camping du Kerhuon* : 14, rue de Verdun. A un peu plus de 1 km de la plage. Pas facile à trouver. ☎ 98-70-10-91. Ouvert du 1er avril au 30 septembre.
— *Hôtel le Cabestan* : à Esquibien, sur la route de la pointe du Raz. ☎ 98-70-08-82. Un confortable hôtel 2-étoiles avec des chambres de 140 à 200 F. Possibilité de pension et de demi-pension.

● *Plus chic*

— *Le Goyen* : sur le port. ☎ 98-70-08-88. Très bel hôtel. Ouvert toute l'année. Doubles de 260 à 550 F. Surtout réputé pour son excellente cuisine qui en fait l'une des toutes premières tables du Finistère. Cadre luxueux où vous pourrez, comme les grands, déguster un succulent menu comprenant huîtres ou roulades de saumon et Saint-Jacques, lotte à l'armoricaine ou coquillages risotto, tarte Tatin. Menu de fête avec, par exemple : gourmandise de langouste, saint-jacques, pétoncles, queues de langoustines sur un coulis de homard, gigot d'agneau de pré-salé, tarte Tatin ou charlotte. Une bien bonne adresse dont le premier menu s'affiche tout de même à 145 F !

### – LE PAYS BIGOUDEN –

Le pays bigouden s'étend de Plozévet à Sainte-Marine, sur les rives de l'Odet. Contrastes géographiques importants. Côte ouest dépouillée, peu peuplée, côte sud protégée et populeuse, marais contre bocage, etc. C'est l'une des régions de Bretagne dont les habitants proclament le plus fièrement leur identité et leurs particularismes. Ainsi la coiffe de Kerity-Penmarc'h est-elle très différente de celle de Pont-l'Abbé ! Au port de Poulhan, une statue de femme bigouden l'affirme sans détour : « Ici finit le pays bigouden. »
Plus qu'ailleurs, nous vous invitons à vous perdre dans l'incroyable réseau de petites routes de campagne, livrant souvent d'adorables chapelles, émouvantes dans leur simplicité, des croix de chemin, de vieilles fermes, à la longue décoiffées par le vent, lorsque arbres et bosquets ne les protègent plus assez...

#### D'AUDIERNE À LA POINTE DE PENMARC'H

Voici, à notre avis, l'une des côtes les plus séduisantes de Bretagne. Un habitat très dispersé anime à cette campagne des portions très sauvages ou romantiques. C'est la région qui servit de cadre à Per Jakez Hélias pour *le Cheval d'orgueil*. Pourtant ici, nulle falaise escarpée, pas de paysage en miettes ou de côte déchiquetée. Beaucoup de plat pays avec des passages extrêmement pauvres. Terres ingrates, quelques rochers pour baliser de belles plages désertes. Une Bretagne *hard*, à l'état brut, sans maquillage ni concession. Un naturel parfois écrasant, souvent mélancolique, toujours émouvant. Succession de scènes banales, avec ce surcroît d'humanité et de vérité qui les rend belles. Des milliers de détails, de connotations architecturales, humaines et sociales qui « sauteront » sans cesse aux yeux de nos lecteurs les plus sensibles. Avec la possibilité, bien sûr, de se retremper dans le bocage, là, si proche, avec ses villages oubliés, ses jolies chapelles, etc.
Sur le plan historique, c'est aussi dans le triangle Quimper-Plozévet-Penmarc'h que la fameuse révolte des Bonnets rouges contre les taxes de Louis XIV se révéla la plus dure, ainsi que la répression qui s'ensuivit. Ce n'est pas le tout, on y va ! En avant vers le petit port de Porz-Poulhan, l'adorable chapelle de Languidou, l'admirable calvaire de Notre-Dame-de-Tronoën...

## PLOZÉVET (29143)

*Église Saint-Thémet.* Bâtie sur une fontaine qui sort de part et d'autre du porche sud. Cette porte du XV<sup>e</sup> siècle, voûtée en ogive, est décorée de niches vides aux colonnettes en nid d'abeille. Côté Évangile, les piliers à faisceaux de colonnettes qui supportent un arc en plein centre sont du style de l'école de Pont-Croix et datent du XIII<sup>e</sup> siècle.

Émouvant et assez peu habituel *monument aux morts* : un modeste paysan accolé à un menhir au milieu d'un amoncellement de rochers. Cet habitant de Plozévet perdit ses quatre fils à la guerre de 14-18 et fut à l'origine de la loi dispensant un frère d'aller à la guerre si un autre y est déjà. Simple et joli *calvaire*. A deux pas, doux et fier visage de *Bigouden*, dû au sculpteur Quillivic. A proximité, du même auteur, *Couple de sonneurs.*

### Où dormir ? Où manger dans la région ?

— *Hôtel des Voyageurs* : 31, route de Quimper. ☎ 98-91-30-39. Stationnement facile. Sympathique hôtel traditionnel et fleuri. Chambres agréables avec bains à 160 F pour deux, donnant toutes sur le jardin. Menu à 60 F avec terrine de lapin, tripes bretonnes, pâtisserie. Cidre bouché à 22 F.

— *Les Bruyères* : 41, route de Quimper. ☎ 98-58-31-41. Un peu plus moderne que le précédent.

— *Restaurant le Capricorne* : dans la rue principale de Pouldreuzic, village à 7 km au sud-est. ☎ 98-54-40-06. Ouvert le midi et le soir, jusqu'à 21 h. Fermé le mercredi soir. Dans une jolie salle à manger, copieux menu ouvrier (en semaine) et bons menus le week-end.

— *Hôtel Breiz-Armor* : sur la plage de Penhors, Pouldreuzic. ☎ 98-54-40-41. Fermé le lundi et de mi-octobre à mi-mars. Service le soir jusqu'à 21 h. Hôtel plus chic. Très bien situé en bord de mer. Construction moderne, mais de bon goût. Belles chambres à 290 F pour deux. Bonne cuisine. Menu à 78, 132 et 155 F. Salle panoramique.

● *Plus chic*

— *Le Moulin de Brenizenec* : route de Pont-l'Abbé. ☎ 98-91-30-33. A 4 km de Plozévet. Ouvert de Pâques à septembre. Dans un ancien moulin à eau du XIX<sup>e</sup> siècle. Les Le Guellec ont été meuniers de père en fils. Depuis 1974, l'actuel M. Le Guellec l'a transformé en hôtel. Une dizaine de chambres de 300 à 360 F la double.

### Aux environs

● *Le menhir des Droits de l'homme* : sur la belle plage de Canté, au sud de Plozévet. Avant Keristenvet. Menhir gravé d'une inscription en hommage aux centaines de victimes du naufrage du bateau *les Droits de l'homme*, après un combat naval avec les Anglais. Il revenait de l'expédition commandée par Hoche, en soutien aux insurgés irlandais de 1796. L'un des survivants, un prisonnier britannique, revint 43 ans après pour élever ce monument.

● *Pouldreuzic* : bourg natal de Per Jakez Hélias. C'est aussi là que se fabrique le célèbre pâté inventé en 1907 par Jean Henaff, créateur également du fameux slogan : « Seul un Breton s'entête à faire aussi bon. » Possibilité de visiter l'usine.

— *Hôtel Ker Ansquer* : à Lababan, en direction de la plage de Penhors. ☎ 98-54-41-83. Superbe manoir breton construit à l'ancienne, d'un luxe de bon goût. Ouvert de Pâques à fin septembre. Chambres avec bains et w.-c. à 245 F. Pas de restaurant, mais la patronne ne vous laissera jamais mourir de faim.

● *Penhors* : belle plage sauvage d'où l'on a un beau point de vue sur les pointes du Raz et de Penmarc'h. *Chapelle Notre-Dame de Penhors.* Clocher au milieu du bâtiment. Superbe retable de la Vierge. C'est ici que se déroule, le 8 septembre, le plus important *pardon* bigouden.

● *Plovan* : petite église tassée sur elle-même, comme pour ne laisser aucune prise au vent. Clocher ajouré à tour ronde. Joli *calvaire* « rond-point », dont la Vierge semble porter une coiffe bretonne.

● *La chapelle de Languidou* : à 1 km de Plovan. Adorables ruines d'une chapelle du XIII<sup>e</sup> siècle, qu'on découvre, comme ça, en écartant la futaie au bord de la route. Fusion harmonieuse et très romantique avec la nature d'arcades romanes, colonnes cannelées, etc. Magnifique *rosace* flamboyante.

● *Plogastel-Saint-Germain :* à moins de 10 km à l'est de Pouldreuzic. Pour sa très secrète et quasi inconnue *chapelle Saint-Germain.* Située à 2,5 km de Plogastel, sur la D 240 vers Pont-l'Abbé. Élevée en 1510. Porte triomphale gothique dans laquelle s'inscrit parfaitement le porche de l'église, en une harmonieuse répétition. Chapelle très élancée. Curieux ! Les grandes fleurs de lis aux fenestrages sont-elles le résultat du compromis que fut le mariage d'Anne de Bretagne avec un roi français ? Petit calvaire en bord de route. Hameau charmant et paisible.

● *Plonéour-Lanvern :* rien de particulier, si ce n'est la messe du dimanche où vous pourrez voir une trentaine de Bigoudens avec leur célèbre coiffe.

### Où dormir ? Où manger ?

– *Hôtel-restaurant des Voyageurs :* place de l'Église. ☎ 98-87-61-35. Un logis de France pas cher. Ouvert toute l'année. Un peu vieillot mais bien entretenu. Chambres de 90 à 170 F. Pension entre 185 et 230 F. Premier menu à 65 F avec trois plats copieux.
– *Camping la Crêpe (l) :* à Lanvern-en-Plomeur. Derrière la plage de la Torche. Réservation : ☎ 98-82-00-75.
– *M. Le Berre :* boulanger-pâtissier, confectionne un délicieux gâteau breton. Et on s'y connaît !

● *Très chic*

– *Manoir de Kerhuel :* 29700 Plonéour-Lanvern. ☎ 98-82-60-57. Télécopie : 98-82-61-79. Dans un superbe manoir breton situé au milieu d'une belle propriété boisée. Très grand confort. Superbe salle à manger où l'on sert une excellente cuisine. Piscine. Tennis. Balnéothérapie. Pour un prix finalement raisonnable par rapport aux services. Compter 450 F la chambre double.

● *La chapelle de Languivoa :* à 1,5 km au nord de Plonéour-Lanvern. L'une des six chapelles mutilées par mesure de représailles par Louis XIV après la révolte des Bonnets rouges. Même si ça fait un peu trop neuf après une importante restauration, admirez les belles arcades et les chapiteaux à motifs végétaux. Quelques très vieilles demeures paysannes aux alentours.

## NOTRE-DAME-DE-TRONOËN

Si vous arrivez par le nord, vous traverserez une région extrêmement plate et morcelée, ouverte à tous les vents de l'Océan. Les fermes, très éparpillées, se réfugient derrière des rangées d'arbres depuis longtemps courbés comme des vieillards. Nombreuses petites routes menant nulle part ou à des petits hameaux quasi désertés, à des groupes de fermes en ruine, et à d'insolites chapelles isolées (notamment aux alentours de Saint-Vio et de Kerbascol). Par temps gris et de bruine, paysage très mélancolique.

– *Le calvaire de Notre-Dame-de-Tronoën :* probablement le plus ancien de Bretagne et, en tout cas, l'un des plus fascinants. On le date du milieu du XVe siècle. Complètement isolé sur une butte, dans un paysage très austère de dunes, haies et friches. Côté mer, les personnages du calvaire, rongés par les vents salins, n'offrent plus que des formes fantomatiques. Tous les détails ont été gommés. Sur les faces moins exposées, on reconnaît nettement certaines scènes. Côté chapelle, superbe *Nativité* à laquelle les lichens donnent un relief fantastique. Un des rois mages est en costume médiéval. Côté route, on distingue bien (en bas à gauche) la scène du Lavement des pieds. Tendresse sublime de la pietà.
La chapelle, côté calvaire, présente deux jolis porches encadrant le clocher, une grande fenêtre rayonnante et un retable intéressant.
Plage de Saint-Vio, au nord de la pointe de la Torche, en direction de Prat-Ar-Hastel sur la commune de Tréguennec. Immense plage de sable, bordée de galets, qui accueille les naturistes.

### Aux environs

● *La pointe de la Torche :* coin sauvage, magnifique. Sentier qui fait le tour de la petite presqu'île. Superbe point de vue sur les rochers de Saint-Guénolé et la plage de Pors-Carn. S'il est dangereux de se baigner, en revanche, les fans de planche à voile ont colonisé le coin. C'est le « top des spots » sur la côte atlantique. En cas de mauvais temps et de mer en furie, le sol tremble quand les vagues s'écrasent et déferlent sur une plage longue de 30 km de Saint-Guénolé à Audierne.

### Où manger dans les environs ?

– *Restaurant-bar le Refuge* : à Saint-Jean-Trolimon. ☎ 98-82-01-34. A 5 km de la chapelle de Tronoën. Resto ouvrier ouvert le midi. Clientèle d'habitués. Menu avec buffet d'entrées à volonté (charcuterie, salades, entrées chaudes), plat du jour (on est resservi à la demande), fromage ou dessert, boisson à volonté. Le tout pour 43 F. Le patron est sympa. Décor simple.

## SAINT-GUÉNOLÉ (29132) —————————————————

Important port de pêche artisanale, spécialisé dans la langoustine, la sardine et le thon. Ce n'est pas un port d'opérette. Il s'en dégage un peu l'atmosphère âpre des régions en butte à la crise économique, en même temps qu'on y ressent une certaine chaleur et une humanité.
– *Syndicat d'initiative* : place Jules-Ferry. ☎ 98-58-81-44. Sur le port. Grande poste pas loin.

### A voir

– *Musée de Préhistoire* : au nord du bourg, près de la plage de Pors-Carn. ☎ 98-58-60-35. Ouvert de 10 h à 12 h et de 14 h à 18 h, de juin à septembre. A l'extérieur, menhirs, dolmens et allée couverte. A l'intérieur, salles présentant des collections recouvrant toutes les périodes de la préhistoire bretonne.

– Sur le chemin de Penmarc'h, grosse *tour carrée*, vestige de l'église du XVe siècle.

– *Chapelle de la Joie* : vers le phare d'Eckmühl. Date du XVe siècle. Architecture assez simple, mais pardon important le 15 août (costumes bigoudens). Façade aveugle côté mer pour éviter aux fidèles d'avoir à venir avec palmes et tuba. Calvaire brisé par la dernière tempête.

– *Phare d'Eckmühl* : d'une hauteur de 65 m, l'un des plus puissants du pays. Inauguré en 1897 en mémoire du prince d'Eckmühl, dont la fille a financé la construction. Il porte à plus de 70 km. Possibilité de le visiter en juillet-août. Plus de 300 marches vous mènent à un panorama complet de la région, de la pointe du Raz aux Glénan. L'intérieur est en opaline et la rampe est en bronze. Un guide vous y attend afin de vous expliquer le fonctionnement d'un phare.

## PENMARC'H (29132) —————————————————

A 3 km de Saint-Guénolé. On y trouve l'*église Saint-Nonna*, l'une des plus intéressantes du pays bigouden. Édifiée au XVIe siècle en gothique flamboyant et paraissant trop grande pour un si petit pays. Proportions étonnantes et inhabituelles. Festival d'angles et de lignes de fuite. Large chevet plat et triangulaire. Grand toit à deux versants. Nombreux pignons, tourelles, clochetons, etc. Grosse tour-porche avec caravelles sculptées dans la pierre, signe que les armateurs financèrent la construction.

### Où dormir ? Où manger dans le coin ?

Campings assez nombreux et hôtels pas très bon marché. Pour un repas presque de fête, si vous en avez le temps, effectuez plutôt le saut de puce jusqu'au Guilvinec ou à Treffiagat. Deux restos hors pair vous y attendent.

● *Campings*

– *Camping de la Joie* : à Saint-Guénolé, sur la route du phare d'Eckmühl, un peu avant la chapelle de la Joie.
– *Campings* sur l'immense *plage du Steir*, au sud de Penmarc'h. *Les Genêts* (ouvert toute l'année ; ☎ 98-58-66-93) ; *le Steir* (ouvert du 15 juin au 31 août ;

☎ 98-58-84-80) ; camping municipal *Toul-Ar-Steir* (ouvert du 30 juin au 31 août ; ☎ 98-58-86-88) ; etc.
– *Camping de la Torche :* ☎ 98-58-62-82. Sur la route qui va de Plomeur à la pointe de la Torche. A 2 km de la mer.

● **Prix moyens**

– *Hôtel du Stérenn :* à Saint-Guénolé, vers le phare d'Eckmühl. ☎ 98-58-60-36. Ouvert d'avril à octobre. Service le soir jusqu'à 21 h. Panorama sur le grand large. Bâtisse moderne. L'été, demi-pension obligatoire, à partir de 260 F. Au menu : moules marinière, escalope de lieu, sorbet. Menus plus chers le dimanche.
– *Hôtel Refuge de la Torche :* rue Scrafic, à Saint-Guénolé. ☎ 98-58-88-76. En face du musée, vers la pointe de la Torche. Grande maison de granit dans le style local. Situation intéressante, à côté de la plage de Pors-Carn, dans un coin tranquille. Accueille surtout des stages de planche à voile, mais loue aussi des chambres, avec possibilité de demi-pension.
– *Le Doris :* à Kérity, sur les quais face au large. ☎ 98-58-60-92. Des routards reçoivent toute l'année les routards. Snack-bar sympa où l'on rencontre de vrais marins-pêcheurs qui racontent leurs exploits à Emma, elle-même femme de marin. Les jeunes aiment se retrouver autour des jeux vidéo, ou sur la terrasse. A l'étage, 3 chambres avec bains et w.-c. à 120 F pour deux, d'où l'on profite tranquillement du spectacle de la mer en furie.
– *La Vieille Auberge :* rue Ernest-Renan. A Kérity (à l'est du phare d'Eckmühl). ☎ 98-58-61-29. Ouvert tous les jours de 12 h à 15 h et le soir à partir de 19 h. Fermé de fin septembre au 18 mars (sauf vacances de la Toussaint). De l'autre côté de la buvette, salle à manger au charmant décor dans le style du pays. Grande cheminée en granit avec poêle en faïence. Bonnes crêpes de froment ou de blé noir. Prix raisonnables.
– *Hôtel-restaurant de la Mer :* à Saint-Guénolé, face au large. ☎ 98-58-62-22. Établissement moderne. Chambres entre 170 et 240 F.

## LE GUILVINEC (29115)

Quatrième en importance et probablement le port de pêche actif le plus charmant de Bretagne. Avec *Léchiagat,* petite commune de l'autre côté de l'estuaire, Le Guilvinec forme un ensemble homogène tout à fait sympathique et vivant. Assistez à partir de 16 h au retour des pêcheurs. Bon, Le Guilvinec, c'est plein de vibrations, on a vraiment aimé !

### Où dormir ? Où manger ?

Presque tous les hôtels organisent des sorties de pêche en mer pour leurs clients.
– *Hôtel-restaurant du Port :* 53, avenue du Port, à Léchiagat-Guilvinec. ☎ 98-58-10-10. Ouvert toute l'année. Chambres correctes à prix modérés. Grande salle à manger vraiment style et ambiance « resto de province », avec sa clientèle d'autochtones, V.R.P., touristes réjouis, etc. Fleurs sur les tables, nappes en tissu, sourire des serveuses. Menus à partir de 80 F, tous très copieux. Organise des sorties en mer pour la pêche au gros sur la vedette *la Torche :* 450 F la journée tout compris.

● **Aux environs**

– *L'Auberge de la Rose des Vents :* à l'entrée de Treffiagat. A quelques kilomètres au nord-est du Guilvinec. ☎ 98-58-10-56. Ouvert tous les jours à midi. Fermé tous les soirs sauf le samedi. Menu ouvrier à 41 F (avec 2 entrées) et un autre menu à 75 F avec panaché de poisson à la bisque d'étrilles, canette rôtie, excellent dessert maison. Menu gastronomique à 140 F. Particulièrement recommandable, la marmite de la mer à 120 F avec escalope de lotte, filet de saumon, noix de Saint-Jacques, queues de langoustines et moules. Huumm ! Une très bonne adresse...
– *Crêperie Men-Lann-Du :* route de Penmarc'h à Plomeur. ☎ 98-82-01-06. Ferme ayant conservé son mobilier sur la terre battue, cette maison sent bon. On voit autour de la cheminée de vieilles photos de marins-pêcheurs, des faïences de Quimper. La crêpe au beurre vaut 6,50 F, le lard pain bis 21 F, la soupe de poisson 28 F, la grande bolée de lait baratté 9,50 F.

*DU GUILVINEC À PONT-L'ABBÉ PAR LA CÔTE*

● **Lesconil** : à 8 km de Pont-l'Abbé, joli port de pêche artisanale, d'une blancheur quasi immaculée. Retour des pêcheurs vers 17 h. Vente du poisson à la criée. Pardon le 3ᵉ dimanche d'août.
– *Hôtel de la Plage* : sur le port. ☎ 98-87-80-05. Correct. Chambres de 210 à 265 F la double. Sorties en mer sur *la Torche* comme à l'hôtel du Port au Guilvinec.
– *Camping des Dunes* : à Kerloc'h. ☎ 98-87-81-78. Jeanne Le Cloarec propose 90 emplacements délimités grand confort à 100 m de la plage : attention au vent !
– *Restaurant du Grand Hôtel des Dunes* : ☎ 98-87-83-03. Menu copieux à 80 F avec assiette de langoustines, escalope de saumon au beurre blanc et de délicieux sorbets au dessert. Également deux autres menus à 150 et 240 F.
– *Camping de la Grande Plage* : rue Paul-Langevin. ☎ 98-87-83-64 ou 98-87-88-27. Confortable, bien situé à 200 m de la plage. A côté du camping des Dunes.

● **Loctudy** : port et station balnéaire assez importants. *Syndicat d'initiative* sur le grand parking en face des viviers. Assez touristique en été. Visite de l'église très intéressante pour sa nef romane. L'une des mieux conservées de Bretagne. Joliesse des chapiteaux et étranges sculptures à la base des colonnes.
– *Camping de Kerdall* : bien. A 50 m de la mer.

● **Château de Kerazan** : sur la D 2. Entre Loctudy et Pont-l'Abbé. ☎ 98-89-43-84. Ouvert de 10 h à 12 h et de 14 h à 18 h de juin à mi-septembre. Fermé le mardi. Du manoir bâti au XVIᵉ siècle, il ne reste qu'une aile dans son architecture d'origine. Le bâtiment principal date du XVIIIᵉ siècle, la partie supérieure porte la marque du Second Empire. Décor et ameublement ont été conservés autour d'un petit musée de peinture (Maurice Denis, Charles Cottet, etc.).

## PONT-L'ABBÉ (29120)

C'est la capitale du pays bigouden. Ville bourgeoise, tranquille, sommeillant au bord de son étang et de son petit port de rivière. Ici, les traditions résistèrent longtemps (à la messe du dimanche, on compte encore plus d'une trentaine de bigoudens en coiffe). Jolie promenade le long de la ria.

– *Office du tourisme* : au château. ☎ 98-82-30-30.

### Où dormir ?

– *Le château de Kernuz* : ☎ 98-87-01-59. Manoir du XVIᵉ siècle, dans un parc de 15 ha. Pour 300 F la double, on peut dormir au calme dans une jolie chambre avec bains et téléphone. De plus, il y a une piscine ! Menu à 100 F.

### A voir

– *Château et Musée bigouden* : rue Jean-Jaurès. Au bord de l'étang. Ouvert de 9 h à 12 h et de 14 h à 18 h 30 de juin à septembre. Fermé dimanche et jours fériés. Dans le gros donjon, musée remarquable sur le folklore régional : mobilier, costumes, coiffes, objets domestiques, outils de paysans et pêcheurs, maquettes de bateaux, etc.

– *Église Notre-Dame-des-Carmes* : ancienne chapelle d'un couvent des carmes. Édifiée au XIVᵉ siècle, modifiée 300 ans plus tard. Propose deux belles rosaces dont celle du maître-autel qui fait près de 7 m de diamètre. Un flamboiement de couleurs depuis cinq siècles, d'une fraîcheur fascinante.

### Fêtes à Pont-l'Abbé

– *Fête des Brodeuses* : 2ᵉ dimanche de juillet.
– *Pardon des Carmes* : 3ᵉ dimanche de juillet.
– *Fêtes de la Tréminou* : 4ᵉ dimanche de septembre.
– *Marché* : le jeudi.

### Où manger d'excellentes crêpes ?

– *Crêperie Bigouden* : 33, rue du Général-de-Gaulle. ☎ 98-87-20-41. Ouvert tous les jours en période estivale et aux vacances scolaires. Cadre grosses pierres de granit. Tables et bancs anciens. Ici, il y a un tel amour des crêpes et des galettes que ça tourne à l'intégrisme. Pas de mixtures audacieuses et extravagantes. Le blé noir, chose rare, n'est ni mélangé, ni coupé par autre chose. Goûtez surtout à la blé noir-andouille, à celle lardons-champignons, à la complète, et ne pas oublier la délicieuse froment-chocolat. Cidre excellent de Plovan (pays bigouden).

## Achats

– *Le Minor* : 5, quai Saint-Laurent. ☎ 98-87-07-22. Ouvert du lundi au samedi de 9 h à 12 h et de 14 h à 19 h. Boutique sympa où vous trouverez, coupés dans de lourds tissus de drap de couleurs traditionnelles (rouge bigouden, blanc cassé), des collections de cabans de marins, « kabigs » traditionnels, et de magnifiques échantillons du tissage breton (sets de table, nappes).

## Aux environs

● *La Maison du pays bigouden :* à 2 km en direction de Loctudy. Installée dans la *ferme de Kervazégan.* Le complément indispensable à la visite du musée. Reconstitution d'un intérieur d'antan, plus expo d'outils et objets divers liés à la vie paysanne.

● *Chapelle de Notre-Dame-de-Tréminou :* à 2 km à l'ouest (route de Saint-Jean-Trolimon). Charmant édifice du XVᵉ siècle au clocher ajouré. A l'intérieur, très belles sablières sculptées. La chapelle fut l'un des hauts lieux de la révolte des Bonnets rouges. En effet, c'est du calvaire-chaire que fut mise la dernière main au *Code paysan,* élaboré par les 14 paroisses en rébellion. Véritable cahier de revendications populaires, il annonçait un siècle en avance les cahiers de doléances de 1789. Parmi les demandes, on trouvait notamment l'abolition de la corvée, l'autorisation des mariages entre nobles et roturiers et, bien sûr, l'annulation de la taxe du papier timbré.

● En remontant sur Quimper, sur le bord de l'Odet, possibilité de visiter le *château du Pérennou* (visite mercredi et dimanche à 15 h, 16 h et 17 h ; ☎ 98-94-22-72). Voir à Quimper « Où dormir au sud de Quimper ou vers Pont-l'Abbé ? ».

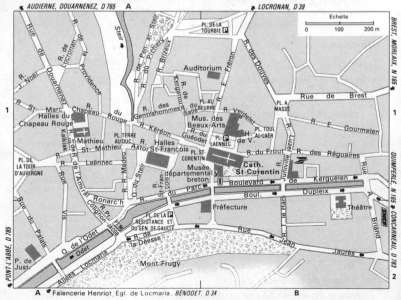

*Quimper*

● *Musée de la Musique mécanique :* à Combrit, sur le CD 44 entre Pont-l'Abbé et Bénodet. ☎ 98-56-36-03. Ouvert tous les jours de 14 h à 19 h en saison. On peut voir et aussi écouter des orgues de foire, pianolas, des organettes de différents modèles et un magnifique « orchestre aéolian », sans compter les automates et phonographes de tous âges.

## – QUIMPER ET SA RÉGION –

### QUIMPER (29000)

Capitale historique de la Cornouaille, s'étirant noblement le long de l'Odet, sous la protection du mont Frugy. Dans la tempête du 15 octobre, elle perdit ses beaux arbres des allées de Locmaria, mais elle aligne toujours de charmantes ruelles médiévales et de paisibles placettes et possède vraiment une grande personnalité. Bon camp de base pour rayonner alentour. La ville vit naître ou séjourner d'illustres personnages : Laennec (inventeur de l'auscultation par stéthoscope), Fréron (polémiste, ennemi de Voltaire), René Madec (aventurier et ancien... nabab aux Indes), Max Jacob (peintre et grand poète). Bien, à présent on vous laisse découvrir *Kemper – Corentin,* comme le chantait Georges Brassens.

### Adresses utiles

– *Office du tourisme :* rue Amiral-de-la-Grandière, Halles Saint-François (marché couvert). ☎ 98-95-04-69. Ouvert de 9 h à 12 h et de 14 h à 18 h. En juillet et août, de 8 h 30 à 20 h sans interruption. Dimanche et fêtes, de 9 h 30 à 12 h (du 15 juin au 15 septembre). Accueil courtois. Bien documenté.
– *Union départementale des S.I. et Comité départemental du tourisme :* 11, rue Théodore-Lebas. ☎ 98-53-09-00.
– *Taxis :* ☎ 98-90-16-45 et 98-90-21-21.
– *Gare S.N.C.F. :* ☎ 98-90-50-50.
– *Gare routière :* CAT, 5, boulevard de Kerguelen (plan B2). ☎ 98-44-32-19.
– *Keltia-Musique :* place au Beurre. Tous les disques de musique bretonne, irlandaise, galloise, les enregistrements des bagadou, des méthodes pour apprendre les airs (bombarde-*uillean pipes-tin whistles*...).
– *Ar Bed Keltiek :* 2, rue du Roi-Gradlon. ☎ 98-95-42-82. Au bas de la rue Kéréon, face au Musée breton. Tenue par le chanteur nationaliste Gweltaz Ar Fur, célèbre dans les années 70, au moment de la grève du Joint français. Remarquable librairie bretonne et celte. Toutes les revues bretonnantes, historiques, politiques, y compris sur les cousins : irlandais, gallois... A l'étage, exposition de bijoux, instruments (bombardes, *bohdran* irlandais).
– *Librairie Calligrammes :* 18, rue Elie-Fréron. ☎ 98-95-94-54. Une des meilleures librairies de Bretagne. Choix excellent : philo, socio, arts, histoire, poésie, etc. C'est elle qui a publié, entre autres, les derniers merveilleux poèmes de Xavier Grall (*Supplique des maisons anciennes* et, surtout, le déchirant *Tombeau pour Bobby Sands*).
– *Service de réservation des gîtes ruraux :* Stang Vihan, B.P. 504. ☎ 98-52-48-00.
– *Nautisme en Finistère :* 5, rue René-Madec. ☎ 98-95-71-28.

### Où dormir ?

● **Bon marché**

– *Auberge de jeunesse :* 6, avenue des Oiseaux. ☎ 98-55-41-67. Fermée à l'heure où nous mettons sous presse. Accueillera peut-être d'autres routards si la municipalité de Quimper le veut bien. En attendant, se renseigner auprès de l'association départementale des A.J. : ☎ 98-41-90-41.
– *Hôtel Terminus :* 15, avenue de la Gare. ☎ 98-90-00-63. Bon accueil et fort bien tenu. Chambres entre 85 et 200 F. Pas de resto.
– *Hôtel de l'Odet :* 83, rue de Douarnenez. ☎ 98-55-56-75. Fermé en janvier. Du centre ville, suivre la vieille route de Douarnenez. L'hôtel est au calme dans

un jardin avec parking facile. Chambres aux normes 1 étoile, entre 85 et 200 F. Pension de 175 à 200 F.

● *Campings*

– *Camping municipal* : avenue des Oiseaux. Parc de l'ancien séminaire.
– *Orangerie de Lanniron* : route de Bénodet. ☎ 98-90-62-02. Ouvert du 1er mai au 15 septembre. Un superbe 4-étoiles.

● *Prix moyens*

– *Hôtel Gradlon* : 30, rue de Brest (plan B1). ☎ 98-95-04-39. Bien situé, pas loin du centre ville. Chambres joliment décorées, donnant sur un gracieux jardinet intérieur. Calme garanti. La patronne est charmante. Doubles de 260 à 324 F avec téléphone direct. Notre meilleur rapport prix-qualité sur la ville.
– *Hôtel-restaurant la Tour d'Auvergne* : 13, rue des Réguaires (plan B2). ☎ 98-95-08-70. Très central. Chambres plaisantes de 175 à 300 F. Restaurant avec menus à 65 et 90 F, cadre cossu traditionnel.
– *Hôtel-restaurant A l'Orée du Bois* : à Ergue-Gaberic, accessible par l'échangeur RN 165 et route de Coray. Ouvert toute l'année. Petite maison de 12 chambres, de 100 à 140 F, dans un jardin calme. Très commode pour une soirée étape.

● *Plus chic*

– *Le Dupleix* : 34, boulevard Dupleix. ☎ 98-90-53-35. Central, moderne, impeccable. Chambres insonorisées et spacieuses. Avec vue sur l'Odet et les tours de la cathédrale. Garage payant ou parking. Ascenseur accessible aux handicapés. Chambres entre 280 et 350 F. Restaurant recommandable.

● *Très chic*

– *Château de Kerambleiz* : situé sur la commune de Plomelin. A 8 km au sud de Quimper et autant de la mer. ☎ 98-94-23-42. Magnifique château du XIXe siècle dans un parc surplombant l'Odet. Une douzaine de chambres et appartements à la décoration luxueuse. Neuf meublés dans un charmant petit manoir à côté. Prix d'un 3-étoiles. Piscine.

## Où manger ?

● *Bon marché*

– *Auberge de Ty Manum Doué* : 37, rue de Plogonnec, route vers Douarnenez. ☎ 98-95-07-00. On y mange bon à tous les prix.
– *Céili* : rue Aristide-Briand. A côté du pub *Les Deux Cornouailles*. Snacks et sandwiches sur le pouce dans une ambiance sympathique.
– *La Krampouzerie* : place au Beurre (plan B1). ☎ 98-95-13-08. Ouvert midi et soir, jusqu'à 22 h. Fermé le dimanche et également le lundi en hiver. Bonne crêperie traditionnelle. Cadre frais et net.
– *Crêperie du Vieux Quimper* : 20, rue Verdelet (plan B1). ☎ 98-95-31-34. Ouvert tous les jours de 11 h 30 à 14 h 30 et de 18 h 30 à 22 h 30. Fermé le mardi. Cadre rustique (meubles bretons). Atmosphère agréable. Crêpes traditionnelles d'excellente qualité.

● *Prix moyens*

– *Le Chasse-Marée* : 10, rue du Guéodet. ☎ 98-95-57-36. Dans le vieux Quimper, tout près de la cathédrale. Cette belle maison rustique propose une somptueuse carte de poisson et crustacés. Lotte au lard et aux pruneaux, daurade à la croûte au sel, méli-mélo de fruits de mer. Avec un bon muscadet et du pain bis à volonté, l'addition s'élève à 150 F.

● *Plus chic*

– *L'Ambroisie* : 49, rue Élie-Fréron (plan B1). La rue qui monte de la cathédrale vers Locronan. Le jeune chef patron confectionne des plats raffinés avec un brin d'audace, par exemple le blanc de saint-pierre à la fondue de poireaux, aimablement servis par sa femme dans une salle à manger bourgeoise. Premier menu à 105 F, puis 160 F.

## A voir

– *La cathédrale Saint-Corentin* (plan B1-2) : commencée en 1239 et achevée... sous Napoléon III. Pour vous dire qu'elle a été fignolée. L'une des trois plus anciennes cathédrales gothiques de Bretagne. Façade tout en lignes élégantes, sobres et équilibrées. Surmontée de deux magnifiques flèches hautes de 36 m, construites en 1856 sur le modèle de celles de l'église de Pont-Croix. Les embruns se sont fantastiquement chargés de leur donner très vite la couleur du reste. Entre les flèches, statue du roi Gradlon. Portail finement sculpté.

A l'intérieur, chose assez unique, vous noterez que le chœur n'est pas dans le prolongement de la nef... Il y a un angle de 15° ! Il paraît que l'architecte a ainsi, au dernier moment, évité la collision avec des bâtiments déjà existants. Quel réflexe, mais il a dû drôlement se faire réprimander ! Et ce n'est pas tout ! Maintenant il faut renforcer ce chœur qui menace de s'écrouler. La pression des voûtes est contenue par des arcs-boutants, soutenus par des piliers extérieurs : les culées. Or celles-ci s'arrêtent sur un mur plat, donc en porte à faux sur la corniche sur laquelle elles s'appuient. Ce défaut de conception inhérent au gothique nécessite de poser maintenant des attelles à la malheureuse cathédrale de Saint-Corentin. Travaux en cours pour au moins 3 ans !

Dans la nef, une dizaine de *vitraux* flamboyants du XVᵉ siècle dans les fenêtres hautes. *Chaire* sculptée du XVIIᵉ siècle ornée de scènes sur la vie de saint Corentin. Nombreux *gisants* et sculptures intéressantes.

– *Musée des Beaux-Arts :* 40, place Saint-Corentin (plan B2, face à la cathédrale). ☎ 98-95-45-20. Ouvert tous les jours, sauf le mardi, de 9 h 30 à 12 h et de 14 h à 18 h 30. Riche musée qui bénéficia de legs importants. Impossible d'énumérer toutes les richesses qu'il recèle. Voici les plus marquantes. Belles œuvres de l'école française du XVIIIᵉ siècle (Van Loo, Coypel, Oudry, Boucher). Superbes Boudin : *Nature morte aux fruits, la Côte de la Hève, Vue de Quimper. Pierrefonds* par Corot. Insolite peinture régionale bretonne décrivant en tableaux réalistes et historiques la vie quotidienne : *Rue de Morlaix* de Jules Noël, *Noce en Bretagne, Retour du pardon de Sainte-Anne-la-Palud* de Leleu. Mention aux *Noces* de Corentin Le Guerveur : plein de vie, belle technique picturale, sens du détail. De P.-E. Clairin, *la Chapelle de la Joie à Penmarc'h* : mouvement et atmosphère dramatique. Pour clore ce chapitre, grande œuvre de J.-J. Lemordant, *les Bigoudens marchant sur la plage* : climat bien rendu, on en frissonne !

Très intéressante rétrospective du poète Max Jacob (livres, lettres, peintures). Portraits de l'artiste par Cocteau, Pierre de Belay, etc.

Dans des styles souvent différents, la vision de la vie sociale en Bretagne de Pierre de Belay. Enfin, riche section de l'école de Pont-Aven : *Petite Quimpéroise* de P. Sérusier, *Bretonne dans une barque* de M. Denis, *Paysage de Pont-Aven* de M. Maufra, etc. Au rez-de-chaussée, expos temporaires.

– *Musée départemental breton :* adjacent à la cathédrale, rue du Roi-Gradlon. ☎ 98-95-21-60. Ouvert de 9 h à 19 h en été (fermé le mardi). Hors saison : 9 h à 12 h et 14 h à 17 h (fermé lundi et mardi). Installé dans l'ancien palais épiscopal (XVIᵉ-XVIIIᵉ siècles). Élégante tour avec escalier gothique. La rénovation en voie d'achèvement est tout simplement une réussite totale. A terme, ce sera le grand musée historique, archéologique et ethnographique du Finistère. En attendant, expo des œuvres par thème (la statuaire médiévale en bois, par exemple).

– *Faïencerie H.B. Henriot :* au bout de l'allée de Locmaria, rive gauche de l'Odet. ☎ 98-90-09-36. Visite des ateliers de tournage et de décoration à la main de 9 h 30 à 11 h 30 et de 13 h 30 à 16 h. Musée des collections depuis 1690. Oui, l'atelier a 3 siècles d'existence !

## Promenade dans le vieux Quimper

– *Rue Kéréon :* c'est la rue débutant devant la cathédrale. Autrefois, rue des cordonniers (*Kéréon,* en breton). Bordée de magnifiques *demeures* médiévales à encorbellement. Façades à colombage ou couvertes d'ardoises. A l'angle de la rue des Boucheries s'élève la plus belle d'entre elles. Avec la cathédrale s'inscrivant dans la perspective, votre plus belle diapo assurée. Rue du Guéodet, fascinante *maison des Cariatides.*

– *Rue Fréron et place au Beurre :* beaucoup de charme. Au nº 26, rue Fréron, *hôtel de Boisrouvray.* La place au Beurre connut les premières imprimeries et librairies quimpéroises. Continuez l'enchantement par la rue du Sallé, avec « trois étoiles » au nº 10. Rue du Lycée, *chapelle du collège des jésuites.*

– *Place Terre-au-Duc et place Médard :* nombreuses maisons à pignon et encorbellement, ainsi que le long de la petite rivière Steir (avec sa tour à échauguette). Elles forment un séduisant décor. Tandis que la rue Saint-Mathieu n'est pas en reste, il y a encore beaucoup de ruelles, passages et placettes tout autour qui vous livreront leur pesant de belles demeures.

— *Visite guidée et commentée des vieux quartiers* du 15 juin au 15 septembre. Adressez-vous à l'office du tourisme. ☎ 98-95-04-69.

— *Le Festival de Cornouaille* : se déroule en général fin juillet. Existe depuis 1923, dure 7 jours ; le festival vous proposera 140 spectacles, concerts, expos, animations, des milliers de participants en costume, jeux bretons. Feu d'artifice nocturne au vieux Quimper, festou-noz, musique dans la rue, un riche programme ! Grand défilé le dimanche de tous les groupes folkloriques de Bretagne et d'autres pays celtiques. Superbe atmosphère. Ne manquez pas de demander le programme à l'office du tourisme.

## Où sortir ? Où boire un verre ?

— *Pub les Deux Cornouailles* : 8, rue Aristide-Briand. ☎ 98-95-59-78. Petit temple de la celtitude où vous trouverez toujours une chaleureuse atmosphère et, pour les plus exigeants de nos lecteurs, près de 70 marques de bière. Le jeudi soir, venez avec votre instrument de musique pour jouer entre amis. Boissons à prix modérés, snacks, sandwiches, etc.
— *Chez Paul* : 52, boulevard de la Libération. ☎ 98-90-04-31. Continuez le grand boulevard longeant la gare jusqu'à ce café produisant de l'excellent jazz le mercredi et le dimanche soir (à partir de 20 h). Fermé le lundi. Ne manquez pas l'occasion d'y écouter le chanteur Serge Cabon. Ambiance animée dans un cadre coloré et sympa. Boissons à prix très raisonnables. Possibilité de manger à toute heure des petits plats pas chers (paella, bourguignon, cassoulet).
— *La Cavinière* : rue Saint-Marc. Ouvert tous les jours de midi à 1 h (samedi 14 h et dimanche 19 h 30). Salles à l'atmosphère intimiste pour boire un verre tranquillou. Clientèle assez jeune.
— *Le Petit Zinc* : 6, rue Laënnec. Ouvert jusqu'à 1 h. Très sympa aussi.
— *Discothèque-club les Naïades* : boulevard Creac'h-Gwen. ☎ 98-53-32-22. Une boîte très agitée, colorée, gaie, style N.R.J. et Top 50 !

## A voir aux environs

● *Chapelle des Trois-Fontaines* : à Saint-Gouezec, sur la route de Pleyben. Ensemble composé d'une chapelle des XV°-XVI° siècles avec un porche flamboyant et une petite tour-clocher, d'un calvaire dont le socle triangulaire porte trois croix mutilées et d'une fontaine du XVI° siècle à deux bassins. Cadre champêtre superbe.

● *Les gorges du Stangala* : à 7 km au nord-est de Quimper. Défilé pittoresque où l'Odet se coule entre rochers et pentes boisées. Pour descendre au fond, sentier pas trop facile.

● *Chapelle Notre-Dame-de-Kerdévot* : à environ 8 km, vers l'est. Dans un environnement très bucolique, un ensemble chapelle-calvaire remarquable. Le calvaire a perdu les statues de son socle dans la tourmente de la Révolution, mais il reste tous les personnages des croix. Notez la dramatique position du mauvais larron, la souffrance du visage. *Chapelle* typique du beau style cornouaillais du XV° siècle, avec un clocher ajouré et une sacristie du XVII° siècle. A l'intérieur, magnifique *retable* flamand, production des ateliers d'Anvers (début du XVI° siècle).

## Où dormir et manger dans les environs ?

— *Château du Pérennou* : au sud de Plomelin, sur la D 20. A peu près à mi-chemin de Quimper et Pont-L'Abbé. ☎ 98-94-22-72. Superbe château du XVII° siècle, dont les côtés « Walter Scott » ont été renforcés au siècle dernier. Très grand parc au bord de l'Odet. Chambres d'hôte à 300 et 350 F. Suites avec petite cuisine également.
— *Le gîte de Kervreyen* : à Ergué-Gabéric, à 5 km de Quimper, route de Coray. ☎ 98-59-55-52. On y loge à pied et à cheval toute l'année. 20 lits pour les randonneurs et boxes pour leur monture. Possibilité de repas sur place.

## LA VALLÉE DE L'ODET

Une des plus jolies rivières de France, l'Odet prend sa source dans les Montagnes Noires. Elle marque la frontière entre le pays bigouden et le Fouesnantais. Nombreux châteaux. C'est de ses rives qu'on a longtemps extrait l'argile pour fabriquer la faïence de Quimper. Possibilité d'en descendre le cours, sur 16 km, entre des rives verdoyantes balisées de magnifiques châteaux. Paysages changeant sans cesse. L'Odet se fait tantôt lac, tantôt fjord. Au lieu dit *les Vire-Court*, l'Odet zigzague entre de belles falaises.

En fonction des marées, l'embarquement depuis Quimper s'effectue au port de Corniguel (du centre ville au port, bus n° 3) ou au Cap Horn, sur les quais, à 500 m du centre.

● *Vedettes de l'Odet*

– *Depuis Quimper :* en mars-avril, sur réservation. En mai et juin, 2 à 3 départs par jour. Juillet et août, 4 à 5 descentes et 2 en septembre. Durée du trajet simple : 1 h 15.
– *Au départ de Bénodet :* périodicité beaucoup plus grande.
– *Depuis Loctudy :* quelques remontées en juin et septembre. Quotidiennes en juillet-août. Durée : environ 3 h aller et retour.
– *Croisière déjeuner ou dîner :* sur réservation. ☎ 98-57-00-58.

*AU SUD DE QUIMPER*

● *Ile-Tudy :* petit bourg aux blanches maisons s'étirant sur une presqu'île à l'embouchure de la rivière de Pont-l'Abbé. Maisons et ruelles étroites rappellent assez l'île de Sein. Longue plage de près de 4 km vers la pointe de Combrit. On a vite fait le tour des lieux. Prenez l'apéro le soir au port. Avec tous les jeunes des écoles de voile envahissant cafés et terrasses, ambiance très *Diabolo menthe.*
– *Syndicat d'initiative :* ☎ 98-56-42-57.
– Quatre *campings.*

**Où boire un verre ?**

– *Chez Pierrette :* ☎ 98-56-41-04. Le « Sénéquier des ados ». Animé. Tables dehors. Ouvert jusqu'à 1 h du matin.
– *Au Malamok (Café du Port) :* authentique bistrot de port. Plancher en bois, néons, affiches anciennes. Derrière le comptoir, une Bigouden veille sur la salle, tandis que sa voûte touche le plafond (très bas dans la région). L'arrière-salle abrite un petit cinéma do 150 places, au look années 60 et qui passe les grands succès de la saison.

● *Sainte-Marine :* face à Bénodet, petit port très connu dans le milieu de la plaisance. Jolie plage de sable fin.
– *Restaurant-hôtel de Sainte-Marine :* face au port, près d'une vieille chapelle. ☎ 98-56-34-79. Fréquenté notamment par Philippe Poupon et Pierre Schoendorffer. Menu à 70 F. Multiples poissons, raie aux câpres, coquilles Saint-Jacques, friture de crabes, etc.

● *Bénodet :* station balnéaire classée. Fatalement très touristique en juillet-août. Port de plaisance des plus fréquentés également. Visite du phare de la pyramide (pas loin de 200 marches !). Panorama conséquent, en rapport avec l'effort consenti. Belle vue également sur l'Odet et ses environs depuis le pont de Cornouaille qui rejoint Sainte-Marine en face.
– *Office du tourisme :* place de la Mairie. ☎ 98-91-00-14. Ouvert toute l'année.

**Où dormir ?**

– *Camping du Port de plaisance :* ☎ 98-57-02-38. Très confortable. Piscine chauffée. Tennis et location de caravanes. Ouvert de Pâques à fin septembre.
– *Hôtel-restaurant de Cornouaille :* 62, avenue de la Plage. ☎ 98-57-03-78. Ouvert de mai à septembre. Chambres de 165 à 235 F. Situé dans une rue animée proche de la plage et du Yacht Club.

**Où manger ?**

– *Hôtel Gwell-Kaër.* ☎ 98-57-04-38. Resto cher, bien sûr, mais très bonne cuisine.

– *La Forge d'Antan* : à Clohars-Fouesnant (vers Bénodet). ☎ 98-54-84-00. Fermé le lundi (et le dimanche hors saison). En pleine campagne. Accueil sympathique et souriant. Superbe décor rustique. Cuisine imaginative. A midi, menu à 69 F, sinon à 130 et 195 F. Goûter à la poêlée de langoustines au champagne. Vraiment une bonne adresse !

– On peut louer des voiliers à l'heure au *Duck Jibe*, 50 bis, avenue de la Plage. ☎ 98-57-24-01.

– *Bénodet Boutique* : 21, avenue de la Plage. ☎ 98-55-13-81 (hors saison ou le soir après 21 h). On peut y louer son propre bateau à moteur pour une journée. Embarcations très bien équipées pour 4 personnes. Les rudiments de navigation à la portée de tous sont enseignés par le loueur. Matériel pour l'initiation à la pêche. Réserver un peu d'avance.

– *Golf public de l'Odet* : route de Fouesnant. ☎ 98-57-26-16.

– *Yacht Club* : école de voile. ☎ 98-57-01-46.

– *Location de vélos* : Cycletty. ☎ 98-57-01-46.

– *Discothèque le Yannick-Club* : route de Fouesnant. ☎ 98-57-03-99. Une vieille institution qui survit à toutes les modes et générations.

● **L'archipel des Glénan** : un groupe de sept îles connu avant tout pour sa célèbre école de voile qui occupe aujourd'hui quatre îles (Penfret, Cigogne, Bananec et Drennec) dans le plus beau lagon de Bretagne. Elles fournissent un réseau de passes propres à faire, rapidement et efficacement, progresser les jeunes loups de mer qui s'inscrivent dans les stages de voile. Ils logent dans le fort Cigogne, construit au XVIII⁰ siècle. Sa tour servait de vigie sur la base de vitesse des cargos entre Croix et Penmarc'h. Si les conditions de vie paraissent spartiates, l'air est pur et la vue sur la mer imprenable. Renseignements : *Centre nautique des Glénan*. ☎ 98-97-14-84.

Et puis on y voit maintenant proliférer le lézard de murailles. Les spécialistes lui reconnaissent déjà les formes différentes d'une sous-espèce (*cf.* les théories de Darwin sur l'évolution). On a les Galapagos qu'on peut !

**Comment y aller ?**

Le visiteur d'un jour aborde uniquement l'île Saint-Nicolas qui porte (outre les fameux narcisses visibles en mai et avril) deux bars-restaurants : *Castric* et *Marchadour* ; la maison communale de Fouesnant avec 6 chambres ; le centre international de plongée des Glénan (☎ 98-97-21-19) ; et 3 maisons privées. A la fin du siècle dernier, l'île avait encore 85 habitants permanents. Il n'y en a plus que trois aujourd'hui, l'hiver, pour garder les phares !

– *Depuis Bénodet* : avec les *Vedettes Aigrettes*. Renseignements au 98-57-00-58. En juillet-août, deux départs par jour. Avril, mai, juin et septembre, téléphonez pour horaires et périodicité.

– *Depuis Concarneau* : depuis le port de plaisance, en 25 mn par *hydro-jet*. ☎ 98-57-00-58. Également, *vedettes Glenn*. ☎ 98-97-10-31.

– *Depuis Loctudy* : même compagnie que les villes précédentes.

– Également depuis La Forêt-Fouesnant.

● **Beg-Meil** : belle plage et fameuse station balnéaire (Proust, le roi d'Égypte, Sarah Bernhardt l'honorèrent de leur visite). Si le sable demeure toujours très fin, en revanche, pins et cyprès ont souffert de la dernière tempête. Vers la pointe de Mousterlin, vastes étendues de sable blanc. Pas trop urbanisé, donc fréquenté par les naturistes, surtout la plage de Kerler.

Une dizaine de *campings*. Plus huit à Beg-Meil.

– *Office du tourisme* : place de l'Église. ☎ 98-94-97-47.

– *Le Thalamot* : hôtel agréable à prix moyens, à deux pas de la plage. ☎ 98-94-97-38.

● **Fouesnant** : gros bourg connu pour son cidre (le meilleur de France, dit-on). La tempête du 15 octobre a, hélas, détruit les deux tiers du verger fouesnantais. Une catastrophe nationale pour les amateurs ! Célèbre aussi pour sa coiffe (la plus fine et gracieuse de Bretagne). Cependant Annick, une bonne copine, prétend que c'est celle de Pont-Aven la plus belle ! A vous de trancher... Ne ratez pas l'*église Saint-Pierre*, chef-d'œuvre de l'art roman. Toit à double pente. A l'intérieur, hautes arcades en plein cintre et fenêtres à meurtrières. Notez les beaux chapiteaux de la croisée de transept, décorés de feuilles d'acanthe, volutes, étoiles et personnages.

A 2 km, au nord, *chapelle Sainte-Anne*, dans un bel enclos. Flèche gothique encadrée de deux tourelles rondes. Pardon le 26 juillet.

Vers Bénodet, sur la D44, délicieuse *chapelle* de campagne *du Perguet*. Très beau porche du XVe siècle et élégant clocher cornouaillais. Petit calvaire.
– *Office du tourisme de Fouesnant :* ☎ 98-56-00-93.
– *Fête des Pommiers :* pendant trois jours, autour du 3e dimanche de juillet.
– *Excursion en hydro-jet vers les îles Glenan :* ☎ 98-50-72-12.
– *Pêche au requin bleu :* à bord de la *Bigorne-II* de Louis Le Moellic pour les as de la pêche au gros. Réservation : ☎ 98-97-40-31.
– *Crêperie Chez Mimi :* lieudit le Moulin du Pont. A Pleuven. ☎ 98-54-62-02. Un choix incroyable. Prix très raisonnables, compter 70 F pour un repas complet. Accueil et service irréprochables. Mais, attention, toutes ces qualités sont connues dans la région, il vaut mieux réserver !

● *La Forêt-Fouesnant :* à environ 3,5 km de Fouesnant, direction Concarneau. Charmant petit village enfoui dans la verdure, au fond de l'anse du même nom. A voir, le *port de plaisance,* en cours d'urbanisation, *l'église,* dont le porche est orné de vieilles statues, le *calvaire* dans l'enclos paroissial. Départ d'excursions pour les îles des Glénan et la remontée de l'Odet jusqu'à Quimper.
– *Centre Renouveau de Fouesnant :* ☎ 98-94-99-08. Organise des promenades-excursions dans les marais de Mousterlin (plus de 150 ha). A Penfoulic, un musée de flore et faune explique l'écosystème du marais.

## CONCARNEAU (29182)

Port de pêche actif (le 3e de France pour la pêche au chalut, après Boulogne et Lorient, et le 1er pour le thon), Concarneau est surtout connu pour sa célèbre *ville close,* Son musée de la Pêche, et sa fête des Filets bleus (15-19 août). La pêche fait vivre 1 800 marins embarqués sur 300 bateaux.

### Adresses utiles

– *Office du tourisme :* quai d'Aiguillon. ☎ 98-97-01-44. Organise des sorties en mer avec un « patron pêcheur ».
– *S.N.C.F. :* à Rosporden, à 12 km de la ville. ☎ 98-59-20-15. Liaisons en autocar.
– *Capitainerie du port de plaisance :* ☎ 98-97-57-96. 267 places sur pontons et 60 mouillages sur bouées.

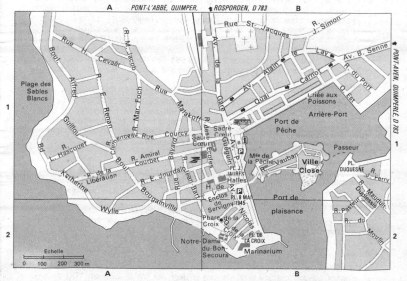

*Concarneau*

**Où boire un verre ?**

– *La Taverne des Korrigans* : 2, avenue du Docteur-Nicolas. ☎ 98-97-02-37. Fermé le mardi et de fin septembre à fin octobre. Face à la ville close. Halte indispensable. Ambiance chaleureuse dans un décor fantastique (fresques murales représentant des danses de korrigans sur la lande, par le peintre Le Bacon).

– *Le Petit Club* : rue Malakoff. Ouvert toute l'année. Ce bar en duplex a une bonne réputation de cabaret de jazz.

**Où dormir ? Où manger ?**

● *Bon marché*

– *Auberge de jeunesse* : place de la Croix. ☎ 98-97-03-47. Pour ceux arrivant par le train : correspondance à Rosporden (cars S.N.C.F.) pour le centre ville. L'A.J. est à 800 m ensuite (bien fléchée). Grande et belle maison, le nez sur les rochers. 38 F par personne. Dortoirs de 6 et 12 lits. On peut y manger du poisson (menu à 40 F). Stage voile.

– *Hôtel des Halles* : place de l'Hôtel-de-Ville. ☎ 98-97-11-41. Fermé le dimanche soir hors saison. Dans le centre ville, à deux doigts de la ville close. Très correct. Chambres de 215 à 245 F.

– *Foyer des gens de mer* : 9, rue du Port. ☎ 98-97-04-01. Ouvert toute l'année sauf samedi soir et dimanche. Grande salle. Nappes à carreaux. Clientèle populaire. Menus à 34 F et 45 F (avec fromage et dessert). Le moins cher de la ville. Chambres de 70 à 130 F.

– *Restaurant du Petit Château* : 12, rue Théophile-Louarn. Dans la ville close. ☎ 98-97-49-98. Fermé le vendredi. Dans l'entrée, un aquarium. Menus à 70 et 96 F. En juillet-août, salon de thé sur la terrasse dans un jardin privé très agréable de 14 h 30 à 18 h 30. Semble avoir changé de propriétaire et baissé en qualité.

– *L'Écume* : 3, place Saint-Guénolé. ☎ 98-97-33-27. Salon de thé-crêperie-bar. Dans la ville close. Présente une superbe collection de cartes postales consacrées aux paquebots et à la marine ancienne en général.

● *Prix moyens*

– *Chez Armande* : 15 *bis,* avenue du Docteur-Nicolas. Face au port de plaisance. ☎ 98-97-00-76. Fermé le mercredi en été, le mardi soir et le mercredi en hiver, et du 15 novembre au 15 décembre. Un des meilleurs restos de la région. Très bon rapport qualité-prix. Dégustez-y, dans un beau cadre rustique, d'excellents poissons, fruits de mer et viandes. Craquez devant le superbe chariot de desserts. Menus à 75, 115 et 160 F, de 12 h à 13 h 30 et 19 h 15 à 21 h 15. On y revient !

– *Hôtel-restaurant Kermor* : face à la plage des Sables-Blancs. ☎ 98-97-02-96. A 220 F la chambre avec bains et w.-c. Vue sur la mer, c'est une occase !

● *Plus chic*

– *La Coquille* : 1, quai du Moros. Au port de pêche. ☎ 98-97-08-52. Fermé le dimanche soir et le lundi hors saison. Le week-end, réservation quasi obligatoire. Menus de 140 à 250 F. Plateau de fruits de mer à 150 F par personne. A la carte, comptez de 200 à 250 F (les entrées sont très chères !). Goûtez à la mousseline de rouget aux deux sauces, à l'escalope de turbot aux poireaux, au filet de saint-pierre au coulis de poivrons rouges, etc.

– *Le Galion* : 15, rue Saint-Guénolé. Dans la ville close. ☎ 98-97-30-16. Installé dans une superbe demeure en granit. Intérieur cossu, plein de charme (grande cheminée, grosses poutres, etc.). Menus à partir de 145 F (avec deux entrées). Service hors pair. Dispose aussi de 6 chambres coquettes à 300 F pour 2 personnes.

– *Restaurant la Chaloupe* : 2, rue Hélène-Hascouët. ☎ 98-97-02-78. La marmite du pêcheur est à 180 F pour deux et ça suffit comme plat unique. Ambiance chaleureuse.

**A voir**

– *La ville close* : avec la tour de l'Horloge au coin, l'une des cartes postales les plus achetées du Finistère sud. Mesure environ 400 m de long sur 100 de large. Autant dire que ça ne vous épuisera pas trop. En revanche, l'été, l'une des plus fortes concentrations de touristes au mètre carré. Remparts élevés au XIVᵉ siècle. Après avoir franchi le porche de la maison du Gouverneur, on enfile la *rue Vauban,* bien repavée à l'ancienne, bordée de superbes maisons aux enseignes dans le ton des lieux. Quelques échappées pittoresques sur le port de pêche par des portes percées dans la muraille. Ancienne *chapelle* de l'hôpital de la Trinité (du XVᵉ siècle) avec saint Guénolé tout serein dans sa niche. Belle *fontaine,* place Saint-Guénolé (le cœur de la ville close). Possibilité de se promener sur les remparts (entrée payante). Un passeur vous transborde en 3 mn sur la rive de Lanriec.

– *Musée de la Pêche :* rue Vauban. ☎ 98-97-10-20. Dans la ville close. Ouvert de 10 h à 12 h 30 et de 14 h 30 à 19 h (non-stop en été). Histoire de la ville et du port, maquettes, etc. Intéressante exposition de toutes les techniques de pêche. Présentation de bateaux, dont 2 chalutiers à flot. Quelques aquariums avec les poissons de l'Atlantique. Comptez 1 h de visite ; entrée : 25 F.

– *Fêtes des Filets bleus :* l'avant-dernier dimanche d'août. Elle trouve son origine dans une première manifestation de solidarité avec les familles de pêcheurs ruinées au début du siècle (suite à la disparition des bancs de sardines). Concerts de musique bretonne et débauche de beaux costumes régionaux, dans une grande liesse populaire.

– *Marinarium :* place de la Croix (plan B2). ☎ 98-97-06-59. Appartient au Collège de France : c'est donc très scientifique et sérieux. Ouvert tous les jours de 10 h à 18 h en été. Il y a 10 grands aquariums contenant une faune locale. Montages audiovisuels et microscopes permettent de bien se documenter. Sorties avec les chercheurs pour découvrir flore et faune « in situ » (sur demande). Ils vous diront que la « coquette » est un poisson non comestible qui naît femme, puis change de sexe au cours de sa vie, etc.

– *La Corniche :* jolie promenade à faire à pied, depuis le Marinarium jusqu'à la plage des Sables-Blancs. Baignade recommandée en attendant le coucher de soleil (la plage faisant face à l'ouest !).

– *L'église du Sacré-Cœur-de-Marie* (plan B1) : il y a 60 ans, Charles Chaussepied, son concepteur, a voulu associer, dans une architecture quasi orientale, les styles roman et byzantin ! Un souci œcuménique qui n'a jamais fait l'unanimité et, quand l'ouragan de 1987 l'a quelque peu malmenée, l'église a été fermée. Personne ne veut payer les réparations. Sainte-Sophie de Concarneau sera-t-elle rasée pour en reconstruire une plus petite et remodeler la place ? La polémique bat son plein !

## PONT-AVEN (29123)

Charmante bourgade blottie dans l'estuaire verdoyant de l'Aven. Son relief encaissé vit tourner jusqu'à quatorze moulins. De plus, son climat doux, une luminosité exceptionnelle et la poésie du paysage attirèrent nombre de peintres, artistes, écrivains et poètes. Aujourd'hui, Pont-Aven a su conserver tout son charme, malgré l'incontournable atmosphère touristique en haute saison.

### L'école de Pont-Aven

Comme Saint-Tropez et Barbizon, Pont-Aven posséda sa colonie d'artistes. De 1886 à 1896, une vingtaine de peintres travaillèrent ensemble, confrontant leur travail, élaborant un style, en discutant les formes. Avec, à leur tête, Gauguin. Fuyant la grande ville, il aspirait à se retremper aux sources fraîches de la nature, à travailler dans des conditions matérielles moins difficiles. Il était en train de rompre avec l'impressionnisme et cherchait une voie nouvelle. Avec ses amis, c'était un bouillonnement passionné de débats et une riche production. Il écrivait à ses proches : « Je peins tous les jours. » Avec Gauguin, on retrouve Émile Bernard, Paul Sérusier, Maxime Maufra, Henri Moret, Maurice Denis, l'Irlandais Roderic O'Connor, les Hollandais Meyer de Haan et Verkade, le Polonais Wladyslaw Slewiński, etc. Gauguin commence à travailler à grands coups d'à-plats avec un cerne épais. Le symbolisme va naître, fait de simplification voulue, de liquidation de tout ce qui n'est pas absolument utile à l'expression de l'œuvre. « Comment voyez-vous cet arbre, avait dit Gauguin, il est bien vert ? Mettez donc du vert, le plus beau vert de votre palette ; et cette ombre, plutôt bleue ? Ne craignez pas de la peindre aussi bleue que possible... »

– *Office du tourisme :* 5, place de l'Hôtel-de-Ville. ☎ 98-06-04-70. Vous proposera 5 itinéraires de découverte de la Cornouaille, sur les pas des peintres.

20 communes ont signé une charte de mise en valeur des monuments, sites, musées, galeries d'art et gastronomie. Belle plaquette documentée et illustrée à commander : ☎ 98-90-75-05.

### Où dormir ? Où manger ?

— *Hôtel des Ajoncs d'Or* : 1, place de l'Hôtel-de-Ville. ☎ 98-06-02-06. Fermé dimanche soir. Chambres avec douche à partir de 185 F. Menus à 75 et 125 F. Plateau de fruits de mer à 240 F pour deux.
— *Camping le Spinnaker* : ouvert toute l'année. ☎ 98-06-01-77. Dans un grand parc très agréable.

### A voir

— *Musée de Pont-Aven* : place de l'Hôtel-de-Ville. ☎ 98-06-14-43. Ouvert de fin mars à début janvier, tous les jours de 10 h à 12 h 30 et de 14 h à 19 h. Dans la collection permanente, gravures et dessins d'Émile Bernard et de Maurice Denis mais, vu sa cote, pas de Gauguin. Parfois, certaines années, le musée arrive à en exposer quelques-uns, mais ce n'est pas évident. En revanche, toujours des expositions temporaires remarquables de peintres de l'école de Pont-Aven ou ayant travaillé en Bretagne (comme Constantin Kousnetzoff).

— *Balade en ville et dans le bois d'Amour* : procurez-vous à l'office du tourisme le recto verso fort bien fait proposant les itinéraires à réaliser dans la bourgade et les proches environs (avec photos et peintures les illustrant). En particulier, la *promenade Xavier-Grall* qui passe par les différents points d'intérêt, en une demi-heure. Le grand poète s'était fixé à côté de Pont-Aven à la fin de sa vie.

— *Visite des biscuiteries* : ne pas oublier que Pont-Aven est l'une des capitales de la galette bretonne, notamment la fameuse *Traou-Mad*. Visites de 10 h 30 à 11 h 30 tous les jours en été sauf le vendredi. Fermées du 1ᵉʳ au 14 juillet. En dehors de cette période, réservation par téléphone.

— *Chapelle de Trémalo* : sur les hauteurs de Pont-Aven. A l'intérieur, belles sablières sculptées et le christ en bois du XVIIᵉ siècle qui servit de modèle au célèbre *Christ jaune* de Gauguin.

### Fêtes et manifestations

— *Fête des Fleurs d'ajoncs* : le 1ᵉʳ dimanche d'août. Grand événement annuel, créé en 1905 par le barde et chansonnier Théodore Botrel (lequel n'est pas apprécié par tous les Bretons pour l'image folklorique et un peu trop traditionnelle qu'il a donnée de la Bretagne, cf. *la Paimpolaise* !).
— *Pardon de Trémalo* : dernier dimanche de juillet. Nombreux costumes régionaux.
— *Marché* : au port, en été, le mardi matin.

### Aux environs

● Belle *route côtière* de la *pointe de Trévignon* à la plage de Raguenès.

● Magnifique promenade de *Kerdruc* (à l'est de Névez) à *Raguenès,* par la côte. Environ 15 km et un peu moins de 4 h de trajet. Balisé en jaune. Au passage, le charmant lieu de villégiature de *Port-Manec'h* et le petit hameau de *Kerascoët,* aux belles chaumières restaurées. *Chambres d'hôte chez Mme Gourlaouen* : à Port-Manec'h. ☎ 98-06-83-82. Chambres avec douche et w.-c. 150 F la double.
Pour se restaurer à Kerascoët, on recommande la *Crêperie des Chaumières,* ☎ 98-06-75-79.

● *L'église de Nizon* : à 2,5 km de Pont-Aven. Chef-d'œuvre de l'art religieux breton. Superbes statues naïves, vitraux modernes. Sur la place, calvaire avec pietà que Gauguin a représenté sur une de ses toiles.

● *Centre équestre de Kertreguier* : à Nevez. ☎ 98-06-86-80. Un domaine de 90 ha, situé sur la rive droite de l'Aven, où l'on pratique les sports équestres à tous les niveaux, animation et hébergement compris (ce n'est pas le Club Méd, mais presque !).

## DE PONT-AVEN À LA LAÏTA

Magnifique région truffée d'estuaires où se lovent des petits ports de pêche, des villages adorables à l'architecture intacte, des bouts de côte romantiques où, seuls, pour le moment, quelques privilégiés ont la chance de résider. Mais, au Pouldu, ça se lotit sec, il ne faudrait pas que vous tardiez à venir...

## RIEC-SUR-BÉLON (29124)

Porte d'entrée à un séduisant labyrinthe de routes de campagne. Elles vont vous mener aux plus belles chaumières et aux ports les plus lilliputiens. Capitale aussi d'une fameuse variété d'huître très plate, qui est même passée dans le langage : la « bélon » (ou belon). On dit que Néron, lui-même, s'en faisait livrer des bourriches pour ses orgies. Aujourd'hui, Bélon est plutôt l'ultime lieu de séjour pour les huîtres. Naissance (le « naissain ») et adolescence se passent sous d'autres cieux bretons. A 3 ans, cependant, elles reviennent à Bélon acquérir ce célèbre et inimitable goût de noisette (que leur donne le mélange assez original d'eau douce et salée de la rivière).

— *Syndicat d'initiative :* place de l'Église. ☎ 98-06-97-65.

### Où dormir ? Où manger ?

— *Hôtel-restaurant Ty Rhu :* 10, rue F.-Cadoret. ☎ 98-06-94-61. Dans le centre de Riec, petit hôtel sympa aux chambres à prix très modérés. Resto correct.
— *Chez Thérèse :* 4, rue Mélanie-Rouat (route de Pont-Aven). ☎ 98-06-93-45. Fermé de mi-novembre à mi-décembre, le dimanche midi et le lundi hors saison. Vous mangerez de délicieuses crêpes, dans un cadre bon enfant, en compagnie de vieilles grand-mères en coiffe, d'ouvriers du bâtiment, d'institutrices en rupture de cantine. Une des meilleures crêperies du Sud-Finistère.
— *Camping Château de Bélon :* au bord de la rivière Bélon. ☎ 98-06-41-43 ou 98-06-45-09 (hors saison). Fermé du 15 novembre au 1er mars. Confort, calme et grands espaces.
— *Gîte d'étape :* relais motard-routard, produits bio, chez Jean Bernard Huon à Pen-Prat. ☎ 98-06-46-89. Entre Riec et Pont-Aven. 30 F la nuit en chambre collective. Folklo, mais sympa !
— *Chez Angèle :* à 900 m de Rosbras. ☎ 98-06-92-07. Des crêpes maison et un excellent cidre. On entre chez Angèle par le bar *Ty Coz* que tient son mari, un marin à la retraite. Décor chaleureux en bois et en pierre.

● **Plus chic**

— *La Cabane :* à Port-Bélon, rive gauche. ☎ 98-71-04-71. Jolie maison avec terrasse. Carte limitée aux huîtres extra et à la cotriade, sur commande et somptueuse. Avec une « fillette » de muscadet et du pain beurré, il en coûte tout de même 150 F.
— *Chez Jacky :* resto situé sur la rive ouest (ou droite en regardant la mer) du fleuve Bélon, à environ 3 km de Riec. ☎ 98-06-90-32. Ouvert de Pâques à fin septembre. Fermé le lundi. Agréablement situé au bord de l'eau. Excellents fruits de mer. Huîtres à emporter. Compter un peu plus de 150 F.

● **Très chic**

— *Le Domaine de Kerstinec :* sur la route de Riec à Moëlan. ☎ 98-06-42-98. Belle ferme du siècle dernier aménagée. Salle à manger dominant le Bélon. Cuisine réputée et une vingtaine de chambres très confortables.

### A voir aux environs

● **Port-Bélon :** l'un de nos petits ports préférés en Finistère. Pêche et plaisance tout à la fois. Lumière très belle. Route adorable pour y parvenir. Un sentier côtier de 9 km permet de rejoindre Pont-Aven.

● **Kerfany-« les-Pins » :** à l'entrée de l'estuaire, charmante station balnéaire. Les villas ont, hélas, perdu leurs célèbres pins parasols dans la tourmente de 1987. Allez quand même jusqu'à la *pointe de Minbriz*, pour le panorama sur l'estuaire, la pointe de Penquernéo, Port-Manec'h. Jolie plage abritée.

● **Sentier de Kerfany :** de Port-Bélon part un sentier de douanier qui longe criques et parcs à huîtres, jusqu'à Porsguen, puis Kerdoualen et Blorimond (en passant sur la plage de Kerfany). Réalisable en 3 h. Balisé en jaune.

● **Brigneau :** merveilleux petit port, avec ses hameaux tout autour, blottis le long d'un treillis dense de routes étroites et sinueuses. Paysage très varié.

apprécié des artistes et écrivains. La plupart des maisons ont été superbement restaurées. Un certain nombre ont conservé leur toit de chaume. Là aussi, en partant du minuscule port de Brigneau, possibilité bientôt de rejoindre deux intéressants *chemins côtiers* qui sont en cours de réalisation. L'un qui suit la rive droite de l'estuaire et va, par Beg Moc'h, jusqu'à Kerglouanou. L'autre se dirige vers l'est et finit par remonter l'estuaire de Port-Merrien. Au passage, à *Kerouant*, on croise un ancien poste d'observation du XVII° siècle, bien restauré et reconnaissable à son toit de granit en forme d'escalier. Cela permettait aux gardes qui surveillaient de recevoir et de transmettre les messages du haut du toit.

## MOËLAN-SUR-MER (29116)

Gros bourg commerçant. Ne pas manquer la gracieuse *chapelle* Renaissance *Saint-Roch-et-Saint-Philibert* (du XVI° siècle). Sous le porche, les lépreux possédaient leur abri. Calvaire (paraît-il brisé) et jolie fontaine. A 300 m, dans l'église principale (présentant quant à elle peu d'intérêt architectural), voyez les splendides *confessionnaux* du XVIII° siècle.
Il y eut dans la région beaucoup de moulins à eau. Celui de Damany fonctionna de 1554 à 1965 !
*Pardon* le 4° dimanche d'août (jolis costumes). Marché le mardi.

– *Office du tourisme* : rue des Moulins. ☎ 98-39-67-28.
– *Transports* : *Cie Caoudal*. ☎ 98-56-96-72 et 98-97-35-31. Dessert Quimper, Concarneau, Trégunc, Nevez, Pont-Aven, Riec-sur-Bélon, Moëlan et Quimperlé.

### Où dormir ? Où manger ?

– Nombreux *campings* dont celui de la *Grande Lande* (☎ 98-39-71-92), à 1,5 km de la plage. Ouvert de Pâques au 30 septembre. Tout confort. Ombragé. Spacieux. *Aire naturelle de camping de Kerlasset* (☎ 98-71-06-83) sur la rive du Bélon. Calme. Location de caravanes.
– *Centre Nautique Rosbras* : BP 3. ☎ 98-39-60-78. Accueille les futurs marins dès l'âge de 8 ans. Affilié à la FFV et agréé par la Jeunesse et les Sports et l'Inspection académique. Le logement est assuré dans une école rurale ; possibilité d'y camper.
– *Hôtel-restaurant Kerfany* : à gauche en allant au port de Bélon, au lieu-dit Blorimond-en-Moëlan. ☎ 98-71-00-46. C'est une grande maison bretonne neuve, où l'on peut prendre pension au calme près de la plage de Kerfany et du port de Bélon. Chambres entre 140 et 220 F Demi-pension de 150 à 300 F. Premier menu à 70 F.

### ● *Beaucoup plus chic :*

– *Les Moulins du Duc* : à quelques kilomètres au nord de Moëlan (route de Baye). ☎ 98-39-60-73. Resto ouvert tous les jours. Pour nos lecteur fortunés, un ensemble d'un charme incomparable. Piscine. Superbe salle à manger. Prix des chambres, bien entendu, en rapport avec le cadre (à partir de 510 F). Le resto n'est vraiment pas bon marché, lui non plus, mais là, c'est le menu de fête !

### A voir aux environs

● *Port-Merrien* : sur la route de Moëlan au Pouldu ; à 1 km de Moëlan, tourner sur la droite. Peut-être le plus petit port de la côte. En tout cas, le plus secret et le plus charmant. Lové au fond d'une petite échancrure. Plus de 60 ha de bois et landes sur les rives du Merrien sont désormais protégés. Songez que, dans les années 50, les ports de Merrien, Bélon, Doëlan et Brigneau assuraient encore l'activité à 600 pêcheurs. Suivez la pancarte « Kersécol-Port-Baly » pour admirer un bout de côte peu urbanisé.

● Nombreux *vestiges mégalithiques*. A l'ouest de Moëlan, *allée couverte de Kermeur-Bihan*. Une autre à 3 km, sur la route de Brigneau.

● *Doëlan* : autre tout petit port, au fond d'un profond aven, bordé de maisons blanches tapies dans les arbres et les fourrés. Hors saison, l'endroit est magique. Paul Guimard adore. Il y a un quartier « rive droite » et un quartier « rive gauche », à vous de choisir.

● *Clohars-Carnoët :* village natal du grand peintre Tal Coat (mort en 1985). A l'église, dans une châsse du XVII° siècle, reliques de saint Maurice.

● *L'ancienne abbaye de Saint-Maurice :* de la D 224, peu avant de franchir la Laïta (venant de Moëlan), empruntez une petite route à gauche. Bien que là aussi, la forêt ait beaucoup souffert, vous découvrirez l'un des sites les plus méconnus de la région. Une preuve supplémentaire de l'excellent goût des moines en matière de choix de terrain à bâtir. A cet endroit, la Laïta s'évase, se prenant un temps pour un lac ou la mer, et accueille des centaines d'oiseaux. Venez le matin, le soleil se révélant particulièrement ludique avec les reflets de l'eau. De l'abbaye édifiée au XII° siècle, il ne reste que les ruines de la salle capitulaire. Elles s'effacent complètement, tant est puissante la poésie des lieux. Départ d'une superbe balade à pied.

## LE POULDU (29121)

C'est d'abord un gentil port à l'embouchure de la Laïta, puis une station balnéaire réputée avec de fort belles plages.

– *Office du tourisme :* ☎ 98-39-93-42.

### Où dormir ? Où manger ?

– *Hôtel Armen :* à deux pas du port. ☎ 98-39-90-44. Ouvert de mai à septembre. L'ancien « hôtel des Quatre Chemins », l'un des plus vieux établissements de la côte, affaire familiale depuis toujours, vient de faire peau neuve. Seul le charmant accueil n'a pas dû être repeint. Chambres agréables de 160 à 350 F. Belle salle à manger pour une copieuse cuisine. Service jusqu'à 21 h. Menu à 70 et 90 F (terrine de campagne, filet d'aiglefin meunière, etc.) et à 135 F. Bon plateau de fruits de mer à 120 F par personne.
– *Hôtel du Pouldu :* sur le port. ☎ 98-39-90-66. Classique, correct et prix modérés. En face, resto *Ster Laïta* (avec un beau jardin et une terrasse panoramique) que nous n'avons pu tester.
– *Hôtel des Bains :* près des plages. ☎ 98-38-90-11. Classique là aussi.
– Nombreux *campings* sur la route de la plage. Le *Kéranquernat* (☎ 98-39-92-32), à l'intersection de la route du port et de la plage. Le *camping du Vieux-Four* (☎ 98-39-94-34) s'étend agréablement près d'une vieille ferme, parmi arbres et buissons. Bien à l'écart de la route. Celui des *Grands-Sables* est l'un des plus vastes.

### A voir

– *Maison Marie-Henry :* 10, rue des Grands-Sables. ☎ 98-39-98-51. Plus qu'un musée, une superbe reconstitution fidèle du cadre de vie des artistes peintres qui séjournèrent de 1889 à 1893 dans la buvette de la plage, tenue par la bonne et charmante hôtesse Marie Henry. Paul Gauguin y prit pension, ainsi que Jacob Meyer de Haan ; ils peignirent murs, portes, plafonds, fenêtres. D'autres artistes dont Sérusier, Filiger, Maufra, Seguin participèrent aussi à l'ornementation. Leurs œuvres sont maintenant reproduites en taille réelle (dont la fresque de l'*Oie* de Gauguin et l'*Ange à la guirlande* de Charles Filiger). Le mobilier d'époque, divers documents et objets, y compris un verre d'absinthe et des légumes épluchés, provoquent une émotion esthétique exceptionnelle.

## QUIMPERLÉ (29130)

Agréable petite ville au confluent des rivières Isole et Ellé (qui vont former la Laïta). De pittoresques ruelles médiévales livrent leur pesant de vieilles demeures et débouchent sur de merveilleuses églises.

### A voir

– *L'église Sainte-Croix :* édifiée au XI° siècle, elle fut en partie reconstruite après l'effondrement du clocher en 1862. Seule église romane bretonne de plan circulaire, imité de l'église du Saint-Sépulcre à Jérusalem. Rotonde centrale de 18 m de haut sur laquelle s'ouvre la plus belle abside romane de toute la région. Superbe *retable* Renaissance, véritable dentelle de pierre, encadrant la porte d'accès. La crypte impose le recueillement. Vestige absolument intact de l'église primitive. Chapiteaux présentant de jolis dessins stylisés sculptés. Deux *tombeaux* du XVᵉ siècle, dont celui de saint Gurloës, réputé autrefois pour guérir les migraines. Un trou permettait de mettre la tête dans le tombeau.

– *Rue de Brémond-d'Ars* : l'ancienne rue résidentielle où notables et officiers de marine se firent construire de belles demeures. Aux nᵒˢ 8 et 12, maisons à colombages. Au nᵒ 15, ne pas rater le double escalier à balustre du présidial.

– *La maison des Archers* : 5, rue Dom-Morice. ☎ 98-96-01-41. Ouverte du 15 juin au 15 septembre de 10 h à 12 h et de 14 h à 18 h. Superbe maison à encorbellement du XVIᵉ siècle abritant aujourd'hui un petit musée des traditions bretonnes et d'histoire.

– *L'église Saint-Michel (Notre-Dame-de-l'Assomption)* : commencée au XIIIᵉ siècle, remaniée aux XVᵉ, XVIIᵉ et XVIIIᵉ siècles. Repérable de loin avec sa tour carrée. Admirable *portail* nord à la foisonnante décoration Renaissance bretonne. Entrée barrée d'un linteau ouvragé et divisée en deux portes en arcade superbement sculptées. A l'intérieur, porter attention à la décoration des sablières : diables, animaux sauvages, têtes grotesques, fous, etc. Belle statuaire en bois, notamment une *pietà* tragique et une *Vierge à l'Enfant*.

– *Couvent des ursulines* : actuel collège Jules-Ferry. Beau jardin et une chapelle de style jésuite du XVIIᵉ siècle baroque. Plafond décoré à la feuille d'or.

## Où manger ?

– *Le Bistrot de la Tour* : 2, rue Dom-Morice. ☎ 98-39-29-58. Fermé les samedis midi, dimanches soir et lundis, sauf du 15 juillet au 15 août : fermé uniquement le lundi. Décoration raffinée, mais c'est normal car ils font également brocante. Cuisine bourgeoise traditionnelle, préparée par le patron qui ressemble à Bacchus : fin connaisseur en vins et très sympa. C'est la cantine d'Éric, Isabelle et Liliane, de bons amis à nous. Spécialités de poissons frais du jour (turbot, bar, sole, etc.), foie gras, noix de saint-jacques fraîches, magret de canard, etc. A la carte, compter 200 F.
– *Crêperie des Archers* : 6, rue Dom-Morice. ☎ 98-39-09-54. Ouverte du mardi au samedi jusqu'à 20 h. Les crêpes sont préparées devant vous. Toute petite salle fréquentée par les Bretons du quartier.
– *Crêperie Ty-Gwechall* : 4, rue Mellac. ☎ 98-96-30-63. Dans une maison du XVIIᵉ siècle restaurée, très grand choix de crêpes. Menus à partir de 30 F.

## Où dormir ?

– *Camping-centre de loisirs de Ty-Nadan* : route d'Arzano à Locunolé. ☎ 98-71-75-47. Sur 40 ha, on trouve une aire de camping avec location de caravanes, une crêperie, une piscine, 2 courts de tennis, 3 terrains de boules, un circuit de patinage à roulettes, etc.

## A voir dans les environs

● *Les roches du Diable* : sur la route du Faouët à Locunolé. La rivière se faufile sous un cahot de roches au milieu des bois. Voilà un site furieusement romantique et inquiétant (apprécié par les canoéistes).

## LES CÔTES-D'ARMOR

Comme le Finistère, les Côtes-d'Armor offrent une très grande diversité de paysages, de reliefs, d'architectures. Capables d'alterner stations balnéaires très touristiques et petits ports secrets, villes prestigieuses et incroyables coins perdus. Bref, pour tous les goûts, tous les fantasmes. Il y a prolongement évident entre monts d'Arrée, montagnes Noires et haute Cornouaille des Côtes-d'Armor. En revanche, une vraie frontière, très sensible celle-là, une frontière linguistique, coupe le département en deux suivant, grosso modo, une ligne partant de Plouha (au nord-ouest de Saint-Brieuc) et passant à l'ouest de Loudéac. Elle sépare basse et haute Bretagne, pays bretonnant et pays gallo. Là, c'est clair. On change, d'un côté à l'autre, de type de vibrations !

Notre itinéraire Côtes-d'Armor s'articule à partir de Carhaix et des montagnes Noires pour remonter vers la mer. Assez logique, vous verrez ! Région de l'Argoat fascinante : campagne non remembrée, paysages accidentés et rugueux, roches et landes, vieux villages isolés où ne restent guère que quelques familles s'accrochant à une terre peu nourricière. Au crépuscule, mille cris succèdent à des silences de grande qualité, pleins de mystère...

## ROSTRENEN (22110)

Grosse bourgade de passage, sur l'axe Rennes-Brest, au cœur du pays fisel. Elle possède une certaine unité architecturale, mais peu de monuments caractéristiques. Église de style hybride dont, de l'édifice du XVe siècle, ne subsistent que les quatre énormes piliers devant le chœur. Nef centrale du XIXe siècle. Intéressant porche cependant, avec statues polychromes des apôtres. Petite rue à côté menant à une belle fontaine du XVIe siècle.

Aux environs, à 7 km au sud-est, *château de Coat-Couraval*, une superbe bâtisse du XVe siècle dans un verdoyant environnement de jardins en terrasses. Visite sur rendez-vous, du 1er juillet au 1er septembre. ☎ 96-29-09-61.

### Où dormir ? Où manger dans le coin ?

— *Hôtel-restaurant Henri IV :* entre Rostrenen et Carhaix, à Kerhanel. ☎ 96-29-15-17. Le spécialiste de la poule au pot bien sûr. Au menu à 60 F, 4 entrées et 4 plats au choix, plus fromage et dessert. Chambres de 150 à 210 F pour deux.

— *Ferme-auberge le Manoir de Saint-Péran :* Glomel, à 8 km de Rostrenen, route de Paule. ☎ 96-29-60-04. Réserver. Perdu dans les bois, dans une ravissante campagne, un vieux manoir accolé à une tour féodale. Bien indiqué depuis la route. Accueil hypersympa. Chambres à 160 F en demi-pension. Menus entre 50 et 70 F. Excellente cuisine familiale, faite avec beaucoup de cœur et servie dans une agréable salle à manger. Goûtez à la potée maison (sur commande), au poulet fermier, aux bonnes crêpes et galettes, le tout arrosé d'un cidre bien frais. Les hôtes sauront vous donner mille informations sur les possibilités du coin.

— *Restaurant Kumguat :* 8, place du Matray, à Rostrenen. ☎ 96-29-30-01. Bonne nourriture et accueil sympa.

— *Camping de l'Étang du Coronc :* ☎ 96-29-60-51. Ouvert de juin à septembre. Sur la commune de Glomel, à 10 km. Bien aménagé et offrant toutes les activités que permet l'étang (planche à voile, pêche, baignade, pédalo, etc.).

### A voir aux environs

— *Promenade* agréable sur les berges du *canal de Nantes à Brest*. A la hauteur de *Glomel*, une tranchée fut creusée dans le schiste, de 1823 à 1836, par des milliers d'ouvriers (dont beaucoup de pensionnaires du bagne de Brest) avec un taux de décès énorme. Pour compenser l'élévation du site, le canal atteint parfois 35 m de profondeur. A côté, on trouve le « bief de partage » du canal à son point culminant (184 m).

— *L'étang de Coronc :* fut créé sous Napoléon Ier pour alimenter le canal en eau. Voyez aussi le *Parc Menhir*, le plus haut menhir du département (9 m).

## KERGRIST-MOËLOU (22110)

Situé à 9 km au nord de Rostrenen. Nom venant de *Kergrist* (« village du Christ ») et *moëlou* (« moyeu », ce qui indique une grande qualité de bois alentour pour fabriquer cette pièce indispensable). Dans ce séduisant village, possédant une très grande homogénéité architecturale, vous trouverez le plus bel enclos paroissial des Côtes-d'Armor. Passez-y toutes affaires cessantes !

**A voir**

– *L'église* : édifiée au début du XVIe siècle, c'est l'une des plus fascinantes de la grande période gothique flamboyant breton. Saisissant ensemble formé, côté enclos, par le calvaire, le superbe porche, le délicat ossuaire, la massive tour de 40 m à balustrades. On ne se lasse pas d'en débusquer tous les détails architecturaux insolites. Notamment les gargouilles à personnages, et, sous leurs dais finement sculptés, les statues polychromes du porche. Pour accéder à l'intérieur, on passe une grosse porte en bois du XVIe siècle complètement usée (on devine à peine saint Pierre et sa grosse clef). Quelques statues dignes d'intérêt, comme la superbe *Vierge à l'Enfant* de l'autel à droite (tous deux tiennent dans la main une curieuse boule), et, de l'autre côté, *sainte Anne et la Vierge*.

– *Le calvaire* : le plus important des Côtes-d'Armor. Inspiré de celui de Plougonven et édifié en 1578. Il subit d'importantes déprédations dans la tourmente révolutionnaire et fut restauré au XIXe siècle. Nos lecteurs connaisseurs noteront sans peine que les scènes ont toutes été mélangées lors de la reconstruction. Attardez-vous avant tout sur la *Mise au tombeau*, la seule scène qui ait été épargnée en 1793. Elle dégage une grande force de sentiment : saint Jean, un peu gras et habillé comme les notables de l'époque, Sainte Vierge d'une très grande dignité, Christ maigre sur un linceul à longs plis. Dans l'enclos, il subsiste quelques tombes très anciennes.

– Tout autour de l'enclos, ensemble exceptionnel de *demeures en granit* des XVIe et XVIIe siècles aux façades austères.

– *Festival du Chaudron de Kergrist* : sous le « hangar » culturel (ici, il n'y a pas de Bus-Palladium ou de palais des Sports). Depuis 1973 se déroule un festival rock et café-théâtre, durant le dernier week-end d'août. Une fête à vous laisser sur les rotules !

## TRÉMARGAT (22110)

Village ancien, l'un des plus émouvants de la région. Comme figé dans son passé, ignorant du monde qui s'affole autour. Vieilles demeures de granit dont beaucoup sont désormais vides.

– Église basse et modeste, à la taille du village, mais ne manquant pas de clins d'œil architecturaux (gargouilles, portail sculpté, petit ossuaire contenant encore des ossements). A l'intérieur de l'église, découvrez un chemin anachronique ! Les apôtres ont l'allure de résistants de 1940 et les soldats romains portent des mitraillettes !

## LES GORGES DE TOUL-GOULIC et la haute vallée du Blavet

Le Blavet prend sa source un peu au nord de l'étang qui porte son nom, près du village de Saint-Norgan. Beau lieu de pêche. Un peu plus bas en suivant la vallée, « la chaire des druides » est une impressionnante concentration de rochers (non loin de la ferme natale du poète Villiers de L'Isle-Adam.) Un arbre est même parvenu à enlacer de ses racines un énorme bloc. Lac artificiel de *Kerné Uhel* à Peumerit-Quintin, baignade, pédalos et pêche.

Jolie route de Trémargat à Lanrivain. En cours de trajet, une apparition insolite et poétique, dans un site remarquable : la *chapelle Saint-Antoine* (du XVe siècle). Et puis, au bord de la route, tout à coup, un admirable calvaire du XVIIe siècle. Probablement édifié contre la peste, si l'on en juge par les bubons ornant le fût.

Petite route (la D 110) qui mène ensuite aux gorges de Toul-Goulic, une autre surprise offerte par le coin. Comment imaginer trouver là ce fantastique chaos de rochers ronds et énormes sur près de 400 m et sous lequel gronde le Blavet ? Parking. Petit chemin balisé un peu raide mais sans difficulté. A faire en famille. A peine 5 mn pour atteindre les roches.

– *Renseignements sur le pays d'accueil de l'Argoat* : ☎ 96-24-85-83.

## LANRIVAIN (22480)

Autre village méritant l'attention. Église reconstruite, mais qui a conservé certains éléments de l'ancien édifice, comme le *porche* du XVIe siècle. Si l'intérieur

présente très peu d'intérêt, en revanche, l'*ossuaire*, très ancien, est toujours rempli de crânes et de tibias. *Calvaire* de 1548 (brisé en 1793 mais restauré en 1866). Notez *la Mise au tombeau*, aux personnages anormalement grands pour un calvaire traditionnel.
En face de la mairie, le *café Berziou*. Troquet breton typique. On se retrouve tout à coup dans la cuisine de la patronne.

**Aux environs**

● *Chapelle Notre-Dame-du-Guiaudet :* à moins de 2 km. Une belle allée d'arbres mène à cette chapelle du XVIIe siècle, avec un clocher-campanile. A l'intérieur, ex-voto, vieilles bannières de procession, retable de bois doré et une très rare *Vierge couchée allaitant Jésus*. Dans l'enclos, fontaine avec deux bassins.

● *Chapelle de Lannégan :* restaurée, fenestrage en fleur de lys.

## SAINT-NICOLAS-DU-PÉLEM (22480)

C'est la frontière entre les régions non remembrées et remembrées (au sud, le désastre !). « Village fleuri. » Dans le chœur de l'église, fort beaux *vitraux*, du XVe siècle, montrant la Passion du Christ. A côté de l'église, élégante *fontaine Saint-Nicolas* du XVIIe siècle, avec sa niche à deux colonnettes. A 1 km, au sud-est, petite *chapelle Saint-Éloi*, du XVe siècle.

– *Syndicat d'initiative :* ☎ 96-29-51-27.

**Où dormir ? Où manger ?**

– *Hôtel-restaurant de l'Ouest, relais Saint-Pierre :* ☎ 96-29-51-20. Location de vélos.
– *L'Auberge du Kreisker :* 11, place du Kreisker. ☎ 96-29-51-20. Bien rénové grâce à l'aide de fonds européens. Accueil hypersympa. Le patron, Loïk Le Chevillier, prête gratuitement, pour des balades d'une demi-journée, les vélos de son établissement à ses clients qui peuvent emporter un panier garni pour le pique-nique et laisser leurs enfants en bas âge à la garderie. Parfois même, l'aubergiste se joint à eux !... Belle et grande salle à manger rustique où il sert une cuisine du terroir. Menus à partir de 50 F. Chambres (petites) à 160 F.

## BOURBRIAC (22390)

La commune fait un gros effort pour s'embellir et bien accueillir les touristes : fleurs, illumination du plan d'eau et de l'église (grande comme une cathédrale !). Sa crypte date du Xe siècle et la tour-clocher fut terminée au XIXe siècle. On y trouve donc des traces de tous les styles.
Il faut voir aussi la chapelle Notre-Dame-du-Daouet, lieu de pèlerinage jadis très fréquenté ; le bâtiment conserve un beau fenestrage du XIVe siècle. Et le menhir de Kailouan (11 m de haut) à Plesidy, commune voisine qui possède, en outre, de forts jolis manoirs bretons du XVIe siècle (Toul An Golet) et beaucoup de chapelles.

– *Syndicat d'initiative :* ☎ 96-43-40-21.

**Où dormir ? Où manger ?**

– *Gîtes ruraux de Plesidy :* ☎ 96-21-41-95.
– *Aire naturelle de camping de l'étang des Forges :* à Bourbriac. ☎ 96-43-40-28. Simple mais pas cher.
– *L'Oasis :* à Plesidy. ☎ 96-21-40-00. Propose 3 menus.
– *L'Auberge d'Avaugour :* à Saint-Pever. ☎ 96-21-42-41. Mérite un détour, car la cuisine généreuse est raffinée de la patronne vous enchantera. Les truites au bleu sont délicieuses. Compter 100 F. Les notables et les gourmands de la région connaissent cette auberge toute simple.

## SAINT-GILLES-PLIGEAUX (22840)

Charmante bourgade remontant au XIVe siècle et offrant d'intéressants édifices, notamment un remarquable ensemble église-chapelle qui ravira tous nos lecteurs photographes. *Église du XVI* siècle à laquelle on rajouta plus tard un joli clocher à dôme et balustrade. Retable du XVII* siècle et catafalque sinistre. Adorable *chapelle Saint-Laurent* offrant une magnifique porte ouvragée Renaissance. Surtout, ne manquez pas, en contrebas de l'église, les deux très belles *fontaines* jumelles enserrées dans leur enclos de pierre. On y accède par deux petits escaliers usés par le temps. Monument assez rare dans la région.

## Aux environs

● *Kerpert :* vieux village qui mérite le détour pour son église également. Située sur une butte entourée d'un mur de pierre. Église du XVI* siècle mangée par les lichens. Porche et clocher à l'architecture rugueuse et noble à la fois. Petit ossuaire dans le cimetière.

● *Abbaye de Coatmalouen :* il n'en reste que des ruines près d'une grosse ferme. Située à quelques kilomètres au nord-est. Grande façade ouverte sur le ciel et ne tenant plus que par miracle. Au fond, vestiges de la chapelle avec tombeau sculpté.

● *Saint-Connan :* village très ancien, sur une petite route en direction de Quintin. Émouvant éventail de vieilles demeures typiques en granit autour de l'église du bourg. Beaucoup ont cherché la protection de gros rochers ronds et sont pourtant aujourd'hui désertées. Un charme poignant, une sereine tristesse, pourrait-on presque dire, baigne le bourg.

● *Senven-Léhart :* au nord de Saint-Connan, un autre village hors du temps. L'église est du XIX* siècle, mais possède toujours un vieux calvaire du XVI* siècle.

● *Corlay :* maison du Cheval, station des haras. Bourg du centre de la Bretagne ayant une vieille tradition hippique, puisqu'il possède son hippodrome du Petit Paris (courses en juin et les 1* et 14 juillet). La race des chevaux de Corlay (à ne pas confondre avec le « Bidet breton », voir à « Callac »), était très proche du pur-sang anglais, et orientée vers la course.

## Où manger aux environs ?

– *La Vieille Auberge :* Le Grand-Quélen. ☎ 96-24-31-14. Au carrefour de minuscules routes de campagne, quelques kilomètres au nord-est de Saint-Gilles-Pligeaux. Bien indiqué par les pancartes. Clientèle locale pour une abondante nourriture traditionnelle. Accueil sympa. Menu à 55 F d'un excellent rapport qualité-prix, arrosé d'un cidre bien frais et bon marché.

## BULAT-PESTIVIEN (22160)

En marge et à mi-chemin de l'axe Guingamp-Carhaix, l'une des églises les plus remarquables de toute la région. C'est un délice d'y parvenir à travers un réseau dense de petites routes, révélant tant de villages et modes de vie oubliés. Étonnant aussi qu'un modeste village comme Bulat-Pestivien puisse posséder une église pareille. Son porche se révèle un authentique chef-d'œuvre. Au milieu, une colonne sculptée de vignes supporte un splendide tympan flamboyant surmonté d'un foisonnement végétal. Dans leurs niches, sous un dais finement sculpté, les apôtres. Sous la tour et la flèche de 66 m, le portail principal est encadré de deux personnages tenant un manuscrit. Les lichens leur donnent un relief et des couleurs insolites. Façades et flancs de l'église se couvrent de pittoresques et inquiétantes sculptures : gargouilles, animaux, figures grotesques, coquilles Saint-Jacques, etc. Et, omniprésente, la figure de l'*Ankou* dans une série de personnages grimaçants. L'un d'eux, brandissant des os, semble hurler. A l'intérieur, un curieux *lutrin* sous la forme d'un paysan en costume local. Grande *table d'offrande*, de 1583, en pierre sculptée de figures géométriques. Dans la sacristie, *frise macabre*.
Dans le cimetière, *fontaine* au fond d'une sorte de piscine. On trouve également deux autres intéressantes fontaines, celle *du Coq* et celle *des Sept Saints*, sur la route de Callac, à la sortie du village.
1 km au nord, charmant petit *enclos de Pestivien* avec une chapelle et un calvaire. Notez comme les deux larrons se contorsionnent désespérément.

– *Camping municipal :* ouvert toute l'année. ☎ 96-45-72-00.

**Aux environs**

● *Chapelle de Burtulet :* à environ 5 km au sud, elle surgit, complètement iso-lée sur la colline couverte de pinèdes. Coin romantique en diable.

## CALLAC (22160)

Il ne reste rien du château féodal rasé en 1619 sur ordre de Richelieu. Pourtant ce pays eut ses heures de gloire et de prospérité. Son haras est précédé d'une statue de *Naous*, le célèbre étalon, sculptée par Guyot. Ce cheval de trait incarne sa souche du « Bidet breton », différent du Postier de Landivisiau. Ce pays est aussi la capitale de l'épagneul breton, né d'un croisement entre le chien des charbonniers et le setter écossais. Il existe encore des élevages du border collie, chien de troupeau le plus intelligent du monde, ainsi que du chien fauve, jadis spécialiste de la chasse au loup !

– *Syndicat d'initiative :* place du Centre. ☎ 96-45-59-34.

**Où dormir ?**

– *Hôtel-restaurant Garnier :* 31, rue de la Gare. ☎ 96-45-50-09. Ouvert tous les jours, sauf dimanche soir et lundi hors saison. Avec ses 10 chambres et ses 3 menus, l'établissement ressemble à un bon routier.
– *Gîte d'étape de Kerauffret :* à Maël-Pestivien. ☎ 96-45-75-28. Géré et recommandé par les A.J.

**A voir**

– Le *lac de la Vallée-Verte,* et le site du *Pont-à-Vaux* avec la chapelle Sainte-Barbe.

– A *Saint-Trefin :* chapelle du XVe siècle et tumulus.

## PLOURAC'H (22160)

Là aussi, à la frontière du Finistère, à une dizaine de kilomètres à l'ouest de Cal-lac, ce village perdu est une découverte surprenante. On y trouve un des plus beaux et des plus complets enclos paroissiaux de campagne. *Église* du XVe siècle, avec un splendide porche de la Renaissance bretonne. Flancs ornés de prodigieuses gargouilles et blasons. Clocher à balustrade avec tourelle ronde. Admirez la *pietà* du calvaire dont les traits sévères, presque caricatu-raux, reflètent bien l'âpreté de la région.

## LOC-ENVEL (22810)

Situé à 4 km au sud de Belle-Isle-en-Terre et de l'axe Guingamp-Morlaix, l'un des points d'orgue de votre balade en haute Cornouaille et dans le Trégor. Un tout petit village perché, à l'architecture bretonne typique et offrant une *église* parmi les plus admirables de Bretagne. Pourtant, extérieurement, elle ne se démarque pas de ses nombreuses consœurs. Plutôt tassée sur sa colline, à l'image du village, avec un petit clocher à campanile et des gargouilles en forme d'animaux bizarres. C'est à l'intérieur qu'éclate sa splendeur. Dès l'entrée s'élève un *jubé* de bois sculpté, du XVIe siècle, extraordinaire ensemble flam-boyant, ornementé de rinceaux, arabesques, oiseaux, etc. Bas de tribune sculpté de pampres de vigne, véritable dentelle de bois. Mais le plus beau reste à venir, c'est-à-dire le fabuleux festival de sablières, « blochets » et « engou-lants » polychromes qui ornent la nef et le chœur. Il faut en étudier tous les détails. L'une des sablières nous montre un personnage affolé en train d'être croqué par un dragon. D'autres sujets cocasses apparaissent, teintés tout à la fois de religieux et de profane.
Remarquables *engoulants*, ces têtes d'animaux monstrueux qui semblent avaler les poutres. Les *blochets*, quant à eux, pièces de bois qui articulent poutres et lambris entre eux, s'ornent de personnages étranges. La voûte repose sur une sablière centrale entièrement sculptée (assez rare). A chaque nervure, un poin-çon symbolisant un instrument de la Passion (marteau, clou, couronne, etc.). La

plus belle pièce est, à la croisée du chœur et du transept, la grosse clef de voûte sculptée symbolisant *la Trinité*.

Aux quatre coins, les évangélistes. Une autre clef, derrière l'autel, personnifie le *Christ en majesté*.

*Autel* en pierre, du XVI° siècle, sculpté dans un seul bloc. *Retable* composé de 5 panneaux du XVII° siècle racontant la Passion. Superbe *maîtresse-vitre*.

Revenant vers la porte d'entrée, notez à gauche les trois petites fenêtres qui permettaient aux lépreux de suivre la messe.

*DE LOC-ENVEL À GUINGAMP*

## BELLE-ISLE-EN-TERRE (22810) ─────────────────────────────

Très jolie route à travers bois pour rejoindre Belle-Isle-en-Terre. Vestiges de galeries de mines de plomb argentifère de Toul Al Lutun. Gros village paisible logé sous le viaduc de la voie express. Une ancienne église y abrite la caserne de pompiers, et le C.E.S. s'est installé dans le château de lady Mond, une pauvre enfant du pays devenue l'épouse du roi du nickel, en 1922.

A 1,5 km au nord, petite *chapelle Locmaria*. Sa tribune est un ancien jubé du XVI° siècle.

A *Plounevez-Moëdec, église Saint-Pierre*, du XVI° siècle. Tour ajourée, avec balustrade. Quelques vieilles tombes. Belles maisons tout autour, dont l'une avec un grand abreuvoir de granit.

A *Louargat*, sur la route de Crec'h Even, on découvre un lech gauchois percé de 11 cupules superposées. Après Louargat apparaît le *Menez-Bré* qui culmine à 301 m. Évidemment, beau panorama sur le Trégor. Le Menez-Bré fut, de tout temps, un haut lieu d'ésotérisme et de sorcellerie et l'une des « collines inspirées de Bretagne ». Peut-être y ressentirez-vous de drôles de vibrations.

### Où dormir ? Où manger ?

— *Le Relais de l'Argoat :* rue du Guic, près de la poste. ☎ 96-43-00-34. Chambres entre 130 et 200 F de bon confort. Menus soignés à 65 et 90 F, et plus si on veut. Le chef patron organise des stages d'initiation à l'art culinaire !

— *Gîte d'étape :* rue des Écoles. ☎ 96-43-01-46. Géré par les Auberges de jeunesse.

## GUINGAMP (22200) ─────────────────────────────────

Ville carrefour, trait d'union entre le Goëlo et le Trégor. En outre, la frontière pays breton et pays gallo ne passe pas loin à l'est. A voir, sa belle basilique qui introduisit le cycle Renaissance en Bretagne.

— *Office du tourisme :* place du Vally. ☎ 96-43-73-89. Près de la gare routière.

— *Gare S.N.C.F. :* ☎ 96-94-50-50 et 96-43-70-53. Ligne Paris-Brest et correspondance pour Paimpol, Carhaix et Lannion.

### Où dormir ? Où manger ? Où boire un verre ?

● *Bon marché à prix moyens*

— *L'Escale :* 26, boulevard Clemenceau. ☎ 96-43-72-19. C'est la rue qui descend de la gare. Chambres pour 2 personnes à 115 F avec douche, simples mais très propres. Menus à 65, 78 et 115 F. Avec les nouveaux gérants, l'accueil est toujours aussi bon. Resto fermé le vendredi soir et le samedi midi hors saison.

— *Hôtel d'Armor :* 44, boulevard Clemenceau. ☎ 96-43-76-16. A 50 m de la gare. Récent, moderne et plaisant. Belles chambres de 170 à 240 F.

— *Hôtel l'Hermine :* 1, boulevard Clemenceau. ☎ 96-21-02-56. Fermé le dimanche et les 15 premiers jours de mai. Chambres confortables de 140 à 180 F. Fait aussi grill.

— *Camping de Guingamp :* à Pabu, à 2,5 km au nord. Bien indiqué. ☎ 96-43-77-94. De juin à septembre.

– *Resto-cabaret l'Autre* : 20, rue du Grand-Trotrieux. ☎ 96-44-36-34. C'est la rue qui passe sous les remparts. Fermé le dimanche et en février. Lieu et atmosphère très sympa. Menus à 75, 95 et 145 F. Bonnes viandes et poissons grillés. Le soir, café-théâtre, cabaret, jazz, musique, films et expos. Bar à vins.
– *Crêperie du Petit-Vally* : place du Petit-Vally. ☎ 96-44-10-56. Ouvert tous les jours, sauf le mardi et le dimanche midi. Cadre tout simple. Bonnes crêpes pas chères et salades.

● **Plus chic**

– *La Chaumière* : 42, rue de la Trinité. ☎ 96-43-72-47. Fermé dimanche soir et lundi. De bonne tenue. A de quoi vous contenter avec 5 menus au choix à partir de 60 F.

● **Très chic**

– *Le Relais du Roy* : 42, place du Centre. ☎ 96-43-76-62. Sur la plus belle place de la ville. Chambres impeccables, dans une bâtisse Renaissance pleine de charme, à 760 F en demi-pension. Resto très cher. Menu à 100 F seul vraiment abordable, mais portions assez chiches. Atmosphère chicos et compassée dans la somptueuse salle à manger Louis XIII !

**A voir**

– *Basilique Notre-Dame-du-Bon-Secours* : commencée au XIII° siècle à partir d'une ancienne église romane. Construite en style gothique, on y retrouve ainsi des réminiscences romanes (arcades à la croisée du transept et clocher central). En 1535, la tour, la nef latérale, une section de la grande nef et le portail ouest s'effondrent. Pour les reconstruire, Jean Le Moal, l'architecte, prend une décision osée et surprenante pour l'époque : utiliser le style Renaissance qui vient juste d'apparaître. Par conséquent, côté rue, on observe un style gothique classique et, côté jardin, un mélange, somme toute original, de gothique et de Renaissance (avec toujours des éléments romans dans la partie la plus ancienne). Belles *fenêtres* Renaissance dans les pignons. Le *portail* ouest est un chef-d'œuvre Renaissance, d'une folle exubérance. Observez les voussures en détail. Les éléments profanes l'emportent nettement sur les éléments religieux. Admirez les trois *tours* : tour de la Flèche, de 57 m ; tour fortifiée de l'Horloge couronnée d'un toit à 4 pans ; tour plate dite des Cloches. Côté rue s'ouvre la chapelle, fermée par une grille, qui abrite la *statue de Notre-Dame du Bon Secours*. Le 1ᵉʳ samedi de juillet, grand pardon avec procession de nuit et feu de joie.

A l'intérieur, on retrouve bien sûr la dualité gothique-Renaissance avec quasiment une ligne de partage au milieu. *Triforium* Renaissance (galerie qui court en hauteur le long de la nef) d'une élégance raffinée. Inhabituelle aussi, la présence au milieu de l'église de piliers aussi massifs cassant l'espace. Peu de mobilier d'origine (la Révolution française passa par là). Admirez cependant le *haut-relief* en bois polychrome, au fond du chœur (scènes de la Passion du Christ). A côté, *Vierge de l'Annonciation.*

– *La place du Centre* : cœur de la ville, réservée aux piétons, elle est entourée de nobles demeures et hôtels particuliers avec leurs hautes cheminées en granit. Quelques façades à pans de bois ou d'ardoise. Jolies *portes* Renaissance, comme celle sur le côté de l'hôtel du Relais du Roy et celle du 1, rue Olivier-Ollivro. Belle *maison* à tourelle au coin de la rue Jean-Le-Moal (face à la basilique). Splendide fontaine, dite *la Plomée*, à trois vasques, de style Renaissance.

– *L'hôtel de ville*, ancien hôtel-Dieu, offre une élégante façade baroque à l'italienne. Reste du cloître du monastère des Augustines (fin XVII° siècle). Dans la galerie des bureaux, il faut aller voir deux grandes toiles nabis de Paul Sérusier (1904) ; *l'Annonciation* et *Moïse devant le buisson ardent*. Au passage : cheminée monumentale et escalier non moins monumental du XVIII° siècle.

– *Place du Vally* s'élèvent les vestiges des remparts démantelés sur ordre de Richelieu. Il reste trois des quatre tours du château de Pierre II (milieu XV° siècle). On en possède une pittoresque perspective en se promenant rue du Grand-Trotrieux.

– *Fête de la Saint-Loup*, le dimanche suivant le 15 août. Danses folkloriques et célèbre *dérobée de Guingamp*, genre de grande farandole avec des figures de danse.

– Le 1er dimanche de juillet, *festival de danses bretonnes* exécutées par les enfants.

## DE GUINGAMP À LA CÔTE DU TRÉGOR

L'occasion, pour ceux qui ne sont pas pressés, d'une superbe balade le long d'un réseau inextricable de petites routes de campagne pleines de charme. A travers bocages non encore remembrés, haies vives, vallées de rivières bordées de châteaux et manoirs. La jouissance de se perdre sans angoisse, certain de découvrir, à chaque virage, paysages changeants et villages insolites.

● *Trégrom :* avant Le Vieux-Marché. Gentil, rien de particulier, mais on y trouve un café sympa, la *Tavarn mab Derv.* Soirées cabaret et musique celtique. ☎ 96-47-80-80.

● *Les Sept-Saints :* petit hameau au nord du Vieux-Marché. *Chapelle* du début du XVIIIe siècle, construite sur un dolmen (on le voit par une petite grille au niveau du rez-de-chaussée). Elle est aujourd'hui le symbole du dialogue entre chrétiens et musulmans grâce à Louis Massignon, orientaliste du Collège de France, qui découvrit des origines communes au pardon breton des Sept-Saints et au culte des Sept Dormants d'Éphèse, en Turquie. *Fête* et *pardon* communs le dernier dimanche de juillet.

● *Armoripark :* à droite de la D 767 entre Guingamp et Lannion. Un parc de loisirs pour grands et petits, avec une piscine ludique, un zoo et divers attractions sympa.

### Où dormir ? Où manger dans le coin ?

– *Manoir de Coat-Nizan :* près de Pluzunet. ☎ 96-35-81-72. Pour vous y rendre, deux façons : par la route Lannion-Guingamp (la D 767). Si vous venez de Guingamp, tournez à gauche sur la D 33, avant Cavan (venant de Lannion, après Cavan, à droite bien sûr). Ensuite, direction Pluzunet-Plouaret. C'est à 2 km (indiqué « Gîte de France »). Si vous venez de l'ouest, passez par Pluzunet et suivez, à la sortie du village, la direction de La Roche-Derrien. Bon, on ne peut rêver manoir plus romantique, plus secret. Complètement perdu dans une sauvage campagne. Il fut construit au XIXe siècle avec les pierres du château de 1286 abandonné à la Révolution française et qui servit de carrière de pierres... Mais laissez donc M. Robert Van de Wiele, le charmant propriétaire, vous en raconter l'histoire !
A l'arrivée, après avoir traversé les anciennes douves, on est accueilli par un troupeau d'oies s'ébattant sur la pelouse menant au manoir. Belle et solide bâtisse qui offre des gîtes meublés à l'ancienne (800 à 900 F par semaine pour 6 personnes). Location pour quelques jours ou à la semaine uniquement. Grande salle avec cheminée. Toute la campagne autour est propice à de merveilleuses balades à pied. M. Van de Wiele est intarissable sur les possibilités de la région. Bon, ce n'est pas le tout, mais on réserve de nouveau pour Pâques...
– *Le Coin fleuri :* à Cavan. ☎ 96-35-86-16. Resto dans une vieille maison couverte de lierre. Bonne cuisine. Menus à 55, 75 et 100 F. Fruits de mer, salades composées, pintadeau cocotte à la paysanne, pilaf de poisson. Téléphoner pour réserver.
– *Chambres d'hôte :* chez M. et Mme Le Brizaut. Dans une ancienne ferme au bout d'un chemin. A l'entrée de Cavan en venant de Bégard. ☎ 96-35-86-21. Cinq chambres avec lavabo. Possibilité de faire sa cuisine.

● *Plus chic*

– *Auberge du Losser :* à 10 km au sud de Lannion, sur la D 30, au bord du Léguer. Si vous êtes sur la D 11, tournez à Kerauzen, direction Pluzunet-Bégard. De Guingamp, prenez la route de Lannion, puis tournez à Bégard pour la D 30. ☎ 96-38-94-90. Fermé le lundi. Dans un site bucolique en diable (vieux pont, rivière qui glougloute, douces collines boisées, chevaux, prairies bordées de futaies, aire de jeu pour les enfants, etc.), une auberge de charme prodiguant une excellente nourriture classique. Décoration rustique de bon goût. Menus à 75, 95 et 135 F (service compris, boisson en plus). Goûtez au « délice de la mer », à la salade nordique, aux coquillages farcis, à la truite aux amandes, au filet de saumon en sauce, etc.

*LE LONG DE LA VALLÉE DU LÉGUER*

De la chapelle des Sept-Saints suivre, en passant d'une rive sur l'autre, la vallée du Leguer qui descend vers Lannion. Au passage, et dans l'ordre car c'est très bien fléché sur place, voir le site naturel du moulin du Losser, puis le château de Kergrist, les ruines de celui de Tonquédec et la chapelle de Kerfons, et enfin le calvaire de Ploubezre.

● *Château de Kergrist* : près du hameau de Kerauzern. Ouvert l'après-midi en juillet-août. Les amateurs de châteaux apprécieront le mélange de force et d'élégance de celui-ci. Construit en 1537, il connut divers remaniements par la suite. Jardins à la française. Si on voyage hors saison, on peut admirer facilement une des façades par-delà la grille.

● *Château de Tonquédec* : visite tous les jours en saison de 10 h à 19 h ; de 14 h 30 à 18 h de septembre à avril. Réservation pour groupe : ☎ 96-47-18-63 ou 96-47-18-47. Ses 11 tours dominent superbement la vallée du Léguer. Pourtant, du château réédifié en 1406 par Roland IV de Coëtmen, avant son départ (fatal) aux croisades, il ne reste que le logis du seigneur et une chapelle dans la courtine orientale. En 1577, Jean II l'avait fortifié, mais le château étant devenu un repaire de huguenots pendant les guerres de la Ligue, il a été démoli sur ordre de Richelieu, vers 1626. Il reste néanmoins un fier témoin de l'architecture féodale en Bretagne.

● *Chapelle de Kerfons* : là aussi, en aplomb du Léguer, dans un coin bucolique et paisible à souhait, une des plus fascinantes chapelles du Trégor. Ouverte en juillet et août. Construction gothique, mais splendide ornementation Renaissance. Portail en accolade, un autre avec colonnes. Élégant lanternon à personnages. Petit *calvaire* du XV° siècle, sur un socle massif. A l'intérieur, l'enchantement : découvrez l'un des plus beaux *jubés* de Bretagne (juste derrière celui du Faouët, peut-être). Admirable dentelle de bois polychrome de style flamboyant. Parmi les quinze personnages, on reconnaît les douze apôtres grâce à leurs symboles. Détaillez le travail de ciselage sur les colonnes. *Retable* du maître-autel en bois peint, de style très naïf. Bref, Kerfons, à ne point rater !

● *Calvaire de Ploubezre* (sur la route de Plouavet) : composé de 5 croix, qui rappelleraient le combat des 5 Ploubezriens (vainqueurs) contre 5 Anglais (cf. combat des Trente à Josselin) au XIV° siècle. Les croix n'ont probablement pas été toutes érigées en même temps... La croix pattée semble la plus ancienne. Au bourg, l'église Saint-Pierre-et-Saint-Paul possède des chapiteaux du XII° siècle, des fenestrages du XIV° et un clocher-mur de 1577. Moulin à eau en activité à Keguiniou.

## LE CHÂTEAU DE ROSANBO

L'un des plus grands châteaux bretons, construit au XIV° siècle par les chevaliers du Coaskaër et habité par la même famille depuis toujours. D'ailleurs, le marquis de Rosanbo a fêté, en 1988, les 1 000 ans de sa dynastie. Situé près de Lanvellec, entre Plouaret et Saint-Michel-en-Grève. ☎ 96-35-18-77. Ouvert tous les jours en juillet-août, de 10 h 30 à 18 h 30. Avril, mai, les samedis, dimanches et jours fériés, de 14 h à 18 h. Vacances de Pâques, juin et septembre, tous les jours de 14 h à 18 h. Visite guidée des appartements, de 30 mn environ. Salle bretonne avec de beaux meubles, salle à manger et sa vaisselle de la Compagnie des Indes, l'ancienne cuisine, la bibliothèque aux 8 000 livres de Le Pelletier, ancien ministre des Finances de Louis XIV, etc. Visite du parc libre. Possibilité de manger crêpes et glaces. Aire de jeu. Adultes 25 F. Enfants 15 F. Entrée libre dans un parc de 6 ha avec des jardins à la française.

### Aux environs

● *Plouzélambre* : petit village possédant l'un des rares enclos paroissiaux complets des Côtes-d'Armor. Ensemble charmant. Église de style gothique à ornementation Renaissance. Petit calvaire. Ossuaire avec arches tréflées et porte en arc brisé.

● *Manoir de Leslac'h* : deux pavillons de style Renaissance à haut fenestrage et voûte centrale surmontée d'une galerie.

## DE SAINT-MICHEL-EN-GRÈVE À LANNION

C'est la Côte des Bruyères. Peu urbanisée, elle révèle, de plus, des sites assez inattendus et quelques églises intéressantes.

● **Saint-Michel-en-Grève :** gentille station balnéaire avec, comme perspective, la magnifique grève de Saint-Michel. Peu de constructions pour gâcher l'émotion. Immense plage de 4 km, et bien protégée. On l'appelle ici *Lieue de Grève.* Au fond, le Grand Rocher qui donne l'occasion d'une grimpette sympa au belvédère. Très beau panorama. De Saint-Michel à Trédrez, chemin de douanier assez escarpé (partie du GR 34).
À Saint-Michel, jolie *église* avec cimetière marin surplombant la mer.
– *Syndicat d'initiative :* ☎ 96-35-74-41.
– Pour dormir, l'*hôtel de la Plage,* classique et à prix modérés. ☎ 96-35-74-43. Salle à manger, terrasse et chambres avec vue sur la mer imprenable. On peut déjeuner au snack-bar, ou avec les pensionnaires. Menus à 68 et 110 F (avec deux entrées, jambon fumé, assiette de l'Océan, coquelet au cidre, pintade forestière, etc.).

● **Trédrez :** ne ratez pas ce petit village tranquille pour son adorable *église.* Si elle est fermée, demandez la clé à la mairie en face (aux heures de bureau). Saint Yves fut pendant sept ans recteur de la paroisse. Église du début du XVIe siècle. Petit clocher à flèche, tourelles et balustrades flamboyantes. À l'intérieur, baptistère de granit surmonté d'un dais polychrome qui serait le plus ancien de Bretagne. Belles sablières sculptées. Antique bannière de procession. À gauche, retable de saint Yves. Très vieille statue de la *Vierge avec l'Enfant Jésus et sainte Anne.*
Possibilité d'effectuer le circuit des falaises de Trédrez jusqu'à la pointe de Séhar.

● **Locquémeau :** petit port qui autrefois faisait la sardine. *Église* du XVIe siècle avec clocher-mur à tourelle. Porte flamboyante. À l'intérieur, jolie décoration sculptée. Balade extra à la *pointe du Dourven* avec de faciles petits sentiers de randonnée. *Camping* près de la mer *(Kéravilin-Locquémeau).*

● **Le Yaudet :** descente sur Pont-Roux, par une route en corniche, tout à fait remarquable. Paysage d'une sérénité totale, panorama splendide sur l'estuaire du Léguer et la baie, surtout au soleil couchant. La voiture rétrograde d'elle-même en première. En face, les maisons en granit du Yaudet, accrochées à la colline, pelotonnées les unes contre les autres. Petit village de caractère au charme énorme. Visite obligatoire à la *chapelle* pour l'étrange *Vierge couchée.* Scène unique en Bretagne. La Vierge est allongée dans un vrai petit lit avec le Christ, dans une débauche de dentelles. Au pied du lit, Dieu le Père semble leur faire la lecture d'un vieux conte breton. Beau retable polychrome avec guirlandes.
– Pour dormir : *hôtel les Genêts d'Or.* Au centre du bourg. ☎ 96-35-24-17. Fermé le dimanche soir et le lundi hors saison et janvier-février. Évidemment, hyper bien situé. Chambres classiques et à prix très modérés (100 à 150 F). Menus à 68 et à 140 F (assiette de fruits de mer, saumon grillé ou gigot d'agneau, fromage et dessert).
– *Hôtel-bar Ar Vro :* à côté du précédent. ☎ 96-35-24-21. Petit hôtel de 8 chambres. Rénové récemment.

## LANNION (22300)

Deuxième ville des Côtes-d'Armor. Capitale de l'électronique et des techniques de télécommunications, grâce auxquelles elle connut un boom économique sans précédent. (Voir pourquoi au chapitre « Bretons contemporains » célèbres en introduction.) Cependant, depuis quelques années, la crise a même frappé cette industrie de pointe. Lannion a su conserver son caractère de petite ville provinciale, agréable à parcourir, et offrant, de-ci, de-là, de superbes maisons anciennes et de pittoresques ruelles.

### Adresses utiles

– *Office du tourisme :* quai d'Aiguillon. Au bord du Léguer, près de la poste (plan A2). ☎ 96-37-07-35. Ouvert de 10 h à 12 h et de 14 h à 17 h. Fermé samedi après-midi, dimanche et lundi matin.

– *Gare S.N.C.F. :* ☎ 96-94-50-50. Paris via Guimgamp.
– *Gare routière :* C.A.T. ☎ 96-37-02-40.
– *Aéroport :* ☎ 96-48-42-91.
– *Librairie bretonne :* 15, rue des Chapeliers. Dans le centre historique. Vaste choix dans tous les domaines.

### Où dormir ?

● *Bon marché à prix moyens*

– *Auberge de jeunesse les Korrigans :* 6, rue du 73°-Territorial. ☎ 96-37-91-28. Ouverte toute l'année. Pas de couvre-feu. Tout près de la gare et à

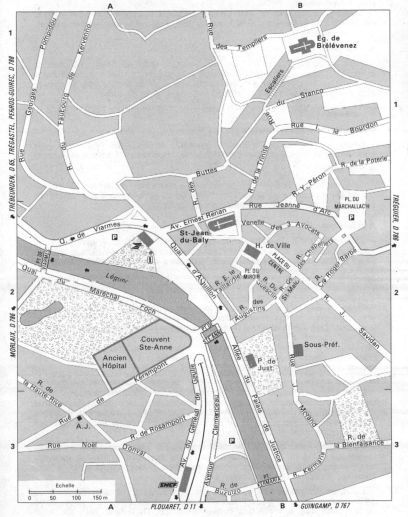

Lannion

300 m du centre ville. A.J. qui vient d'être rénovée et a pris de belles couleurs. Accueil très sympa. Petits dortoirs et quelques chambres pour couples. Cuisine équipée. Location de vélos. L'A.J. organise un tas d'activités artistiques ou sportives — balades à vélo, randonnées de découverte ornithologique, ou traversée nord-sud de la Bretagne — et fournit tous renseignements sur les possibilités du coin. Forfaits à la semaine. Vraiment l'une des A.J. les plus dynamiques qu'il nous ait été donné de rencontrer. D'ailleurs, ils offrent 5 % de réduction sur l'ensemble de leurs prestations aux lecteurs du G.D.R. 40 F la nuit, 38 F le repas. Nouveauté : l'A.J. loue des V.T.T.

— *Le Bretagne* : 32, avenue du Général-de-Gaulle. ☎ 96-37-00-33. Fermé le samedi et le dimanche soir (hors saison). En face de la gare, un petit hôtel moderne et plaisant, offrant de belles chambres de 110 à 210 F. Possibilité de demi-pension à partir de 145 F. Bon accueil. Au resto, excellente nourriture et prix raisonnables.

— *Camping* : à *Beg-Léguer*. 7 km environ à l'ouest de Lannion. ☎ 96-47-25-00 ou 96-43-31-48. Ouvert d'avril à septembre. Près de la mer et tout confort. Très bon marché.

● *Plus chic*

— *Hôtel la Porte de France* : 5, rue Jean-Savidan. ☎ 96-46-54-81. Au cœur du centre historique. Splendide demeure de grès et granit. Ancien relais de poste du XVIIIe siècle. L'escalier se déroule dans une vieille tour ronde. Chambres adorablement décorées à 220 et 240 F. Copieux petit déjeuner.

### Où manger ?

● *Bon marché à prix moyens*

— *Le Du Guesclin* : 8, rue Du Guesclin (plan B2). ☎ 96-37-06-59. Dans le vieux quartier pittoresque. Au menu à 59 F, melon, andouillette, fromage et dessert.

● *Plus chic*

— *Le Serpolet* :1, rue Félix-Le-Dantec. Sur la route de Trébeurden. ☎ 96-46-50-23. Dans un cadre qui se veut médiéval, ou corsaire ? on sert une cuisine raffinée à partir de 70 F. Fermé dimanche soir et lundi.

### Aux environs

— *Manoir de Crec'h Gouliffen* : à Servel, route de Beg-Léguer. A environ 3 km à l'ouest de Lannion. ☎ 96-47-26-17. Un splendide petit manoir dans le style du pays. Joliment meublé. Chambres confortables à prix raisonnables. Crêperie et deux courts de tennis.

### A voir

— *Place du Général-Leclerc* : tout en longueur, côté impair, on trouve, côte à côte, trois ravissantes constructions typiques où le moderne côtoie l'ancien et le restauré (excellente réussite). Maisons à pignon, à encorbellement sculpté et à façade couverte d'ardoises. Belles demeures également aux 1 et 3, *rue Jean-Savidan*. Au n° 5, hôtel particulier en granit. *Rue des Chapeliers*, alignements de plusieurs maisons à colombage. Pittoresque *rue Saint-Malon* descendant vers le fleuve.

— *Quai d'Aiguillon* : dans la cour de l'E.D.F. (la porte juste à côté des galeries d'Aiguillon), vous trouverez une *fontaine* célèbre au XVIIIe siècle pour son eau miraculeuse. Elle avait la réputation de supprimer les tensions et désaccords dans les ménages. Aujourd'hui, elle n'est plus utilisée et les herbes sauvages l'envahissent ! Gageons que si on l'utilisait plus souvent, le taux de divorces dans la région serait en chute libre !

— *Église Saint-Jean-de-Baly* : à deux pas de la place du Général-Leclerc. Construite en 1519. Grosse tour à balustrade ouvragée. L'intérieur présente très peu de mobilier intéressant. Notez cependant, à gauche dans la nef, le pilier creux qui donnait accès à un ancien jubé.

— *Église de Brélévenez* : on y accède par un pittoresque escalier de granit de 142 marches, bordé de jolies maisons fleuries. Pour vous y rendre, suivez la rue de la Trinité jusqu'à la rue des Buttes-du-Stanco. De là-haut, bien sûr, large point de vue sur la ville. Église édifiée au XIIe siècle par les Templiers. Il subsiste de cette période un beau porche roman et le chevet. Des meurtrières et contre-forts laissent deviner qu'elle fut fortifiée en raison de son emplacement straté-gique. Clocher à flèche et double galerie du XV° siècle. A l'intérieur, un *bénitier*, ancienne mesure à blé du XII° siècle. Dans le chœur, *retable* intéressant du XVII° siècle.

— De l'autre côté du Léguer, passé le pont Sainte-Anne, s'élève la masse de l'ancien *couvent des augustines hospitalières*. Dans la rue Kérampont, au n° 19, superbe *manoir* du XVI° siècle avec tour.

— *Chapelle de Loguivy-lès-Lannion* : à 1 km vers l'ouest, au bord du Léguer. Ensemble assez remarquable, à ne pas manquer. On pénètre dans l'enclos par une porte de style flamboyant. Dans le cimetière, *fontaine* Renaissance. Au pied des marches, une autre fontaine avec la *statue de saint Ivy*. Église construite en 1450. Clocher-mur avec escalier sur le côté. A l'intérieur, splendide *retable des Rois mages*, du XVII° siècle.

**Aux environs**

● *Crique de Mez-An-Aod* : faite de sable immaculé, bordée de granit pâle, c'est le havre des naturistes à l'extrémité nord. On y accède par Beg-Léguev et Servel à gauche de la route menant de Lannion à Trébeurden.

● *Menhir de Saint-Uzec* : à droite entre Penvern et Pleumeur-Bodou. Énorme pierre gravée de signes très esthétiques et portant à son sommet une croix. Bon exemple de menhir christianisé.

● *L'orgue de Lanvellec* : dans un petit bourg en direction de Plouavet. Cet orgue mérite qu'on l'entende. Il date de 1653. C'est un des deux plus anciens de Bretagne. Il a été construit par le facteur d'orgues Dalan, d'origine anglaise. Depuis sa restauration, il ravit les mélomanes qui suivent le festival d'orgue de Lannion tous les étés.

**TRÉBEURDEN** (22560) ━━━━━━━━━━━━━━━━━━━━━━━━━

Station balnéaire familiale classique, qui vient de se doter d'un port de plai-sance. Hyper touristique en été. De fort belles plages bien sûr, puisque c'est ce qui fit sa renommée. De part et d'autre de la pointe rocheuse du Castel, *plage de Porz-Termen* et grande *plage de Tresmeur*. Après la pointe de Bihit, celle de *Porz-Mabo*.

**Adresse utile**

— *Office du tourisme* : place de Crech-Héry. ☎ 96-23-51-64.
— *Centre activité plongée* : ☎ 96-23-66-71.

**Où dormir ? Où manger ? Où écouter de la musique ?**

— *Campings* : à la plage de Porz-Mabo.
— *Auberge de jeunesse* : une des mieux situées de Bretagne. Au Toëno, 2 km au nord de la ville. A deux pas de la mer, dans un bel environnement. ☎ 96-23-52-22. Ouverte toute l'année, pas de couvre-feu. Construction moderne qui dénote quelque peu dans le paysage, édifiée avec des matériaux bon marché il y a 20 ans. Cela dit, l'emplacement est tellement exceptionnel qu'on oublie vite les petits inconvénients. Nombreuses activités. Chantier écologique. Planche à voile et équitation. Possibilité de camping.
— *La Chaumière* : plage de Porz-Mabo. ☎ 96-23-54-74 et 76. Resto prodiguant une bonne cuisine à prix raisonnables. Belle vue de la véranda sur la mer. Ouvert en été seulement.
— *Melody Blues Jazz Club* : au rond-point de Pleumeur-Bodou. ☎ 96-91-81-89. Boîte sympa. Ouvert tous les soirs en été (sauf le lundi), le week-end hors sai-son, fermé du 1er janvier à fin mars. Orchestre de jazz de 22 h 30 à 2 h. Possibi-lité de grignoter.

● *Plus chic*

— *Hôtel-restaurant Ker An Nod* : rue de Pors-Termen, 22560 Trébeurden. ☎ 96-23-50-21. Charmant hôtel tranquille, face à l'île Millau. 20 chambres, expo-sées au sud. La vaste plage de sable est à deux pas. Tenu par un jeune couple très gentil, Catherine et Gildas. Chambres de 140 à 280 F. On dîne de poissons et fruits de mer. Menus de 85 à 130 F.

### Aux environs

● *L'île Millau :* 350 m de large, 23 ha, culmine à 52 m et nourrit 270 espèces végétales, la moitié soumises au vent de mer, l'autre sous le vent strictement continental. C'est un musée de botanique pour les spécialistes, accessible à pied à certaines grandes marées basses. Attention, site protégé. Tout près, l'île Molène, la petite, porte un galet de 3 t, qui repose dans sa marmite : pour le festin des Dieux au pays d'Astérix. Pour de plus amples renseignements, contacter l'Association de protection des îles : ☎ 96-23-68-28.

● *Le marais du Quellen :* derrière la plage de Goas-Trez. Constitue un espace de 22 ha, secret, aux formes de vie exubérantes. Accueil et découverte sous la direction de la Ligue pour la protection des oiseaux. ☎ 96-91-91-40.

● *L'île Grande :* à environ 5 km au nord de Trébeurden. En fait, une presqu'île. Rattachée au continent par un pont, cette paroisse fait partie de la commune de Pleumeur-Bodou. Longtemps peu urbanisée, mais aujourd'hui lotissements et villas s'en emparent doucement. Plages tout autour. Sentier de petite randonnée. Grand *camping municipal* en bord de mer. Celui *du Dolmen* s'étend dans un coin assez tranquille. Excellente base nautique, école de voile.

● *Centre de télécommunications par satellites de Pleumeur-Bodou.* Reconnaissable à son grand ballon blanc, le fameux *radôme* (radio-dôme). Tout autour, 8 corolles, réflecteurs paraboliques, fixent chacune leurs satellites, comme les fleurs de tournesol regardent le soleil. Elles reçoivent et émettent les signaux relayés par les satellites géostationnaires, à 36 000 km d'altitude ! C'est là que, le 11 juillet 1962, à 0 h 47, eut lieu la première retransmission télé par satellite entre les États-Unis et la France. L'énorme antenne de 340 t et 54 m de long ne sert plus à rien. On visite les installations et un superbe petit musée des Télécoms. Ouvert tous les jours de 10 h à 12 h et de 14 h à 17 h. ☎ 96-91-83-78. Entrée payante.

● *Planétarium :* à 2 pas du radôme. ☎ 96-91-83-78. Le planétarium du Trégor montre l'univers céleste par thèmes, pour la compréhension des phénomènes astronomiques. Bon spectacle qui repose des plages ensoleillées, car la salle est climatisée. Pour avoir le programme, téléphoner.

## TRÉGASTEL (22730) ──────────────

L'une des stations balnéaires les plus connues de Bretagne. A juste titre, ses plages de sable fin et les chaos rocheux sont extra. Vous ne serez, bien entendu, pas les seuls à en profiter.

– *Office du tourisme :* place Sainte-Anne. ☎ 96-23-88-67. Ouvert toute l'année, sauf le dimanche, de 9 h à 12 h et de 14 h à 18 h. Poste en face.

### Où dormir ?

Beaucoup d'hôtels, ça va de soi. Grosse concentration à la *plage de Coz-Pors* (près du port).
– *Hôtel de la Grève Blanche :* rue de Merlin, dans un coin pas trop urbanisé. Donne directement sur l'une des plus belles plages. ☎ 96-23-88-27. Construction moderne, semblable à des centaines d'autres (mais sur deux étages seulement). Ouvert de fin mars à fin septembre. Chambres correctes de 165 à 290 F pour deux (donnant toutes sur la mer). Possibilité de demi-pension à partir de 240 F.
– *Hôtel Bellevue :* 20, rue des Calculots. Dans le centre, pas loin des plages. ☎ 96-23-88-18. Ouvert de mi-avril à fin septembre. Hôtel plus chic. Chambres de 220 à 370 F. Très grand jardin verdoyant.
– *Camping Tourony :* rue de Poul-Palud. Près de la plage du Tourony. A la frontière avec Perros-Guirec. ☎ 96-23-86-61.
– *Camping Le Golven :* route de la Corniche. ☎ 96-23-87-77 ou 96-33-39-46. Ouvert du 1ᵉʳ mai au 15 septembre. Donne sur la baie de Kerlavoz. Pas loin du dolmen et de l'allée couverte. Ambiance familiale, sans grande animation.

**A voir**

– *L'aquarium marin* : assez original, puisqu'il est situé sous des milliers de tonnes de grosses roches qui furent (paraît-il) des habitations troglodytiques à l'époque préhistorique. ☎ 96-23-88-67. Ouvert en haute saison tous les jours, de 9 h à 20 h. Tous les poissons des mers bretonnes. Belle vue du haut de l'aquarium sur les roches alentour.

– *Les plages et les rochers* : beaucoup viennent pour eux. Ils ont raison. Formes fantastiques, surtout d'animaux. Plus celles que produira votre propre imagination. Du sud au nord se succèdent *grève des Curés, grève Rose* (notre préférée), superbes *chaos rocheux de l'Île aux Lapins* et *grève Blanche*. Sentier de douanier pour rejoindre la *plage de Coz-Pors* (la plus touristique). *Rochers des Tortues et de la Tête de mort,* avant d'aborder la presqu'île Rénot. Longue *plage de Toul-Drez.* Balade extrêmement agréable.
Ne manquez pas de monter au *panorama - table d'orientation.*

– En marge de la route de Trébeurden, à la limite de la commune de Pleumeur-Bodou, belle *allée couverte de Kerguntuil* et dolmen.


**PLOUMANAC'H (22700)** ─────────────────────────────────

Station balnéaire dépendant de Perros-Guirec. Ce village de pêcheurs s'est installé à l'emplacement d'une cité gauloise, à laquelle succéda un oppidum romain : pas fous ces Romains... Nous vous recommandons une merveilleuse balade à pied dans les chaos de granit rose les plus célèbres. Partez du bourg, depuis la *plage de Saint-Guirec* (et son petit oratoire) et effectuez le tour de la presqu'île par un charmant sentier douanier. Découverte fascinante de *rochers et amoncellements* aux formes les plus bizarres, les plus extravagantes. Les soirs d'été, ils prennent des teintes lumineuses, les roses s'enflamment. Un château d'opérette apparaît sur un îlot de roches et de verdure. Ce *château de Costaérès* a malheureusement été en partie détruit par un incendie en août 1990. Ailleurs des maisons n'hésitent pas à profiter de la protection des rochers. Le *phare,* le *cap Ar-Skevell,* autant de balises en chemin. Le *parc municipal* est une source intarissable pour l'imaginaire.


**Où dormir ? Où manger ?**

– *Camping le Ranolien* : chemin du Ranolien. Très bien situé, en marge du sentier douanier, pas loin de la petite plage de Pors-Rolland. Accès par le boulevard du Sémaphore. ☎ 96-91-43-58. Ouvert de février à novembre. Calme, dans un coin assez isolé. Pas beaucoup d'arbres, mais un maximum de gazon. Tout le confort. Assez cher.
– *Hôtel-restaurant le Parc* : sur le parking de Ploumanach, en bord de mer. ☎ 96-91-40-80. Ouvert du 1er avril à fin septembre. Une toute petite maison sans prétention. Menus de 65 à 150 F. Chambres de 140 à 220 F.


**Aux environs**

● *Notre-Dame-de-la-Clarté* : à mi-chemin de Ploumanac'h et de Perros-Guirec. Splendide chapelle (1445) surmontée d'un clocheton et d'une flèche du XVIIe siècle. Entrée avec une clôture de bois Renaissance et, au-dessus, un beau linteau sculpté (à gauche, une *pietà* ; à droite, l'*Annonciation*). Porche orné de statues de bois polychromes. Curieux *bénitier* de granit sculpté de visages (XVe siècle). Grand retable du XVIIe siècle, et 3 maquettes de bateau, en guise d'ex-voto, témoignent de la reconnaissance des marins à la Vierge salvatrice : « Intron Varia Ar Sklaer der ».

● *Perros-Guirec par le sentier des douaniers* : 3 h de balade à pied aller-retour. On conseille de la faire à marée haute. Ce sentier longe la falaise en passant dans le parc municipal. De gros rochers modelés au fil des siècles par le vent gisent çà et là ! Cette promenade peut se faire dans le sens Perros-Guirec-Ploumanac'h. A Perros-Guirec, le sentier débute près de la plage de Trestraou.

## PERROS-GUIREC (22700)

Ville bâtie sur un promontoire rocheux, universellement connue depuis l'invasion des premiers maillots rayés, au début du siècle. Station balnéaire « haut de gamme » et, bien sûr, très touristique, 7 494 habitants recensés en 1990 reçoivent 40000 vacanciers l'été ! *L'église Saint-Jacques* (monument historique classé) possède un clocher original, d'allure massive, avec balustrade ajourée et dôme octogonal avec coupole. A l'intérieur, une nef romane cohabitant avec nef et chœur gothiques. Retable du XVII° siècle à panneaux sculptés et statues polychromes.

Plages protégées : plage du *Trestraou*, de *Trestrignel*, plus la *plage du Château* et *des Arcades*, à l'est. Ceux à qui les grandes foules balnéaires donnent des cauchemars préféreront, bien sûr, Port-Blanc (voir plus loin).

– *Office du tourisme :* 21, place de l'Hôtel-de-Ville. ☎ 96-23-21-15. Ouvert toute l'année. Une super entreprise, présidée par le patron du tourisme breton, c'est tout dire !

– *Port de plaisance :* bassin à flot. Capitainerie, ☎ 96-23-37-82 ; société des régates, ☎ 96-91-12-65 ; école de voile, ☎ 96-23-25-62.

– *Station météo :* répondeur, ☎ 96-20-01-92.

### Où dormir ? Où manger ?

● *Campings*

– *Camping du Trestraou :* à deux pas de la plage. ☎ 96-23-08-11. Ouvert d'avril à fin septembre.

– *La Claire Fontaine :* rue du Pont-Hélé. ☎ 96-23-03-55. A 800 m environ de la plage du Trestraou. Ouvert de juin à septembre.

● *Bon marché*

– *Le Gulf Stream :* 26, rue des Sept-Iles. ☎ 96-23-21-86. Chambres agréables de 110 F à 220 F . Vue panoramique. A deux pas de la plage du Trestraou. Fermé de mi-novembre à mi-mars et le mercredi hors saison. Demi-pension, 180 à 230 F.

– *Hôtel de la Mairie :* place de l'Hôtel-de-Ville. ☎ 96-23-22-41. Ouvert toute l'année. Dans le centre ville, pas loin de la plage. Hôtel classique et chambres correctes de 110 à 170 F.

– *Crêperie de Mme Hamon :* rue de la Salle. ☎ 96-23-28-82. Fin du service à 21 h 30. C'est une petite rue en pente, face au parking après le port de plaisance. Une « cave » confidentielle (enfin, plus maintenant !...). Cette crêperie est à connaître autant pour la saveur des crêpes que pour voir travailler la propriétaire. Seule au fourneau, il faut la voir lancer les crêpes par-dessus son épaule sans jeter un coup d'œil. Et pourtant, cela finit toujours par atterrir dans l'assiette présentée par la serveuse.

– *La Chaum'Inn :* plage du Trestraou. ☎ 96-23-23-45. Terrasse avec vue sur la mer. Deux menus au très bon rapport qualité-prix. Fruits de mer, crevettes, langoustines, etc. Service agréable.

● *Plus chic*

– *Les Feux des Iles :* 53, boulevard Clemenceau (vers la corniche). ☎ 96-23-22-94. Fermé le dimanche soir et le lundi, et d'avril à septembre. A 400 m environ de la plage de Trestrignel. Une grande maison particulière, au fond d'un jardin fleuri avec vue sur les Sept-Iles. Tennis sur gazon. Un certain charme. Chambres agréables de 280 à 400 F. Cuisine très réputée. Menu à 110 F avec huîtres, blanc de poulet à la crème d'ail ou filet de lieu jaune à la printanière. Au menu à 175 F, foie gras frais de canard, étuvée de 3 poissons du jour au safran ou grenadins de veau aux morilles.

– *Au Bon Accueil :* rue de Landerval. ☎ 96-23-25-77. A 100 m du port de plaisance donc avec vue sur mer. Chambres de 170 à 250 F, demi-pension de 250 à 290 F. Notre dernière bonne découverte à Perros !

● *Très chic*

– *Hôtel du Sphinx :* 67, chemin de la Messe. ☎ 96-23-25-42. Surplombant magnifiquement la mer et la plage de Trestrignel. Construction un peu rétro en granit rose, brique et grès. Intérieur style rustique provincial. Ouvert du 15 mars au 15 novembre. La plupart des chambres tout confort et en prise directe sur le large, avec grandes baies vitrées. De 300 à 400 F la double. Bonne cuisine (produits de la mer essentiellement). De l'hôtel, accès direct à la mer par un grand jardin. Une excellente adresse pour amoureux fortunés.

### Où boire un verre et danser ?

– *Pub Brittania* : 19, boulevard de la Mer. ☎ 96-91-01-10. Pub style d'importation Regency. Belle gamme de purs malts aussi. *English spoken not necessary !*
– *New-Way Night-Club* : rue de Trebuic, près de la plage de Trestraou. ☎ 96-91-24-24. Une disco pour ados.

### A voir, à faire

– *Savonnerie de Bretagne* : 22, rue du Général-Leclerc. ☎ 96-23-23-32. Que de couleurs et d'odeurs enivrantes ! Un véritable plaisir pour la vue et l'odorat à des prix raisonnables !
– *Balade aux Sept-Iles* : avec les Vedettes Blanches. ☎ 96-23-22-47. Réservation fortement conseillée la veille du départ.

## *LA CÔTE DE PERROS-GUIREC À TRÉGUIER*

A partir de Trestel, côte qui va devenir de moins en moins touristique et à l'air de plus en plus vivifiant. Les landes vont s'enhardir à descendre vers la mer et contester sans peur le béton. De Port-Blanc, le contraste ira même s'accentuant entre un paysage doux, tendre, quasi familier, et la côte déchiquetée, ses grosses roches indisciplinées et ses multiples îlots. Rudesse des bords de mer atténuée par les prés verdoyants et les bosquets venant lécher les vagues. Venez suivre ces incroyables routes étroites menant partout, nulle part, mais toujours à un point de vue charmant. Balade conseillée en fin d'après-midi. Les reliefs s'accentuent, couleurs et tons veloutés se cernent en douceur autour de hameaux et de petits ports de poche. A signaler que cette *côte des Ajoncs* est fort bien fléchée.

## **PORT-BLANC** (22710)

Petit port et station balnéaire d'une discrète et agréable modestie. Plusieurs plages de sable fin. Au milieu, gros rocher avec un petit oratoire. Le grand poète Anatole Le Braz et Théodore Botrel y habitèrent, ainsi que Lindbergh, et le prix Nobel de médecine Alexis Carrel. Ici la catastrophe du *Torrey Canyon*, en 1967, n'est plus qu'un mauvais souvenir.
Jolie *chapelle* du XVIᵉ siècle, dans le hameau, avec un toit descendant presque à terre. A l'intérieur, arcades en plein cintre et chancel en bois ajouré. Dans l'enclos, calvaire du XVIIᵉ siècle. En principe, visite commentée gratuite en haute saison, les lundi et jeudi à 17 h (incluant l'histoire de la région). *Sentier de douanier* très pittoresque de Port-Blanc à Buguélès.

### Où dormir ? Où manger ?

– *Grand Hôtel de Port-Blanc* : sur la plage, en face de l'oratoire. ☎ 96-92-66-52. Classique, un peu rétro, bien tenu et accueil sympa. Chambres de 130 à 185 F. Restaurant panoramique. Menus à 55, 90, 160 F (avec assiette de fruits de mer, cervelle d'agneau aux câpres, filet de saint-pierre, fromage et dessert). Idéal pour petits budgets et familles.
– *Hôtel-restaurant des Iles* : à côté du précédent. ☎ 96-92-66-49. Ouvert d'avril à fin septembre. Chambres correctes de 100 à 180 F. Salle à manger cadre rustique avec vieux vaisseliers, petites nappes à carreaux, atmosphère douce et familiale. Menus à 68, 90 et 120 F.
– *Hôtel le Rocher* : rue de la Sentinelle. ☎ 96-92-64-97. Pas de restaurant. 10 chambres de 100 à 200 F.

## **PLOUGRESCANT** (22820)

Adorable presqu'île, bordée d'un chapelet d'îles, d'îlots souvent habités, d'une côte échancrée...

**Où dormir ? Où manger ?**

— *Camping municipal de Plougrescant* : à deux pas des flots. ☎ 96-92-51-18.
— *Manoir de Kergrec'h* : à Plougrescant. Mme de Roquefeuil reçoit de Pâques à la Toussaint. Chambres d'hôte et dîner sur réservation.
— *Auberge de Pen-Ar-Feunten* : route de Penvenan. ☎ 96-92-51-02. A la fortune du pot, dans un cadre rustique plus que simple, mais accueillant et pas cher. Compter 200 F pour une bonne soirée étape.

● *Plus chic*

— *Hôtel-restaurant le Crustacé* : place de l'Église, à Penvenan. ☎ 96-92-67-46. Les 5 menus entre 70 et 240 F valent le détour. Mieux que les 8 chambres entre 100 et 160 F.

**A voir**

— Superbe *anse de Gouermel* ne livrant à marée haute qu'une mince bande de sable blanc. *Chapelle Saint-Nicolas*, du XVIe siècle, avec calvaire très ancien.

— A *Porz-Scarff*, jolie petite baie là aussi. Joyeux désordre de roches à droite du port. La route suit à sa guise la côte, se faufile à travers prairies, petits bois de pins, cultures, fermes et amoncellements de roches. Pour déboucher finalement sur la merveilleuse *pointe du Château*, et ses énormes blocs de granit.
Les jours de gros temps, la mer se précipite en hurlant dans le *gouffre de Castel-Meur* (à un petit quart d'heure à pied). Il nous rappelle le long combat de la mer et de la terre. Comme disait Xavier Grall : « Ce moment où la mer vient contester la rive... »

— Un peu plus loin, *Porz-Hir* prolonge l'enchantement. Au lieu marqué *Er Varlenn Castell, Plougrescant*, une autre baie sauvage avec l'île Loaven au milieu. A Plougrescant, admirez cette petite maison plantée, entre deux rochers, sur une petite presqu'île comme un défi à l'Océan et où les amoureux de mer et solitude aimeraient vivre. Nous venons d'évoluer là parmi les plus beaux paysages bretons qui soient... Pas étonnant donc que cette fameuse *petite maison* soit en photo sur tous les documents publicitaires de la côte de granit rose ! Pas très loin, sur la route du gouffre, *chambres d'hôte* chez Mme Janvier. ☎ 96-92-52-67.
Et pour ceux qui ont le pied marin, embarquez avec Pascal Jeusset, jeune patron de la *Marie-Georgertte* basée au Castel en Plougescant ; vous le rencontrerez souvent au *café Arvrag*, ☎ 96-92-51-03. Réservation aussi au 96-92-58-83. Pour 150 F la journée, la balade sur ce voilier en bois de 9 m vaut bien un petit mal de mer, tant le paysage côtier vu du large est spendide !

— *La chapelle de Saint-Gonéry* : comment ne pas finir un itinéraire aussi enchanteur par l'une des perles des églises des Côtes-d'Armor ? Son clocher « juché de traviole, comme le bonnet d'un astrologue en goguette » selon Florian Leroy ! est, à l'évidence, une invitation à s'arrêter.
Côté route, vous aurez noté la partie romane du Xe siècle, à l'aspect fortifié. Le reste est du XVe siècle. Le clocher penché en plomb est de 1612. Dans l'enclos, *chaire à prêcher* octogonale, du XVIe siècle. Pour visiter, allez demander la clé dans la boutique en face. Nous espérons que vous recevrez un bon accueil... pour une visite commentée ne valant même pas les 3 F de droit d'entrée ! Il paraît que ça va s'améliorer...
A l'intérieur, plafond en forme de carène de navire renversée (d'ailleurs fabriqué par des charpentiers de marine). Il présente une succession exceptionnelle de *fresques* de la fin du XVe siècle et du XVIIIe siècle. Grande naïveté du dessin, au trait parfois malhabile, mais toujours grande fraîcheur des tons, sens de la décoration et imagination. Une vraie B.D. qui se lit sur le mur de la porte, de gauche à droite. Ligne du haut : création du monde, des animaux, d'Adam et Ève, etc. Toute la Genèse et le Nouveau Testament.
Sous la tour, *tombeau de saint Gonéry*, du XVIIe siècle, moine irlandais réputé pour guérir les fièvres. Les marins grattaient toujours une poignée de terre du tombeau pour l'emporter sur leur bateau. Statue de la *Vierge* en albâtre du XVIe siècle. *Mausolée* d'un évêque de Tréguier, de la même époque. Au-dessus, belles sablières sculptées, ainsi que vers le superbe meuble de sacristie (l'une d'entre elles représentant les Sept Péchés capitaux).
*Fête de Saint-Gonéry*, le lundi de Pâques. Le crâne du saint est aussi porté en procession le quatrième dimanche de juillet.

**TRÉGUIER** (22220) _____

« Capitale évêché » du Trégor, au confluent du Jaudy et du Guindy. « Petite cité de caractère. » L'une des plus belles villes de Bretagne et des plus importantes jusqu'à la Révolution. Mais aussi très bourgeoise, cléricale, conservatrice. Vous y rencontrerez fort peu de marginaux ! Même si Tréguier a perdu toutes ses prérogatives et n'est plus aujourd'hui qu'un petit chef-lieu de canton, elle conserve quelque chose dans l'atmosphère de sa grandeur passée. Quelque chose de très noble, paisible, compassé même. Renan écrivait, parlant de sa ville natale : « C'était un immense monastère où nul bruit du dehors ne pénétrait ! »

– *Office du tourisme :* à l'hôtel de ville. ☎ 96-92-30-19. Très compétent et dévoué.
– *Comité touristique du pays côtier Trégor-Goëlo :* maison de Kerantour, 22740 Pleudaniel. ☎ 96-22-14-08. Ouvert toute l'année. Sur le bord de la route entre Tréguier et Paimpol. Pour vous renseigner et vous aider dans tous les domaines.
– *Capitainerie du port de plaisance :* ☎ 96-92-42-37.

**A voir**

– *La cathédrale Saint-Tugdual :* l'un des chefs-d'œuvre de l'architecture religieuse bretonne. La cathédrale aux trois tours et demie : tourelle ronde, tour carrée romane (XII° siècle), tour carrée gothique (XV° siècle) et flèche de 63 m (XVIII° siècle) pour finir. Quatre pierres furent utilisées (schiste, pierre de Caen, granit rose et gris). Festival de formes donc, volumes et couleurs (changeant à chaque facétie du soleil). Sa construction, commencée en 1339, dura 150 ans, intégrant des éléments de l'ancienne cathédrale romane. En 1794, près d'un millier de « Bleus » du bataillon d'Étampes la mirent à sac. A l'extérieur, splendeur des porches et de la façade sud. Porche principal surmonté d'une longue baie flamboyante. L'intérieur fait irrésistiblement penser à Chartres. Dès l'entrée, avec la voûte à 40 m, on est littéralement aspiré vers le ciel. Belles arcades à voussures gothiques du chœur. Triforium surmonté d'une galerie à balustrade. Avec les retombées d'ogives, terminées par des figures grotesques, on obtient une harmonie quasi parfaite.
Au milieu de l'église, copie, d'un goût un peu lourd et très surchargé, du mausolée de saint Yves, construit au XV° siècle et détruit à la Révolution française. Remarquables *stalles* du chœur (1509). Regardez attentivement les détails : les ébénistes-sculpteurs ont fait montre d'une incroyable liberté d'expression, d'un réalisme surprenant.
*Trésor* de la cathédrale composé de statues anciennes, reliquaires, mobilier religieux, etc. Tête de saint Yves (dans une châsse rangée la plupart du temps dans le grand reliquaire).
Peu avant d'accéder au trésor et au cloître, le solide pilier roman à six colonnes soutenant deux arcs en plein cintre présente de splendides *chapiteaux* sculptés de fleurs stylisées en entrelacs. A côté de l'entrée du cloître, *autel de la Vierge* d'une finesse de sculpture remarquable.
*Cloître* magnifique, de style gothique flamboyant. C'est le mieux conservé de Bretagne et le plus original. Nombreux tombeaux. De l'angle opposé à l'entrée, perspective admirable sur tout le corps de la cathédrale et le chevet, dont on peut aisément décomposer toutes les époques.

– *Le vieux Tréguier :* il faut parcourir à pied toutes les rues et ruelles courant autour de la cathédrale. Laissez la voiture sur le port pour « monter » vers la cathédrale par la rue Ernest Renan ; ou sur la place de la République en face du lycée, pour « descendre » en ville par la rue Kercoz. *Rue Colvestre,* très belle maison à pans de bois, mais surtout nobles demeures en granit. Montez jusqu'à la *rue Marie-Perrot,* pour admirer le porche gothique et l'escalier à vis de l'ancien évêché. La petite *rue Saint-Yves,* débouchant place de la Cathédrale, possède beaucoup de charme.

– *La maison natale d'Ernest Renan :* rue Ernest-Renan. L'élégante demeure à colombage abrite un petit musée sur le grand philosophe et historien. Ouvert de 10 h à 12 h et de 14 h à 18 h. Fermé mardi et mercredi. Renan habita quinze ans cette maison et y revenait toujours pour les vacances. On y trouve divers souvenirs et le cabinet de travail qu'il occupait au Collège de France.

– *Le grand pardon de Saint-Yves* : il se déroule le dimanche le plus proche du 19 mai, chaque année. L'un des plus fervents de Bretagne. La châsse contenant le crâne de saint Yves est portée en procession. Saint Yves fut longtemps juge ecclésiastique. Il y acquit une réputation d'intégrité et de bonté qui attira des foules énormes. Il recueillait malades et mendiants dans sa propre maison, s'imposait trois jours de jeûne par semaine, dormait avec une grosse pierre en guise d'oreiller. Il mourut épuisé, le 19 mai 1303. Considéré comme le patron des avocats et le protecteur des pauvres.

### Où manger ?

– *L'Auberge du Trégor* : 3, rue saint-Yves. ☎ 96-92-32-34. Ouvert tous les jours. Restaurant gastronomique, menus à partir de 65 F. Propriétaires très accueillants.
– *Hôtel-restaurant de l'Estuaire* : sur le quai du port de plaisance. ☎ 96-92-33-49. Belle vue. Plusieurs menus à partir de 65 F. Chambres à 190 F

### Où dormir chic ?

– *Kastell Dinec'h* : route de Lannion. ☎ 96-92-49-39. Élégant manoir breton transformé en hôtel-restaurant, tout en gardant son mobilier d'époque et une atmosphère intime. Dispose d'une piscine dans le jardin. Chambres presque luxueuses entre 230 et 380 F. Premier menu à 90 F, mais les plats à la carte tentent plus, alors il faut compter 200 F. Belle étape à quelques kilomètres de la côte.

### Où boire un verre et manger de bonnes crêpes ?

– *La Manufacture of Krampouez* : 8, rue Saint-Yves. ☎ 96-92-34-77. Le lieu le plus sympa pour boire une bonne bolée de cidre et déguster de délicieuses crêpes au feu de bois. Vous y mangerez pour 70 F maximum. Grande salle chaleureuse dans une pittoresque vieille maison. Expos de photos, jouets, cadeaux souvenirs parmi les plus insolites ou provocateurs dans l'esprit écolo-bretonnant, jeux, livres, etc. Une grosse bouffée d'atmosphère anticonformiste, bien conviviale, avant de continuer son périple trégorois !

### Aux environs

● *Pontrieux* : comme son nom l'indique, le pont est superbe et il y a autour une place et quelques maisons médiévales dignes d'intérêt.
– *Chambres d'hôte chez Jean-Loup Hervé* : ferme de Kerléo à Pléozal. ☎ 96-95-65-78.

● *Pleubian* : vous y découvrirez la plus ancienne *chaire à prêcher* extérieure de Bretagne (XVe siècle). Assez haute, circulaire, elle déroule une magnifique frise sculptée représentant la Passion. Personnages, bien sûr, usés par le temps et les embruns, mais les scènes ont conservé une vie étonnante (le baiser de Judas, la Flagellation, etc.).
Tout au bout de la presqu'île, à l'Armor, une curiosité géologique : le *sillon de Talbert*. C'est une sorte de langue naturelle faite de sable et galets, longue de 3 km, édifiée patiemment par les courants opposés des fleuves Jaudy et Trieux (en juillet, festival son, laser et cerf-volant). Au large, le *phare des Héaux*. Avec ses 45 m, le phare de haute mer le plus élevé de France.

● *Moulin à mer de Traou-Meur-en-Pleudaniel* : ☎ 96-20-17-32. Ouvert tous les jours sauf lundi et mardi en saison. Bâtisse massive du XVIIe siècle, parfaitement conservée sur la rive d'une anse du Trieux. Visite technique intéressante. Vannes, roues à pales, meules et autres mécanismes.

● *Centre d'étude et de valorisation des algues* : à Larmor-Pleubian. ☎ 96-22-93-50. Un peu de tourisme technique... et gastronomique ; une fois n'est pas coutume ! C'est un laboratoire de culture et de recherche d'exploitation des algues récoltées sur l'immense platier rocheux entre la côte et l'île de Bréhat. On emploie les algues dans les engrais, les cosmétiques, les crèmes glacées, le cirage, les pellicules photo, les baguettes de soudure, les flans de poisson, les potages, les tissus. Maintenant, si vous voulez déguster une salade d'algues fraîches... Visite en juillet et août les mardis, mercredis et jeudis, l'après-midi seulement.
– *Camping Port-la-Chaîne* : à Pleubian. ☎ 96-22-92-38. Un jardin fleuri exploité en famille.

● *Le château de la Roche-Jagu :* ouvert tous les jours de 10 h à 12 h et de 14 h à 19 h. ☎ 96-95-62-35. A une dizaine de kilomètres au sud-est de Tréguier. Bâti au bord du Trieux, à près de 60 m de hauteur, il occupe une place stratégique exceptionnelle dans un très beau site. Construit au XVe siècle dans un style à mi-chemin du château et du manoir. Élégante façade sur cour. A l'intérieur, visite, entre autres, de la cuisine et de la charmante chapelle. Nombreuses cheminées sculptées. Expos temporaires. Du chemin de ronde, panorama remarquable sur les méandres du fleuve. Pas de mobilier, hélas !

● *Runan :* un de ces petits villages sans histoire et qui, pourtant, abrite une intéressante *église* édifiée du XIVe au XVIe siècle. Construction rythmée par quatre pignons et un clocher à flèche et balustrade. Porche ornementé de nombreux personnages et d'un linteau sculpté (pietà et Annonciation). Une douzaine de bas-reliefs, genre de blasons, se répartissent curieusement sur la façade. Petit ossuaire en coin. A l'intérieur, dans le chevet, très belle *verrière* de 1423, retables du XVIIIe siècle.
Devant l'église, une des rares chaires à prêcher extérieures existant encore en Bretagne. Surmontée d'un petit calvaire.

● *Château et motte féodale de Bredily :* ☎ 96-95-69-38. Du XVIe siècle. Sur les vestiges du château du XIVe siècle, détruit pendant la guerre de succession de Bretagne. Téléphoner avant pour la visite.

● *Château de Kermezen :* ☎ 37-31-84-56. Appartient à la famille de Kermel depuis 5 siècles. Très belle façade du XVIIIe siècle. Téléphoner avant pour la visite.

## PAIMPOL (22500)

*Penn-Poull,* en breton, « la tête de l'étang », compte aujourd'hui 7 851 habitants. Il ne reste pas grand-chose du folklore exprimé dans la chanson de Théodore Botrel. La grande épopée des pêcheurs d'Islande est loin désormais. On retrouve, cependant, dans les belles demeures des armateurs et les poignants cimetières marins, les vestiges des grandes heures de la navigation à voile. Balade agréable dans les ruelles de la vieille ville. Tous les immeubles du quai Duguay-Trouin, au fond du port de pêche et de plaisance, ont été rasés et reconstruits dans le style marine pseudo-bretonne !

– *Syndicat d'initiative :* à la mairie. ☎ 96-20-83-16. Ouvert de 9 h à 12 h et de 14 h à 17 h. En saison, ferme à 19 h 30 (le dimanche à 12 h).
– *Maison des plaisanciers :* quai Neuf. ☎ 96-20-47-65.
– *Répondeur météo :* ☎ 96-20-01-92.
– *Gare routière :* ☎ 96-33-36-60 ou 96-22-37-05.
– *Gare S.N.C.F. :* ☎ 96-20-81-22.

### Où dormir ? Où manger ?

Tout ce qui se trouve autour du port est animé le soir et bruyant la nuit. A bon entendeur, salut !
– *Hôtel des Chalutiers :* 5, quai Morand. ☎ 96-20-82-15. Fermé de la mi-octobre à la mi-mars. Petit hôtel proposant d'agréables chambres avec belle vue sur le port, de 85 à 300 F (pour 4 personnes).
– *Hôtel Le Goëlo :* quai Duguay-Trouin. ☎ 96-20-82-74. Ouvert toute l'année. Établissement moderne, avec belle vue sur le port également. Chambres impeccables de 130 à 200 F.
– *Hôtel l'Origano :* 7 bis, rue du Quai. ☎ 96-22-05-49. Dans une maison de caractère du vieux centre, chambres pas trop grandes, mais confortables. De 120 à 160 F pour deux.
– *Auberge de jeunesse :* au château de Kerraoul, dans un grand jardin. ☎ 96-20-83-60. Ouvert toute l'année. Une très agréable A.J. dans une grosse maison bourgeoise qui se prendrait pour un manoir. Aire naturelle de camping. Organise des stages de kayak de mer.
– *Camping Cruckin Kérity :* le plus proche de la ville. ☎ 96-20-78-47. Ouvert de Pâques au 30 septembre.
– *Restaurant du Port :* 17, quai Morand. ☎ 96-20-82-76. Fermé dimanche soir, lundi et en janvier. Cadre classique. Salle panoramique au 1er. Bon rapport qualité-prix des menus à 56, 72 et 98 F (fruits de mer, saumon poché ou sole

belle meunière, fromage et dessert) et 146 F. Plateau de fruits de mer pour deux à 175 F.

● *Plus chic*

— *Eurotel Paimpol* : au bout de la zone commerciale à droite en direction de Lanvollon. ☎ 96-20-81-85. Hôtel-restaurant tout neuf et moderne, tenu par une famille de gens sympa et serviables. Une soirée étape pour 2 personnes vous coûtera 462 F, et à ce prix on est très bien traité.
— *Le Repaire de Kerroc'h* : 29, quai Morand. Sur le port de plaisance. ☎ 96-20-50-13. Fermé le mardi. Dans une très belle ancienne demeure d'armateur. Chambres joliment décorées à 300 F pour deux. Bonne cuisine. Menu à 110 F avec salade, panaché de poisson au beurre blanc et dessert. A celui à 165 F, huîtres, minute de rouget barbet au beurre de basilic, fromage. Délicieux desserts. Possibilité de déguster en terrasse huîtres, moules, assiette de fruits de mer, etc.

### Où sortir ? Où danser ?

— *La Falaise* : au fond du port. Rive droite, à l'entrée du quai de Kernoa. La petite Renée crée une ambiance folle dans son pub de marins qui ne sont pas tous anglais.
— *Bar-dancing le Pub* : rue des Islandais. Rive gauche du port. Derrière le quai Morand. Là, c'est Françoise qui vous fait la conversation, quand on ne danse pas le rock ou le reggae. Dans ce quartier, les boîtes ne manquent pas !

### A voir

— *La vieille ville* : place du Matray et dans les ruelles alentour, quelques beaux exemples d'architecture locale. A l'angle de la place et de la rue de l'Église, superbe maison Renaissance d'armateur avec tourelle d'angle carrée (tiens, à côté, une rue Georges-Brassens, ça c'est sympa mais c'est normal : Brassens a passé pendant plus de trente ans ses vacances à Paimpol et à Lézardrieux où il possédait une maison). Au *5, rue de l'Église*, maison à colombage sculpté. Au nº *6, rue des Huit-Patriotes*, une plus ancienne encore, avec personnages aux angles.

— *Musée de la Mer* : quai Pierre-Loti. ☎ 96-20-80-15. Ouvert tous les jours à Pâques et du 15 juin au 15 septembre, de 10 h à 12 h et de 15 h à 19 h. Petit musée retraçant la saga des pêcheurs d'Islande à l'aide de photographies, maquettes, documents (livres de bord, lettres, etc.). L'été, visite gratuite du Mad Atau, un *dundee* camarétois, construit en 1938.

### Aux environs

● *L'abbaye de Beauport* : vers le sud, route de Saint-Brieuc à gauche. ☎ 96-20-81-59. Ouverte en saison tous les jours de 9 h 30 à 12 h et de 14 h à 19 h. Une abbaye du XIIIe siècle en ruine, qui fut longtemps la plus belle de Bretagne. Visite de l'abbatiale, de la jolie salle capitulaire, des vestiges du cloître, dans un environnement bucolique et marin. Expositions et concerts classiques en saison. Excellent programme.

— Un grand *circuit pédestre* part de Paimpol et effectue tout le tour de la presqu'île, par Porz-Even, la pointe de l'Arcouest, Loguivy, la rue Keralain. Petits chemins de campagne, sentiers côtiers assez accidentés pour une superbe balade. Renseignements à l'office du tourisme de Paimpol.

— Une promenade insolite par le train : la ligne de chemin de fer Paimpol-Guingamp suit, jusqu'à Pontrieux, la rive droite du Trieux. On découvre successivement les ruines de la maison des ancêtres d'Ernest Renan, la lande de Lancerf, où Alain Barbetorte repoussa définitivement le chef normand Incon et ses Vikings en 931.
On aperçoit ensuite le manoir ayant appartenu à Pierre Quémeneur, dont la disparition inexpliquée valut 22 ans de bagne à Joseph-Marie Seznec en 1924. Après avoir franchi le Leff à la halte de Frynaudour, voilà qu'apparaît le château de la Roche-Jagu (voir plus haut). Enfin, Pontrieux, tout le monde descend ! Vive le petit train tortillard !

## PLOUBAZLANEC (22620)

Agglomération au nord de Paimpol qui possède l'un des plus émouvants *cimetières marins* de Bretagne. Sur un long mur, des plaques rappellent le lourd tribut qu'ont payé les pêcheurs d'Islande. De simples planches en bois peintes en noir où, d'une écriture hésitante et d'un style très sobre, voire pudique, s'alignent les noms des victimes des naufrages. Plus de 100 goélettes sombrèrent. 2 000 hommes disparurent sur lesquels, comme disait Brassens, « Jamais le trou dans l'eau ne se refermera... » La campagne d'Islande démarra au milieu du XIX° siècle. Les bateaux comprenaient environ 20 hommes et partaient pour six mois. 1895 vit l'apogée de la campagne avec le départ de 82 goélettes. En 1935, seulement deux bateaux firent le grand (et dernier) voyage.

A la sortie du bourg, vers Porz-Even, s'arrêter à la *chapelle de Perros-Hamon*. Très gracieuses sculptures sur la façade. Sous le porche, là aussi, de poignants ex-voto.

Pittoresque et tranquille petit port de *Porz-Even*, célèbre grâce à Pierre Loti qui y découvrit les principaux personnages de *Pêcheurs d'Islande*.

Suivez la pancarte indiquant *Croix des Veuves*. Au bout de la route, sur une petite butte. C'est là que femmes et mères de marins attendaient le retour de leurs hommes. Juste avant, une belle statue patinée par les embruns. De la croix, large panorama sur le large, les îlots et récifs.

### Où dormir ? Où manger ?

– *Pension Bocher* : dans la rue principale de Porz-Even. ☎ 96-55-84-16. Une bâtisse traditionnelle du pays couverte de lierre. Chambres agréables de 100 à 290 F (pour 3 personnes). Bons menus de 95 à 220 F.

## LOGUIVY-DE-LA-MER (22620)

Petit port actif, blotti au fond d'une crique et qui a su conserver un cachet d'authenticité. Que ce soit à marée basse ou lors de la rentrée des bateaux, c'est toujours pittoresque et coloré. Du côté gauche (face à la mer), on embrasse d'un coup l'embouchure du Trieux et toutes les îles. Pour les plus bolchéviques de nos lecteurs et qui suivent pas à pas la vie de Lénine (cf. *le Guide du Routard Paris* ; publicité gratuite), le grand théoricien de la Révolution s'y reposa de la lutte des classes, en juillet 1902.

## LA POINTE DE L'ARCOUEST

A 9 km au nord de Paimpol, point d'embarquement pour l'île de Bréhat. Pittoresque promontoire d'où l'on bénéficie d'une vue remarquable sur l'archipel et ses poussières d'îlots. L'endroit fut particulièrement apprécié des savants. Pasteur, Frédéric et Irène Joliot-Curie, le physicien et prix Nobel Jean Perrin y vinrent souvent.

### Où dormir ?

– *Camping du Rohou* : en surplomb de ce beau paysage. Ouvert toute l'année. ☎ 96-55-87-22. Luxueux hôtel à l'embarcadère pour Bréhat.

– *Chambres d'hôte : Kerloury*, chez I. Le Goaster. Sur la route reliant Loguivy à l'axe Paimpol-Tréguier. ☎ 96-20-85-23. Ensemble de maisons de caractère, en pierre du pays. Vieux calvaire devant. Beaucoup de charme. 160 F pour deux. Petit déjeuner compris. Possibilité de camping à la ferme de juin à septembre.

## L'ÎLE DE BRÉHAT (22870)

Île très touristique en saison, et l'on comprend pourquoi. Ainsi, curieusement, il y pleut beaucoup moins que sur le continent. Ce microclimat permet à une végétation quasi méditerranéenne de se développer : eucalyptus, palmiers, mimosas, figuiers, etc. Les buissons d'hortensias peuvent parfois atteindre 200 têtes. L'île mesure environ 3,5 km de long et 1,5 km dans sa plus grande largeur. Parsemée de belles villas. Pas de voitures hormis les 2 véhicules de secours, autant dire que c'est le paradis de la découverte à pied. L'introduction du dernier tracteur fit même l'objet d'une histoire d'État. C'est vrai qu'il y en a de plus en plus. Progression inversement proportionnelle à celle des cultivateurs. À Bréhat, on utilise surtout la carriole à bras et le vélo.

*Plage du Guerzido,* accessible par le sentier qui longe la falaise à partir de Port-Clos. Plage de galets et de sable bien abritée et sûre. *Le Bourg,* « capitale » de l'île, offre sa mignonne petite place et son église du XII⁰ siècle, remaniée au XVIII⁰ siècle. À l'intérieur, beau retable lavallois qui, avec les deux autels latéraux, forme un ensemble classique du XVII⁰ siècle. Le lutrin du XVIII⁰ siècle viendrait d'Angleterre. Chaire à prêcher du XVI⁰ siècle, soutenue par une cariatide. Quelques statues et la maquette d'une frégate, la *Reder-Mor,* offerte par l'enfant du pays, l'amiral Cornic.

De la *chapelle Saint-Michel* (1852), perchée sur une butte, vaste vue sur les environs. À deux pas, ancien moulin de mer. Le *pont ar Prat,* édifié par Vauban, permet l'accès au nord de l'île. Relief plus rude. Landes et rochers dominent. On y trouve le *phare Rosédo* et, tout à l'extrémité, celui *du Paon.* C'est le coin le plus tourmenté de l'île. Côte qui part en mille morceaux de granit rose. Au pied du phare, toutes les évasions en rêve sont possibles.

### Comment y aller ?

— *Port d'embarquement à la pointe de l'Arcouest.* Parking de plusieurs centaines de places (en été, vous n'y serez pas seul !). Renseignements : ☎ 96-55-86-99. Bureau ouvert de 8 h 30 à 18 h 30 du 1ᵉʳ avril au 30 septembre. D'avril à début juillet et en septembre, une dizaine de départs par jour de 8 h 30 à 19 h. En juillet-août, une douzaine de départs, avec des navettes supplémentaires aux heures de pointe.
— *Tour de l'île :* excursion dans l'archipel. Durée : 45 mn à 1 h. Du 1ᵉʳ mai au 9 juillet et en septembre, départs à 10 h 45 et 14 h 45. Du 10 juillet au 31 août, neuf départs de 9 h 30 à 16 h 45. Possibilité à la fin du tour de s'arrêter sur l'île et de revenir par la navette permanente. Renseignements : ☎ 96-20-00-66 ou 96-20-00-11.
— D'autres excursions possibles : remontée du Trieux, croisières en baie de Saint-Brieuc.

### Adresses utiles

— *Syndicat d'initiative :* à la mairie. ☎ 96-20-00-36. Gère aussi le *camping municipal.*
— *Club nautique :* ☎ 96-20-00-95.
— *Location de vélos :* ☎ 96-20-03-51. Chez Rosine Dalibot qui tient une boutique à Port-Clos, à droite en allant au bourg. Jeune femme très serviable.

### Où dormir ? Où manger ?

On n'a rien trouvé d'extraordinaire, de là à dire qu'il faut apporter sa tente et son manger, non.
— *Terrasse et Belle Vue :* à Port-Clos. Chambres modernisées avec vue sur la mer, 250 F pour deux. Menus de 90 à 250 F.
— *Restaurant la Potinière :* sur la plage de Guerzido. Calme et bien situé. Menu à 90 F ordinaire.
— *Crêperie Ty Jannet :* près de la mairie. Vente à emporter et restauration sur place. Joyeux et sympa.

### DE PAIMPOL À SAINT-BRIEUC

Au sud de Paimpol s'étend le pays du Goëlo, une jolie campagne où il fait bon musarder le nez au vent. Vous êtes encore pour un temps en pays bretonnant. À partir de Plouha, les vibrations changent progressivement de nature. Profitez-en ! De part et d'autre de la route Paimpol-Saint-Brieuc, quelques églises, chefs-d'œuvre à ne point rater, plus quelques excellentes fermes-auberges, juste complément des nourritures spirituelles.

● **Le « temple » de Lanleff :** à mi-chemin de Paimpol-Lanvollon. Une église assez unique. Avec celle de Sainte-Croix à Quimperlé, la seule de forme circulaire. Construite au XI⁰ siècle, dans un style du plus pur roman, sur le plan du Saint-Sépulcre de Jérusalem. Bien qu'elle ait perdu sa coupole, l'ensemble est impressionnant de rudesse primitive, de sobriété. On pense irrésistiblement à un petit temple romain. Rotonde centrale bien conservée présentant de belles arcades et quelques chapiteaux sculptés de façon maladroite.

● *La chapelle de Kermaria-an-Iskuit :* sur la route de Plouha. Édifiée au début du XIII° siècle, agrandie au XV° et au XVII° siècle. Beau porche ogival abritant les apôtres en bois polychrome. Mais c'est à l'intérieur que l'on découvre la véritable originalité de la chapelle : plusieurs fresques, dont une étrange *danse macabre,* d'une cinquantaine de personnages, qui court le long de la nef. Peinte vers 1490. Un personnage sur deux donne la main à un cadavre. Notez les détails vestimentaires qui permettent de deviner ou supposer les différents métiers ou conditions sociales (un paysan, un évêque, etc.).

● *Lanloup :* petit village offrant sa ravissante *église* du XV° siècle. Porche remarquable avec les statues des apôtres sous leur dais ouvragé. Intéressant calvaire. Ayant conservé son cimetière, l'ensemble présente un caractère harmonieux, presque finistérien. A 2 km du village, le *manoir de la Noé Verte.* Bel édifice du XV° siècle, avec quelques salles encore meublées, ouvertes au public. Possibilité de boire un café dans le parc en compagnie des paons.

● *Bréhec :* petit port niché au fond d'une anse fermée par les pointes de la Tour à droite et de Berjule à gauche. La mer se retire au loin et les bateaux de pêche échouent sur la grève riche en palourdes et autres coquillages. Une petite digue abrite la plage fréquentée par les habitués, depuis l'après-guerre. On en est ici encore aux vacances de M. Hulot.

● *Étables-sur-Mer :* station balnéaire créée en 1897 par un industriel versaillais, M. Le Gris. La commune se niche sur une falaise à 70 m au-dessus de la mer. C'est dans un tel site, à la plage Bonaparte exactement au Plouha, que le papa de Jane Birkin, commandant dans la Royal Navy, venait recueillir les aviateurs rescapés pendant la dernière guerre. Aujourd'hui ces secteurs sont appréciés par les chasseurs sous-marins.
– *Syndicat d'initiative :* ☎ 96-70-65-41.

● *Saint-Quay-Portrieux :* station balnéaire familiale et populaire. Belles plages. Nouveau, grand port de plaisance en béton ! On n'arrête pas le progrès, dit-on ? Départ des catamarans des Émeraude Lines de Jersey, pour les liaisons régulières avec les îles Anglo-Normandes (☎ 96-70-49-46). Un *chemin en corniche,* assez pittoresque, permet de joindre Portrieux au sémaphore (beau point de vue sur la baie). A ceux qui sont véhiculés, nous conseillons, pour dormir et manger, les charmantes chambres d'hôte et les fermes-auberges très nombreuses dans la région.

● *Binic :* gentille petite station balnéaire, ancien port de pêcheurs au long cours, le 1er de France en 1845 ! Rival de Paimpol ! Aujourd'hui, la plaisance compose l'essentiel de l'activité maritime. Joli front de mer. Intéressant petit *musée de la Pêche et des Traditions locales.* Ouvert du 1er juin au 30 septembre. Quelques kilomètres à l'ouest, après Lantic, *chapelle Notre-Dame-de-la-Cour :* à l'intérieur, une très belle maîtresse-vitre du XV° siècle racontant l'enfance du Christ et la vie de la Sainte Vierge.
– *Office du tourisme :* ☎ 96-73-60-12.

● *Châtelaudren :* sur la D4, venant de Binic et de Plélo, juste avant d'arriver sur l'axe Saint-Brieuc-Guingamp. L'ancienne capitale du Goélo, fief des Bleus républicains, offre pourtant en sa *chapelle Notre-Dame-du-Tertre* un admirable et exceptionnel ensemble de *panneaux peints* datant de 1460. Pas moins de 96 dans le seul chœur, développant l'Ancien et le Nouveau Testament. Une quarantaine d'autres dans la *chapelle Sainte-Marguerite* raconte le martyre de la sainte. Une habile restauration a restitué les éclatantes couleurs de l'ensemble, plus particulièrement les fonds rouges et or. Dessine d'une remarquable expressivité, grande richesse des détails (attitudes, vêtements), à mi-chemin de l'enluminure et de l'art naïf. Définitivement à ne pas rater !
Au bourg, intéressants retables d'Yves Corlay dans l'*église Saint-Magloire.* Balade sympa dans les ruelles alentour et place de la République pour leurs demeures anciennes.

● *Plérin : plage des Rosaires* fréquentée par les Briochins (les habitants de Saint-Brieuc). La station balnéaire aurait été créée par Lucien Rosengart, l'industriel de l'automobile au début du siècle, créateur de la Targa Florio ! École de voile très active. Ici la mer se retire un peu moins loin qu'ailleurs en baie de

Saint-Brieuc. Le long de la plage on trouve encore de beaux spécimens de villas classiques « d'avant-guerre ». Le bout de plage vers Saint-laurent est fréquenté par les nudistes (quand le vent ne souffle pas trop fort – ce qui est fréquent !).

### Où dormir ? Où manger dans la région ?

— *Camping les Madières :* à Vau-Madec. ☎ 96-79-02-48. Terrain boisé à 800 m de la plage de *Pordic*. Bon restaurant à la disposition des pensionnaires.
— *Camping l'Abricôtier :* 4, rue de Robien. Étables-sur-Mer. ☎ 96-70-61-57. Situé dans une zone résidentielle. Partagé en 2 zones très calmes. Ravitaillement sur place.
— *Ferme-auberge Saint-Maurice :* à Plourhan, quelques kilomètres à l'ouest de Saint-Quay-Portrieux. ☎ 96-71-93-22. En été, ouvert tous les jours midi et soir, sauf le mardi. Toujours conseillé de téléphoner avant pour prévenir. Hors saison, seulement le samedi soir et le dimanche midi (et réservation obligatoire). Bien indiqué à partir du village. Une des plus sympathiques fermes-auberges que l'on connaisse. Dans leur campagne paisible, Roland et Françoise Videment vous recevront de façon charmante et vous régaleront de leur bonne cuisine, fraîche et abondante. Aux beaux jours, on mange sur la terrasse. Au menu à 70 F : charcuterie, plat (porc au cidre ou au muscadet, pintade au cognac, etc.), salade, fromage, dessert et... café. Souhaitez aussi que ça soit le jour de la potée. Possibilité de camping et d'acheter lait, beurre et œufs à côté.
— *Chambres d'hôte :* chez Mme Orhan, sur la D9, entre Saint-Quay-Portrieux et Lanvollan, la Ville-Hellio. ☎ 96-71-93-21. Deux chambres, w.-c. et salle de bains à l'étage. 150 F pour deux, petit déjeuner compris.
— *Ferme-auberge de la Ville-Andon :* à Plélo (22170), sur la route entre Châtelaudren et Plourhan-Saint-Quay. Indiqué à partir du bourg. ☎ 96-74-21-77. Fermé le lundi. Ouvert le week-end et les vacances scolaires. Deux chambres d'hôte. Splendide salle à manger rustique pour goûter à l'andouille maison et au coq au cidre.
— *Ferme-auberge au Char à bancs :* moulin de La Ville-Geffroy. A côté de Plélo. ☎ 96-74-13-63. Ouvert le samedi et pendant l'été (sauf le mardi). Bonnes crêpes et potée préparée comme dans le temps, sur feu de bois. Comptez 70 à 90 F pour un repas. Les propriétaires ont ouvert, à 400 m de là, la ferme de leurs aïeux transformée en petit *musée* avec 2 chambres d'hôte. Possibilité de faire du pédalo et du poney.
— *Crêperie-hôtel Sant-Roch :* à Lamloup. ☎ 96-22-33-55. Près de l'église. Studio pour 2-3 personnes à 220 F la nuit. Possibilité de faire sa cuisine. Le lit clos pour 2 personnes à 190 F.
— *Hôtel de la plage :* à Brehec. ☎ 96-22-33-23. Ouvert en saison seulement. 1 étoile bien ternie par les embruns depuis plusieurs décennies, mais c'est bien situé en front de mer et pratique des prix si doux ! Chambre à 150 F. Petit déjeuner : 22 F. Moules marinière et frites à 35 F. Très copieux. Calme rétro assuré.
— *Locotel :* parc Lannec, sur l'axe Saint-Brieuc-Paimpol à Lanvollon. ☎ 96-70-01-17. Établissement tout neuf, au calme, bien situé, offrant tous les services et commodités modernes. 20 chambres pour 2 personnes à 240 F. Menus de 60 à 155 F. Accueil prévenant bien agréable !

## SAINT-BRIEUC (22000)

A priori, la « capitale » des Côtes-d'Armor ne se révèle pas la ville du département possédant le plus de charme. Peu de chefs-d'œuvre artistiques ou monumentaux. C'est avant tout une ville administrative, industrielle et commerciale. Trafic automobile très irrationnel et, il faut le dire, par moments angoissant. Pourtant, à y regarder de près, en plus de son intéressante cathédrale, Saint-Brieuc sait offrir bien d'autres choses. Par exemple, le dynamisme de sa vie culturelle. Alfred Jarry, Tristan Corbière, Anatole Le Braz furent élèves du lycée de la ville. Villiers de L'Isle-Adam et Louis Guilloux y naquirent. Saint-Brieuc est donc marqué par une solide tradition littéraire, enrichie de sa mémoire ouvrière. Ville trop tranquille pour certains. Peut-être ! Mais, ce qui est sûr, c'est qu'il y a des gens qui bougent bien, notamment avec le festival Art Rock et la programmation du centre d'action culturelle. Peu de villes de même importance, en France, possèdent le privilège d'avoir une telle structure !

## Adresses utiles

– *Office du tourisme* : 7, rue Saint-Gouéno (plan A1-2). ☎ 96-33-32-50. Dans le centre ville, à deux pas de la cathédrale.
– *Comité départemental du tourisme* : 1, rue Chateaubriand, B.P. 620. ☎ 96-61-66-70. Écrire pour tous renseignements sur les Côtes-d'Armor. Abondante documentation et grande efficacité.
– *Loisirs-Accueil Côtes-d'Armor* : 5, rue Baratoux. ☎ 96-62-12-40. Proposent des semaines de pêche, en hôtel 1 étoile et en pension complète, et autres produits touristiques à prix forfaitaire.
– *Relais départemental des gîtes de France* : 5, rue Baratoux. ☎ 96-61-82-79.
– *Gare S.N.C.F.* : Paris-Brest. ☎ 96-94-50-50.
– *Aéroport* : Air Inter pour Paris. ☎ 96-94-61-11.
– *Gare routière* : ☎ 96-33-36-60.

## Où dormir ?

● *Bon marché*

– *Auberge de jeunesse* : manoir de la Ville-Guyomard, Les Villages. ☎ 96-78-70-70. Ouverte toute l'année. Près du centre commercial Rallye. Située dans un superbe manoir breton du XV° siècle. Chambres de 1 à 4 lits. Compter 50 F la nuit.
– *Hôtel du Parc* : 8, rue Jean-Mermoz. ☎ 96-33-51-02. Situé dans le sud-est de la ville, dans un quartier calme. Conviendra particulièrement à ceux qui ont un véhicule. A 5 mn du centre ville. Si vous arrivez de Guingamp, par les rues Gouédic et du Docteur-Rahuel, tournez à droite au carrefour où il y a le resto des *Amis des Routiers* et l'*Hôtel des Routiers*. C'est à 100 m. Gentil petit hôtel, charmant accueil et chambres impeccables (avec douche) à 120 F environ.
– *Hôtel l'Ermitage* : 9, rue Houvenagle. ☎ 96-33-28-48. Ouvert toute l'année. Dans le centre, près de la cathédrale. Hôtel classique sans charme particulier, mais chambres correctes. Doubles avec lavabo à 115 F ; 175 F avec douche.

● *Prix moyens à plus chic*

– *Hôtel le Pignon Pointu* : 16, rue Jean-Jacques-Rousseau. ☎ 96-33-02-39. Venant de la gare, prenez le boulevard Clemenceau jusqu'à la place Du Guesclin. C'est à deux pas, dans une rue très tranquille. Hôtel de charme. Offre de superbes chambres tout confort (avec télé) de 175 à 310 F pour deux. Excellent accueil. Notre meilleur rapport qualité-prix sur la ville.
– *Hôtel Ker Izel* : 20, rue de Gouët. ☎ 96-33-46-29. A côté d'une des plus jolies anciennes maisons. Petit hôtel dans une rue calme du centre ville. Chambres agréables de 205 à 270 F.

● *Campings*

– Au nord-est de Saint-Brieuc, sur la commune de Plérin (à Saint-Laurent, Martin-Plage, Ville-Hery, etc.), au moins 5 campings.

● *Dans les environs*

– *La Maison de la Baie* : site de l'Étoile, 22120 Hillion. ☎ 96-32-27-98. Hébergement en studio avec ou sans cuisine, et avec ou sans draps l de 35 à 65 F par personne. Proposent tout un programme de sorties en mer et des randonnées dans des coins peu exploités.

## Où manger ?

● *Bon marché*

– *Le Tournebride* : 10, rue Mireille-Chrysostome. ☎ 96-33-09-60. Fermé le lundi hors saison. En face du musée. Cadre plaisant, atmosphère assez animée. Clientèle populaire et employés du quartier. Menus à 50, 65 et 80 F (avec deux entrées).
– *Le Grain de Sel* : 19, rue du Maréchal-Foch. ☎ 96-33-19-61. Fermé samedi soir et dimanche, ainsi qu'en janvier. Rue qui part du centre et monte vers l'église Saint-Michel. Cadre frais et coloré pour une cuisine assez imaginative faite uniquement à partir de produits naturels. Goûtez au haddock frais à la crème, au *borchtch* russe, etc. Clientèle jeune et écolo. Compter 80 F environ pour un repas.
– *Le Charengo* : 12, rue des Trois-Frères-Le-Goff. ☎ 96-33-86-75. Dans la rue des restos. Fermé dimanche et lundi. Dispense sa cuisine espagnole et sud-

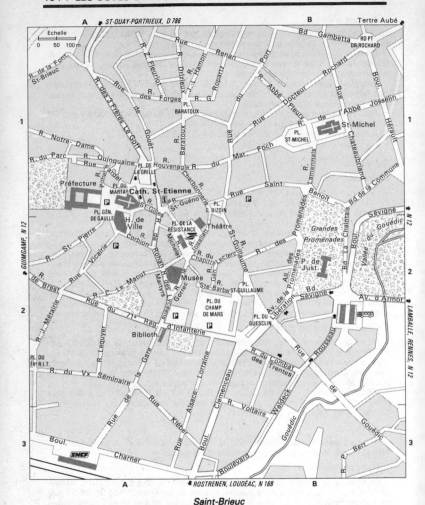

*Saint-Brieuc*

américaine depuis quelques années déjà. Les plus anciens clients et les exégètes prétendent qu'elle est bonne mais parfois un peu routinière. En tout cas, ambiance relax pour le *chili*, les *calamares con almandras*, les *pinchos de buey* (brochettes de bœuf), les *tortillas*, l'assiette andalouse, etc. Compter 50 F minimum.
– *Le Centre d'action culturelle* : place de la Résistance. ☎ 96-33-77-50. Le midi, la cafétéria du C.A.C. se transforme en resto où l'on vous servira de bons plats du jour bien garnis et plutôt bon marché. Ambiance plus classique que le soir.

● *Prix moyens à plus chic*

– *Le Madure* : 14, rue Quinncaine. ☎ 96-61-21-07. Fermé le samedi midi, le dimanche et le lundi, ainsi qu'en février. Dans le vieux Saint-Brieuc. Pas loin de la cathédrale. Cadre rustique très plaisant. Bonnes terrines et salades composées, mais, surtout, d'excellentes viandes grillées au feu de bois, tendres et abondantes à souhait. Peut-être le meilleur de la ville dans cette spécialité. Hautement recommandable. Compter aux alentours de 150 F.

– *Le Manguier* : 10, rue Jules-Ferry. ☎ 96-94-05-34. Fermé le lundi et du 15 au 31 août. Bonne cuisine traditionnelle et accueil chaleureux (jusque tard dans la soirée). Menus à 68, 98 et 155 F. Ici, tout est à un très bon niveau : cuisine, cadre, prix et amabilité !

– *La Clé de Sol* : 8, boulevard Waldeck-Rousseau. ☎ 96-61-22-05. Ouvert midi et soir jusqu'à 22 h. Fermé le samedi midi et le dimanche, ainsi qu'en août. Après le pont franchissant la rue de Gouëdic, face au parking de la gare routière. Grande salle agréable qui préserve l'intimité des convives. Menus à 70 et 90 F. Ce dernier présente un très bon rapport qualité-prix avec de délicieuses moules maison, les filets d'oie fumés, la soupe de poisson. Au menu à 140 F : bloc de foie gras de canard, assiette périgourdine, saumon beurre blanc, magret de canard, etc.

● *Plus chic*

A Plérin, au port du Légué, sur l'estuaire, deux restaurants réputés (tendance nouvelle cuisine) qui possèdent chacun leurs partisans. Le port étant peu animé la journée, il l'est encore moins le soir et la nuit. Ne vous attendez pas à une ambiance « Dans le port de Saint-Brieuc, y'a des marins qui s'beurrent... » Choix donc, entre le *Printania* et *la Vieille Tour,* les deux seules grandes taches de lumière dans le noir briochin.

– *Au Printania* : 15, rue de la Mer, à Plérin-sous-la Mer, 22190. ☎ 96-33-27-36. Fermé le jeudi. Menu à 98 F correct, et un autre à 150 F. Décor très sobre. Atmosphère un peu trop compassée le soir (mais nous y avons mangé en saison était peut-être finie !).

– *La Vieille Tour* : au lieudit « Sous la Tour en Plérin ». ☎ 96-33-10-30. Fermé dimanche soir et lundi. Possède une réputation un peu plus prestigieuse. Cadre élégant et raffiné. Bon menu à 110 F en semaine uniquement. A la carte, bien plus cher.

### A voir

– *La cathédrale Saint-Étienne* (plan A1) : édifiée vers 1350 par l'évêque-seigneur de la ville (et grand guerrier), ce qui explique son aspect fortifié. Sous la Révolution, comme tant d'autres, elle changea bien sûr de raison sociale (écurie, dépôt d'armes). A l'intérieur, elle présente d'harmonieuses proportions. Voûte romane dans la nef, gothique dans le chœur. Élégant triforium. Le chef-d'œuvre de la cathédrale est, sans conteste, le grand *retable de l'Annonciation* (1745) d'Yves Corlay. Il fut fort opportunément caché dans une meule de foin durant la Révolution. Éblouissant style baroque, comme l'est, en début d'après-midi (avec le soleil au zénith), la chapelle qui l'abrite.
Beau *buffet d'orgue* du XVIᵉ siècle. Dans les travées, vieilles pierres tombales de chanoines. Transept sud, magnifique *fenêtre* flamboyante. Intéressant chemin de croix moderne.

– *Place du Martray* (plan A1) : donc, du Marché... Que pensez-vous du centre commercial métallique et coloré qui fait office de marché couvert ? On a le centre Pompidou qu'on peut, n'est-ce pas ?

– *Le vieux Saint-Brieuc* (plan A1) : peu étendu, il présente cependant, en quelques placettes et ruelles, plusieurs fins échantillons de maisons médiévales. Se balader rues Saint-Guillaume, la grande artère commerçante (« faire la Saint-Gui »), Quinquaine, Pohel, Fardel, place Louis-Guilloux, place au Lin, etc. (superbe *maison Ribault*, rue Fardel). Sur la rue Notre-Dame, fontaine Saint-Brieuc, protégée par un beau porche du XVᵉ siècle. C'est ici que Brieuc, moine gallois évangélisateur, établit sa première chapelle au VIᵉ siècle.

– *Musée d'Histoire des Côtes-d'Armor* : rue des Lycéens-Martyrs. ☎ 96-61-29-33. Ouvert de 9 h 30 à 11 h 45 et de 13 h 30 à 17 h 45. Fermé le lundi. Nouveau musée installé dans une ancienne gendarmerie (bonne nouvelle ! c'est plus souvent l'inverse !). Tout sur l'histoire du département, par thème, depuis la Révolution française : la pêche, la navigation, la vie des ports, l'agriculture, l'aventure industrielle, vie sociale et religieuse, plus d'intéressantes collections ethnographiques (meubles, vêtements, objets domestiques, outils, etc.).

– *Maison de la Baie* : à Hillion. Découverte des richesses naturelles et économiques de la baie. Différents aquariums accueillent coquillages, crustacés et poissons vivant dans la baie. Visite gratuite.

**Où sortir ? Où boire un verre ?**

Regardons les choses en face *(let's face it !)*, la vie nocturne à Saint-Brieuc est du genre faiblard (doux euphémisme !). Cependant, il est des lieux où ça bouge pas mal (même beaucoup !), mais il faut les trouver (on est là pour ça, non ?)...
– Le *Centre d'action culturelle (C.A.C.)* : place de la Résistance (plan A1-2). ☎ 96-33-77-50. La sculpture de néons roses originale (création du plasticien Kapéza) qui orne la façade du C.A.C. est sans doute la dernière lumière à s'éteindre. Signe qu'il s'y passe quelque chose jusque tard dans la nuit. Théâtre, musique, danse, cinéma sont au programme des deux salles de spectacle, de septembre à juin. L'une est un petit théâtre à l'italienne centenaire, ambiance « velours rouge, lustres » qui vaut le coup d'œil. Les jours de pluie (ce qui est, bien sûr, rare en Bretagne), on peut rendre visite aux expos d'art contemporain présentées dans la galerie du sous-sol. Ouverte au public toute l'année. Visites guidées sur demande.
Très recommandée pour se mettre le cœur au chaud : la *cafétéria* du C.A.C. le soir. Là se retrouvent, pour un dernier verre, tous les branchés, artistes, margeos de la ville (que des gens bien). Excellente atmosphère, occasions de rencontres.
– *Place du Chai* : près de la cathédrale, une curieuse place piétonne, un mini-mini-Beaubourg (architecturalement parlant !) insolite et coloré. Un aménagement très moderne de la place dans un environnement ancien. Boutiques et restos *up to date* fusionnent harmonieusement avec les antiques demeures de granit. Endroit agréable pour boire un verre en terrasse le midi ou dans la journée, grignoter une salade ou sucer nonchalamment une bonne glace. Particulièrement animé les jours de marché (mercredi et samedi matin).
– Enfin, quelques adresses pêle-mêle : *l'Iliade*, 5, rue du Légué (musique rock, chaude ambiance), l'*Edward's*, 21, rue Pierre-Le Gorrec (bon chic, bon genre), atmosphère tranquille), *le Piano Bleu*, rue Fardel, ☎ 96-33-41-62, fermé le dimanche (en soirée, programmation café-cabaret).


*AU SUD DE SAINT-BRIEUC*


## QUINTIN (22800) ─────────────────────────

A 19 km de Saint-Brieuc, dominée par un fier château, une petite cité de caractère, étape extrêmement agréable. Elle fut, aux XVIIᵉ et XVIIIᵉ siècles, un centre très important de production de toile de lin. De cette époque, elle a hérité un fort bel ensemble de prestigieuses demeures et hôtels particuliers.

– *Syndicat d'initiative* : place 1830. ☎ 96-74-01-51 et 96-74-84-01.

**Où dormir ? Où manger ?**

– *Hôtel du Commerce* : 2, rue Rochenen. ☎ 96-74-94-67. Petit hôtel couvert de lierre, dans le centre. Calme assuré. Chambres de 130 à 210 F. Bon resto. Menus de 59 à 180 F.
– *Hôtel de Bretagne* : au bas de la vieille ville, à l'arrêt des bus *C.A.T.* ☎ 96-74-87-00. Chambres bon marché, de style un peu vieillot, mais très bien tenues. Resto proposant un honorable menu à 90 F (1ᵉʳ menu à 50 F).
– *Camping Le Vélodrome* : ouvert de Pâques au 31 octobre. ☎ 96-74-92-54.
– Pour se restaurer, pensez au *château* (chapitre « A voir »).

**A voir**

– *Le château* : entrée place 1830. ☎ 96-74-04-63. Ouvert tous les jours de juin à fin octobre de 10 h à 19 h. Hors saison, seulement pour les groupes, sur demande, le week-end et le mercredi. Fermeture annuelle de novembre à début mars. Propriété de la famille de Bagneux qui a effectué d'importants travaux de rénovation pour ouvrir le château au public et constituer un petit *musée historique* très intéressant. Entrée payante, visite commentée et, tous les ans, une expo sur un thème choisi.
Le château commença à être édifié au XVIIᵉ siècle. Les bâtiments principaux datent du siècle suivant. Grand parc. Exposition de nombreux bibelots et beaux objets (miniatures, argenterie, porcelaines, collection d'éventails, etc.). Salle présentant d'inestimables manuscrits historiques originaux : lettres de

François I<sup>er</sup> et de Louis XIV, arrêts du parlement de Bretagne, document de Bonaparte Premier consul, bulle du pape (1655), vieux livres de comptes. La plus ancienne pièce date de 1322. Métier à tisser la toile de Quintin. « Potager » ou four en granit.
Possibilité de manger au château, de 10 h à 19 h, de juillet à septembre, et sur réservation en hiver. Forfaits visite-menu ou forfait journée de 95 à 145 F.

— *Le vieux Quintin* : dans la Grand-Rue, débutant place 1830, quelques belles maisons à colombage, mais surtout d'élégants édifices en granit. Place du Martray, splendide *maison du Changeur* (1728) et la mairie (1740). Deux magnifiques édifices à encorbellement à l'entrée de la rue au Lait (l'une d'entre elles abrite l'office du tourisme). Pittoresque *rue des Degrés*.

— *Rue de la Basilique* : porches sculptés de la maison des chanoines. En face d'elle, fontaine provenant de la crypte de la chapelle Notre-Dame-d'Entre-les-Portes, avec statue de Notre-Dame des Vertus, en pierre polychromée (un peu défraîchie – la pierre, pas les vertus !).

— *La basilique Notre-Dame-de-Délivrance* : achevée en 1887, à l'emplacement de la chapelle du château qui avait accueilli en 1250 une relique de la ceinture de la Vierge Marie. Le nouvel édifice, de style néogothique, mesure 76 m de long, 28 m de large, voûte à 16 m et le clocher place son coq à 75 m de haut. A l'intérieur, le reliquaire en argent contient un fin réseau de lin à mailles.

## Aux environs

● *Lanfains* : bourg situé au sud de Quintin, sur le versant d'une colline de 325 m d'altitude, juste sur la ligne de partage des eaux entre la Manche et l'Océan. Voyez le *manoir de la Porte-Fraboulet* et son superbe porche d'entrée en forme de cintre. Quelques fermes typiques (Sainte-Marie, la Moinerie).

— *Le Petit Village* : vous y boirez un verre et écouterez de la musique, c'est un *bar-cabaret* installé dans l'étable d'une ferme joliment aménagée où se déroulent, le samedi soir hors saison, d'excellents concerts de rock et de folk. Depuis 5 ans, 100 concerts ont déjà été réalisés. Christiane et Noël sont des agriculteurs qui cherchent à concilier amoureusement leur métier et leur passion pour la musique et la moto. Autre but : rompre leur isolement en tant qu'agriculteurs, rencontrer des gens, s'évader de la routine, en bref mettre un peu d'animation dans une région qui souffre d'exode rural. Pour vous y rendre, suivez le fléchage depuis Lanfains. Camping gratuit possible pour les stoppeurs, les cyclistes et les motards uniquement. Tous renseignements pour les concerts : ☎ 96-32-44-39.

● *Mur-de-Bretagne* : petite cité en marge du lac de Guerlédan et de la forêt de Quénécan. Si vous venez du nord, suivez la D63 qui traverse les belles *gorges du Poulancre*. Voyez, au nord du bourg, la *chapelle Sainte-Suzanne* du XVI<sup>e</sup> siècle. Clocher du XVIII<sup>e</sup> siècle. A l'intérieur, lambris ornés de peintures et retables avec d'intéressantes statues.
— *Renseignements au Pays d'accueil de Guerlédan* : ☎ 96-24-85-83.
— *Gîte de Saint-Guen* : géré par les A.J. ☎ 96-28-54-34.

● *Le lac de Guerlédan et la forêt de Quénécan* : lac de barrage d'une douzaine de kilomètres de long. Au fond, un vieux village qui réapparaît lorsque le lac est vidé pour les travaux d'entretien du barrage. Aujourd'hui, beau plan d'eau pour la baignade, la planche à voile, le canotage, le ski nautique, etc. *Camping* près de la base nautique. Renseignements : ☎ 96-28-50-07. Occasion également de superbes balades en suivant les GR 341 et 37. Bordé au sud par la forêt de Quénécan, 3 000 ha de forêt privée, ouverte au public. Très agréables chemins forestiers. En son milieu, petite *chapelle Saint-Ignace*. Au sud, paysage sauvage de la *lande du Gouvello*.

Sur les rives de l'étang des Salles, ruines d'un château du XII<sup>e</sup> siècle. Chouette promenade pour rejoindre *les forges des Salles*, l'un des plus anciens centres métallurgiques de Bretagne. Créé au XVII<sup>e</sup> siècle, c'est l'un des sites les mieux préservés du genre. Dans un splendide environnement, un ensemble architectural très harmonieux, en particulier la longue rangée des maisons d'ouvriers (du XVIII<sup>e</sup> siècle). L'activité des forges cessa à la moitié du XIX<sup>e</sup> siècle, victime de la concurrence étrangère.
— *Croisières-déjeuner* sur le lac à bord du *Duc-de-Guerlédan*. Réservation : ☎ 96-24-85-83.

● *L'abbaye du Bon-Repos et les gorges du Daoulas* : fondée en 1184 par Alain III, vicomte de Rohan, l'abbaye du Bon-Repos fut occupée par les moines cisterciens jusqu'à la Révolution, pendant laquelle elle fut entièrement pillée. Les ruines, en cours de restauration, datent en majorité des XIV° et XVIII° siècles. Belle vue du corps principal depuis le vieux pont couvert de lierre.

Après avoir traversé la N164, empruntez l'étroite D44 pour suivre le vallon escarpé des gorges du Daoulas. On change du tout au tout de paysage. C'est vraiment la Bretagne des surprises ! Si vous poussez vers l'ouest, cet itinéraire peut maintenant s'articuler avec celui de Rostrenen, la magnifique et mystérieuse haute Cornouaille des Côtes-d'Armor.

## Où dormir ? Où manger ?

– *Hôtellerie de l'abbaye du Bon-Repos* : à Saint-Gelven. ☎ 96-24-98-38. Ce sont les dépendances du monastère aménagées en hôtel-restaurant de bon confort. Grande salle à manger médiévale et chambres mansardées. Menus de 50 à 180 F. Chambres à 200 F.

– *Hôtel-restaurant du Blavet* : à Gouarec. ☎ 96-24-90-03. Cadre bucolique au bord de la rivière pour cette maison de vieille tradition, rénovée par un jeune cuisinier talentueux. Menus de 70 à 290 F. Chambres à prix très modulés selon le confort, de 130 à 350 F.

● **Plus chic**

– *Auberge Grand'Maison* : à Mur-de-Bretagne, près de l'église. ☎ 96-28-52-15. Là, un grand artiste cuisinier réalise des plats époustouflants de couleurs, de parfums et de goûts, à prix raisonnables. Premier menu à 140 F. Cadre tantôt ultramoderne tantôt breton. Chambres disponibles à 200 F et plus.

*VERS L'EST*

● *Loudéac* : petite bourgade commerçante, patrie d'Olida, présentant peu d'intérêt. Église du XVIII° siècle. *Forêt de Loudéac* et *landes du Menez* toutes proches. Depuis 1914, tous les ans, les habitants « jouent » le drame religieux de la Passion devant plusieurs milliers de spectateurs.

– Pour dormir, deux hôtels corrects et à prix raisonnables : *hôtel des Voyageurs* (☎ 96-28-00-47). Fermé le samedi, et du 20 décembre au 10 janvier. Chambres de 120 à 180 F. Resto avec des menus à 57 et 78 F. *Hôtel le France* (☎ 96-28-00-15).

– Pour manger : *Auberge du Cheval Blanc* : face à l'église. ☎ 96-28-00-31. Située dans une vieille maison de caractère du XVI° siècle. Beaucoup d'animation au rez-de-chaussée. La salle au 1er manque de chaleur. Cependant, bonne cuisine, réputée alentour. Menus à 58, 125, 250 et 280 F. Spécialités : homard frais, foie gras maison mariné au jus de truffes, nougat glacé aux noix et marmite du pêcheur à la vapeur d'algues. Fermé les dimanches et lundis toute la journée.

● *La Chèze* : à 10 km au sud-est de Loudéac. Ruines d'un château du XIII° siècle. Intéressant *Centre culturel des métiers de Bretagne*. ☎ 96-26-63-16. Ouvert du 1er juin au 15 septembre de 9 h à 12 h et de 14 h à 18 h. Hors saison, téléphonez. Tout sur les métiers de l'artisanat breton. Reconstitution d'ateliers fonctionnant pendant les visites. Films. Expos temporaires.

● *Les landes du Menez* : pour ceux qui ont le temps, au sud-est de la forêt de Loudéac. Une balade dans un paysage accidenté assez pittoresque, à la rencontre de vieux villages. Du fait de la configuration du terrain, ce fut un haut lieu de la chouannerie. *Saint-Lubin* : village classé du XVI° siècle. Arrivez par la route de la Prénessaye pour saisir la belle homogénéité de cette architecture rurale. Grosses fermes en grès. Église d'allure massive. Vieille fontaine sculptée sur la route du Vaublanc.

*Le Vaublanc* est un ancien complexe métallurgique, dans une vallée encaissée, en lisière de la forêt de Loudéac. Là aussi, joli village. Architecture remarquable des forges qui furent en activité de 1672 à 1871. Occupées aujourd'hui par une communauté religieuse. En face de l'étang, beau corps de bâtiments et vieux greniers à grains du XVII° siècle, dont le toit descend au niveau de la route.

## MONCONTOUR-DE-BRETAGNE (22510) —————————————

Une des villes les plus importantes du Moyen Age breton. Au XIVe siècle, on y frappait même la monnaie. La ville, qui surveillait du haut de sa colline tous les axes régionaux, fut maintes fois objet de convoitise. Depuis, on l'oublia complètement. La seule altération qu'elle eut à subir en cinq siècles fut le démantèlement partiel des remparts, ordonné par Richelieu. Résultat : une petite cité de caractère, pleine de charme, d'une séduisante homogénéité et propice aux errances romantiques dans ses antiques venelles. Le plus beau point de vue sur le site s'obtient en venant de Quessoy (sur la D1).

- *Office du tourisme* : à côté de la mairie.
- *Hôtel Ker-Jéger.* ☎ 96-73-41-05.
- Pour dormir, un petit *camping*, à 100 m des remparts.

### A voir

- *L'église Saint-Mathurin* : elle date du XVIe siècle. Le clocher s'enrichit en 1902 d'un beffroi insolite qui s'intégra tout à fait à l'architecture de la ville (et lui donna même une touche originale !). Façade baroque rajoutée au XVIIIe siècle. A l'intérieur, pour les amateurs de *vitraux,* l'un des temps forts du voyage. On découvre, avec fascination, l'un des deux ou trois plus beaux ensembles de Bretagne. Trois verrières à gauche de la nef, deux à droite, plus la grande verrière du chœur, datent de la construction de l'église. La 2e à droite, celle de l'*Arbre de Jessé,* montre une fraîcheur de tons et des bleus admirables ! Celle du chœur raconte l'enfance du Christ. Fonts baptismaux en granit et superbe *pietà* du XVIe siècle, balustrade du chœur fondue aux forges de Vaublanc (voir paragraphe précédent) et maître-autel en marbre polychrome (1768).

- *Balade dans la ville* : les rues et ruelles de la ville alignent moult maisons à colombages, hôtels particuliers en granit, vestiges de portes de ville, porches Renaissance, petites Vierges dans leur niche. Adorable *rue des Hautes-Folies* en escalier (par la rue de la Pompe). On trouve même une ruelle « Hors-Voie »... qui mène cependant quelque part ! Que de venelles aux noms savoureux !

- *Grand pardon de Saint-Mathurin,* le protecteur des malades, à la Pentecôte. Le samedi après-midi, pardon des malades. Le soir, vers 21 h, procession aux flambeaux. Le dimanche, procession des reliques du saint et, le lundi, fête (avec danses) en ville.

- Site du *Bel-Air* au sud de Moncontour, une « colline inspirée » sur la ligne de partage des eaux. Point de vue superbe.

## LAMBALLE (22400) ——————————————————————

Carrefour commercial de la région, la capitale du pays de Penthièvre ne possède pas le même charme que Moncontour, du fait qu'elle a un peu perdu de son caractère médiéval et, surtout, à cause du trafic routier important qui la traverse. Cependant, elle propose pas mal de choses intéressantes. La ville est rattachée également au souvenir de Mme de Lamballe, la dame de compagnie qui resta vingt ans au service de Marie-Antoinette, après la mort de son mari (le prince de Lamballe). Lors de la Révolution française, elle fut une des victimes des massacres de septembre 1792 et sa tête se promenant sur une pique restera l'une des images fortes de cette période.

- *Office du tourisme* : maison du Bourreau, 2, rue du Docteur-Calmette. ☎ 96-31-05-38.

### A voir

- *La place du Martray* : entourée de quelques demeures anciennes. La plus belle, la maison du Bourreau, présente une façade remarquable. A l'intérieur, deux petits musées. D'abord, *le musée du Vieux Lamballe et du Penthièvre.* Ouvert du 1er juin au 30 septembre de 10 h à 12 h et de 14 h 30 à 18 h. Arts et traditions populaires (outils, costumes, poteries, objets domestiques, etc.). Le *musée Mathurin-Méheut* (même ticket, mêmes horaires, mais ferme le 15 septembre) présente, quant à lui, les œuvres du grand peintre régional, natif de la ville. Il laisse une œuvre considérable de dessins et peintures, fidèle miroir de la vie sociale et culturelle dans la Bretagne de la première moitié de ce siècle.

— *La collégiale Notre-Dame* : en haut de la rue Notre-Dame. Église gothique à l'allure de forteresse présentant des parties romanes, comme le superbe portail gauche (ou nord). Nef massive également avec des arches gothiques à voussures descendant bas sur des frises végétales. Une curiosité à droite : le mariage harmonieux d'un jubé flamboyant du XVe siècle et d'un buffet d'orgue finement ouvragé.

— *Église Saint-Jean* : dans un angle de la place du Martray. Elle propose, dans le chevet, trois intéressants retables.

— *Église Saint-Martin* : au bout de la rue Saint-Martin (débutant place du Champ-de-Foire). Présente un porche roman protégé d'un très original auvent recouvert d'ardoises du XVIe siècle (dont la forme fait penser à un casque de samouraï !). Pour visiter l'église, clé chez la dame à côté.

— *Le haras national* : visites guidées du 10 juillet au 15 septembre de 14 h à 16 h 30 (plus de 10 h à 12 h le dimanche). ☎ 96-31-00-40. C'est le deuxième de France. Intéressera tous les amoureux des chevaux. Visite des écuries, salles d'attelage, manège, sellerie d'honneur, forge, etc.

**Aux environs**

● *L'abbaye de Boquen* : à 20 km au sud de Lamballe. Pour les fanas d'abbayes et monastères, une des étapes du tour breton. Date du XIIe siècle. A la Révolution, reconvertie en carrière de pierre. Restaurée dans les années 30 par quelques moines qui y relancèrent l'activité religieuse. L'abbaye fit parler d'elle dans les années 60 par ses conflits théologiques avec les autorités religieuses (rapports avec les laïcs notamment). Visite tous les jours de 8 h 30 à 11 h et de 15 h à 19 h (le dimanche matin de 11 h à 12 h 30). Très belle église abbatiale de 72 m de long, dont la charpente a été reconstituée par les compagnons du Devoir et du Tour de France. Dans le chœur, une charmante *Vierge à l'Enfant* du XVe siècle, tout en lignes souples et harmonieuses.

**Où dormir ? Où manger dans la région ?**

— *Ferme-auberge la Bonnaie* : chez M. et Mme Serge Gesrel, à La Bouillie, près de Hénansal. Situé à 2 km sur la route de Pléneuf-Val-André (D 17). Bien indiqué. ☎ 96-31-51-71. Ouvert tous les jours midi et soir, sauf le lundi ; fermé en octobre. Sur réservation, de Pâques et septembre et les vendredis, samedis et dimanches. Pas loin de la mer. En pleine campagne, bien entendu, une gentille ferme offrant d'agréables chambres d'hôte à 145 F pour deux. Accueil sympathique. Possibilité de camping. Excellente cuisine du terroir : potée, grillades au feu de bois, pintadeau aux pruneaux et marrons.
— *Château de la ville Helleuc* : ☎ 96-31-56-85. Quatre chambres. Ouvert toute l'année.

## DE SAINT-BRIEUC À SAINT-MALO

Côte très touristique, au relief moins accidenté (à l'exception des caps d'Erquy et Fréhel). Si vous y trouvez de belles plages, de gentilles villes, des gens sympa comme ailleurs, il reste que vous allez rencontrer là une Bretagne plus normalisée, aux caractéristiques culturelles moins évidentes et, surtout, au fur et à mesure que vous vous rapprocherez de Saint-Malo, une pression commerciale et touristique parfois pénible. Heureusement, l'intérieur du pays demeure, pour retrouver la fraîcheur et le naturel...
— *Maison de la Baie de Saint-Brieuc* : du haut de son promontoire, près de la pointe des Gouettes. Site de l'Étoile à Hillion. ☎ 96-32-27-58. Musée de l'écologie et de l'économie associées de la baie de Saint-Brieuc.

## ERQUY (22430)

Port de pêche actif, capitale de la coquille Saint-Jacques. L'été, populaire destination touristique, mais le bourg ne se couvre pas pour autant d'hôtels hideux et conserve une charmante personnalité (au passage, bonjour Charlotte !).
Cap d'Erquy réputé pour le Delta-plane et la pêche à pied si bien décrite dans le roman *le Blé en herbe* de Colette.

— *Office du tourisme* : 96-72-30-12.
— *École de voile* : avec internat. ☎ 96-20-00-95.

## Où dormir ? Où manger ?

– *Hôtel Beauséjour :* en surplomb, à 100 m du port. ☎ 96-72-30-39. Petit hôtel de vacances traditionnel. Coin calme. Bon accueil. Chambres avec vue, fort bien tenues, à 139 et 230 F. Resto aux prix modérés. Menus à 59 et 89 F (moules à la crème, 12 escargots, saumon à l'oseille, lapin aux pruneaux, etc.).
– *Restaurant le Nelumbo :* 5, rue de l'Église. ☎ 96-72-31-31. Dans le centre. Cadre assez banal mais qui s'oublie vite car l'accueil prévenant et la bonne cuisine rendent l'étape agréable. Deux menus à 60 et à 80 F laissent un large choix vu les desserts retiennent l'attention.
– *Camping les Pins :* ☎ 96-72-31-12. Situé dans une pinède sur la falaise. Convient à ceux qui recherchent le calme plutôt que la proximité de la plage. Tennis et piscine sur place. Grand confort.
– *Camping de la plage de Saint-Pabu :* ☎ 96-72-24-65. Face à la mer, belle vue, bons équipements.

● *Plus chic*

– *Le Brigantin :* square de l'Hôtel-de-Ville. Face à la poste. ☎ 96-72-32-14. Chambres impeccables à 240 F. Ouvert toute l'année.
– *L'Escurial :* bd de la Mer. ☎ 96-72-31-56. Fermé mardi soir et mercredi ainsi qu'en janvier. L'un des restos les plus réputés de la région. Vue sur le large depuis la salle à manger Louis XIII. Daurades en écaille à 80 F, escalope de ris de veau à 70 F. Menus entre 100 et 170 F.
– *Relais Saint-Aubin :* à 3 km d'Erquy. Sur la D 68 (vers La Bouillie). Très bien signalé depuis la route principale (la D 34). ☎ 96-72-13-22. Fermé du mardi après-midi au mercredi inclus, et du 5 janvier au 15 février. Dans un hameau, une maison ancienne de caractère avec un grand jardin. Calme total. Coin bucolique et romantique à souhait. Salle à manger ravissante (normal, les hôtes, très affables, sont aussi antiquaires). L'été, on mange en terrasse. Menus variés de 55 à 160 F. Bref, pour toutes les bourses, toutes les faims.

## A voir

– *Le cap d'Erquy :* bien que la tempête du 15 octobre 1987 lui ait fait bien du mal, il reste un lieu de balade exceptionnel. Promontoire rocheux avec de splendides petites falaises de grès rose recouvertes de landes et de bruyère. Le grès d'Erquy servit d'ailleurs pour une partie de l'arc de triomphe et on en retrouve jusque dans les pavés de Lisbonne. Propriété du Conservatoire du littoral. A vous donc de reconquérir les petits sentiers côtiers menant à de petites plages sauvages peu fréquentées. Sur la *pointe des Trois-Pierres* qui, avec le cap, borde la belle *anse de Port-Blanc,* on trouve les vestiges d'un four à boulets du XVIIIe siècle (on chauffait les boulets avant de les expédier sur les vaisseaux ennemis). Un chemin de douanier mène à la *plage de Lourtuais* où se plaisent les naturistes, puis à celle de *Portuais.* A marée basse, par la plage, possibilité de rejoindre Sables-d'Or.
Sur le cap, en été, visites à thèmes organisées. Se renseigner à l'office du tourisme. ☎ 96-72-30-12.

## Aux environs

● *Château de Bien-Assis :* à un pas de la D 34, entre Erquy et Pléneuf-Val-André. Visite guidée de début juin à mi-septembre de 10 h 30 à 12 h 30 et 14 h à 18 h 30. Fermé dimanche et fêtes. ☎ 96-72-22-03. Bel édifice fortifié des XVe et XVIIe siècles. Jardins à la française. Beaux meubles de la Renaissance bretonne, entre autres.

● *Pléneuf-Val-André :* composé du bourg, de Dahouët (ancien port de pêche en Islande) et de la station balnéaire de Val-André (celle des Briochins et Lamballais aisés) classée aussi station voile. Immense plage de sable fin, bordée d'une longue digue-promenade. Entre Val-André et la ville Berneuf, la *plage Nantua* attire quelques naturistes.
Port de plaisance de *Dahouët* au fond d'une ria en bouteille (d'Armagnac) tant le fond est évasé. Très bon abri : 400 places sur pontons, cohabitation plus ou moins heureuse avec la flottille de pêche : *Centre nautique de Dahouët,* ☎ 96-72-95-28 et 96-72-91-20. Internat et externat.
– *Restaurant au Biniou :* 121, rue Clemenceau, près de la plage du Val-André. ☎ 96-72-24-35. Des menus à tous les prix. Ferme en hiver.

– *Le Gatsby Club :* situé aussi rue Clemenceau, au n° 125. Permet de se distraire au Val-André, station sportive et familiale plus que mondaine et noctambule !

## SABLES-D'OR-LES-PINS (22240)

Station balnéaire créée de toutes pièces dans les années 20 pour concurrencer Deauville. Problèmes financiers, Seconde Guerre mondiale, projet trop ambitieux peut-être, le fait est qu'elle ne fut jamais achevée. Résultat : une poignée d'hôtels avec de fausses façades normandes et quelques grosses villas bordent d'immenses avenues qui ne desservent rien. Oh, rien de spectaculaire en soi, mais, en basse saison, un côté un peu surréaliste. Alan Ladd qui aurait enfilé la chemise de John Wayne en quelque sorte... Cela dit, on aime bien, d'autant que la plage (3 km de sable fin) est magnifique !

– *Syndicat d'initiative :* ☎ 96-72-17-23.
– *Golf :* de 9 trous par 70. ☎ 96-41-42-57. En construction, une thalasso.

### Où dormir ? Où manger ? Où boire un verre ?

– *Hôtel des Pins :* à quelques centaines de mètres de la plage. ☎ 96-41-42-20. Ouvert de mi-mars à mi-octobre. Petit hôtel sympathique fort bien tenu. Patrons accueillants. Chambres de 130 à 175 F. Minigolf.
– *La Voile d'Or :* à l'entrée de la station. ☎ 96-41-42-49. Fermé le lundi et le mardi midi (hors saison). Chambres agréables de 170 à 260 F. Resto très réputé. Salle à manger cossue, clientèle traditionnelle, atmosphère un brin conformiste. Service irréprochable. Menus à 81 et à 137 F d'un bon rapport qualité-prix. A 137 F, choix entre saumon cru mariné à l'aneth, foie gras, praires farcies ; choucroute du pêcheur, fricassée de turbot et de ris de veau, magret de canard, etc.
– *Restaurant la Himbert :* à Plurien, sur la route principale, entre Sables-d'Or et Erquy. ☎ 96-72-15-41. Fermé le mardi. Menus à 59 et 94 F (avec deux entrées) intéressants. Cependant la qualité semble avoir baissé depuis quelque temps.
– *Camping municipal :* venant d'Erquy, à l'entrée, à gauche. S'étage sur une colline verdoyante. Emplacement agréable. Plage à 500 m environ.

● **Plus chic**

– *Le Manoir Saint-Michel :* La Carquois, à 1,5 km de Sables-d'Or, sur la route du cap Fréhel. ☎ 96-41-48-87. Ouvert d'avril au 15 novembre. Un superbe manoir avec une grande cour-jardin. Beaucoup de caractère et de douce intimité. Calme assuré. Chambres adorables de 280 à 360 F, certaines avec lit à baldaquin ! Pendant la journée, salon de thé (aux beaux jours en terrasse).
– *Hôtel Morgane :* à Sables-d'Or, à deux pas de la plage. ☎ 96-41-46-90. Ouvert du 1er avril au 30 septembre. Luxueux petit hôtel fleuri. Chambres impeccables de 180 à 350 F.

## LE CAP FRÉHEL

L'un des lieux les plus impressionnants de la côte. Souvent battu par les puissants vents du large. Par temps clair, on découvre le Cotentin, Jersey, l'île de Bréhat. Falaise en à-pic de plus de 70 m surmontée d'un phare. Végétation rare, grandes étendues de bruyères. 6 km avant le cap, *Pléhérel,* splendide plage bordée de dunes avec une mer, certains jours, couleur d'émeraude. La côte n'a pas volé son nom ! A mi-chemin entre Fréhel et les plages de la Guette, la plage du Port-du-Sud-Est accueille les naturistes.
La commune entretient 70 km de sentiers, nous vous recommandons la balade super du cap au fort La Latte. Le sentier côtier longe de hautes falaises changeant sans cesse de couleur. Il suit, en fait, le GR 34 qui se prolonge jusqu'à Port-à-la-Duc, au fond de la baie. *Réserve d'oiseaux* (rares malgré tout).
Le *fort La Latte,* place forte qui défendait l'entrée de la baie de la Fresnaye, fut édifié au XIVe siècle et rénové au XVIIe. Perché sur un site escarpé extrêmement pittoresque, il domine l'une des plus belles baies bretonnes. Visite du 1er juin au 30 septembre, de 10 h à 12 h 30.
– Pour dormir, grand *camping du Pont de l'étang,* à Pléhérel-Plage. ☎ 96-41-40-45. Ouvert de mai à fin septembre. Au cap, sur la route de Plévenon, *Le*

*Fanal,* bonne crêperie dans une grande bâtisse en bois. On y trouve aussi des bouquins sur la Bretagne. Quelques chambres à prix modérés.
– *Gîte d'étape :* géré par les A.J., à La Ville-Hardieux, à Kerivet-en-Fréhel.
☎ 96-78-70-70.

## SAINT-CAST-LE-GUILDO (22380)

Célèbre station balnéaire proposant sept plages dont la plus grande, protégée par la pointe de Saint-Cast et celle de la Garde, fait 2 km de long. Dès 1900, les hardis baigneurs en foulaient le sable blanc très fin. Ne manquez pas de grimper sur la colline, en bout de plage, pour accéder au quartier des pêcheurs et à la table d'orientation. Superbe panorama sur la baie de la Fresnaye, le fort La Latte et le cap Fréhel. Coucher de soleil somptueux, cela va sans dire.
Belle balade de la pointe de Saint-Cast à Port-Saint-Jean. Environ 6 km de long. Jolies falaises découpées et vallonnées. Le sentier côtier débute au sémaphore. Quelques plages en cours de route. Ne ratez pas non plus la promenade de la pointe de la Garde et la belle vue qu'elle prodigue.

– *Office du tourisme :* place Charles-de-Gaulle. ☎ 96-41-81-52.

### Où dormir ? Où manger ?

– *Hôtel le Chrisflo :* 19, rue du Port. ☎ 96-41-88-08. Fermé en décembre et en janvier et le mardi et le mercredi hors saison. Dans le quartier des pêcheurs, 200 m après la montée. Chambres correctes de 120 à 170 F. Resto, menu à 98 F assez copieux. Bon rapport qualité-quantité-prix.
– *Hôtel l'Étoile des Mers :* dans la rue surplombant le port de plaisance. Petit hôtel à l'atmosphère provinciale, dans un quartier tranquille. ☎ 96-41-85-36. Ouvert de Pâques à septembre. Chambres de 95 à 145 F. Menus à 56 et 85 F (avec assiette de fruits de mer, poisson du jour ou viande, fromage et dessert).
– *Hôtel Les Arcades :* 15, rue du Duc-d'Aiguillon. ☎ 96-41-80-50. Fermé du 1er novembre au 16 mars. Plus chic. Dans le quartier des Mielles, celui de la grande plage. A 50 m de la mer, dans la rue principale de la station. Service de 11 h à 23 h. Chambres confortables de 270 à 405 F. Menus à 67 et 99 F (magret de canard au vinaigre de framboise, demi-coquelet au cidre, etc.). Plateau de fruits de mer à 143 F.
– Une bonne demi-douzaine de *campings* dont *Le Châtelet,* le plus confortable et aussi le plus cher. ☎ 96-41-96-33. Ouvert du 1er mai au 15 septembre. Donne sur la baie de la Fresnaye.

● *Aux environs*

– *Château du Val d'Arguenon :* à Notre-Dame-du-Guildo, 22380 Saint-Cast. ☎ 96-41-07-03. A 200 m de la route entre Saint-Cast et Saint-Jacut-de-la-Mer. Chez M. et Mme de La Blanchardière. Une magnifique demeure privée du XVIe siècle, les pieds dans l'eau. 8 chambres à 320 F, petit déjeuner compris. Tennis sur place et nombreuses activités à proximité. Également des maisons à louer dans le parc pour 4 et 6 personnes à environ 900 F la semaine hors saison. Tout près, un très bon restaurant : *Gilles de Bretagne,* dont le chef vient de la « Duchesse Anne » à Saint-Malo. Menu à 68 F.

### Aux environs

● *Le port du Guildo :* situé sur la route de Matignon à Ploubalay. A notre avis, l'une des plus belles cartes postales du coin. Venant de Matignon, sur la gauche, après avoir franchi le grand pont, harmonieux ensemble de maisons de pêcheurs en granit. A marée basse, l'estuaire prend des reflets et un relief fascinants. Ruines du château du Guildo (du XIVe siècle). Dans la côte de Notre-Dame-du-Guildo, à l'entrée du bourg, la boulangerie *Miriel* confectionne de bonnes pâtisseries et un pain cuit au feu de bois de grande réputation.

● *Plage des Quatre-Vaux :* entre Saint-Cast et Notre-Dame-du-Guildo. Sable chaud et solitude garantis. Croquignolette en diable !

## SAINT-JACUT-DE-LA-MER (22750)

Longue presqu'île entre les baies de l'Arguenon et de Lancieux dont Gargantua fut l'un des premiers touristes. A marée basse, bordée par d'immenses grèves favorisant la pêche à pied. Le village occupe la plus grande partie de la presqu'île et est encore appelé Saint-Jégu par les anciens. Il fut fondé par un moine irlandais au X° siècle et présente aujourd'hui encore, quasi intégralement, le visage qu'il possédait au XIX° siècle. Architecture bien particulière, car les maisons furent construites pignon vers la rue, par groupe de cinq ou six, serrées les unes contre les autres pour se protéger du vent du nord. On peut admirer quelques-uns de ces alignements caractéristiques de belles façades de pierre, appelés ici « rangées ». 600 habitants l'hiver, vingt fois plus l'été.

Les Jaguens ne sont pas loin de se considérer comme des Bretons à part. Ils se définissent eux-mêmes comme têtus et quelque peu querelleurs. Surtout, ils possèdent leur propre langue, le *jégui*, une variante du gallo. Ce n'est pas une langue dégénérée, ni un dialecte de paysan, mais bel et bien l'héritier du français parlé avant la centralisation réalisée sous la monarchie, avec parfois des formes pures disparues aujourd'hui du français courant. Bien sûr, on ne trouve pratiquement plus de jeunes pour le parler, mais les « Amis du vieux Saint-Jacut » tentent d'en sauver la mémoire (et un grand merci à eux de nous avoir fourni ces informations). Durant des siècles, les Jaguens ne se marièrent qu'entre eux, au point que de nombreuses familles portaient le même nom et qu'il fallut donner des surnoms aux gens pour les distinguer. Le percepteur de Ploubalay était d'ailleurs obligé de mentionner ces surnoms sur la liste de ses contribuables pour distinguer les familles. Longtemps, les Jaguens vécurent exclusivement de la pêche, notamment au maquereau.

Bref, Saint-Jacut possède imperceptiblement quelque chose à part en haute Bretagne (en plus de ses onze belles plages).

– *Syndicat d'initiative :* dans le bourg, à côté de la poste. ☎ 96-27-71-91. Bon accueil et quelques brochures bien utiles.
– *Car pour Saint-Malo :* quotidien. *Cie des Transports d'Ille-et-Vilaine.* ☎ 99-79-23-44.

### Où dormir ? Où manger ?

– *Camping municipal :* bien situé, au bord de la plage de la Manchette. ☎ 96-27-70-33.
– *Hôtel des Marins :* Grande-Rue. ☎ 96-27-71-22. Simple, mais bon marché. Ouvert du 1ᵉʳ avril à fin septembre.
– *Restaurant la Presqu'île :* 164, Grande-Rue. ☎ 96-27-76-47. Ouvert tous les jours, midi et soir. Fermé en octobre et le lundi (hors saison). Jacky, le patron, a navigué sur toutes les mers du monde. Il sait cuisiner d'excellents poissons : moules de la baie au citron vert, saumon frais grillé à la hollandaise, bar grillé au beurre de fenouil, etc. A la carte, compter 120 F pour un plat et un dessert.

### A voir

– Balade à la pittoresque *pointe du Chevet,* promontoire verdoyant, face au large et à l'île des Hébihens (dominée par une tour Vauban). Belle vue sur Saint-Briac et Saint-Cast. A côté, superbe *plage du Rougeret* protégée par la masse rocheuse de La Houle-Causseule (abritant aussi un port de pêche).

– Belle plage aussi au port de plaisance et de pêche du *Châtelet,* relayée par la plage de la Pissotte, avant d'atteindre celle du camping municipal. Saint-Jacut vous aide ainsi à rompre la monotonie de vos baignades...

### Que voir d'autre dans la région ?

● *Le château de la Hunaudaye :* au sud-ouest de Plancoët, en marge de la D 28. Impressionnant château ruiné, du XIII° siècle, présentant encore cinq grosses tours se mirant dans les douves. Site sauvage et bucolique, idéal pour faire revivre les jeux de chevalerie de votre enfance. À l'intérieur, bel escalier Renaissance. Visite en été de 10 h à 18 h.

● *Jugon-les-Lacs :* très joli village, au bord d'un petit lac de retenue, offrant de nombreuses vénérables demeures du passé, dont la *maison Sevoy,* de 1634. Grand-place bordée de maisons de la même époque (entre autres, l'*hôtel de l'Écu*). Possibilités de baignade.
Si vous continuez vers Lamballe, ne manquez pas l'*abbaye de Boquen* (voir chapitre « Environs de Lamballe »).

● *Plancoët :* eau minérale gratuite sur place, à la source I Et sa chaîne d'embouteillage.

## DINAN (22100) ————————————————————

L'une des plus belles cités bretonnes, l'un des ensembles médiévaux les mieux conservés. Dinan, puissante ville commerçante au Moyen Age, dont le héros est Bertrand Du Guesclin. Il y livra, place du Champ (aujourd'hui, elle porte le nom du preux chevalier), un fameux duel contre un Anglais, à l'issue duquel il gagna aussi le cœur d'une belle. Oh, la, la ! c'est beau l'Histoire ! Ville à faire à pied, bien sûr. Enchantement permanent dont le prix à payer est inévitablement l'énorme flux touristique de l'été. Site particulièrement apprécié par nos « amis » d'outre-Manche. Faites comme nous, venez en septembre ou en juin. Délicieux !

### Adresses utiles

– *Office du tourisme :* hôtel Kératry, 6, rue de l'Horloge (plan B2). ☎ 96-39-75-40. Visites guidées de la ville (toute l'année, sur rendez-vous) et des remparts à 10 h et 15 h en juillet-août.
– *Gare S.N.C.F. :* pour Saint-Brieuc, Rennes et Caen. ☎ 96-39-22-39.
– *Gare routière :* ☎ 96-39-21-05.
– *Blue line :* location de bateaux avec une base à Dinan. Renseignements à Paris, 12, rue du Helder, 75009. ☎ 42-46-29-50. Métro : Chaussée-d'Antin.

### Où dormir ?

● *Bon marché*

– *Auberge de jeunesse :* moulin du Meen, vallée de la Fontaine-des-Eaux. ☎ 96-39-10-83. Dans un site très agréable. Ouvert toute l'année. Venant de Dinan, c'est pas loin du port. Arrivé au bout, route pour Plouher et une autre petite route, à gauche, avec panneau indiquant l'A.J. Pour ceux arrivant en train : traverser la voie ferrée, puis tourner à droite. C'est indiqué. Hardi petit ! A.J. à 2 km. Location de vélos. Possibilité de camper. Différents stages : photographie, guitare, théâtre de rue. Nuit à 37 F.
– *Hôtel du Théâtre :* 2, rue Sainte-Claire. ☎ 96-39-06-91. Peu de chambres et prises d'assaut, car les moins chères de la ville (de 90 à 140 F). Petites, mais propres. Tout près de l'office du tourisme.
– *Hôtel du Vieux-Saint-Sauveur :* 19, place Saint-Sauveur. ☎ 96-39-04-63. Maison à pans de bois sur porche du XVIᵉ s., sur une place adorable. Chambres correctes de 110 à 150 F.
– *Chambres d'hôte :* 7, rue de la Poissonnerie. ☎ 96-39-82-40. Chez Mme Hélène Dodinot. En plein centre ville, chambre à 150 F. Hôtesse charmante.
– *Camping municipal :* 103, rue de Chateaubriand. ☎ 96-39-11-96. Le plus proche. Ouvert de mai à novembre.

● *Prix moyens*

– *Hôtel de la Porte Saint-Malo :* 35, rue Saint-Malo (plan B1). ☎ 96-39-19-76. Hors les murs, à deux pas de la porte Saint-Malo et à 5 mn du centre ville, dans un quartier tranquille. Petit hôtel de charme proposant des chambres impeccables, avec tout le confort et la télé. Patronne absolument charmante. Doubles à 130 et 180 F. Notre meilleure adresse sur la ville.
– *Hôtel des Alleux :* route de Ploubalay à Taoen. ☎ 96-86-16-10. A 3 km du centre ville, au calme donc et facile à trouver. Chambres à 250 F pour 2 personnes. Restaurant-grill entre 60 et 150 F.

● *Plus chic*

– *Hôtel de la Tour de l'Horloge :* 5, rue de la Chaux (plan A-B2). ☎ 96-39-96-92. Bon accueil. Dans une demeure ancienne du centre ville sur une rue piétonne, d'agréables chambres de 250 à 325 F.

### Où manger ?

● *Bon marché*

– *Bar Au Prélude :* 20, rue Haute-Voie. ☎ 96-39-06-95. Dans le vieux centre. Ouvert tous les jours de 18 h à 3 h, sauf le dimanche. Tenu par une joyeuse équipe de jeunes. Décor intime et chaleureux. Bonnes grillades au feu de bois pour un prix très modéré. Café-concert tous les soirs. Vraiment une de nos meilleures adresses.

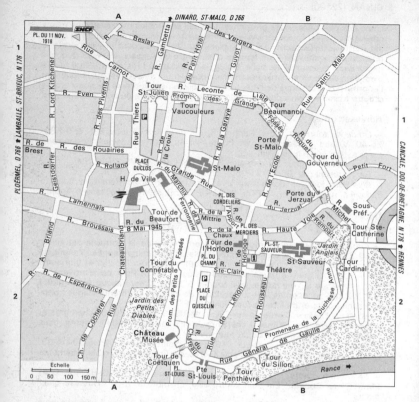

*Dinan*

— *Manureva* : 15, rue de la Cordonnerie. ☎ 96-39-47-13. Dans la rue de la Cordonnerie, appelée aussi « rue de la Soif ». Bistrot sympa et pas cher.
— *Crêperie Ahna* : 7, rue de la Poissonnerie. ☎ 96-39-09-13. Fermé le mardi sauf en saison, et en janvier. Les crêpes étaient parmi les meilleures de la ville, mais les temps changent.
— *Les Chanterelles* : passage de la Tour. Dans le centre. ☎ 96-85-33-52. Des petits menus très corrects et pas chers.
— *La Lumachelle* : en bas de la rue du Jerzual. ☎ 96-39-38-13. Une pizzeria très correcte. Prix et accueil sympathiques. Toujours beaucoup de monde.
— Une bonne *boulangerie*, 82, rue du Petit-Fort, près de la rue du Jerzual. Fermée le mercredi. C'est tout bon : pâtisseries pur beurre (breton !), pains et baguettes. La boulangère coupe les parts de gâteau en fonction de l'appétit du client, et on paie au poids !

● *Prix moyens*

— *Le Saint-Louis* : 9, rue de Léhon. ☎ 96-39-89-50. Fermé le dimanche soir et le lundi, ainsi qu'en mars et octobre. L'un des restaurants les plus populaires de la ville. Nourriture bonne et abondante. Très conseillé de réserver. Comptez autour de 100 F le repas, menus de 57 à 155 F.
— *Crêperie les Jardins du Jerzual* : 15, rue du Petit-Fort (plan B1). Juste avant d'arriver en bas de la rue du Jerzual sur le port. ☎ 96-85-28-75. Maison du XV° siècle, cadre extraordinaire. Crêpes de fort bonne qualité mais chères.
— *Le Relais des Corsaires* : 5, rue du Quai. Sur le port. ☎ 96-32-40-17. Probablement que cette taverne qui porte la date de 1754 a reçu des corsaires...

Aujourd'hui ce sont les touristes et les plaisanciers qui s'y régalent dans un décor superbe. Menus de 85 à 150 F. Fermé dimanche soir et lundi sauf en saison.

● *Plus chic*

– *Chez la Mère Pourcel* : 3, place des Merciers. ☎ 96-39-03-80. Sur la plus belle place de Dinan, une vénérable institution nichée dans une magnifique maison du XVᵉ siècle. Fermé le lundi. Carte classique et menus de 80 à 150 F.
– *La Caravelle* : 14, place Duclos. ☎ 96-39-00-11. Fermé le mercredi hors saison. Sur la grande place-carrefour de la ville. Venez y apprécier une nourriture authentique ment imaginative et savoureuse. On y trouve même un menu à 110 F (excellent rapport qualité-prix) et un à 160 F. A la carte, comptez 380 F : filets de rouget en aillade, aiguillette de bœuf à la moelle, terrine de poissons panachés, etc. Fait aussi hôtel (chambres de 150 à 170 F).

**Où boire un verre en écoutant de la musique ?**

– *A la Truye qui File* : 14, rue de la Cordonnerie (plus communément appelée : « rue de la Soif... »). ☎ 96-39-72-29. Alain, dit « Nounours », est guitariste et anime des soirées dans son bar tous les mercredis, vendredis et samedis. Clientèle jeune et ambiance « copain ». Fermé le lundi hors saison.

● *Aux environs*

– *Relais de la Blanche Hermine* : Lourmel, 22980 Plélan-le-Petit. ☎ 96-27-62-19. Fermé le mercredi soir. A 15 km environ de Dinan, en direction de Jugon-les-Lacs (la N 176). Longue maison en pierre du pays, en bord de route. Grande salle agréable et animée. Resto possédant une bonne réputation dans la région. Menus à 85 et 115 F avec 12 huîtres, gigot d'agneau, darne de colin ou de saumon, etc., fromage et dessert. A 145 F avec plateau de fruits de mer. Excellentes viandes à la carte aussi.
– *Restaurant Jean-Pierre Crouzil* : rue Principale, à Plancoët (à 14 km, vers Saint-Cast). ☎ 96-84-10-24. Dans un cadre très chic et cossu, l'un des plus fameux restos des Côtes-d'Armor. Menu à 200 F (avec turbot à l'estragon, huîtres chaudes et glaces au sabayon de vouvray, magret de canard au miel de ronciers, etc.). En semaine, petit menu à 120 F le midi.
– *A Plancoët, la Source* serait bien également (☎ 96-84-10-11). Cadre et clientèle plus traditionnels. Le midi, repas ouvrier et menu à 55 F (sauf dimanche midi et jours fériés).

**A voir à Dinan**

– *La basilique Saint-Sauveur* : place Saint-Sauveur. L'un des chefs-d'œuvre de l'art roman en Bretagne. Bâtie au XIIᵉ siècle selon les vœux d'un chevalier revenu vivant de croisade. D'où, sans doute, les influences orientalo-byzantino-vénitiennes. Façade admirable, d'un style très pur. Les statues ont perdu la tête, mais superbes *chapiteaux* dont il faut étudier soigneusement tous les détails insolites. Au-dessus, taureau et lion ailé (symboles de saint Luc et saint Marc). Seul le tympan assez laid (du XIXᵉ siècle) n'est pas à sa place dans cet harmonieux tableau. A l'intérieur, une partie romane, l'autre gothique. *Mobilier* intéressant (autels, retables, fonts baptismaux, etc.). A gauche, le *cénotaphe* contenant le cœur de Du Guesclin. Dans la 4ᵉ chapelle du bas-côté gauche, beau *vitrail du XVᵉ* siècle représentant saint Yves, saint Brieuc et Cᵒ. Jolis vitraux modernes aussi.
– *Quartier des places des Merciers et des Cordeliers* : fascinant ensemble médiéval d'une homogénéité quasi parfaite. Au 10, *rue de la Mittrie* naquit Théodore Botrel. Au nᵒ 1, rue Haute-Voie, séduisant *hôtel Beaumanoir* (du XVIᵉ siècle) avec son portail aux Dauphins. Rue de l'Horloge, *beffroi* du XVᵉ siècle. Sa cloche fut offerte par la duchesse Anne (visite l'été). Du sommet, panorama intéressant sur la ville. Dans son prolongement, rue de Léhon, le lycée où étudièrent Chateaubriand et Broussais. En fait, toutes les ruelles et venelles sont à parcourir, peu avares en beaux détails architecturaux. Grand-Rue bordée d'hôtels particuliers. *Église Saint-Malo* avec portail Renaissance et un élégant orgue anglais du XIXᵉ siècle à tuyaux polychromes. Ancien couvent des Cordeliers du XIIIᵉ siècle. Aujourd'hui, collège privé (visite possible lors des vacances scolaires).
– *La rue du Jerzual* : probablement la plus médiévale des rues bretonnes (encore qu'à Vitré, Rennes, Morlaix, Quimper, Auray...). En tout cas, des-

cendre à petits pas le Jerzual, seul, un matin de bonne heure ou hors saison, se révèle toujours un moment délicieux. Les artisans remplacent aujourd'hui les boutiquiers de jadis dans leurs jolies maisons à pans de bois des XV° et XVI° siècles. La porte gothique du Jerzual franchie, relais assuré par la rue du Petit-Fort. Au n° 24, *maison du Gouverneur*, superbement restaurée. Par contre, quelques numéros plus haut, on est très surpris – c'est le moins qu'on puisse dire – par une reconstruction ultra-moderne, qui se veut néo-moyenâgeuse !

Tout en bas, le petit port sur la Rance et son vieux pont gothique. Rebroussez chemin jusqu'à la porte du Jerzual, enfilez la ruelle à gauche pour parvenir au *jardin Anglais*. Grande terrasse (ancien cimetière de la ville) qui surplombe la vallée de la Rance. On vous laisse le choix des épithètes pour le panorama. Continuez par la promenade de la Duchesse-Anne, pour parvenir au château.

– *Le château-musée :* édifié au XIV° siècle. Ensemble élégant et bien proportionné de tours massives. Donjon haut de 34 m, garni de remarquables mâchicoulis. Il abrite aujourd'hui un petit musée d'histoire du pays de Dinan. Ouvert tous les jours du 1er juin au 31 août, de 9 h à 12 h et de 14 h à 19 h. Mars-mai, septembre-octobre à 18 h ; novembre-janvier, de 14 h à 17 h (sauf le mardi). ☎ 96-39-45-20. Collections préhistoriques puis, après un splendide escalier à vis, accès aux collections gallo-romaines et de l'époque médiévale. Salle présentant des gisants dans la tour de Coëtquen. Mobilier, coiffes du pays, orfèvrerie religieuse complètent le tout. De la terrasse, encore une belle vue sur la vallée et la ville (ça devient lassant !). Au pied du château, agréable *promenade des Petits-Fossés* (d'où, enfin, on ne voit plus la ville).

## Excursions en bateau

Sur la Rance, navettes régulières pour Saint-Malo-Dinard. Fonctionnent du 18 avril au 30 septembre. Une belle balade de 2 h 30 environ. 69 F l'aller simple et 96 F l'aller retour. Réduction enfants. Possibilité, bien entendu, de retour par car (plus rapide). Renseignements à Dinan :
– *Vedettes blanches :* ☎ 96-39-18-04 et 96-39-05-47.

## Où dormir ? Où manger ? Où boire un verre ?
## Où écouter de la musique vers le sud ?

– *La Guernazelle :* café-concert à Trévron. ☎ 96-83-58-10. A 7 km environ au sud de Dinan. Petit village qu'on atteint par la D 766 (vers Caulnes et Quédillac). Tournez au niveau du Hinglé (belle architecture rurale de la région). *La Guernazelle*, grosse maison en granit dans la rue principale de Trévron, est un des rares endroits des alentours où l'on puisse respirer un grand bol d'air frais. Bébert, le patron, sait mieux que quiconque vous tirer une Guinness bien crémeuse et créer une ambiance chaleureuse (tiens, ça rime !). Concerts, en principe, trois samedis par mois (téléphonez pour confirmation et horaire). Du 1er juin au 30 septembre, ouvert tous les jours (sauf le lundi) de 16 h à 4 h (en hiver, ouvert jusqu'à 2 h en semaine et 4 h les vendredis et samedis seulement).
– *Ferme-auberge La Priquetais :* à Trévron. A environ 1 km du bourg. ☎ 96-83-56-89. Fermé en novembre. En pleine nature, une belle ferme ancienne proposant cinq chambres agréables (douche à l'extérieur). Bon accueil. Repas campagnard sur commande. Fait aussi gîte d'étape (25 lits). Possibilité de camper. Une bonne adresse.

## A voir aux environs

● *Saint-Juvat :* à 3 km de Trévron. Pour ceux venant directement de Dinan, accès par la D 2. Prendre ensuite la D 39 par Évran. L'un des villages les plus fleuris de France. Maisons croulant sous les pétales, pancartes routières disparaissant presque. Original et photogénique !
Église moitié romane, moitié gothique, commentaires de visite enregistrés, étiquettes sur les piliers, etc.
– *Crêperie l'Écurie :* sur la place centrale. Crêpes entre 8 et 20 F.

● *Château de Hac :* entre Tréfumel et Le Quiou, sur la D 39. Construit au XIV° siècle. Possède une allure, une élégance très aristocratiques avec ses tours élancées, ses lucarnes et hautes couvertures. Virant au manoir en fait, l'une des plus belles constructions de la guerre de Cent Ans qui nous soient arrivées en si bon état. Visite tous les jours en juillet-août. Le dimanche, et sur réservation, de Pâques à la Toussaint.

● *A Tréfumel,* à côté, une émouvante petite *église* du XII° siècle, la plus ancienne des alentours, et un if presque aussi vieux qu'elle. Nombreuses vieilles demeures du XVII° siècle.

● *Base de loisirs de Bétineuc :* à côté d'Évran, un grand étang proposant toutes les activités aquatiques possibles (voile, planche à voile, canoë-kayak, etc.).

● *Le Hinglé-les-Granits et la haute vallée de la Rance :* bien que le départe-ment d'Ille-et-Vilaine (on n'en est pas loin ici) soit le 1er département granitier breton (67 % des effectifs et 73 % du chiffre d'affaires dont les 3/4 pour le sec-teur funéraire), les carrières du Hinglé produisent un très beau granit bleu. Pour les purs de l'orthographe, sachez que les géologues écrivent « le granite est une roche dure d'origine ignée » ; tandis que les entrepreneurs qui usent de ce maté-riau écrivent « une croix de granit » (sans e).

● *Caulnes :* voir deux beaux châteaux dans la campagne à Couëllan, reconstruction des XVII° et XVIII° siècles, et à La Perchais.

**Où dormir ? Où boire un verre ? Où écouter de la musique vers le nord ?**

– *La Corblinais :* à Saint-Michel-le-Pléban. Sur la D 19, à quelques kilomètres de Dinan. ☎ 96-27-64-81. Des chambres d'hôte de 140 à 160 F. Ferme tenue par des jeunes très sympa. Table d'hôte avec des produits maison, bien entendu.
– *Café de la Gare :* à Pleslin. ☎ 96-27-80-04. Fermé le jeudi. Le week-end, ouvert jusqu'à 4 h. A 12 km environ de Dinan, sur la route de Dinard. En juillet-août, une à deux fois par semaine, concerts de jazz (en général, le samedi à 22 h 30). Atmosphère très sympa. Déco genre années 30. Trois billards fran-çais pour les pros et les mordus. Possibilité d'y dîner.

**A voir vers le nord**

● *Pont Chateaubriand :* pour franchir la Rance entre Plouer et Châteauneuf. Un site exceptionnel, technique ultramoderne : ce pont n'a ni pile ni voussoir dans le lit de la rivière. Il étire une voûte unique de 265 m à 2 voies, à 30 m au-dessus des flots. Une belle prouesse technique mise en service comme le pont de Nantes en 1991. C'était la rubrique « la France qui gagne ! ».

● *Musée de la Pomme et du Cidre :* à *Pleudihen-sur-Rance.* A une dizaine de kilomètres de Dinan, sur la route de Saint-Malo. ☎ 96-83-20-78. Ouvert tous les jours de 10 h à 12 h et de 14 h à 19 h. Entrée : 15 F. Réduction pour les ados et gratuit pour les enfants. Dans une ferme restaurée, tout sur le cidre (his-toire et fabrication). Visite des ateliers du tonnelier, du cerclier et matériel de pressage traditionnel. Montage audiovisuel et dégustation du fameux cidre local (avec possibilité d'en remplir son coffre, si on veut).

**Où dormir ?**

– *Chambres à la ferme :* le Pont-de-Cieux, à Pleudihen-sur-Rance. ☎ 96-83-35-60. Chez Francette Chevestrer. A 2 km du village sur la D 29 en direction de Saint-Malo. Chambres pour 2 personnes à 150 F. Table d'hôte avec les pro-duits de la ferme.

## L'ILLE-ET-VILAINE

> « Gardien d'un phare en Occident
> au feu tournant de la lumière,
> mon rêve est baigné par la mer,
> mon cœur dessillé par le vent... »
> Théophile Briant *(Antiennes de la mer).*

L'Ille-et-Vilaine va être votre premier contact avec la Bretagne. Et, d'emblée, une surprise : « Comment ! Pas d'enclos paroissiaux ? Pas de calvaires ? Pas boursez ! » Pas de panique, ça vient. En remplacement des calvaires, ce département a bien des choses à proposer, et pas des moindres : Rennes, la capitale, séduisante ville d'art ; Saint-Malo, la miraculée, chargée d'histoire ; une côte superbe de Dinard au Mont-Saint-Michel ; des itinéraires insolites à travers une campagne charmante, jonchée d'églises et de chapelles magnifiques (renfermant cent richesses et vitraux admirables) ; des châteaux romantiques, austères, orgueilleux, ruinés, enfin pour tous les goûts... Le tout rythmé de solides balises gastronomiques.

## RENNES (35000)

Où l'on s'aperçoit que peu de gens connaissent vraiment Rennes. On arrive souvent ici avec l'idée de trouver une grande ville un peu austère, sans monuments éblouissants et ne possédant pas d'image de marque précise du genre : « Quimper, ah, oui, la cathédrale ! » En fait, c'est une heureuse surprise de découvrir une ville architecturalement très intéressante, révélant une riche vie culturelle (Rennes, laboratoire du rock en France), et proposant un prestigieux festival des Tombées de la nuit l'été, etc.

### Rennes dans l'histoire

D'abord, il était une fois un petit village gaulois du nom de Condate. Puis, Rennes ne commença vraiment à faire parler d'elle qu'au XIᵉ siècle, par sa résistance aux Normands. Bien que située en pays gallo, elle apparut peu à peu comme capitale de la Bretagne. C'est ici, en 1337, que Bertrand Du Guesclin fit pour la première fois parler de lui en gagnant nombre de tournois de chevalerie. Comme on ne sait jamais, Rennes s'entoura de murailles. A la fin du XVᵉ siècle, elles servirent lorsque les troupes françaises vinrent faire le siège de la ville, y maintenant Anne de Bretagne prisonnière. Comme tout problème trouve toujours une solution, elle épousa Charles VIII en 1491. Cette alliance, suivie en 1532 du traité d'Union, consacra la fin de l'indépendance de la Bretagne, mais subsistèrent beaucoup de franchises et privilèges. Avec la création du parlement de Bretagne, en 1561, et l'arrivée de nombreux nobles, administrateurs, artistes, etc., Rennes fut définitivement consacrée capitale de la Bretagne. La construction du Parlement, à partir de 1618, entraîna, bien sûr, celle d'hôtels particuliers prestigieux.

En 1720, cependant, un énorme incendie détruisit pratiquement tout le centre ville, les maisons à pans de bois favorisant le sinistre. Comme le grand incendie de Chicago, en 1871, qui imposa la recherche de nouveaux matériaux et de nouvelles techniques, celui de Rennes bannit à jamais le bois et imposa la pierre. De plus, des normes architecturales très strictes, empêchant toute fantaisie, amenèrent à la création de nouveaux quartiers à l'aspect uniforme, dur, rigide, ce qui ne fut pas pour peu dans la future réputation d'austérité de la ville ! La couverture partielle de la Vilaine contribua aussi à dépoétiser le paysage urbain. Mais vous verrez, ce n'est qu'une première impression !

Pour finir, ville universitaire depuis le XVIIIᵉ siècle, Rennes compte aujourd'hui plus de 35 000 étudiants. Elle s'est dotée aussi, au fil des ans, d'une importante infrastructure industrielle, notamment avec les usines Citroën. Rennes est également fière d'être le siège de *Ouest France*, le journal le plus important de France par son tirage... et sa prospérité. C'est donc une ville active, culturelle et au riche passé, que vous allez être amené à visiter. Vous ne serez pas déçu !

### Adresses utiles

– *Office du tourisme* : Pont de Nemours, B.P. 2533. ☎ 99-79-01-98. Ouvert de 10 h à 12 h 30 et de 14 h à 18 h 30 du lundi après-midi au samedi inclus ; de 9 h à 19 h 30 du 15 juin au 15 septembre, sauf dimanche (de 10 h à 12 h et de 14 h à 17 h).

– *Association Bretonne des Relais et Itinéraires (ABRI)* : 9, rue des Portes-Mordelaises. ☎ 99-31-59-44. Tout près de la cathédrale. Ouvert du lundi au samedi, de 10 h à 12 h 30 et de 14 h à 18 h 30. Une adresse indispensable à qui veut obtenir toute information sur les randonnées pédestres, les possibilités d'hébergement (auberges de jeunesse, gîtes d'étapes, campings), les balades à vélo, en bref tout ce qui concerne le tourisme vert ou en dehors des sentiers battus. Excellente documentation. Au même endroit, même téléphone : *le Comité de promotion touristique des canaux bretons* (location de house-boats et pénichettes).

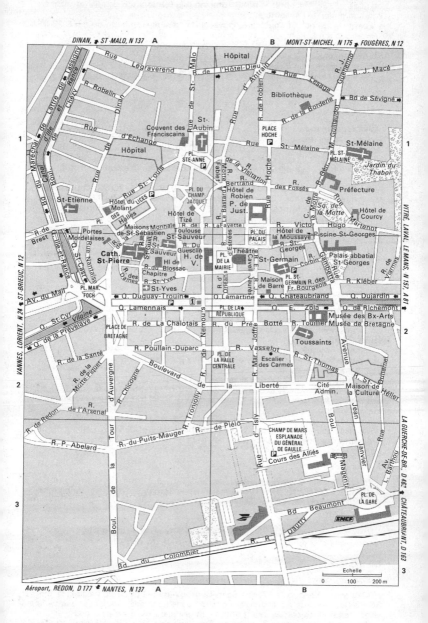

– *Gîtes de France :* 1, rue Martenot. ☎ 99-02-97-41. Tous renseignements sur les gîtes ruraux, chambres d'hôte, camping à la ferme, etc., de l'Ille-et-Vilaine. Vend un guide de l'ensemble.
– *Poste :* place de la République. Ouverte du lundi au vendredi, de 8 h à 19 h. Samedi, de 8 h à 12 h.
– *Gare S.N.C.F. :* ☎ 99-65-50-50. Réservations pour le T.G.V. qui met Paris à 2 h de Rennes.
– *Gare routière* (plan B3) : ☎ 99-30-87-80.
– *Aérogare de Rennes Saint-Jacques :* ☎ 99-31-91-77.

## Où dormir ?

● **Bon marché**

– *Auberge de jeunesse :* 10-12, canal Saint-Martin (plan A1). ☎ 99-33-22-33. Ouverte toute l'année. Couvre-feu à minuit. Au nord de la ville, pas loin à pied du centre historique. De la gare, bus n°s 2, 20 ou 22. Arrêt à Coëtlogon-auberge de jeunesse. L'A.J. est à l'intersection de la rue Saint-Malo et du canal. Belle bâtisse. Accueil sympa. Location de vélos. Cafétéria. Chambre à 1 et 2 lits, 134 F.
– *Au Rocher de Cancale :* 10, rue Saint-Michel. ☎ 99-79-20-83. On ne peut rêver être mieux situé. Dans une rue médiévale, au cœur de l'animation, à deux pas de la place des Lices. L'hôtel vient d'être refait (chambres à 200 F environ). Bon resto au rez-de-chaussée (menus de 80 à 150 F).
– *Hôtel d'Angleterre :* 19, rue du Maréchal-Joffre. ☎ 99-79-38-61. Rive sud, pas loin de la place de la République. Toujours central. Petit hôtel bien tenu. Les patrons sont sympa. Chambres classiques de 105 à 150 F.
– *Hôtel Maréchal-Joffre :* 6, rue du Maréchal-Joffre. ☎ 99-79-37-74. Petit hôtel familial. Propose, dans son annexe, des chambres avec lavabo pas chères du tout. Comptez de 155 à 195 F pour deux.

● **Prix moyens**

– *Hôtel Lanjuinais :* 11, rue Lanjuinais. ☎ 99-79-02-03. Central là aussi. Petite rue donnant sur le quai Lamennais. Hôtel récemment rénové. Bon accueil. Chambres confortables aux couleurs fraîches. Télé avec Canal Plus. Doubles de 190 à 240 F.
– *Hôtel le Pingouin :* 7, place du Haut-des-Lices. ☎ 99-79-14-81. Sur l'une des plus belles places de la vieille ville. Bâtiment sans grand charme, mais chambres très agréables (avec balcon). Des derniers étages, belle vue sur les toits. Doubles de 210 à 230 F (petit déjeuner 20 F).
– *Hôtel le Sévigné :* 47, avenue Janvier. ☎ 99-67-27-55. C'est la grande avenue menant à la gare. A 10 mn à pied du centre. Hôtel très bien tenu. Chambres à 270 F pour deux.
– *Le Garden :* 3, rue Duhamel (angle avenue Jean-Janvier). ☎ 99-65-45-06. Hôtel classique et de bon ton, à proximité de la gare et du vieux Rennes. Petit jardin intérieur et cafétéria. La patronne est une lectrice du *Routard*. Chambres très correctes de 190 à 245 F.

● **Plus chic**

– *Hôtel Central :* 6, rue Lanjuinais. ☎ 99-79-12-36. Hôtel de charme, architecture du XIXe siècle, dans rue calme. Frais et agréable. Tout plein de plantes vertes. Chambres de 170 à 295 F.

● **Camping**

– *Camping municipal des Gayeulles :* parc des Bois. ☎ 99-36-91-22. Pour s'y rendre : bus n° 3 direction Saint-Laurent, depuis la rue de Paris.

## Où manger ?

● **Bon marché**

– *Crêperie le Kerlouan :* 17, rue Saint-Georges (donne place du Palais). ☎ 99-36-83-02. Fermé le dimanche, et en août. Dans l'une des plus jolies rues de la ville. Très bonnes crêpes ayant obtenu un premier prix, il y a trois ans.
– *Au Marché des Lices :* 3, place du Bas-des-Lices (place du marché). ☎ 99-30-42-95. Ouvert de 12 h à 14 h et de 19 h 30 à 22 h. Fermé dimanche et lundi, ainsi que la 2e quinzaine d'août. Cadre relax et sympathique. Goûtez à la

« fermière » (poitrine fumée, œufs, tomates, champignons). Plat du jour pas cher le midi (sauf le samedi). Bon cidre. Comptez 60 F pour un repas.

– Rive sud, donnant dans le boulevard de la Liberté, rue des Carmes. Le *Restaurant des Carmes* affiche des menus à prix très modérés, entre 40 et 50 F. ☎ 99-79-27-52. Fermé le dimanche.

– *Rue de Saint-Malo*, donnant place Sainte-Anne, les *restos bon marché* se serrent les uns contre les autres. Largement fréquentés par la jeunesse populaire. En fin de semaine, sacrée atmosphère.

– La rue de la Chalotais aligne également d'autres restos aux prix intéressants. *L'Équateur*, en face de *l'Opus*, propose le menu du jour le moins cher. Un peu plus loin, sur le même trottoir, un Libanais, puis *la Chope* (voir chapitre suivant), etc.

● **Prix moyens**

– *Brasserie le Sévigné* : 47, avenue Janvier. Grande avenue menant à la gare. ☎ 99-30-86-86. Ouvert midi et soir jusqu'à 23 h. Fermé samedi midi et dimanche. Spécialités alsaciennes. Toujours plein de monde, c'est bon signe. Salle très animée et bourdonnante le midi. Réservation conseillée. Aux murs, les fresques nouvelles donnent un air de fête à un resto essentiellement fréquenté par des hommes d'affaires en voyage. C'est ici qu'il faut faire un repas copieux après huit jours de *tsampa* au Tibet. Tendres grillades, succulente et abondante choucroute « Sévigné côtes fumées » (premier prix 65 F) ou au jarret, tripes maison au riesling, etc. Service rapide, prix doux, accueil sympa ! Hautement recommandable !

– *Le Grandgousier* : 29, rue de Penhoët. Rue de la vieille ville, débouchant place Sainte-Anne. ☎ 99-79-15-01. Ouvert jusqu'à 23 h. Fermé dimanche midi. Dans un inévitable décor rustique, l'occasion de déguster une bonne grosse nourriture campagnarde. Beaucoup viennent ici les jours de grande faim. On en sort repu. Petit menu à 42 F le midi. Sinon, grillades, demi-pigeonneau ou saucisse aux choux, râble de lapin rôti moutarde, poule au pot, bœuf gros sel, etc. Une bonne adresse.

– *La Chope* : 3, rue de la Chalotais (plan A2). Rive sud, juste derrière la place de la République. Tél. 99-79-34-54. Ouvert de 12 h à 24 h, sauf le dimanche. Depuis 1936, la brasserie populaire incontournable de Rennes. Sur les murs, des pensées philosophiques très simples à méditer (« Le vin, le vin... trésor divin » ou bien « Mange, bois, pète et rote ! »). Les fins de semaine, animation garantie. Qualité de la nourriture à peu près constante. Menus à 60 et 120 F (service compris, boisson en sus).

● **Plus chic**

– *Chez Kub* : 20, rue du Chapitre. ☎ 99-31-19-31. Dans la vieille ville. Ouvert jusqu'à 22 h 30. Fermé le dimanche. Cadre frais et clean, agréable. De jolies gravures aux murs indiquent que la bonne viande est la spécialité du lieu (côte de bœuf spéciale, entrecôte au beurre de roquefort, *spare ribs* sauce diable, brochette de porc aux pêches, etc.), servie avec un gratin aux légumes. Comptez 120 F le repas.

– *Le Moutardier* : 38, rue Saint-Georges. ☎ 99-38-79-43. Rue médiévale donnant place du Palais. Fermé le dimanche. Restaurant de caractère. Jolie décoration. Terrasse aux beaux jours. Fine cuisine. Savoureuses entrées : marinade de coquilles Saint-Jacques, terrine de saumon maison aux baies roses, assiette nordique. Grand choix de plats : brochette de poisson au noilly, goujonnette de veau à la crème de cassis, panaché de poissons à l'oseille, pavé au trois moutardes, etc. Comptez 130 à 150 F. Une bonne adresse, dans une rue pourtant touristique.

– *Le Piccadilly* : 15, galerie du Théâtre. ☎ 99-78-17-17. Sur l'une des plus belles places rennaises, une brasserie ouverte jour et nuit. Intérieur aux tons chaleureux, allure cossue, avec dénivelés et décrochements multiples. Endroit plutôt agréable, pas compassé du tout vu le mouvement perpétuel qui l'anime. Clientèle hétérogène changeant suivant les heures. Nourriture correcte.

– *Ty Coz* : 3, rue Saint-Guillaume. ☎ 99-79-33-89. Ouvert midi et soir jusqu'à 21 h. Fermé le dimanche. Réservation très recommandée. Visite historique autant que gastronomique, puisque ce fameux restaurant se niche dans la *maison Du Guesclin*, l'une des plus anciennes demeures de Rennes. Une polémique agite toujours les spécialistes à propos de sa date de naissance (XIVᵉ ou XVIᵉ siècle), mais ça n'empêche pas d'admirer la splendide façade ventrue à pans de bois sculptés, ornée de statuettes polychromes. Intérieur à la décoration chaleureuse pour une excellente cuisine classique. Si, à la carte, ça grimpe vite, en revanche, deux menus à 120 et 148 F vous permettent d'apprécier cette séduisante adresse. Un troisième menu à 180 F : on choisit ce qu'on veut sur la carte !

— Pour nos lecteurs argentés prolongeant leur séjour à Rennes, plusieurs autres fameux restaurants méritent aussi une visite : *Chouin*, pour les poissons (12, rue d'Isly ; ☎ 99-30-87-86), *l'Ouvrée*, pour sa fraîche, légère cuisine et sa belle sélection de vins (18, place des Lices ; ☎ 99-30-16-38), *le Palais* (7, place du Parlement ; ☎ 94-79-45-01), premier menu à 100 F ; et *le Piré* (18, rue du Maréchal-Joffre ; ☎ 99-79-31-41), le meilleur de tous en ville, premier menu autour de 100 F, très joli cadre. Enfin, n'oubliez pas nos meilleures adresses proches de Rennes (voir, plus loin, La Bouëxière et Bourg-des-Comtes).

## A voir

### ● *Le vieux Rennes*

Balade très agréable. Certaines rues présentent encore des alignements assez homogènes de maisons médiévales. Le grand incendie de 1720 épargna fort heureusement le quartier de la cathédrale. Le contraste avec celui du Parlement de Bretagne, reconstruit après l'incendie, est, bien entendu, l'un des aspects insolites de cette randonnée urbaine.

— *La cathédrale Saint-Pierre* : rue de la Monnaie (plan A2). Ouverte de 8 h 30 à 12 h et de 14 h à 17 h (dimanche de 9 h 30 à 12 h). Enfin une église que l'on n'est pas obligé de décrire en termes dithyrambiques (après toutes ces merveilleuses églises de campagne, on commençait à saturer). Construite sur le site d'un ancien temple gallo-romain. Il ne reste rien des deux édifices précédant le XVI° siècle. La façade, elle-même, commencée en 1560, ne fut achevée qu'un siècle plus tard. Au sommet, le soleil de Louis XIV, visant à bien marquer l'hégémonie de la France. Au XVIII° siècle, l'église s'effondra en grande partie. Elle fut reconstruite et achevée vers 1850. Ne subsistent donc de la période classique que les deux tours à balustrades. Résultat : un certain manque d'unité, relayé par la déception que provoque la décoration intérieure. La sobriété de l'architecture néoclassique disparaît sous les ors et les stucs, ornementation lourde rajoutée dans la seconde moitié du XIX° siècle et typique du bon goût de la bourgeoisie triomphante de l'époque. Seul point d'intérêt : dans la nef à droite, un splendide retable de l'école anversoise du XVI° siècle. Belles scènes en costumes médiévaux racontant la Nativité.

— *Rue de la Psallette* : ruelle longeant la cathédrale. Adorable rangée de vieilles demeures basses. Jetez plus qu'un œil dans la charmante cour du n° 8. *Rue Saint-Sauveur*, d'autres vénérables maisons. Au n° 3, *rue Saint-Guillaume*, la plus séduisante d'entre elles (restaurant *Ty Coz*). A l'angle des rues de la Psallette et du Chapitre, remarquables poutres sculptées.

— *Les portes Mordelaises* : un des rares vestiges des remparts du XV° siècle. Porte principale de ville au fond d'une ruelle partant de la rue de la Monnaie. C'est par là qu'entraient les ducs de Bretagne pour se faire couronner, après avoir prêté serment de toujours se battre pour l'indépendance de leur pays.

— *La place des Lices* : la grande place où se déroulaient les tournois du Moyen Age (plan A1). Du Guesclin y aurait rompu quelques lances. Au XVII° siècle, elle s'orna de belles demeures bourgeoises et d'hôtels particuliers. On admirera, bien sûr, le remarquable alignement de hautes maisons à colombage et toits en carène de navire (entre la rue des Minimes et celle des Innocents). Par la même occasion, on adressera la médaille de l'esthétique urbaine à ceux qui ont laissé s'édifier l'immeuble moderne en alvéoles qui bouche tout l'horizon...
Le samedi matin, la place s'anime bruyamment et abrite l'un des plus grands marchés de France.

— Pittoresques et paisibles *rue des Dames* et *rue Saint-Yves* tout en courbe, qui suivent scrupuleusement le tracé de l'ancienne muraille du XIV° siècle. Bordées d'hôtels particuliers et de séduisantes demeures bourgeoises. Au coin de la rue Lebouteiller, la *chapelle Saint-Yves* (1494) doit être prochainement restaurée.

— *Rue du Chapitre* : quelques belles pièces d'architecture médiévale. Au n° 22, façade sculptée de 1580. Au n° 5, pénétrez dans le couloir. Au fond, à droite, dans la petite cour, l'un des plus insolites escaliers de Rennes. Au n° 6, *hôtel de Blossac* (ouvert de 9 h à 18 h 30). Splendide portail, cour intérieure intéressante et, à gauche, monumental escalier avec élégante rampe en fer forgé. Rue de Clisson, *basilique Saint-Sauveur* qui fut épargnée par le grand incendie.

— A la frontière du vieux Rennes et de la « ville classique » de 1720, angle des rues Le Bastard et Champ-Jacquet, bel *hôtel particulier* avec tourelle d'angle. A 100 m, la place du Champ-Jacquet présente, du n° 11 au n° 15, d'admirables *façades* complètement de guingois. A côté, au n° 5, un *hôtel particulier* de 1660 montre clairement déjà la transition qui s'effectue entre l'utilisation du bois et de la pierre.

— La *rue Saint-Michel*, très homogène architecturalement et fort bien rénovée, mène à la gentille place Sainte-Anne. On y trouve, au n° 19, la belle *maison de Leperdit*, maire de Rennes à la Révolution française, et l'*église Saint-Aubin*.

● *La ville classique*

— *Le palais de justice* : place du Palais (plan B1). C'est l'ancien parlement de Bretagne, construit de 1618 à 1655. Pour le visiter, adressez-vous à la concier- gerie au rez-de-chaussée. ☎ 99-38-77-17. La façade est de Salomon de Brosse qui réalisa le palais du Luxembourg à Paris. Il s'inspira largement de Palladio qui avait fait fureur en Italie et qui construisit les célèbres villas... palladiennes près de Venise et de Padoue. A l'intérieur, un chef-d'œuvre, la *Grande Chambre du Parlement*, à l'extraordinaire décoration. Plafond à caissons sculptés à Paris et qui fut acheminé par bateau, via la Seine et la Loire. Les peintures furent réali- sées par Noël Coypel. Des *tapisseries des Gobelins*, exécutées au début de ce siècle, ornent les murs et racontent l'histoire de la Bretagne dans une richesse de détails et une débauche de couleurs d'un lyrisme fou. Notamment celle de la mort de Du Guesclin, révélant des influences puvisdechavannesques. Côté ouest de la place, grandes façades classiques d'ordre ionique et toits à la Man- sart.

— *L'hôtel de ville* : place de la Mairie. Œuvre de Jacques III Gabriel (père de Jacques IV qui réalisa le Petit Trianon à Versailles et conçut le plan de la place de la Concorde). Ouvert de 9 h à 17 h. Fermé dimanche et fêtes. Un clocher à lanternon surmonte un fronton sculpté, soutenu par quatre colonnes qu'en- cadrent deux pavillons incurvés.
Une anecdote : vous aurez remarqué la grande niche vide sous le fronton. Une sculpture personnifiant l'union de la Bretagne et de la France y trôna longtemps. La Bretagne, sous les traits d'une femme à genoux, tenait les mains du roi quant à lui assis ! Cette situation inégale et humiliante fut toujours dénoncée par les Bretons. En 1932, pour le quatrième centenaire de l'acte d'Union, une charge d'explosifs, posée par une organisation autonomiste, fit disparaître ce symbole de l'oppression. On a connu le même événement sous la cohue à Vannes.
Possibilité d'accéder à l'ancienne chapelle, au grand escalier orné de tapisseries et à la salle des mariages.
Face à la mairie, le Grand Théâtre de facture néoclassique, élevé en 1831.

— Dans le prolongement de la place de la Mairie, la *rue Saint-Georges* demeure, côté est, une des rares rescapées du grand incendie. Harmonieuse confronta- tion de tous les styles, maisons à pans de bois côtoyant de beaux hôtels parti- culiers. Chaque édifice mérite une étude attentive.

— *L'église Saint-Germain* : place Saint-Germain (plan B2). Ouverte de 9 h à 12 h et de 14 h à 18 h 30 (dimanche matin seulement). Édifiée au XVe siècle et ancienne paroisse des marchands-merciers. Façade ouest de style flamboyant. A l'intérieur, beau *vitrail* de la même époque, racontant l'histoire de la Vierge et la Passion.
La nuit, les rues autour prennent des tons blafards dans le halo des pâles lumières, avant de déboucher dans l'éclatante rue Saint-Georges. La rue Corbin, quant à elle, mène à l'ancien *palais abbatial Saint-Georges*, de 1670 (à l'inter- section avec la rue Gambetta).

— *Église Notre-Dame* : place Saint-Mélaine. Ouverte tous les jours de 8 h 30 à 19 h. Ancienne église d'abbaye du XIe siècle, rebâtie au XIVe. Élégante façade classique plaquée, en 1672, sur une vieille tour romane. A l'intérieur, de la période romane subsiste également la croisée de transept aux larges et sobres arches en plein cintre.

— *Les jardins du Thabor* : jouxtant l'église, l'ancien parc de l'abbaye fournit l'oc- casion, depuis le XVIIIe siècle, d'une agréable promenade dans de beaux jardins à la française.

— *La cité judiciaire :* loge dans un immeuble ultramoderne en forme de champignon de verre et d'acier, boulevard de La-Tour-d'Auvergne. On n'est pas des fanas des grands ensembles type Mégalopolis, c'est pourquoi il n'y a rien d'original à signaler à propos du nouveau quartier du Colombier, à côté du Champ-de-Mars !

● **Rive sud**

— *Le musée de Bretagne :* 20, quai Émile-Zola (plan B2). A trois pas de la place de la République. Installé dans l'ancien palais universitaire. ☎ 99-28-55-84. Ouvert de 10 h à 12 h et de 14 h à 18 h. Fermé le mardi. Grand musée d'histoire, d'ethnographie et d'archéologie. Fort opportunément divisé en périodes historiques. Intéressante *section préhistorique :* pierre d'allée couverte, silex, bijoux du « bronze final » (1000 à 6000 avant J.-C.). *Armorique gallo-romaine* avec pièces, bijoux, poteries, petits bronzes, bornes milliaires, etc. *La Bretagne médiévale :* chapiteaux sculptés, lettres patentes de François Iᵉʳ sur l'union de la Bretagne et autres précieux manuscrits (serment d'Anne de Bretagne), superbe gisant en marbre de Jacques Guibé, intéressants diaporamas par thèmes. *Bretagne de l'Ancien Régime (1532-1789) :* cartes, estampes, objets liés aux différentes classes sociales, sablières, devants de coffre, splendide armoire paysanne de mariage. *Bretagne moderne (1789-1914) :* beaux costumes des différentes régions, outils, documents curieux comme ce décret fixant à 1,733 m (très précisément !) la hauteur minimum pour s'engager dans la garde impériale (1813). Spécimen de bon de 25 livres édité par l'armée catholique pour contrer les assignats de la république, etc. Pour terminer, bien sûr, une section sur *la Bretagne contemporaine.*

— *Musée des Beaux-Arts :* dans le même bâtiment, mêmes horaires. ☎ 99-28-55-85. Au 1ᵉʳ étage. Riches collections. Archéologie égyptienne et grecque. Section des peintres bretons. Pour la peinture du XIXᵉ siècle : un beau Corot *(Passage du gué)*, plus les académiques, les pompiers, etc. Du XVIIIᵉ siècle : Chardin, Van Loo. Du XVIIᵉ siècle : Le Brun *(Descente de croix)*, Philippe de Champaigne *(Madeleine repentante)*. Et puis, le chef-d'œuvre du musée : *le Nouveau-Né,* de Georges de La Tour, à lumière très vermeerienne. Belle collection de céramiques et notamment de faïences.

— *Écomusée du Pays de Rennes :* route de Châtillon-sur-Seiche. ☎ 99-51-38-15. Ouvert tous les jours sauf le mardi et les jours fériés. Du 1ᵉʳ avril au 15 octobre de 14 h à 19 h, et en hiver de 14 h à 18 h. Fermeture annuelle du 1ᵉʳ au 15 janvier. Accès en bus depuis Rennes, ligne 14, arrêt « Le Gacet ». Ou par la ligne 61 arrêt « La Bintinais ». Entrée : 20 F.
A travers l'histoire de la ferme de La Bintinais, l'écomusée se propose grâce à une exposition permanente et la remise en culture d'une partie des terres de l'ancienne exploitation, de faire comprendre les relations que l'homme entretint avec son milieu au pays de Rennes du XVIᵉ siècle à nos jours. Vous y découvrirez les changements socioculturels à travers l'architecture, le costume, l'aménagement des maisons (très belles reconstitutions de cuisines), le langage et les loisirs, au moyen de mises en scène particulièrement bien réussies et de diaporamas. Sans oublier l'histoire des productions et des techniques agricoles reconstituées grandeur nature sur 10 ha d'espace cultivé. Expositions temporaires et animations autour de différents thèmes.

— *Tourisme technique :* il faut rappeler l'existence de l'usine *Citroën* inaugurée en 1961 à La Janais, route de Lorient, et de l'imprimerie d'*Ouest-France* quotidien du Grand Ouest qui tire à 790 000 exemplaires (le plus fort tirage des journaux quotidiens français). Dans les deux cas, on peut visiter.

— *La rue Vasselot :* vestige de la ville basse ancienne. Bien restaurée. Ne manquez pas au n° 34, dans la cour, le superbe escalier extérieur en bois, du XVIIᵉ siècle. A côté, *église de Toussaints,* du XVIIᵉ siècle.

— *Le lycée Émile-Zola :* avenue Janvier. Ce n'est pas son architecture très originale qui attirera votre attention, mais ce qu'il symbolise. En effet, c'est ici qu'eut lieu un événement social et politique d'une portée considérable : le deuxième procès du capitaine Alfred Dreyfus en août 1899, après le retentissant *J'accuse,* de Zola. Il faut imaginer l'atmosphère de l'époque, les affrontements des dreyfusards (intellectuels, militants de gauche, antimilitaristes, humanistes et libéraux) et les antidreyfusards (droite cléricale et antisémite). Une France coupée en deux. Aux suspensions de séances, Jaurès et Barrès allaient boire un verre au *Café de la Paix*, place de la République. Aujourd'hui, une simple plaque rappelle l'événement à l'entrée de la salle des fêtes du lycée. Malheureusement, l'histoire se répète encore et, près d'un siècle après, les délires racistes et antisémites font toujours autant de ravages...

## Où sortir ? Où boire un verre ?

Paradoxalement, pour une ville jeune et universitaire qui comptait 197 700 habitants en 1990, la vie nocturne rennaise se révèle assez faiblarde. A cela, plusieurs raisons : les Bretons se couchent tôt en général (ça, on le savait), ensuite beaucoup d'étudiants ne sont pas de Rennes et retournent, dès qu'ils le peuvent, dans leur région. Pour finir, la mer n'est pas loin et, le week-end, les gens préfèrent aller voir les flots bleus et jouir des microclimats... Enfin, revers de la médaille, pendant les vacances universitaires, la plupart des bars sympa sont quasi déserts ou même fermés et les spectacles sont rares.
– La *rue de Saint-Malo* aligne quelques bars, lieux de rendez-vous des jeunes où l'on retrouve une certaine animation. En particulier, *la Trinquette*, *l'Ozone*, avec sa vidéo-rock, *le Trap*, plus tranquille, lumières tamisées et collection de pipes d'écume, etc. Fermé le lundi.
– La *rue Saint-Michel* et la *rue Saint-Georges* possèdent quelques cafés de jeunes. Au 38, rue Saint-Georges, *le Carmes* présente une décoration postmoderne, genre *café Costes* à Paris (les Halles). Terrasse toujours pleine.
Mais il y a aussi la place Sainte-Anne, la place Rallier-du-Batty, la place du Champ-Jacquet et la place des Lices.
– *L'Inconnu* : 7, rue des Fossés. ☎ 99-36-88-28. Le bar pour rencontrer les jeunes. Très sympa, surtout le soir. Bonne musique, billard. Resto le midi.
– *La maison de la Culture* : au coin de l'avenue Jean-Janvier et de la rue Saint-Hélier. ☎ 99-31-55-33. Grand complexe offrant toute l'année dans ses trois salles de nombreux spectacles de tous genres et de grande qualité.

## Les Transmusicales

Rennes est devenue véritablement en France la capitale du rock (si on exclut, bien sûr, Toulouse et son « Rock Show biz », type *Gold*, etc.). La salle l'*U.B.U.* facilite le travail des jeunes groupes en mettant à leur disposition tout le matériel nécessaire pour faire des maquettes, s'initier aux techniques, etc.
Rennes a déjà produit les très bons *Étienne Daho*, *Niagara*, le grand groupe *Marc Seberg* et les géniaux saxophonistes *Pinpin* et *Pabœuf*.
Chaque année, la 2ᵉ semaine de décembre, se tiennent les *Transmusicales*, fantastique festival de rock qui rassemble groupes et chanteurs de France et de l'étranger. Déjà dix éditions du festival qui gagne en renommée chaque année. En une semaine, c'est l'occasion unique de voir concrètement tout ce qui se fait de nouveau, d'avoir quasiment un panorama complet de toutes les tendances, modes, recherches musicales... avec l'espoir jamais déçu de voir aussi surgir des révélations, des talents jusqu'alors inconnus.
Les Transmusicales, c'est le seul festival qui peut se permettre des mélanges aussi fous, qui favorise l'émergence de groupes qu'on n'aurait probablement jamais eu l'occasion de juger sur pièces, etc. Le public est curieux, enthousiaste, tolérant... Bref, un grand événement. A ne pas rater !
– *Renseignements* : ☎ 99-31-12-10 et 99-31-55-33.

## Le festival des Tombées de la nuit

L'un des plus grands événements culturels de l'année en Bretagne et l'un des plus originaux en France. Se déroule pendant une dizaine de jours début juillet. La programmation est délibérément tournée vers la création régionale avec, cependant, une ouverture à d'autres régions de France, d'Europe ou du monde (comme le Québec et l'Irlande). Ce choix de la priorité à la création régionale (contre un festival de simple diffusion artistique) empêche ainsi que les subventions ne s'envolent ailleurs sans aucun bénéfice pour la Bretagne. Il tente aussi d'éviter que les artistes bretons n'aient comme seule alternative, pour exister et percer, que de « monter à Paris ». C'est, en outre, un moyen très efficace de lutter contre l'hégémonie culturelle anglo-saxonne. Le festival est éclaté en plus d'une centaine de lieux et prend possession de toute la ville. Tous les genres s'y expriment : chanson, poésie, danse, théâtre, café-théâtre, mime, cinéma, bande dessinée, etc.
Pour cela, les vieilles rues et places offrent un cadre exceptionnel en permettant l'intégration du riche patrimoine architectural de Rennes. Grandes places pro-

pices aux productions importantes, petites places et cours adaptées aux spectacles intimistes (poésie, marionnettes, vieux contes, etc.), églises pour certains concerts, rues offertes aux clowns, mimes, bateleurs, théâtre de rue, etc.
– *Pour toute information et réservation* : Festival des Tombées de la nuit, 8, place du Maréchal-Juin, 35000 Rennes. ☎ 99-30-38-01. Réservations : ☎ 99-79-71-79.

**A voir aux environs**

● *Châteaugiron* : à 15 km de Rennes, en direction de La Guerche-Angers. Petit village qui renferme les restes imposants d'un château du XI° siècle et de nombreuses maisons anciennes.

● *Nouvoitou* : 3 km plus loin. Ses habitants se livraient jusqu'en 1950 au tissage de la toile à voile. Les fermes, où étaient produites le chanvre et le lin, travaillaient elles-mêmes leur production. L'hiver, les femmes filaient les écheveaux puis tissaient sur les métiers.
L'église renferme un très beau retable de la fin du XV° siècle.
● A quelques kilomètres de là, en direction de Saint-Armel et d'Épron, au carrefour de l'Ourmais, le *moulin à farine de Tertron* fonctionne toujours (en contrebas sur la droite). Balade sympa sur les bords de la Seiche.

## – LA VALLÉE DE LA VILAINE –

Voici une balade pour ceux qui ont déjà pas mal bourlingué en Bretagne et veulent approfondir leur connaissance du pays rennais. Balade en soi pas très spectaculaire, mais gentille, sympa, livrant de-ci, de-là, de jolis villages et des sites pittoresques. De Rennes à Redon, la Vilaine musarde entre riches terres agricoles et massifs de grès et de schiste rouge. De temps à autre, elle franchit des passages plus encaissés. La route ne cesse de la suivre, de la traverser, de la retraverser, livrant d'agréables points de vue sur ses méandres. Échouant parfois aussi sur ses rives au moment où un tranquille chemin de halage prend justement le relais, invitation à goûter en quelques pas la douceur du paysage.
On peut également descendre la Vilaine en bateau, de Rennes à Messac, au rythme des dix écluses de ses canaux de dérivation. Vous aimerez aussi ces minuscules ports fluviaux, réduits à quelques maisons, car les villages, en raison des crues de la rivière, se sont prudemment édifiés sur une butte, à l'arrière.
– L'*embarquement* se fait à Rennes, au quai de la Prévalaye, à 8 h. Au port de Guipry (Messac) vers 9 h. Arrivée à 18 h. Horaires coïncidant avec ceux de la S.N.C.F. pour les retours. Renseignements à l'office du tourisme de Rennes au 99-79-01-98, et au bar de l'Escale, à Guipry : ☎ 99-34-60-97.

● *Pont-Réan* : bourg tout pourpre (tiens, ça sonne amusant I) à cause du schiste rouge violacé entrant dans la construction des maisons. Pont classé du XVIII° siècle. Base nautique pour les coches d'eau qui circulent sur la Vilaine.

● *Le moulin de Boël* : site ravissant et paisible dans un paysage assez accidenté. On y trouve l'un des derniers moulins construits au XVII° siècle suivant une technique permettant d'affronter le courant : mur amont en forme d'éperon et toit à cinq pans. L'un des lieux de villégiature préférés des Rennais. Aux beaux jours, du monde le week-end.
– *Auberge du Moulin de Boël* : ☎ 99-42-27-00. Resto sympathique, en face du moulin. Environnement reposant. Ouvert le midi et le soir, jusqu'à 22 h. Fermé les dimanches et lundis en hiver, et en février. Terrasse et fraîcheur assurée par un gros marronnier. Menus à 85 et 130 F, et « Plaisir du chef » à 160 F.

● *Bourg-des-Comtes* : village de caractère. Jolie place principale. Autour de l'église s'ordonnent de vieilles maisons à l'architecture homogène (granit et encadrements de fenêtre en brique). Deux demeures médiévales près de la poste. L'une flanquée d'une haute tourelle, l'autre s'ouvrant par une élégante porte à accolade.
Ne manquez pas d'aller au petit *port de la Courbe*. Coin d'une sérénité totale. Le vieux ponton de bois, le paysage verdoyant, le *café de l'Escale*, sa terrasse et ses retraités...

– *Auberge du Relais de la place* : en face de l'église. ☎ 99-57-41-12. Fermé le lundi et le mardi soir. Réservation très recommandée. Cadre frais et fleuri d'auberge comme on les aime. Cuisine traditionnelle de campagne. Des plats savoureux et copieux introuvables à 100 km à la ronde. Ah, l'assiette de terrines maison, le sauté rennais de pintadeau au cidre, la succulente gibelote aux marrons (qu'on ne peut finir !), le cochon de lait aux amandes, etc. Gibier en saison. Desserts extra. Huit menus de 45 à 220 F. C'est presque trop ! Certains sont servis seulement en semaine, d'autres le week-end, et d'autres en permanence. Celui à 90 F présente un superbe rapport qualité-prix. Bon, c'est pas le tout, mais on y retourne...

● *Pléchâtel* : petit village sur une colline dominant la Vilaine. Nombreuses demeures anciennes. Devant le bureau de poste, une des plus belles croix de la région (du XIV° siècle). Aire de loisirs ombragée, en bord de rivière, qu'on atteint par une délicieuse balade.

● *Saint-Malo-de-Phily* : village haut perché sur une colline. A 500 m, en pleine campagne, une adorable chapelle (bien indiquée). En outre, aux alentours, belle architecture rurale. Sur le chemin de la chapelle, une grande ferme abandonnée présente une façade au bel appareillage de schiste et de grès, percée de colombiers et surmontée d'une élégante lucarne de pierre sculptée.

● *Langon* : par la D77, puis la D127, une délicieuse et étroite route de campagne, traversant la pittoresque *cluse de la Corbinière*, on atteint ce petit bourg étagé sur une colline. *Église Saint-Pierre* offrant un très original clocher entouré de pas moins de douze clochetons ; art roman dont une fresque datant du XII° siècle. Une curiosité : la petite chapelle Sainte-Agathe, construite à partir de murs gallo-romains (pierres alternant avec un chaînage de brique, technique typique de cette période). Ce qui en fait l'un des plus anciens monuments bretons. A l'intérieur, dans l'abside, trace d'une fresque romaine découverte sous une peinture plus récente. On distingue nettement un amour chevauchant un dauphin, entouré de poissons. A côté du bourg, sur la lande du Moulin, une trentaine de menhirs, appelés ici *demoiselles*. Une légende raconte que des jeunes filles, plutôt que d'aller aux vêpres, préférèrent aller danser dans la lande. Pour les punir, Dieu les transforma en pierres. Le site des Corbinières est une des plus belles cluses du cours de la Vilaine.
Voyez, à 5 km à l'est, le fameux *donjon du Grand-Fougeray*.
Sur la route de Langon à La Chapelle-de-Brain, à 1 km, un panneau signale un tronçon important de *voie romaine*. Située au village de La Louzais. Intacte, en bord de rivière, sous un beau tunnel d'arbres.
– *Gîtes communaux à louer* et *camping à la ferme*. Renseignements au syndicat d'initiative : ☎ 99-08-79-98, ou à la mairie : ☎ 99-08-76-55.
– *Restaurant du Bout des Ponts* : à Guémené Penfao. ☎ 40-51-01-27. Le resto routier sympa, copieux, jovial, où l'on se restaure sainement pour 40 à 50 F. Mieux que dans les « néfast-foods », comme dirait un célèbre chroniqueur gastronomique.

## REDON (35600) ─────────────────────────────────

Ville frontière entre Ille-et-Vilaine, Morbihan et Loire-Atlantique, écartelée entre deux régions administratives (Bretagne et Pays de la Loire), carrefour fluvial et nœud ferroviaire importants. Redon et sa région proposent quelques monuments et sites dignes d'intérêt.
Remarquable unité géotouristique du bassin versant de la Vilaine et de ses affluents :
– L'*Oust*, dont la vallée présente une alternance d'amples dépressions marécageuses et des cluses escarpées dont le plus bel exemple nous semble être l'île aux Pies, à Saint-Vincent-sur-Oust.
– L'*Isac*, doublé par le canal de Nantes à Brest, traverse de belles forêts : Saint-Gildas, Le Gâvre, Fresnay, et des sites agréables : Saint-Clair, Pont-Miny, etc.
– Le *Don* (le petit, pas le russe), serpente d'est en ouest, parallèlement à une ligne de crête, dans l'espoir de trouver un passage vers la mer.
– La *Chère* et le *Semnon*, plus au nord, connaissent le même problème – si l'on peut dire – à travers des paysages de bois, de marais, entre de douces collines.
– L'*Aff*, affluent de l'Oust, est alimenté par l'Oyon qui prend sa source dans la forêt de Paimpont. C'est la vallée la plus pittoresque des pays de Vilaine. On y

rencontre plusieurs manoirs et moulins à aubes. Plus de 1 000 moulins à eau ont été recensés en Bretagne, aussi s'est-il créé une association des molinologues qui organise des manifestations molinologiques centrées sur leur musée du moulin des Récollets, à Pontivy.

## Redon dans l'histoire

C'est une ville de fond d'estuaire, encore classée port maritime de la Vilaine. La cité s'est constituée autour du monastère fondé par Konvoïon, ministre du roi Nominoë en 832. L'abbaye Saint-Sauveur a été maintes fois assiégée, détruite, rebâtie au cours des siècles. Toutefois, il ne faut pas oublier la fonction portuaire de Redon, sous-préfecture d'Ille-et-Vilaine (9 251 habitants en 1990), au carrefour des voies navigables de l'Ouest. C'est aujourd'hui le port d'attache de coches d'eau qui naviguent sur toutes les rivières convergeant vers Redon (renseignements à l'office du tourisme). On sera particulièrement sensible à la superbe décoration florale de cette cité qui a pour cela obtenu de nombreux prix dans les concours nationaux (1re en 1983).

On ne peut pas passer sous silence les difficultés économiques de cette ville qui a été, entre autres, la capitale du briquet Flaminaire et du machinisme agricole. Sur ce registre, il faut parler de l'usine d'Yves Rocher qui fabrique, à La Gacilly, toute une gamme de produits de beauté à base de plantes.

## Adresses utiles

– *Office du tourisme du pays de Redon :* place du Parlement. ☎ 99-71-06-04. Ouvert en semaine de 10 h à 12 h et de 14 h à 18 h.
– *Pays d'accueil des Trois Rivières :* ☎ 40-89-50-77.
– *Pays d'accueil de Vilaine :* ☎ 99-72-72-11.
– *Gare S.N.C.F. :* ☎ 99-71-10-70.

## Où dormir ? Où manger ?

– *Hôtel de France :* 30, rue Du-Guesclin. ☎ 99-72-24-96 et 99-71-06-11. Sans charme particulier, mais situé dans le pittoresque quartier du port. Chambres correctes de 140 à 185 F.
– *Hôtel des Quatre Vents :* à Bain-de-Bretagne. ☎ 99-43-71-49. Même genre que le précédent et même gamme de prix, mais avec restaurant. Menus de 50 à 160 F.
– *Chambres d'hôte :* au château de Trégaret, à Sixt-sur-Aff. ☎ 99-70-04-79. Chez M. Deniel. Très grand confort. Vaut le détour.
– *Ferme-auberge de Trudeau :* à Plélan-le-Grand. ☎ 99-07-81-40. Chez Colette et Bernard Grosset, gîte d'étape et camping à la ferme. Ouvert toute l'année mais, les vendredis d'été, on a droit à une soirée animée par le propriétaire qui sert un repas bien mitonné à l'ancienne et arrosé de cidre maison. Location de vélos pour découvrir la campagne. Voilà une bien sympathique adresse.

● **Très chic**

– *Auberge du Poteau Vert :* à Saint-Nicolas-de-Redon, route de Nantes. ☎ 99-71-13-12 et 99-71-41-74. Menus à partir de 180 F avec des plats assez sophistiqués et pourtant tout à fait réussis. Très bonne étape.
– *Le Bel Hôtel :* à Saint-Nicolas-de-Redon. Une autre bonne étape quand on arrive en Bretagne, juste en face du centre Leclerc.

## A voir

– *Église Saint-Sauveur :* ancienne abbatiale d'un monastère du XIe siècle. Elle présente plusieurs curiosités : d'abord, beau clocher gothique (du XIVe siècle) de 57 m de haut et étrangement séparé du corps de l'église l En 1780, un violent incendie endommagea considérablement l'édifice. Lors de la reconstruction, on réduisit de cinq travées la nef (budget serré probablement), et la tour se retrouva isolée. Le toit fut rebâti en forme de carène de navire renversée. Mais la partie la plus intéressante est le *clocher roman*, unique en Bretagne dans le genre. Nette influence du style saintongeais, et insolite mélange de grès rouge et granit gris qui lui donne une très jolie coloration polychrome. Harmonieux festival de fenêtres à arcatures rondes sur trois étages, du plus bel effet (là aussi, rare en France). A l'intérieur, nef romane assez sombre. L'abaissement du toit supprima, bien entendu, les verrières. Chœur gothique aux hautes fenêtres. Vaste *retable* du XVIIe siècle. Sur le pilier à droite du chœur, délicate *Vierge* en bois polychrome du XV° siècle. Enfin, ne manquez pas, à la sortie de l'église, d'aller jeter un œil sur le *cloître*.

– *La Grand-Rue* : c'est l'axe commerçant de la ville. On y trouve quelques maisons anciennes à pans de bois ou en grès.

– *Le quartier du port* : tout en bas de la Grand-Rue. Belle vue sur les écluses fleuries en enfilade. Quartier cerné par la Vilaine et les bassins à flot, et possédant un urbanisme et une architecture assez caractéristiques. Du *32 au 38, rue du Port* (prolongement de la Grand-Rue), notez l'intéressante combinaison de grès et granit des anciens greniers à sel. Tout en bas, deux hôtels particuliers (très dégradés) dont l'un arbore une élégante tour d'angle carrée *(tour Richelieu)*.

– *Croisière sur les canaux et la Vilaine* : renseignements à l'office du tourisme ou ☎ 99-45-02-81.
Également une balade aller et retour Redon-île aux Pies. Départ à 15 h 30 devant l'*hôtel de France*. 25 F.

### Aux environs

● *Saint-Just* : à 20 km sur la route de Rennes. Plusieurs sites mégalithiques, le lac du Val et les chaos de rochers de Tréal méritent un détour. On a trouvé à Saint-Just des fragments de poteries, et une urne funéraire pratiquement intacte, de type campaniforme, datant de 2000 avant J.-C. Des pierres de silex taillé d'origine étrangère à la région prouvent l'importance du site à l'époque mésolithique.

● *Glénac :* entre Redon et La Gacilly. C'est un pays de marais : zone de gagnage des palmipèdes. On y découvre quelques maisons de pêcheurs tout à fait typiques du bassin de Vilaine : alternance de pierres plates en schiste rouge et de grès gris. Le château de Sourdéac a une tour du XV° siècle. Dans les galeries des anciennes mines du haut Sourdéac nichent une quarantaine de chauves-souris, de 4 espèces différentes. Pour leur rendre visite (sur rendez-vous) : ☎ 98-49-07-18.

● *Saint-Jacut-les-Pins* : jardin exotique de 3 ha (galerie d'exposition pour plantes tropicales) à *Langarel*, route d'Allaire. ☎ 99-71-91-98. Entrée : 25 F.
– *Hôtel-restaurant Bloyet* : sur la place de l'Église. ☎ 99-91-23-65. La bonne auberge rurale, menus entre 40 et 95 F. 6 chambres à 90 F. Une bonne étape pour les pêcheurs et les chasseurs.

● *La Gacilly* : très joli village fleuri, beaucoup d'artisans. Usine Yves Rocher, célèbre cosméticien, maire du village et père bienfaiteur de tout le canton. Musée des Cosmétiques.

## SAINT-MALO (35400) ────────────────────────

« Couronne de pierre posée sur les flots ! » (Gustave Flaubert). L'une des villes de Bretagne les plus visitées. Et avec raison. Enclose dans ses hauts remparts, cernée par la mer, chargée de tant d'histoire, elle occupe évidemment en Bretagne une place exceptionnelle. A la limite, elle pourrait presque se passer de texte ans ce guide, car elle se vend toute seule sans peine.
Flux touristique s'étalant pratiquement toute l'année, nourri régulièrement, entre autres, par les bateaux bourrés de nos amis d'outre-Manche. Évidemment, le revers de la médaille, c'est l'atmosphère hypertouristique en haute saison, les frites bien grasses, les cars bouchant l'horizon, les comportements « business-business » de pas mal de commerçants et gens liés au tourisme.
Ajoutez à cela que les quelque 48 000 Malouins de souche sont plutôt considérés comme renfermés et peu chaleureux, et vous comprendrez que ce n'est pas ici que vous prendrez une leçon de convivialité et qu'il vaudra mieux vous investir à fond dans l'architecture et l'histoire...

### Justement, un peu, beaucoup d'histoire !

C'est encore un Gallois, MacLow (« Maclou »), qui, au VI° siècle, vient évangéliser cette terre décadente. Le site n'était pas mal choisi, il faut dire. Les invasions normandes obligent les gens à se réfugier sur une île et à la fortifier. Au XII° siècle, l'évêque s'y installe. C'est le début de l'existence de Saint-Malo qui ne va pas cesser de gagner en importance au fil des siècles. Son isolement, sa hautaine solitude permettront aussi à la ville d'ignorer quelques conflits majeurs et autres guerres entre Bretons et de ne pas se soumettre aux différents pouvoirs en place. Au début du XIVe siècle, elle connaît la première expérience de vie communale. Le roi de France accorde à la ville ses franchises portuaires. En 1590, elle tient tête à Henri IV et s'érige même en République. Il n'est donc pas surprenant qu'avec un tel état d'esprit indépendant, Saint-Malo ait produit tant d'aventuriers, de navigateurs célèbres et de grands hommes.

Au XVe siècle, sa vocation marchande et maritime s'affirme déjà très fort. La pêche à la morue, les conquêtes de terres lointaines, le commerce de la toile vont contribuer à la richesse de la ville, à son développement et au respect de la part des pouvoirs du moment. A la fin du XVIIe siècle, Saint-Malo est le premier port de France et le siège des grandes compagnies d'armateurs. Les beaux hôtels particuliers reflètent cette prospérité. Vauban édifie les dernières fortifications. Saint-Malo prend son visage définitif. Tout le long du XVIIIe siècle et jusqu'en 1815, le port devient aussi la capitale de la guerre de courses. C'est l'épopée, presque légendaire, des célèbres corsaires qui nous firent tant fantasmer enfant.

En août 1944, Saint-Malo, où les Allemands se sont retranchés, connaît sa première défaite : la ville est détruite à 80 % par les bombardements et les incendies. Son prestige, sa place dans le patrimoine national lui permettent d'être rebâtie à l'identique. Les pierres sont numérotées, les habitants complètement mobilisés, photos et documents servant de modèle à la restauration. Certains hôtels particuliers sont reconstruits très fidèlement mais, le travail étant immense, beaucoup de rues et de façades sont plutôt recréées dans la philosophie générale de l'architecture initiale. L'essentiel étant avant tout de redonner à la ville ses formes et atmosphère traditionnelles. La réussite est évidemment totale et exemplaire. Au musée du château, une salle retrace en détail toute cette phase de résurrection de Saint-Malo.

## Les grands Malouins

Nulle autre ville en France ne peut aligner non seulement autant de grands hommes, mais surtout autant de gens célèbres dont on peut associer aussi facilement le nom à leur ville ! *Jacques Cartier*, en 1534, découvrit le Canada. Il y retournera plusieurs fois. *Duguay-Trouin* (1673-1736) et *Surcouf* (1773-1827) symbolisèrent la grande saga des corsaires. Après avoir éreinté Hollandais et Anglais sous Napoléon Ier, Surcouf devint tellement riche qu'il prit sa retraite à 35 ans et termina négociant, armateur et notable dans sa bonne ville. *Mahé de La Bourdonnais* (1699-1753), moins connu, fut pourtant un grand découvreur de terres lointaines et gouverneur de l'île Maurice et de la Réunion. *Pierre Maupertuis* (1698-1759), savant, mathématicien, géographe, fit nombre de découvertes. *Broussais* (1772-1838), d'abord médecin de la Marine, exerça ensuite à Paris (où un hôpital porte son nom). *Lamennais* (1782-1854), ancien prêtre, écrivain, grand humaniste, fut élu député à l'Assemblée de 1848. Enfin, *Chateaubriand* (1768-1848), grand voyageur, monument de la littérature française dont l'image est peut-être, d'entre toutes, celle qui se rattache le plus à Saint-Malo !

Toute cette histoire est mise en scène avec son et lumière par Loïc Frémont, sous le titre « Saint-Malo, République de la mer » : une heure de spectacle dans la cour du château, pour 60 F, à certaines dates seulement. Renseignements et réservations : ☎ 99-40-18-30.

## Adresses utiles

– *Office du tourisme* : esplanade Saint-Vincent. Devant l'entrée de la ville close. ☎ 99-56-64-48. En été, ouvert de 8 h 30 à 20 h (dimanche, de 10 h à 12 h et de 14 h à 18 h 30). Juin et septembre, 9 h à 12 h et de 14 h à 18 h 30. Bon matériel : brochures, plan de ville, etc. Port de plaisance, station de voile classée et aquarium signalent la vocation maritime de la cité corsaire !
– *Gare S.N.C.F.* : Paris via Rennes, réservation : ☎ 99-56-15-53.
– *Gare routière* : ☎ 99-40-83-33 et 96-33-36-60.
– *Gare maritime du Naye* : ☎ 99-81-61-46.
– *Gare maritime de la Bourse* : ☎ 99-56-63-21. Pour les îles Anglo-Normandes et les excursions en mer ou sur la Rance.
– *Aéroport de Dinard-Pleurtuit* : ☎ 99-46-18-86.

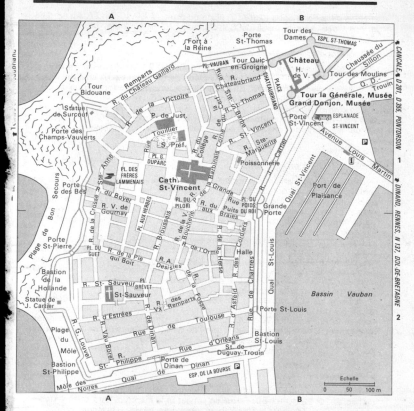

*Saint-Malo intra-muros*

— *Céramiques de Dodik* : 4, rue de Chateaubriand (intra-muros). Dodik est l'une des plus grandes céramistes de Bretagne. Elle réalise des panneaux aux superbes couleurs, parfois violentes. Ce sont souvent des thèmes du Moyen Age, traités avec naïveté et force en même temps. Cela représente un énorme travail. Bon, même si on n'a pas beaucoup de sous, on peut toujours aller admirer son œuvre.

## Où dormir ?

En haute saison, obligation de réserver si l'on veut dormir intra-muros. Hôtels plus chers que la normale, ça va de soi. Tous les nôtres se situent intra-muros, ce qui seul ici présente de l'intérêt, bien entendu !

### ● *Bon marché à prix moyens*

— *Hôtel-restaurant la Pomme d'Or* : 4, place du Poids-du-Roi. ☎ 99-40-90-24. Vue sur les remparts. Vieil hôtel de famille. Chambres avec douche à 220 F.
— *Hôtel du Louvre* : 2, rue des Marins. ☎ 99-40-86-62. Près de la place de la Poissonnerie. Familial. Chambres de 120 à 260 F.

### ● *Prix moyens à plus chic*

— *Hôtel Bristol-Union* : 4, place de la Poissonnerie. ☎ 99-40-83-36. Établissement plaisant, très bien situé (entre les portes Saint-Vincent et de la place du Poids du Roi). Belles chambres de 130 à 280 F. Bon petit déjeuner.

– *Hôtel de la Porte Saint-Pierre* : 2, place du Guet. ☎ 99-40-91-27. Au nord de la ville close, vers la plage de Bon-Secours. Hôtel agréable, proposant des chambres de 200 à 300 F. Menus à 60, 85, 150 et 220 F.

● **Auberge de jeunesse et campings**

– *A.J.* : 37, avenue du Père-Umbricht. ☎ 99-40-29-80. Située à Paramé, à l'est de la ville close. Très proche de la plage de Rochebonne. A environ 30 mn de la gare à pied, ou bus n° 2. En haute saison, une annexe fonctionne en principe. 57 F la nuit, petit déjeuner compris. Pas de couvre-feu.
– *Camping de la Cité d'Alet* : cité d'Alet, Saint-Servan. Ouvert toute l'année. ☎ 99-81-60-91. Le plus proche de Saint-Malo intra-muros.
– Pour les nombreux autres *campings*, voyez l'office du tourisme.

## Où manger ?

● **Bon marché à prix moyens**

– *La rue Jacques-Cartier*, le long des remparts, s'est entièrement consacrée au remplissage des estomacs. Genre de « rue de la Faim » où le bon côtoie le médiocre. Il nous a été impossible de tester autant de restos. On a même résisté à l'envie d'aller boire un verre chez *Borgne Fesse* ! Nous avons trouvé le *restaurant des Remparts* fort correct (au menu à 85 F, copieuse assiette de fruits de mer et délicieuses moules à l'estragon).
– *Crêperie Chez Chantal* : 2, place aux Herbes. ☎ 99-40-93-97. Décor banal, mais on y déguste de copieuses crêpes et galettes de sarrasin à prix très modérés. Goûtez notamment à la galette aux fruits de mer (moules, noix de coquilles Saint-Jacques, quenelles de brochet, crevettes, champignons et béchamel), à la « campagnarde » (jambon, œufs et poitrine fumée), à la « Soubise » (oignons et crème fraîche), crêpes flambées, etc.
– *Auberge de la Motte Jean* : à Saint-Coulomb. Entre Saint-Malo et Cancale. ☎ 99-89-00-12. Une belle vieille ferme qui a gardé ses meubles anciens et ses cuivres. Sert 3 menus à 70, 100 et 140 F avec des produits du terroir cuisinés simplement. Cela n'empêche pas un service de bonne tenue par des garçons en nœud pap (probablement issus de l'école hôtelière de Dinard...). L'accueil chaleureux et la qualité des plats nous poussent à vous recommander cette adresse « extra-muros ».

● **Prix moyens**

– *Ti Nevez* : 12, rue Broussais. Rue donnant place du Pilori, à l'ouest de la cathédrale. ☎ 99-40-82-50. Fermé en janvier et le mercredi hors saison. Cadre assez douillet. Toujours plein. Réputé pour ses gâteaux bretons, crêpes et galettes. Goûtez à la « Duchesse Anne » (fraises, noix, Grand-Marnier), à la « Quic-en-groigne », etc.
– *Au Gai Bec* : angle rues des Lauriers et Thévenard. ☎ 99-40-82-16. Situé dans un coin peu touristique. Fermé le samedi midi et le lundi, ainsi que du 15 novembre au 15 décembre. Cadre et accueil sympa. Bon menu à 79 F (soupe de poisson maison ou terrine du chef, raie aux câpres ou tripes à notre mode). A 96 F, truite saumonée crue marinée aux herbes, salade au confit de gésiers, raie aux câpres ou confit de canard. Au menu à 138 F : 12 huîtres, noix de Saint-Jacques à la crème et au cognac, etc. Une bonne adresse.

● **Plus chic**

– *L'Astrolabe* : 8, rue des Cordiers. Prolonge la rue Jacques-Cartier. ☎ 99-40-36-82. Petite salle tranquille, atmosphère un peu compassée. Bon menu à 98 F : velouté de langoustines aux sommités de choux-fleurs, choux de lotte au piment doux, mousse de framboise au coulis parfumé. A la carte : verdurette de queues de langoustines au melon, rosettes de fruits de mer cuites à la crème de ciboulette, etc.

## Où manger chic aux environs ?

– *Hôtel-restaurant Tirel-Guérin* : gare de la Gouesnière, 35350 Saint-Méloir-des-Ondes. ☎ 99-89-10-46. Fermé le dimanche soir hors saison, et de mi-décembre à mi-janvier. A un coup d'aile de Saint-Malo, en direction de Dol-de-Bretagne (15-20 mn en voiture). Salle à manger superbe, cossue, chaleureuse. Excellent accueil. Il y a quelque chose dans l'air, une sorte de familiarité sereine (normal, ici, on travaille en famille !). Service hors pair. Réservation quasi obligatoire (c'est pratiquement toujours plein). Ne manquez pas de retenir votre table côté jardin (ça, c'est le petit « plus »). Cuisine savoureuse, généreuse, assez imaginative. Si la carte est (logiquement) chère, en revanche, la maison propose des menus à partir de 95 F au stupéfiant rapport qualité-prix : filet de canard en terrine à l'armagnac, effeuillé de lieu aux choux, fromages et sorbets maison. Et puis, on ne peut citer tous les plats ; avec, cette année, création d'un menu à 160 F. En prime la famille Tirel offre de belles chambres à prix très raisonnables au calme, donnant sur un grand jardin.

## A voir

– *La promenade des Remparts* : la première chose à faire, bien sûr. Rescapés des bombardements de 1944 (sacré Vauban I). La *porte Saint-Vincent*, principale entrée de ville, date de 1709. La *Grande-Porte*, deux grosses tours à mâchicoulis, au bout de la rue Jacques-Cartier, remonte au XV° siècle. Le côté de la porte de Dinan offre quatorze sévères façades d'*hôtels* d'armateurs. Seuls les deux premiers échappèrent aux destructions. Les douze autres furent rigoureusement reconstruits comme avant. Celui qu'habita Surcouf, les trente dernières années de sa vie, se situe à gauche de la porte de Dinan.
Point de vue intéressant du *bastion Saint-Philippe*, mais panorama encore plus beau du *bastion de la Hollande* (celui avec la statue de Jacques Cartier). La *porte Saint-Pierre* permet l'accès à la *plage de Bon-Secours*. Au large, le *rocher du Grand-Bé* sur lequel Chateaubriand fut inhumé. En continuant, on arrive au *Cavalier des Champs-Vauverts* où s'élève la statue de Surcouf. Belle échauguette d'angle de 1654. La *tour Bidouane*, ancienne poudrière, date du XV° siècle. Enfin, la *porte Saint-Thomas* mène à la *plage de l'Éventail*.

– *Le château* : construit par les ducs de Bretagne aux XV° et XVI° siècles. C'est la carte postale la plus pittoresque de la ville. Le grand donjon abrite le musée d'histoire. Dans la cour, les anciennes casernes ont accueilli la mairie. La *tour Quic-en-Groigne* fut rajoutée par Anne de Bretagne. Son nom rappelle la fameuse mise en garde adressée par la duchesse Anne à l'esprit trop indépendant des Malouins : « Qui qu'en groigne, ainsi sera, car tel est mon bon plaisir I » Dans la tour, aujourd'hui, un *musée de cire*, rappelant les grands personnages qui firent le renom de la ville (du 1ᵉʳ avril au 20 septembre, ouvert de 9 h 30 à 12 h et de 14 h à 18 h 30 ; fermé le reste de l'année).

– *Le musée d'Histoire de Saint-Malo* : ouvert de 10 h à 12 h et de 14 h à 18 h. Fermé le mardi et les grands jours fériés (du 1ᵉʳ juin au 30 septembre, ouvert tous les jours). Cadre magnifique pour un musée : immenses salles de granit, hautes cheminées. La première présente des documents sur les corsaires malouins. Grâce à une lettre du roi, ceux-ci pouvaient attaquer les navires marchands ennemis sans risquer de finir au bout d'une corde comme de vulgaires pirates. 10 % des prises revenaient au roi. Superbe figure de proue de navire corsaire (on pense que Duguay-Trouin servit de modèle). Salle consacrée à l'histoire de la ville : cartes anciennes, estampes, etc. Vitrines relatant les destructions de la dernière guerre (2 000 logements disparurent). *Pardon des terre-neuvas* par Paul Signac.
Nombreux souvenirs de Lamennais, républicain démocrate socialiste, membre du parlement de la II° République avec Proudhon, Barbès (celui qui épatait la galerie I), Louis Blanc, Ledru-Rollin (bien des lecteurs parisiens vont enfin connaître l'origine de leurs stations de métro I). Souvenirs également sur la vie de Chateaubriand et celle de Surcouf. Une curiosité : un odieux « collier de force » qu'on mettait aux prisonniers. Au 3ᵉ étage, l'étonnant palmarès de Duguay-Trouin et des témoignages sur le géographe Maupertuis (qui découvrit que la terre était aplatie aux deux pôles). Tout en haut, manuscrits inestimables : lettre d'Henri IV, mémoires d'un bourgeois de la ville (1674), riches documents sur Jacques Cartier.
Enfin, accès à la terrasse du donjon, permettant un panorama circulaire unique sur Saint-Malo et les environs.

– *Le musée du Pays malouin* : dans la *tour la Générale*. Mêmes horaires que le musée d'Histoire. En principe, ouvert, mais renseignez-vous avant. Collections ethnographiques évoquant la grande pêche et la vie quotidienne paysanne. Dioramas, maquettes de navires, documents et instruments de bord, outils de construction navale, mobilier, instruments agraires, coiffes, etc.

– *La cathédrale Saint-Vincent* : durement touchée en 1944, sa restauration fut achevée en 1971. Construite au XII° siècle. Chevet plat élevé le siècle suivant.

Finesse et élégance du chœur avec ses voussures gothiques. Beau triforium. La grande rosace reçut, il y a vingt ans, une série de vitraux modernes aux couleurs éclatantes. On peut encore déceler des chapiteaux romans, animaux, entrelacs, etc. (notamment au-dessus de la chaire). Sur le sol, une mosaïque rappelle la visite qu'y fit Jacques Cartier avant de s'embarquer pour le Canada (le 16 mai 1535). Dans la chapelle nord, on trouve sa tombe ainsi que celle de Duguay-Trouin. Grand portail datant du XVIIIᵉ siècle.

— *Le vieux Saint-Malo* : à partir de la place Chateaubriand, un circuit fléché permet de découvrir toutes les maisons anciennes d'origine, ou reconstruites, hôtels particuliers, cours pittoresques, passages, vestiges historiques divers. *Rue de Chateaubriand*, entre autres, on trouve, au n° 3, l'*hôtel de la Gicquelais*, du XVIIᵉ siècle (où naquit Chateaubriand). Au n° 11, intéressante demeure avec cour à galerie de bois et escalier à balustres. *Rue du Pélicot*, l'une des plus caractéristiques de la ville, voyez les nᵒˢ 3, 5 et 11. Au 23, passage de la Lancette, cour intérieure reconstruite.
*Rue Vincent-de-Gournay*, anciennes demeures du XVIIᵉ siècle. Au 4, rue de la Fosse, *hôtel de 1620* avec tourelle. Au 5, rue d'Asfeld, possibilité de visiter la cour et l'escalier de l'*hôtel Magon de La Lande*, etc. Il est évident qu'on ne peut énumérer tous les édifices historiques de la ville. La brochure de l'office du tourisme *Saint-Malo, cité de la mer*, les décrit pratiquement tous. Bien sûr, des tours à pied sont également organisés avec guides spécialisés (du 20 juin au 10 septembre). Tous renseignements à l'O.T. ou au musée du château.

— *Musée de la Poupée* : 13, rue de Toulouse. ☎ 99-40-15-51. En haute saison, ouvert tous les jours de 10 h à 12 h et de 14 h à 19 h. Plus de 300 poupées offertes aux yeux embués des nostalgiques.

— *Aquarium* : à côté de la porte Saint-Thomas. Assez petit, mais présentant aux amateurs quelques spécimens intéressants de la faune de la côte et des régions exotiques (ouvert tous les jours).

— *Fort National* : face à la porte Saint-Thomas. Accès à marée basse. Monument dû à Vauban. Visite en une demi-heure des enceintes et souterrains. Plusieurs centaines d'otages y furent enfermés en août 1944.

— *L'île du Grand-Bé* : accès à marée basse. Face aux portes des Bés et des Champs-Vauverts. C'est là que repose, face au large, Chateaubriand. Dalle toute simple, surmontée d'une croix. Du sommet, belle vue sur la côte.

— *Musée international du Long-Cours cap-hornier* : situé à Saint-Servan (ancien faubourg, au sud de Saint-Malo), dans la tour Solidor. Donjon de près de 30 m de haut avec trois tourelles, construit au XIVᵉ siècle. Tout sur la grande saga des cap-horniers de la fin du siècle dernier. Nombreux souvenirs et témoignages : maquettes de navires, instruments de bord, cartes maritimes, bateaux en bouteille et même un grand albatros (3 m d'envergure) dont le moindre coup de bec pouvait vous fendre le crâne. Du chemin de ronde, panorama intéressant sur l'estuaire et les environs.

— *Paramé et environs* : la station balnéaire de Saint-Malo. Ville de cure aussi. Belles plages très fréquentées l'été, on s'en doute. Un peu plus loin, à *Rothéneuf*, pour les amateurs d'art naïf, *rochers sculptés* par un curé au XIXᵉ siècle, l'abbé Fouré (près de 300 personnages). Voilà un but de promenade intéressant.
A Paramé vécut Théophile Briant (1891-1956), poète, humaniste et Malouin d'adoption, auteur de romans historiques, hélas, peu connu des Français. Il réalisa, au niveau de la région de Saint-Malo et de la Bretagne, un travail immense pour l'essor de la poésie. Ami de Max Jacob, Colette, Jehan Rictus, Saint-Pol-Roux, il ouvrit *Le Goéland*, revue littéraire qu'il animait, à tous les jeunes poètes pour qu'ils puissent se faire entendre. Une association, les « Amis de la tour du Vent », vient de se créer pour faire connaître son œuvre.
Les alentours de Saint-Coulomb servirent de cadre au *Blé en herbe*.

— *Les malouinières* : ce sont les belles demeures que bourgeois, négociants et armateurs se faisaient construire aux XVIIᵉ et XVIIIᵉ siècles, dans la campagne autour de Saint-Malo, quand ils commençaient à étouffer dans leur ville close. Les architectes étaient souvent ceux qui œuvraient à la construction des remparts ou à leur agrandissement. Ce qui explique souvent l'aspect très sévère de ces luxueuses maisons de campagne.

• *Manoir Jacques Cartier* : rue David-MacDonald-Stewart, Limoëlou-Rothéneuf. ☎ 99-40-97-73. Visite guidée du 1er juin au 30 septembre, de 10 h à 12 h et de 14 h à 17 h 45. Fermé le lundi et le mardi. C'est l'ancêtre des malouinières et la plus célèbre. Par son aspect, rappelle plutôt une grosse ferme. Superbement restaurée, la maison évoque la vie et les voyages du découvreur du Canada. Voyez aussi la malouinière du *Bosq* à Saint-Servan (qui se visite), celle de *la Chipaudière* à Paramé, etc. L'office du tourisme vous procurera l'itinéraire et la liste des malouinières. Même si certaines ne se visitent pas, ça vaut souvent le coup d'en admirer l'architecture extérieure.

## DINARD (35800)

L'une des plus anciennes stations balnéaires en France. Souvent appelée la « Nice du Nord ». L'aristocratie anglaise de la seconde moitié du XIXe siècle tomba amoureuse du site et de son doux climat. Elle contribua grandement à la naissance de la station et y créa même, en 1879, le premier club de tennis de France et le second golf de France en 1888 (après Pau en 1856). Au début du siècle, le casino connut des nuits torrides. Encore aujourd'hui, c'est l'un des plus fréquentés. Lawrence d'Arabie (gallois de naissance) vint s'y reposer et changer de sable. Tout autour s'édifièrent d'invraisemblables villas de tous styles. Actuellement, c'est toujours un lieu de villégiature très classe. Le contraste est assurément fort entre le rude et austère Saint-Malo et l'extravagant et presque exotique Dinard. A peu de distance l'un de l'autre, le mariage curieux du granit et du palmier. A voir.

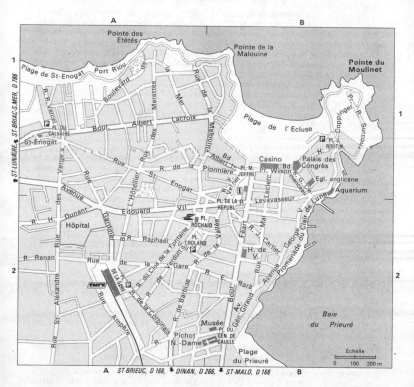

*Dinard*

## Adresses utiles

– *Office du tourisme* : 2, boulevard Féart. ☎ 99-46-94-12.
– *Aéroport de Dinard-Pleurtuit* : liaisons avec les îles Anglo-Normandes et Paris en saison. ☎ 99-46-16-58.
– *Gare S.N.C.F.* : ☎ 99-46-10-04.

## Où dormir ? Où manger ?

Nombreux hôtels, vous vous en doutez. Malgré la réputation de ville chère, on trouve quelques 2-étoiles à prix raisonnables. Une demi-douzaine de 1-étoile pas chers.
– *Camping municipal de Port-Blanc* : ouvert du 1er avril au 30 septembre. ☎ 99-46-10-74. En bord de mer. Beaucoup de monde en été.
– *Camping du Prieuré* : beaucoup plus calme, plus de verdure, plus cher aussi, mais grand confort. ☎ 99-46-20-04. Ouvert du 1er avril au 1er septembre.
– *Auberge de jeunesse Ker Charles* : 8, boulevard de Lhotelier. ☎ 99-46-40-02. Ouverte toute l'année. Dans le centre ville. Capacité : 30 personnes. Hébergement dans un bel hôtel particulier. 60 F par personne, petit déjeuner compris.
– *Altaïr* : 18, boulevard Féart. ☎ 99-46-13-58. Ouvert toute l'année, sauf le lundi et le dimanche soir, et en novembre. Pas loin de la plage, au calme. Gentil hôtel offrant d'agréables chambres de 250 à 300 F. Cuisine très réputée. Assez cher à la carte, mais deux menus à 80 et 105 F.
– *Hôtel des Dunes* : près du casino. ☎ 99-46-12-72. Belle architecture. Typiquement anglo-saxon. Chambres à 270 F. Menus de 95 à 160 F.
– *Hôtel du Mont-Saint-Michel* : ☎ 99-46-10-40. Bon rapport qualité-prix. Menus de 61 à 140 F.
– *Le Printania* : surplombant la rade de Dinard, un hôtel de charme rétro. ☎ 99-46-13-07. Chambres de 180 à 350 F. Exquise décoration intérieure (meubles bretons, etc.). Salle à manger panoramique, avec la plus belle vue sur le port et Saint-Malo.
– *Restaurant le Prieuré* : 1, place du Général-de-Gaulle. En face de l'église, à la plage du Prieuré. ☎ 99-46-13-74. Très bonne cuisine. L'une des meilleures adresses de la ville. Spécialité de fruits de mer et de poissons. Comptez environ 150 F (sans les boissons). Chambres doubles à 230 F.
– *Centre international de séjour les Horizons* : rue de Saint-Briac, à Saint-Lunaire (à 5 km). ☎ 99-46-05-05. Dans un parc boisé à 500 m des plages. Hébergement dans des chambres de 2 à 4 lits avec douche et w.-c. Nuit et petit déjeuner : 74 F.

## A voir

– *La grande plage de l'Écluse* : c'est l'épicentre de la ville. Bien sûr, très animée. La jeunesse dorée vient prendre un drink à *l'Équinoxe*. Les gourmand(e)s font la queue à la pâtisserie *Nuillet*, rue Levavasseur. Les dragueurs ou les ethnologues sauvages s'installent à la terrasse du *bar du Petit Casino*.
Sur la plage même, le bar *Le Glacier* propose de bonnes glaces, hot-dogs à la sauce béarnaise, salades et snacks pas chers. Patronne sympa (c'est la tante d'un bon copain à nous).

– On peut se faire, même dans une station huppée, de chouettes randonnées. Si, si ! La *pointe de la Vicomté* offre, depuis le barrage de la Rance jusqu'à la plage du Prieuré, une agréable promenade ombragée (environ 45 mn de marche).
Ceux qui sont en forme peuvent se rendre de la plage du Prieuré à celle de Port-Blanc en un peu moins de deux heures. L'itinéraire emprunte la fameuse *promenade du Clair-de-Lune* (maisons, hôtels et villas semblent s'entasser les uns sur les autres), passe par la *pointe du Moulinet* (superbes et étranges villas, panorama unique), la grande *plage de l'Écluse*, la *pointe de la Malouine*, la jolie *plage de Saint-Énogat*. Enfin, un sentier de douanier assez escarpé permet de rejoindre la *plage de Port-Blanc*.

– *Petit musée de la Mer et aquarium* : au bout de la promenade du Clair-de-Lune (pointe du Moulinet). Ouvert de la Pentecôte au 30 septembre.

– *Usine marémotrice de la Rance* : possibilité de visiter la première du genre construite au monde. Ouverte de 8 h à 20 h. Réalisée sur le principe des anciens moulins à marée et capable de fournir de l'électricité à 250 000 personnes.

Cependant, elle fit peu d'émules, l'énergie produite revenant fort cher. Entre autres problèmes techniques, la corrosion des installations due au sel.

## SAINT-SULIAC (35430)

On aime vraiment beaucoup ce petit port de la Rance, loin de tout. Pour s'y rendre, N 137 en direction de Châteauneuf-d'Ille-et-Vilaine, puis la D 117. Un maximum de charme et un naturel qu'ont perdus bien de ses confrères.
Étroite rue principale descendant vers le port et bordée de maisons très anciennes. *Église* du XIIIe siècle, avec une façade du XVIIe siècle. Sculptures diverses et statues intéressantes. A l'intérieur, *tombeau de saint Suliac*, le fondateur du village. Belle rosace dans le transept sud. Très agréable promenade sur le port au crépuscule. Balades super à la *pointe de Grain-Folet* et au *mont Garrot*.

### Où dormir ? Où manger ?

— *Restaurant la Grève :* sur le port. ☎ 99-58-33-83. Fermé en novembre. Salle à manger très plaisante au rustique de bon goût. A la carte : salade gourmande de la mer, barbue pochée sauce hollandaise, lotte « à ma façon », filet d'oie fumé à l'ancienne, etc. Terrasse, face à la Rance, très agréable.
— *Crêperie le Grain Folet :* dans la rue principale. ☎ 99-58-40-16. Cadre agréable. Une autre crêperie sur le front de mer.
— *Camping les Cours :* à 500 m du village, sur la droite en entrant.

## CANCALE (35260)

Charmante station balnéaire qui n'a pas cédé au béton et a conservé beaucoup d'allure. Les maisons s'étirent langoureusement le long du quai, sages, blanches ou grises, avec de pittoresques lucarnes. Venant du sud, empruntez la route panoramique par la corniche, pour l'arrivée extra sur le port de la Houle.
« Capitale » également des fameuses huîtres qui, aux XVIIe et XVIIIe siècles, arrivaient sur la table du roi et des nobles, deux fois par semaine, par courrier spécial. Tout au bout du port-promenade, à marée basse, on peut admirer l'ordonnancement rigoureux des parcs à huîtres. Coin toujours animé. Le mélange touristes-pêcheurs-ostréiculteurs donne à la ville une atmosphère plutôt moins surfaite.
Une superbe randonnée, morceau du GR 34, débutant aux célèbres *rochers de Cancale*, rejoint la sauvage *pointe du Grouin*, puis la *plage du Verger*. Environ 12 km (4 h de marche). Tout le long de l'itinéraire, remarquables points de vue, hautes falaises, passages escarpés, ports de poche et plages agréables. Prodigieux *panorama* depuis la pointe du Grouin. Par beau temps, on distingue les îles Chausey, Le Mont-Saint-Michel, le cap Fréhel, etc.

— *Office du tourisme :* 44, rue du Port. Dans le bourg, en haut, sur la place principale. ☎ 99-93-00-13 et 99-89-63-72.
— *Balade en bateau :* ☎ 99-89-77-87. Dans le cadre de la sauvegarde du patrimoine maritime, une bisquine (bateau de pêche typique de Cancale et de Granville) a été construite. Avec ses 350 m² de voilure, *la Cancalaise* est le bateau de pêche le plus toilé de France. Vous pouvez y partir en excursion ou en sortie de pêche.

### Où dormir ? Où manger ? Où écouter de la musique ?

— *Hôtel le Cancalais :* 12, quai Gambetta. ☎ 99-89-61-93. Bien placé, face au port. Chambres correctes à prix modérés. Bon resto. Menu à 92 F et plateau de fruits de mer à 140 F (l'assiette est à 70 F).
— *Hôtel de la Pointe du Grouin :* à 3 km de Cancale. ☎ 99-89-60-55. Tout au bout, à la pointe du Grouin, face au grand large. Hôtel assez chic, en plein pays, dans un site évidemment exceptionnel. Calme assuré. Point de départ de longues promenades dans un coin complètement sauvage. Ouvert de début avril à fin septembre. Décoration intérieure cossue. Belles chambres de 200 à 300 F. Salle à manger panoramique.
— *La Godille :* à la plage de Port-Mer. ☎ 99-89-65-65. Midi et soir, jusqu'à 21 h 30. Fermé le mardi. Réservation recommandée. Face à une charmante plage. Resto très populaire dans la région. Menus à partir de 100 F.

– Quatre *campings* dont celui de la *pointe du Grouin* (☎ 99-89-63-79) et celui de *Port-Mer* (☎ 99-89-63-17). Tous deux en bord de mer.
– *Le Rayon vert* : route du Grouin, un peu avant Port-Mer. ☎ 99-89-61-61. Dans une demeure de caractère typique de la région, un sympathique café-concert qui fonctionne en moyenne 2 fois par mois. Tous les genres : rock, jazz, chanson à texte, etc. Téléphonez pour le programme.

● *Très chic*

– *Le Bricourt* : 1, rue Du-Guesclin. ☎ 99-89-64-76. Réservation obligatoire. Un des grands de la nouvelle cuisine en Bretagne. Mais bien sûr, tout le monde ne peut pas dépenser 380 F à la carte !

**A voir**

– *Le musée des Arts et Traditions populaires de Cancale et sa région* : ☎ 99-89-73-98. Situé dans une église rénovée, ce musée aborde tous les thèmes liés à la région, histoire et géographie, personnalités locales.

– *Musée de l'Huître* : les parcs Saint-Kerber, l'Aurore. ☎ 99-89-65-29. Diaporama, visite guidée et dégustation. Exposition de quelques spécimens frais ou fossilisés, ainsi que des outils spécifiques à la culture des huîtres. Le diaporama explique les différentes phases de l'élevage des huîtres. Visite de l'atelier puis dégustation d'huîtres accompagnées d'un verre de blanc. Vous pouvez aussi vous adresser à l'office du tourisme pour la visite.

## DOL-DE-BRETAGNE (35120) _____

Venant de Normandie, première véritable porte d'entrée de la Bretagne. Petite cité paisible et étape agréable qui permet de rayonner un peu dans marais, bocages, forêts et villes historiques alentour. Très fière de sa cathédrale, l'une des plus belles églises gothiques de la province.

– *Office du tourisme* : 3, Grande-Rue. ☎ 99-48-15-37.

**Où dormir ? Où manger ?**

– *Hôtel de Bretagne* : 17, place Chateaubriand. ☎ 99-48-02-03. Fermé en octobre, et le restaurant d'octobre à mars. En plein centre. Hôtel bien tenu. Bon accueil. Atmosphère familiale (et assez feutrée hors saison). Chambres de 90 à 210 F. Resto pas cher. Nourriture correcte, mais assez banale.
– *Chambres d'hôte* : chez Michel Lebret, *La Crochardière*. ☎ 99-48-00-66. Ouvert toute l'année. Une gentille ferme à 1 km de Dol, sur la route de Dinan. Dans la campagne, calme assuré. Chambres de 150 à 180 F, petit déjeuner compris.
– *Grand Hôtel de la Gare* : 21, avenue Aristide-Briand. ☎ 99-48-00-44. Chambres de 140 à 200 F. Bon resto dans une grande salle joliment décorée à l'ancienne, dans les tons vieux rose. Menus de 62 à 185 F.
– *Camping des Tendières* : en ville, route de Dinan. ☎ 99-48-14-68.
– *Chambres à la ferme* : chez Alain Roncier, l'Aunay-Bégane. ☎ 99-48-16-93.

● *Plus chic*

– *Hôtel-restaurant la Bresche Arthur* : 36, bd Demillac. A la sortie de la ville en direction de Pontorson. ☎ 99-48-01-44. Ouvert toute l'année sauf le lundi. 24 chambres 2 étoiles à 240 F pour 2 personnes. Excellente table pourtant d'une grande sobriété, premier menu à 75 F à midi et à 115 F le soir, avec 3 plats cuisinés par un chef respectueux du goût naturel des produits. Vaut le détour.

● *Aux environs*

– *Chambres d'hôte au manoir d'Halouze* : à Halouze. ☎ 99-48-17-16 ou 07-46. A 3 km de Dol-de-Bretagne. M. et Mme Mathias aiment recevoir. Dans un ancien manoir du XVII° siècle, cinq chambres avec douche et w.-c., et également un gîte de 4-5 personnes. Comptez 155 F la nuit pour deux, petit déjeuner compris. Dîner au feu de bois tous les soirs.
– *Chambres d'hôte* : ferme de la Planche, Rez Landrieux. ☎ 99-48-00-56. Prendre la N176 direction Dinan (à 3 km de Dol). Pour une chambre de 2 personnes, compter 140 F, petit déjeuner compris.

– *Table et chambres d'hôte :* chez Jean et Marie-Madeleine Glémot, *La Hamelinais*. A côté de Cherrueix. ☎ 99-48-95-26. A une dizaine de kilomètres, au nord-est de Dol. Prenez la D80 (en direction de Saint-Broladre), puis tournez sur la D85 (vers Cherrueix). C'est bien indiqué. Comme prévu, une charmante ferme en pleine campagne. Hôtesse tout à fait adorable. Chambres croquignolettes et lumineuses, égayées par de jolis papiers peints à fleurs (la plupart avec salle de bains). D'autres avec mezzanine pour les enfants. Grand jardin verdoyant et fleuri. Possibilité de prendre ses repas le soir, en partageant la délicieuse cuisine familiale. Atmosphère sereine. Une vraie hospitalité du cœur. Faites-vous tout de suite ordonner, par votre docteur, 10 jours de « convalo » à *La Hamelinais*. Liquidation du stress garantie ! Chambres de 185 à 240 F pour deux (petit déjeuner compris). Un menu à 75 F, service compris, propose une entrée, un plat, salade, fromage et dessert, rien à dire ! Mieux vaut réserver...

– *Castel et camping des Ormes :* à 6 km au sud de Dol, vers Combourg (N795). ☎ 99-48-10-19. Probablement le plus luxueux camping de Bretagne. Dans un parc immense, autour d'un splendide château du XVIe siècle. Ouvert de mai à mi-septembre. Hyperconfortable. Toutes facilités matérielles et possibilité de pratiquer un maximum de sports et activités. Pêche en étang et piscines gratuites. Apprentissage du golf (un « 9 trous » prévu). Cheval à 60 F de l'heure (balades, randonnées), tennis, canotage, pédalo, resto, bar, discothèque. Énormément d'espace pour planter la tente. 22 F par personne, 45 F pour la voiture, 11 F enfant de moins de 7 ans.

## Où dormir ? Où écouter de la bonne musique à mi-chemin de Dinan, Dol et Combourg ?

– *Le Bar'Roc :* à Lanhélin (13 km de Dol). Petit village juste à équidistance de Dinan, Dol et Combourg. Situé à l'est de Saint-Pierre-de-Plesguen, à l'intersection de la D10, de la D73 et de la D78. ☎ 99-73-70-48. Au cœur du village, un vieil hôtel-resto converti en café-cabaret. Ouvert jusqu'à 4 h sauf le lundi. Style résolument antibranché : vieux meubles, marionnettes, jeux d'autrefois, cheminée qui marche. Bref, autant une maison de famille de charme qu'un troquet. Propose des chambres qui demanderaient à être rafraîchies, avec ou sans salle de bains. Simples, mais très propres. 110 F pour une personne et 120 F pour deux. Salle commune avec bibliothèque. Animation régulière. Tous les genres de musique (jazz, blues, classique, chanson française) et du caféthéâtre. Le jeudi soir : accordéon à 21 h (parfois avec « bœuf »). Vendredi ou samedi : concert. Téléphonez pour connaître le programme. Grande qualité du lieu : il est complètement intégré à la vie rurale et vos chances sont grandes d'y faire de chouettes rencontres.

## A voir

– *La cathédrale Saint-Samson :* date du XIIIe siècle, avec de nombreux rajouts pendant 300 ans. L'importance de l'édifice montre la place dominante qu'eut l'évêché de Dol jusqu'à la fin du XVIIIe siècle. Extérieurement, elle surprend par son caractère un peu hybride. La façade ouest, avec les deux tours et le fronton à pignon, présente très peu d'ornementation. Quelques réminiscences de la cathédrale romane. La tour de gauche (ou tour nord) ne put jamais être achevée faute d'argent. La face nord (tournée vers la campagne) présente un aspect très fortifié et austère. Pour finir, la face sud, bien au contraire, nous offre un éblouissant grand *porche*, festival de pinacles, balustrades, baies flamboyantes, bas-reliefs, etc. Petit porche à côté à doubles arcades ouvragées en ogive.

A l'intérieur, grande unité architecturale. Le vaisseau semble long, long (près de 100 m). Nef à trois étages (grandes arcades, triforium, fenêtres hautes) qui donne aussi une grande impression d'élévation. Pureté et simplicité des voûtes en ogive. Notez comment, chose assez rare, les retombées de voûtes sont reçues par des colonnes détachées des piliers. Mobilier et statuaire très intéressants. En partant à gauche, *Christ aux outrages*, très expressif. Tombeau ciselé d'un évêque du XVe siècle. Ce fut la première œuvre Renaissance réalisée en Bretagne. Bien qu'il ait pris quelques coups de marteau à la Révolution, on peut encore admirer le remarquable travail de sculpture, inspiré de l'art antique. Grand vitrail du chœur, le plus ancien de Bretagne également (fin XIIIe siècle). Splendides stalles en chêne du XIVe siècle. Trône épiscopal finement sculpté (du XVIe siècle).

– *Musée historique (la Trésorerie)* : place de la Cathédrale (angle de la rue des Écoles). Ouvert de Pâques à septembre, de 9 h 30 à 18 h. Ancienne demeure capitulaire du XV° siècle. Collections d'art populaire et d'histoire, armes, bois polychromes sculptés, faïences, etc.

– *Grande-Rue et rue Lejamptel* : l'axe commercial de la ville. Quelques fins exemples d'architecture médiévale. En particulier, la *maison des Palets* du XII° siècle (arcades romanes ouvragées), la *cour Chartier* (jolie porte à accolade et piliers en granit sculptés), maisons à colombage soutenues, comme à Dinan, par de massifs piliers, etc.

– Rejoignant la place de Chateaubriand, vous atteindrez la *promenade des Douves*. Belle vue sur le marais de Dol.

**A voir aux environs proches**

● *Le Mont-Dol* : sur la route du Vivier-sur-Mer. Curieux massif granitique dominant le marais de ses 65 m, tout seul, comme un grand. Ancienne île plutôt qu'accident géologique. Longtemps lieu de célébration druidique. Accès par voiture. Tout en haut, panorama unique sur la plaine des polders. Petite chapelle et vestiges d'un moulin à vent. Bar et crêperie.

● *Le menhir du Champ-Dolent* : à 2 km, sur la route de Combourg (D795). Bien fléché. Impressionnant menhir au milieu des champs (9,50 m).

● *Musée de la Paysannerie* : les Cours-Paris, Baguer-Morvan. Quelques kilomètres au sud de Dol, sur la route de Combourg. ☎ 99-48-04-04. Ouvert tous les jours du 1er mai au 30 septembre. Dans une ferme, une intéressante expo des machines agricoles et outils du temps passé.

*EN MUSARDANT VERS LE MONT-SAINT-MICHEL*

● *Le Vivier-sur-Mer* : ancien port de pêche qui s'est reconverti dans la mytiliculture. Point de départ de la *Sirène de la Baie*, étrange bateau avec des roues d'une trentaine de mètres de long, capable de balader 150 personnes dans la baie du Mont-Saint-Michel. Superbe croisière de 1 h 30. Embarquement d'avril à fin septembre. Réservation conseillée. Départs à 9 h 45, 12 h 30, 15 h 30, 17 h 30 et 20 h 30. Possibilité de se restaurer à bord à des prix raisonnables. Pour les plus riches, à 12 h 30 et 20 h 30, déjeuner et dîner-croisière avec menus gastronomiques à 185 et 215 F. Renseignements ☎ 99-48-82-30.
– *Hôtel-restaurant Beau Rivage* : 21, rue de la Mairie. ☎ 99-48-90-65. Ouvert midi et soir. Fermé le mercredi (sauf juillet et août). Bon accueil. Chambres correctes de 160 à 219 F. Très bonne nourriture. Menus à 75 F (avec 8 huîtres) et à 98 F (12 huîtres, lotte au poivre vert, raie aux câpres). Copieux plateau de fruits de mer à 135 F. Bon cidre bien frais.
– *Camping municipal*. ☎ 99-48-91-57.

● *Cherrueix* : village aux maisons basses, tout en longueur, suivant le front de mer. Capitale européenne du char à voile. Vers *Le Vivier-sur-Mer*, nombreux anciens moulins à vent. Allez jusqu'à l'adorable et fière *chapelle Sainte-Anne* (du XVII° siècle) trônant sur une levée de terre dans un coin complètement sauvage. Au fond, la silhouette minuscule du Mont-Saint-Michel.
– Pour dormir et manger : la très sympathique table et les chambres d'hôte de *La Hamelinais* (voir chapitre « Où dormir aux environs de Dol ? »).
– *Manoir de l'Aumône* : à 300 m du centre de Cherrueix. ☎ 99-48-97-28. Ouvert de Pâques à la Toussaint. Un ancien manoir du XV° siècle abritant 2 locations meublées et un gîte d'étape pour randonneurs. Également camping de 70 emplacements.

● *Balade dans les polders* : ce sont les terres très fertiles gagnées sur la mer au fil des siècles, protégées au fur et à mesure par de longues digues de terre plantées d'arbres. Possibilité d'une chouette randonnée depuis Cherrueix, en suivant une variante du GR 34, le long d'une vaste « pelouse » maritime en bord de mer. Là paissent les fameux moutons dits « de pré-salé ». Au large de Cherrueix se trouvent des « platiers récifaux » construits à partir de sables coquilliers par des colonies d'annélides. Ces récifs vivants appelés « hermelles » sont les plus importants d'Europe, en raison de la puissance des courants marins dans la baie. En basse saison, sensation très forte de vivre quelque chose de différent devant cette nature sauvage, pourtant peu spectaculaire. Une solitude intense, empreinte de douce poésie. En voiture, au niveau de Roz-sur-Couesnon, une petite route (passant par les Quatre-Salines) rejoint la baie.

– *Au Bon Gîte :* dans le bourg de Roz-sur-Couesnon, 35610 Pleine-Fougères. ☎ 99-80-21-73. Dans ce petit village très paisible, perché sur la « montagne » dominant la baie, un petit hôtel de campagne fort sympathique. Chambres toutes simples avec lavabo, mais pas chères, coquettes et lumineuses, quand le soleil est au rendez-vous. Attention, pas de location pour une seule nuit et demi-pension obligatoire.

– *Camping les Couesnons :* ☎ 99-80-26-86.

– *Les Quatre Salines :* à 200 m de la route Saint-Malo-Pontorson par la côte. Sur le chemin menant aux prés-salés. ☎ 99-80-23-80. Petit hôtel moderne sans charme particulier, et accueil peu chaleureux (la patronne n'aime pas que l'on prenne les repas à l'extérieur !). Cependant, bien isolé et étape intéressante pour rayonner dans les polders. Très belles chambres de 135 à 210 F. Bonne cuisine. Menus de 57 à 105 F (assiette de fruits de mer farcis chaude, gratin de lieu à l'oseille, bar à l'estragon, etc.).

– *Auberge de jeunesse Mont-Saint-Michel :* à Pleine-Fougères, au sud de Roz-sur-Couesnon et de Sains. ☎ 99-48-75-69. 36 F le lit.


## LE MONT-SAINT-MICHEL (50116) _____

Comme dans toute légende, l'histoire du mont est née d'une apparition : celle de l'archange saint Michel ordonnant à Aubert, évêque d'Avranches, la construction d'un oratoire sur le mont Tombe qui s'élevait alors au milieu d'une forêt. A la suite d'un phénomène géologique, les terres alentour s'effondrèrent, isolant le mont dans les eaux de la mer. Qu'importe ! Les pèlerins continuèrent à affluer et la modeste chapelle, sans cesse agrandie, devint, après la guerre de Cent Ans, cette magnifique abbaye. On doit sa réalisation à une poignée de moines bénédictins, venus de Saint-Wandrille en Normandie, et qui se révélèrent de remarquables bâtisseurs, doublés d'étonnants ingénieurs : les blocs de granit acheminés par bateau depuis les îles Chausey, à 40 km, furent hissés au sommet du mont après avoir été taillés.
Toute cette « merveille » aurait bien pu disparaître au siècle dernier, sans l'intervention de Viollet-le-Duc qui réussit là sa meilleure restauration (avec celles de Notre-Dame de Paris et du château de Pierrefonds). Plus d'un million et demi de visiteurs chaque année font de ce modeste rocher l'un des sites les plus fréquentés de France et que se disputent Bretons et Normands. Administrativement, la commune du Mont-Saint-Michel est dans la Manche, donc en Normandie. Mais, à l'origine, le Mont était breton et ne fut cédé aux Normands qu'en l'an 933. La limite entre les deux provinces est constituée par le Couesnon, rivière capricieuse qui, aujourd'hui canalisée, passe au pied du rocher.
La baie s'enfonce jusqu'à 23 km dans les terres. La mer y est, dit-on, aussi rapide qu'un cheval au galop. Toujours consulter les horaires des marées, les plus hautes d'Europe, avant de s'aventurer à pied dans la baie. Regagner Le Mont deux heures avant la pleine mer. Se méfier aussi de certains sables mouvants et de la brume qui tombe parfois rapidement.
Aujourd'hui, le péril du Mont ne vient plus tellement de la mer, mais plutôt de l'ensablement de la baie. Lorsque l'herbe pousse sur les bancs de sable, ceux-ci ne se déplacent plus. C'est pourquoi des travaux sont entrepris pour éviter que l'île se retrouve ancrée au milieu des prairies comme elle l'était, à l'origine, il y a plus de dix siècles.


### Comment y aller ?

– *Par la route :* à 330 km de Paris, à 66 km de Rennes, à 50 km de Saint-Malo et à 22 km d'Avranches. Parking payant, pendant la saison, au bout de la digue.
– *Par le train :* gare de Pontorson à 7 km, sur la ligne de Rennes, ou gare de Villedieu-les-Poêles sur la ligne de Granville.
– *Par le train puis autocar :* Paris-Rennes en T.G.V. (2 h de trajet). Puis autocar avec les *Courriers Bretons :* 9, rue d'Alsace, Saint-Malo. ☎ 99-56-79-09. Correspondance avec le T.G.V. en gare de Rennes (1 h 10 de trajet).
– *A pied :* possibilité d'aborder le Mont depuis Les Genêts, comme ceux que l'on appelait les « Michelots » et qui, pieds nus, traversaient la baie entre deux marées en chantant des cantiques. C'est du bec d'Andaine, à côté des Genêts, que l'on a la meilleure vue du Mont.

## Adresses utiles et fêtes

— *Syndicat d'initiative :* dans le corps de garde des Bourgeois, à l'entrée du Mont, juste à gauche après la première porte. Distribution de prospectus dans toutes les langues et liste des hôtels et restaurants membres du syndicat. ☎ 33-60-14-30. Fermé du 1er novembre au 1er mars.
— *Survol du Mont en avion.* S'adresser au Val-Saint-Père. ☎ 33-58-02-91. Une façon originale, mais onéreuse, de découvrir la baie. Fonctionne, à la demande, toute l'année.
— *Heures musicales du Mont.* Renseignements à Avranches : ☎ 33-58-00-22 ou au Syndicat d'initiative du Mont. Concerts dans l'abbatiale en juillet et en août.
— *Fêtes de Saint-Michel* de printemps, en mai, et d'automne, en septembre.
— *Pèlerinage* à travers les grèves en juillet.

## Où dormir ? Où manger ?

Deux éventualités : dormir sur le Mont ou à l'extérieur, notamment à l'entrée de la digue. La première solution est la plus tentante mais les établissements installés sur le rocher sont souvent complets et les chambres médiocres. De plus, note toujours salée ! A l'extérieur, le choix est plus grand et on a la possibilité de découvrir le Mont dans l'écrin de sa baie.

● *A Pontorson*

Plusieurs établissements simples autour de la gare :
— *Hôtel de l'Arrivée :* ☎ 33-60-01-57. Chambres doubles à 87 F. Fermé le lundi (hors saison).
— *Hôtel du Chalet :* ☎ 33-60-00-16. Chambres de 270 à 350 F en demi-pension (obligatoire). Fermé le lundi (hors saison) et en mars.
— *Auberge de jeunesse :* rue Patton. Au centre Du-Guesclin. Très bon accueil.

● *Plus chic*

— *Montgomery :* 13, rue Couesnon. ☎ 33-60-00-09. 32 chambres avec un mobilier exceptionnel dans la maison du XVIe siècle des comtes de Montgomery. Demi-pension obligatoire. Table de qualité avec, bien entendu, l'inévitable carré d'agneau de pré-salé et une spécialité : la choucroute des pêcheurs. Fermé le lundi et le mardi midi hors saison.

● *A l'entrée de la digue, à 2 km du Mont*

— *Hôtel Saint-Aubert :* ☎ 33-60-08-74. Fermé de la mi-novembre à la mi-mars. Un établissement très moderne de 27 chambres à 300 F, offrant un excellent confort. Il y a même un jardin et une piscine. Au restaurant, menus à partir de 65 F.
— *Altea K-Motel :* ☎ 33-60-14-18. Fermé du 15 novembre au 15 mars. Chambres de 65 à 300 F.
— *Motel Vert :* B.P. 8. ☎ 33-60-09-33. Fermé du 1er novembre au 1er février. Chambres de 180 à 200 F. Restaurant à partir de 65 F.
— *Relais du Roy :* ☎ 33-60-14-25. Fermé du 15 novembre au 20 mars. Chambres à 280 F. Restaurant à partir de 60 F.
— *Hôtel de la Digue :* ☎ 33-60-14-02. Chambres de 180 à 250 F. Jardin et belle vue sur Le Mont. Nombreux menus.
— *Camping du Mont :* à l'entrée de la digue. ☎ 33-60-09-33. Ouvert d'avril à fin septembre. 300 places.
— *Camping du Gué de Beauvoir :* 4 km, à Beauvoir. ☎ 33-60-09-23. 30 places.

● *Sur le Mont*

Une douzaine d'établissements totalisant une centaine de chambres sont répartis le long de la Grande-Rue.
— *Mouton Blanc :* ☎ 33-60-14-08. Ouvert de la mi-février à la mi-novembre. Chambres situées dans différentes maisons et dont les prix varient de 110 à 350 F. Elles sont simples. Un bon rapport qualité-prix. L'hôtel a deux restaurants à quelques mètres de distance. L'un occupe le rez-de-chaussée d'une maison historique du XVIe siècle, l'autre possède au premier une agréable petite salle donnant sur les remparts. Le premier menu à 79 F propose des moules, du gigot et un dessert. A ce prix, il ne faut pas s'attendre à des raffinements gastronomiques, mais le service est efficace et la patronne, très attentionnée, a l'œil à tout.

– *Hôtel de la Croix Blanche* : ☎ 33-60-14-04. Chambres à 193 F par personne, demi-pension obligatoire. Au-dessus d'un café bruyant. Menus à 53 et 78 F.
– *Hôtel Du Guesclin* : ☎ 33-60-14-10. Chambres de 85 à 157 F. Certaines sur rue, d'autres sur la mer ou sur l'abbaye. Réception à l'entresol. Restaurant au premier.
– *La Vieille Auberge* : ☎ 33-60-14-34. Chambres réparties dans plusieurs maisons. Elles sont très simples. Repas à partir de 50 F.

● *Plus chic*

– *Hôtel Saint-Pierre* : ☎ 33-60-14-03. Fermé du 15 novembre au 30 mars. Chambres doubles à 380 F. Menus à partir de 75 F.

● *Beaucoup plus chic*

– *Terrasses Poulard* : ☎ 33-60-14-09. Chambres qui viennent d'être refaites. Leur décoration très réussie et leur confort font de cet établissement le meilleur du Mont. Mais les chambres sont petites et le mètre carré de sommeil vous y sera compté très cher. Si vous en avez les moyens (600 F pour la nuit), choisissez, selon vos goûts, la chambre Victor Hugo, la Belle Hélène, Terence Stamp, Surcouf ou Duc de Bedford. Seules trois chambres sont à des prix accessibles. Il s'agit de Guy de Maupassant (n° 108), Tiphaine (n° 102) et Du Guesclin (n° 101). Minuscules, mais leur prix varie de 160 à 250 F. Bon petit déjeuner servi dans le petit salon de la *maison dite de l'Artichaut* qui enjambe la Grande-Rue. Les *Terrasses Poulard* sont ouvertes toute l'année. Attention, refusez systématiquement la demi-pension, car le restaurant situé un peu plus loin que l'hôtel n'est pas terrible. En effet, la cuisine, annoncée sur des panneaux comme « renommée », est digne d'un buffet de gare.
– *La Mère Poulard* : ☎ 33-60-14-01. Même maison que *les Terrasses Poulard*, mais direction différente. Chambres réparties dans deux bâtiments. Celles au-dessus du restaurant n'ont pas été refaites depuis longtemps. Elles sont d'une tristesse désespérante. Celles de l'annexe sont beaucoup mieux. Prix à partir de 180 F avec cabinet de toilette, et à partir de 250 F avec douche. Comptez jusqu'à 600 F pour une triple. Petit déjeuner à 50 F. La demi-pension est obligatoire et varie, selon les chambres, de 340 à 550 F par personne. Elle donne droit au menu du pèlerin affiché à 250 F au restaurant.
La table de *la Mère Poulard* est une institution. Depuis 1875, les gastronomes viennent en pèlerinage devant l'âtre où Annette Poulard et ses successeurs font dorer les fameuses omelettes. C'est un véritable spectacle que d'observer, depuis l'extérieur, la cuisine où officient les batteurs et les cuisinières en tablier blanc. Sur la grande table de chêne : des pyramides d'œufs et des mottes de beurre. Les batteurs, le fouet à la main, travaillent en cadence dans des récipients de cuivre. Le rythme saccadé des fouets constitue une véritable musique de fond pendant que les servantes maintiennent les grandes poêles au-dessus des bûches fumantes.
On a écrit beaucoup sur le secret des fameuses omelettes d'Annette Poulard (1851-1931) que Clemenceau, Pagnol, le roi des Belges, Maurice Chevalier, Rita Hayworth, entre autres, sont venus déguster. Les livres d'or contiennent des centaines de signatures célèbres. Les plus intéressantes sont reproduites dans l'escalier qui conduit au premier. On peut quand même vous donner une recette : il faut 2 œufs par personne ; les casser 2 h avant de les utiliser ; battre les œufs au fouet dans une bassine en cuivre pendant 4 mn, le mélange doit prendre la consistance d'une pâte à crêpes ; mettre 3 cuillerées à soupe de beurre dans une poêle ; faire mousser, puis verser la préparation... Bonne chance et bon appétit !
La salle du rez-de-chaussée vient d'être transformée et décorée avec beaucoup de goût dans les tons gris clair. Une ogive gothique se détache sur un fond de rocher illuminé. Plusieurs menus dont le premier, « Autour de l'omelette », propose pour 120 F une petite tranche de foie de canard frais (servi sur un lit de verdure avec une poêlée de pétoncles) et la traditionnelle omelette suivie d'une excellente charlotte aux pommes. Le prix des vins est raisonnable si l'on s'en tient à des crus de la Loire. Seule fausse note : un café imbuvable qui vous est débité 20 F !
Beau menu du pèlerin à 250 F avec omelette flambée en dessert. Menu traditionnel à 300 F et menu enfant à 60 F. A la carte : saint-pierre en habit vert au cidre fermier et foie de canard chaud aux pommes.

## Visite du Mont

La digue de 2 km qui relie depuis 1877 le Mont au continent aboutit à la porte du Roi, condamnée. Une passerelle de bois conduit jusqu'à la *porte de l'Avancée*, la seule ouverte dans les remparts. La *Grande-Rue* qu'empruntaient les pèlerins grimpe à l'assaut du rocher, entre deux haies de magasins de souvenirs. Il faut oublier tous ces étals de bimbeloterie et bignouseries made in Hong Kong et faire preuve d'un peu d'imagination pour remonter dans le temps. Quelques maisons anciennes caractéristiques de l'architecture civile du Moyen Age vous aideront à reconstituer le décor d'origine. La *maison de l'Artichaut*, avec son revêtement d'écailles de bois, enjambe la rue. Plus loin : celle de la Sirène et celle du Mouton-Blanc qui abrite un restaurant.

L'*église paroissiale Saint-Pierre*, flanquée d'un cimetière où fut enterré saint Aubert, le fondateur du Mont, mérite une halte avant d'aborder l'escalier qui conduit à la barbacane et marque l'entrée de l'abbaye. Au Mont, on n'en finit jamais avec les escaliers. Celui que l'on appelle *le Gouffre* arrive à la salle des Gardes (billetterie). Il faut encore monter entre les logis de l'abbatiale et les murs de soutènement pour atteindre la terrasse de l'ouest dont l'accès est libre. Si le temps est dégagé, les îles Chausey (40 km) sont visibles au loin.

## L'abbatiale

Visite payante et commentée sous la conduite d'un guide. Durée : 1 heure. Horaires d'ouverture : du 1er janvier au samedi des Rameaux : de 10 h à 12 h et de 14 h à 16 h 30. Du dimanche des Rameaux au 15 juin : de 9 h 30 à 12 h et de 14 h à 17 h. Du 16 juin au 10 septembre : de 9 h 30 à 17 h 30. Du 1er octobre au 31 décembre : de 10 h à 12 h et de 14 h à 16 h 30. L'abbaye est encore plus belle la nuit. En saison seulement, hélas, jouissez d'une mise en scène en musique et avec flambeaux. Les jeux d'ombres et de sons atteignent le sublime. De 21 h à 24 h jusqu'au 10 septembre.

Une partie de l'abbaye seulement est accessible. Les commentaires intéressants et vivants des guides permettent de mieux comprendre ce que fut le Mont au cours de son histoire. Il est difficile de ne pas ressentir un choc dans le vaisseau de la grande nef qui monte comme une prière avec ses arches de pierre inondées de lumière. Le chœur est un des plus beaux exemples de gothique flamboyant. L'homme a enfin réussi, après des siècles de recherche, à vaincre les poussées de la voûte et à percer les murs d'ouvertures laissant pénétrer le soleil.

Toute cette construction tient de la prouesse technique, car elle repose en grande partie sur une plate-forme artificielle, en équilibre au sommet du rocher. Pour des raisons esthétiques, les bâtisseurs de l'époque ont voulu donner à l'église la même dimension en longueur que la hauteur du rocher, soit 80 m, ce qui nécessita la construction d'infrastructures très complexes dans lesquelles se trouve enchâssée l'église préromane du Xe siècle.

En passant dans le cloître, on pénètre dans *la Merveille* : c'est-à-dire dans un ensemble de six salles réparties sur trois étages, achevé en dix-sept ans. Suspendu entre le ciel et la mer, le *cloître* est comme un balcon ouvert sur l'infini. Tous les murs étant en porte-à-faux, il était indispensable de construire quelque chose de léger. Ce qui explique la disposition en quinconce des 227 colonnettes en pierre de Caen. Lieu de méditation et de prière, le cloître a retrouvé son jardin de buis et une toiture en schiste de Cherbourg. Ici, tout est à la mesure de l'homme, contrairement aux autres parties du monastère.

Le *réfectoire* surprend par sa démesure et ressemble plutôt à une église avec sa voûte en berceau. Les moines y prenaient, en silence, leur repas toujours frugal en écoutant la lecture d'un texte sacré. La visite continue par l'austère *promenoir* et par un dédale de couloirs ponctué de chapelles dont la plus impressionnante est la *crypte* avec ses piliers de 6 m de circonférence qui soutiennent le chœur de l'abbatiale.

Le monte-charge utilisant les prisonniers comme moteur est original, avec sa grande roue pouvant contenir jusqu'à six hommes. Car le Mont fut aussi une prison. Louis XI, venu, dit-on, trois fois en pèlerinage, y fit installer une cage de fer restée célèbre. Au XVIIIe siècle, le Mont reçut des prisonniers politiques incarcérés sur lettres de cachet. Puis il fut transformé en maison de correction et abrita jusqu'à cinq cents détenus de droit commun. Après la révolution de 1848, Blanqui, Barbès et Raspail, entre autres, furent internés dans le monastère-prison. Victor Hugo s'indigna, et Napoléon III supprima le pénitencier en 1863. La *salle des Hôtes*, réservée aux pèlerins nobles, a perdu son revêtement de couleur, mais garde ses deux gigantesques cheminées dans lesquelles on pouvait faire rôtir plusieurs agneaux de pré-salé. Elle devait être bruyante ; ce qui n'était pas le cas du *scriptorium*, dit *salle des Chevaliers*, où les moines travaillaient à la copie et à l'enluminure des manuscrits.

Les deux grandes cheminées dissimulent des latrines extérieures. On a beau être moine, on n'en est pas moins homme. La visite se termine par le *cellier* et l'*aumônerie* destinée aux pèlerins de condition modeste. Elle abrite aujourd'hui les comptoirs de la librairie.

Le *tour des remparts* s'impose pour la vue sur la baie et sur le rocher de Tombelaine, à 3 km, ce frère jumeau qui fut occupé par les Anglais pendant la guerre de Cent Ans. Le Mont, lui, resta toujours français grâce à la protection de l'archange saint Michel qui, pour sauver le royaume, ira chercher à Domrémy une petite bergère dont l'histoire finira sur un bûcher, place du Marché, à Rouen.

Les musées, au nombre de trois, sont privés. Un billet unique permet de visiter le *musée-historial*, le *Musée historique* (personnages de cire, périscope, dioramas) et le *logis de Tiphaine Raguenel*, femme de Bertrand Du Guesclin.

Pour clore la visite du Mont, il faut pouvoir s'y promener le soir lorsque les remparts sont déserts et que les marchands du Temple ont tiré le rideau de fer sur toute leur quincaillerie. Les murs de l'abbatiale, illuminés, surgissent alors dans la nuit comme une armure de pierre et l'*archange* aux ailes dorées (il a été restauré et replacé par hélicoptère) se dresse au milieu des étoiles.

## AU SUD DE DOL-DE-BRETAGNE

● *Château de Landal :* juste au-dessous d'Épiniac. On y parvient par la D 85 ou la D 285. Un château peu connu, situé dans un site splendide. On ne le visite pas, mais abords libres (et peut-être accès à la cour d'honneur). Il possède une fière allure avec ses quatre tours rondes à poivrières (dont deux du XIV° siècle) et ses remparts crénelés. Environnement paisible à souhait. Notez le fascinant boulevard vert bordé d'arbres qui se déroule devant, sur plus de 1 km de long.

● *Église de Broualan :* à 2,5 km du château. Jetez un œil sur cette belle église du XV° siècle. Harmonieuse architecture de granit. A l'intérieur, retables du XVI° siècle en granit également. Pietà dans une niche au décor flamboyant. Sur la place, très vieux calvaire avec inscription gothique.

● *Combourg :* petite cité sans histoire qui évoque, bien sûr, la jeunesse de Chateaubriand. Le *château* en est l'intérêt principal. Ouvert de mars à novembre de 9 h à 12 h (pour le parc) et de 14 h à 18 h (parc et château). Fermé le mardi. Son aspect sévère de forteresse médiévale permet de comprendre ce que put vivre Chateaubriand dans son enfance, entre tristesse et exaltation (il se souvint de Combourg dans les pages les plus romantiques des *Mémoires d'outre-tombe*). A l'intérieur, beau mobilier des XVI° et XIX° siècles. Salle où sont rassemblés table de travail, fauteuil et lit de mort de Chateaubriand.

– *Hôtel du Château :* 1, place Chateaubriand, entre étang et château. ☎ 99-73-00-38. Restaurant fermé le lundi midi et le dimanche soir de décembre à février. Un fort bel hôtel avec des chambres de 230 à 400 F. Luxueuse salle à manger pour d'excellents menus à 78 et 110 F (filet de bœuf sauce chateaubriand, homard cuit vapeur, etc.).

– *Hôtel du Lac :* 2, place Chateaubriand. ☎ 99-73-05-65. Chambres très correctes de 92 à 260 F. Fait également restaurant, offrant deux menus à 60 et 90 F.

– *Ferme-auberge le Mouton Blanc :* à 2 km au sud de Guguen, au croisement avec la route Combourg-Bazouges et à 6 km de Combourg. ☎ 99-73-14-35. Auberge installée dans une vieille demeure de 1812. Grande salle à manger de style rustique. Bonne cuisine de campagne. Spécialité de poulet de ferme grillé au four à pain. En semaine, menu à 45 F. Dimanche à 65 et 75 F. Possibilité de camper et d'acheter les bons produits de la ferme.

● *Cobac Parc :* à Canhelin. Parc de loisirs spécialement aménagé pour les enfants : petit train, village miniature, volière et toboggans en tous genres.

● *Tinténiac :* voyez le musée de l'Outil et des Métiers. *Le Magasin à grain*, 5, quai de la Donac. En bordure du canal d'Ille-et-Rance. ☎ 99-68-02-03. Cadre traditionnel de chaque métier reconstitué. Forge, charronnage, bourrellerie, etc.

● *Hédé :* exquise vision de la série d'écluses depuis le pont sur la D 795 (route de Combourg). Il n'y a plus que les petits bateaux de plaisance à moteur qui empruntent les canaux. Les écluses fonctionnent toujours à la main. Gentille promenade sur les berges dite *balade des Onze Écluses*. D'Hédé aux Iffs (par Saint-Symphorien et Saint-Brieuc-des-Iffs), route paisible et bucolique, à flanc de collines.

– *Hostellerie du Vieux Moulin* : route de Saint-Malo. ☎ 99-45-45-70. Fermé dimanche soir, lundi, et du 20 décembre au 1er février. Assez chic. Bonne réputation. Chambres de 130 à 175 F pour deux. Au restaurant, menus de 85 à 220 F.

● *Les Iffs :* dès l'entrée, à droite (venant de Saint-Symphorien), mignonne fontaine Saint-Fiacre (à la hauteur du panneau). Vous êtes dans ce joli village bien tranquille pour une *église* parmi les plus fascinantes de la région (et l'une des moins connues). Édifiée au XVe siècle en gothique flamboyant. Porche trapu en « pattes d'éléphant ». La flèche fut rajoutée au XIXe siècle. Un peu trop richement sculptée peut-être pour un modeste village. A l'intérieur, intéressant mobilier dont deux panneaux de bois sculpté polychromes figurant les apôtres. Mais ce sont les admirables *vitraux* du XVIe siècle qui attirent irrésistiblement le regard. Choc émotif peut-être supérieur à Moncontour, à cause de la simplicité de l'église. *Verrière de la Passion*, 20 panneaux sublimes (les bleus y sont extraordinaires), plus celles ornant les petites chapelles de chaque côté de l'autel.

● *Château de Montmuran :* là aussi, itinéraire bucolique à souhait. A dix pas des Iffs, route de Tinténiac. Entrée par une allée triomphale. Ouvert de Pâques à la Toussaint de 14 h à 19 h (en hiver, samedi et dimanche de 14 h à 18 h). Superbe château. Du XIIe siècle, il subsiste deux tours. Du XIVe siècle, l'élégant châtelet à l'entrée, avec tour crénelée et pont-levis (qui fonctionne encore). C'est dans la chapelle du château que Du Guesclin fut fait chevalier, en 1354.

– *Ferme-auberge de la Boulais* : la Boulais, Les Iffs. ☎ 99-45-85-62. Ouvert du 1er juin au 1er octobre. Réservation obligatoire. Peu après avoir quitté le château par la D 81, vous tombez sur cette auberge lovée au fond de la vallée, dans un site absolument admirable. Vue sur le château. Les jours de soleil, sérénité et poésie incroyables. Au milieu de bois et de chevaux, dans une séduisante maison en style du pays, venez goûter une excellente cuisine. Salle à manger pleine de charme. Spécialités de poule au lard, au cidre, canard à l'orange, coq au citron, bons desserts maison, etc.

● *Bécherel :* petite ville autrefois fortifiée, sur la route de Dinan (la D 27, puis la D 68). Très riche aux XVIIe et XVIIIe siècles, grâce au commerce du lin, puis entrée au XIXe dans un déclin qui n'a depuis jamais cessé. Bécherel est donc intéressant à deux titres : sur le plan social, une bourgade, exemple typique de l'exode rural en Bretagne (frappant, triste, toutes ces boutiques fermées pour longtemps) ; sur le plan architectural, un ensemble homogène de belles demeures bourgeoises en granit. Adorable *place de l'Ancien Marché*, avec ses rues aux consonances médiévales : rue de la Beurrerie, de la Filanderie, de la Chanvrerie. Derrière l'église, une peausserie travaille encore à l'ancienne. N'oubliez pas d'effectuer la petite promenade du Presbytère. *Crêperie* à côté. Par le « rocquet de la Couaille », descente à l'ancien *lavoir* et belle vision de la ville dans ses vestiges de remparts.

En outre, depuis 1985, Bécherel est aussi devenue la « cité du livre » et, à ce titre, organise toutes sortes de manifestations pour la promotion du livre. Les journées nationales du livre en octobre (« la Fureur de lire »), le marché du livre (le 1er dimanche de chaque mois) et la grande fête du livre pendant le week-end de Pâques.

– *Syndicat d'initiative* : ouvert du 15 juin au 15 septembre. ☎ 99-66-80-55. Juste à côté de Bécherel, sur la route de Médréac, possibilité de visiter le grand *parc du château de Caradeuc*, surnommé le « Versailles breton ». ☎ 99-66-77-76. Ouvert toute l'année du lever au coucher du soleil. Plan du parc fourni avec le ticket d'entrée.

– Pour dormir : *camping* en face du parc.

– *Hôtel Le Commerce* (chez Mado et Alain) : rue principale du bourg. ☎ 99-66-81-26. Fort bien tenu. Atmosphère tout à fait provinciale. Chambres à 90 F très correctes. Menu à 47 F.

## – L'EST DE L'ILLE-ET-VILAINE –

### FOUGÈRES (35300)

> « Une ville qui devrait être pieusement visitée par les peintres... »
> Victor Hugo.

A l'entrée de la Bretagne, perchée sur un promontoire dominant une verdoyante vallée, l'une des places fortes qui surveillaient l'envahisseur. L'imposant château est toujours là pour en témoigner. De nombreux écrivains apprécièrent Fougères, ville au charme un peu dolent, comme Flaubert, Chateaubriand, Alfred de Musset, Julien Gracq, Victor Hugo et Balzac. Ces derniers y puisèrent leur inspiration pour *Quatre-vingt-treize* et *Les Chouans*. Juliette Drouet, l'égérie d'Hugo, était d'ailleurs native de la ville. Le Fougerais fut effectivement l'un des hauts lieux de la chouannerie. Sur le plan économique, le nom de Fougères resta longtemps associé à la chaussure. Dans la première moitié de ce siècle, il y eut dans cette industrie jusqu'à 10 000 ouvriers. Aujourd'hui, à peine 1 000.

### Adresses utiles

– *Office du tourisme :* 1, place Aristide-Briand. ☎ 99-94-12-20 ou 99-99-79-59. Bonne documentation, mais un poil routinier.
– *Gare S.N.C.F. :* pour Vitré et Paris. ☎ 99-65-50-50.
– *Gare routière :* ☎ 99-56-79-09 et 99-99-02-37.

### Où dormir ?

– *Hôtel Balzac :* 15, rue Nationale. ☎ 99-99-42-46. Charmant petit hôtel dans une rue piétonne calme. Chambres de 149 à 189 F. Ouvert toute l'année.
– *Grand Hôtel des Voyageurs :* 10, place Gambetta. ☎ 99-99-08-20. Bon accueil. Chambres agréables de 165 à 185 F. Au rez-de-chaussée, le meilleur restaurant de la ville.
– *Chambres d'hôte :* 5, chemin du Pâtis. ☎ 99-99-00-52 ou 99-99-02-70. Route de Fiers (ancienne route de Caen). Mme Juban, une ancienne disquaire, met trois chambres doubles à la disposition de ses visiteurs : 170 F pour 2 avec un copieux petit déjeuner. On est à l'orée de la forêt, avec pas mal de possibili-

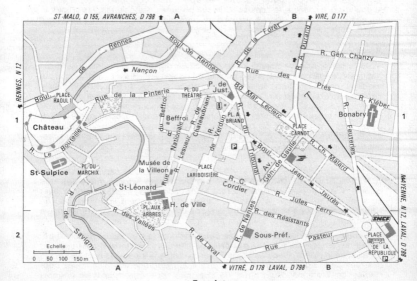

*Fougères*

tés de balades, pour néophytes ou marcheurs confirmés. Vraiment une bonne adresse !
– *Camping :* Paron. ☎ 99-99-40-81.

## Où manger ?

### ● *Bon marché à prix moyens*

– *Le Buffet :* 53 *bis,* rue Nationale. ☎ 99-94-35-76. Ouvert le midi et le soir jusqu'à 21 h. Fermé le dimanche et en août. Salle au décor frais et clean. Expo de photos. Un intéressant menu complet à 49 F (service et vin compris). Menu à 72 F avec hors-d'œuvre et vin rouge à volonté.

– Bonnes *crêpes et galettes à emporter* au 41, rue Nationale. Fabrication maison, bien entendu.

### ● *Plus chic*

– *Les Voyageurs :* 10, place Gambetta. ☎ 99-99-14-17. Fermé le samedi et la dernière quinzaine d'août. Réservation fortement recommandée. Salle confortable, délicieusement décorée dans les tons roses. Service extrêmement attentif. Cuisine d'une finesse absolue. Étonnant ! De bons vieux plats qui apparaissent toujours nouveaux, qu'on croit toujours réinventés par un chef imaginatif et fidèle à la tradition, tout à la fois. A la carte, succulent foie gras qui occupe abondamment l'assiette, fondante escalope de ris de veau à la crème, etc. Un superbe rapport qualité-prix. Et encore n'a-t-on pas parlé de sa fameuse paupiette de veau, grand prix d'honneur, du tournedos sauté aux truffes, du magret de canard à la bordelaise, de la canette rôtie aux pommes. D'autres menus à 90 et 120 F, tout aussi séduisants dans leur catégorie, mais il vaut mieux frapper haut tout de suite. *Les Voyageurs,* ça vaut vraiment le voyage !

## Où dormir ? Où manger dans les environs ?

– *Ferme-auberge de Mésauboin :* à Billé, à 8 km au sud de Fougères (D 178). ☎ 99-97-61-57. Ouvert toute l'année sauf une semaine en février et en octobre. Réservation obligatoire. Arrivé dans le village, suivre les panneaux, direction Saint-Georges-de-Chesné (D 23). Là encore, site idéal, en pleine nature. Très jolie ferme de caractère. Chambres plaisantes. Mais c'est pour la délicieuse cuisine de la patronne que l'on vient ici de 30 km à la ronde. Un menu à 68 F vous permet de goûter à toutes ses spécialités. Le coq au cidre, la potée, le poulet « à la casse », la canette rôtie aux pommes, les galettes, les crêpes et les très bonnes tartes, le tout arrosé d'un cidre bien fruité. Chambres doubles à 160 F, petit déjeuner compris.

## A voir

– De la place Aristide-Briand (celle de l'office du tourisme), remontez la rue Nationale, élégante rue piétonne, bordée de nobles édifices du XVIII° siècle. Au passage, on remarquera, émergeant des toits, le beau *beffroi* du XV° siècle. Petit *musée Emmanuel-de-La-Villéon* abrité par la dernière maison à porche de la ville (ouvert du 1ᵉʳ juillet au 15 septembre, tous les jours de 14 h à 19 h ; avril-juin et fin septembre, samedi, dimanche et jours fériés). Collections de peintures, dont une vingtaine de La Villéon, l'un des derniers peintres impressionnistes, natif de Fougères. Œuvres charmantes. Il sut rendre telle qu'elle est, frémissante et attachante, cette jolie campagne bretonne. Visite à ne pas manquer.

– Tout en haut, *hôtel de ville,* du XVI° siècle, et *église Saint-Léonard,* remaniée considérablement au XIX° siècle. A l'intérieur, beaux vitraux modernes très colorés. C'est du *parc public* entourant Saint-Léonard qu'il faut guetter le lever du soleil sur la vallée et le château. Panorama absolument adorable. Où l'on s'aperçoit que Fougères est presque un gros village. La campagne commence à la dernière maison (bravo, pour une fois, à la Commission des sites !).

– Du parc, descendez dans la vallée pour atteindre le très *vieux quartier* blotti autour du Nançon. Ce fut celui des artisans (tanneurs, teinturiers) qui utilisaient les eaux de la rivière. Place du Marchix, jolies maisons à pans de bois. A l'angle des rues de Lusignan et Providence, probablement l'une des plus belles boucheries de Bretagne. Au 6, rue de Lusignan, *boutique médiévale* en bois sculpté.

– *Église Saint-Sulpice :* édifiée au XV<sup>e</sup> siècle. Notez la riche ornementation flamboyante dite « à choux frisés ». A l'intérieur, plafond en bois décoré, grand retable baroque. Dans la nef, deux intéressants retables de pierre, dont l'un avec une belle *pietà* polychrome. Celui de droite (en accolade) fut offert par la corporation des tanneurs. Statue de Notre-Dame-des-Marais, très ancienne.

– *Le château :* ouvert tous les jours du 15 juin au 15 septembre, de 9 h à 19 h. En avril, mai et jusqu'au 15 juin, de 9 h 30 à 12 h et de 14 h à 17 h 30. Le reste de l'année, de 10 h à 12 h et de 14 h à 16 h 30. C'est l'un des châteaux médiévaux les mieux conservés du pays. Édifié du XII<sup>e</sup> au XV<sup>e</sup> siècle. Comprend une douzaine de tours qui se dorent dès l'apparition du soleil et se payent un vieux coup de narcissisme dans les eaux des douves. Lawrence d'Arabie, qui avait pourtant vu bien des châteaux dans sa vie, s'exclama : « Il n'y a pas d'extérieur plus beau, c'est certain ! » Le donjon représente la partie la plus ancienne (base de 5 m d'épaisseur). Impressionnante *porte Notre-Dame* (en direction de l'église Saint-Sulpice). Portions du chemin de ronde ouvertes au public. Petit *musée de la Chaussure.*

– Plutôt que de remonter vers la ville haute par la rue de la Pinterie (entièrement reconstruite après les bombardements de 1944), empruntez la gentille promenade de la *ruelle des Vaux.* Elle court à l'extérieur, le long des anciens remparts de ville.

– *Le marché aux bovins de l'Aumaillerie :* route d'Alençon. C'est l'un des plus importants de France. Il peut accueillir jusqu'à 10 000 bêtes. Accès libre le vendredi matin.

## VITRÉ (35500)

Importante cité du Moyen Age qui s'enrichit, jusqu'à la fin du XVII<sup>e</sup> siècle, du commerce de la toile et des textiles. Également l'une des grandes frontières qui protégèrent l'indépendance de la Bretagne. De cette période subsistent un splendide château et des rues médiévales parmi les plus homogènes et les plus pittoresques de Bretagne (à égalité avec Dinan, mieux que Quimper peut-être).

– *Office du tourisme :* promenade Saint-Yves. ☎ 99-75-04-46.

### Où dormir ? Où manger ?

– *Hôtel du Château :* 5, rue Rallon. ☎ 99-74-58-59. Sous le château, dans le vieux Vitré. Rue au calme. Bon accueil. Bien tenu. A partir du 2<sup>e</sup> étage, vue sur le château. Chambres de 120 à 190 F.
– Nombreux restos dans le vieux Vitré. *La Taverne de l'Écu,* 12, rue Baudrairie. ☎ 99-75-11-09. Fermé le dimanche soir et le lundi. Menus de 70 à 120 F. Possède une bonne réputation (assez chic).
– Si vous partez visiter Champeaux, l'articuler absolument avec le restaurant *la Fontaine aux Perles* (voir plus loin).

### Où manger aux environs de Vitré ?

– *Bar-tabac-gril le Haut Landais :* au lieu dit *Haut-de-la-Lande,* 3 km avant La Bouëxière (sur la D 106, après Champeaux). ☎ 99-62-63-37. Petit bistrot de hameau, perdu dans la campagne, mais au nombre de camionnettes d'entreprises, d'E.D.F. et des postes stationnant devant, on se dit que la nourriture et l'ambiance doivent vraiment être bonnes (de plus, c'est pas cher). Ouvert tous les jours à midi.

● **Plus chic**

– *La Fontaine des Perles :* 6, rue Jean-Marie-Pavy, La Bouëxière. A 16 km de Vitré (par Champeaux) et autant de Rennes. ☎ 99-00-91-50. Ouvert le midi et le soir jusqu'à 21 h 30. Fermé le dimanche soir et le lundi. Très, très conseillé de réserver. Vous dégusterez ici une cuisine d'une finesse hors pair, pleine d'imagination, d'une grande fraîcheur, légère et en quantité. Des menus au rapport qualité-prix imbattable. Lors de notre dernière tournée en Bretagne, ce fut le dernier restaurant testé. Vous pensez si nous étions heureux de rester sur un tel souvenir gastronomique. Petit menu à 65 F le midi du lundi au vendredi, à 80 F (sauf le dimanche et le samedi), à 105 F, à 130 F (terrine de sole au foie gras de canard, tournedos sauté en chemise au val de la chèvre, etc.) et à 148 F (avec noix de ris de veau poêlé aux épinards). Bon, en rajouter serait démagogique...

– *Ar Milin* (« le Moulin » en breton) : situé dans un parc de 5 ha en bord de rivière, 30, rue de Paris, Châteaubourg. ☎ 99-00-30-91. Chambre pour 2 personnes avec douche et w.-c. pour 268 F. Somptueux petit déjeuner au buffet pour 38 F à volonté ! Viennoiseries, fromages, yaourts, fruits, etc. Table de bon niveau, avec premier menu à 90 F. Ce qui nous a beaucoup plu aussi, c'est le cadre champêtre, les équipements : tennis, jacuzzi, sauna, jardin, et l'amabilité de Michel Burel, le patron maître des lieux. Un vrai pro !

## A voir

– *Le château et le musée du château* : musée ouvert tous les jours du 1er juillet au 30 septembre de 10 h à 12 h 15 et de 13 h 30 à 18 h. Du 1er avril au 30 juin, fermé le mardi. De forme triangulaire, comme le rocher auquel il s'accroche. Lignes puissantes de l'architecture militaire. Festival de tours à poivrières et mâchicoulis à toutes les hauteurs. Reconstruit du XIIIe au XVe siècle sur un ouvrage plus ancien. On y pénètre par une magnifique esplanade. Très intéressant *musée*.

Dans la 1re salle, finesse des bois sculptés du XVIe siècle (fragments d'escalier gothique, vantail de porte). Au 2e étage : ravissante cheminée Renaissance, tapisserie des Flandres, coffre en cuir du XVIIe siècle. Étage suivant, tapisseries d'Aubusson. Au dernier, plans et photos sur l'histoire architecturale de la ville.

Ensuite, ne ratez pas le petit escalier menant au chemin de ronde, à la petite section d'histoire naturelle et, surtout, à l'*oratoire*. Vous pourrez y admirer 32 plaques d'émaux de Limoges (du XVIe siècle) tout à fait exceptionnelles.
De l'autre côté de la cour, expos temporaires assez captivantes.

– *La chapelle Saint-Nicolas* : redescendez la rue de Brest, puis la rue Pasteur pour cette petite chapelle des hôpitaux du XVe siècle. A l'intérieur, tombeau gothique, beau maître-autel et quelques fresques. Même billet que le musée du château, mêmes horaires.

– *L'église Notre-Dame* : édifiée au XVe siècle en gothique flamboyant. C'est d'ailleurs l'extérieur qui fascine le plus, notamment, côté rue, la façade aux pignons multiples, comme les dents de scie. Inhabituelle chaire extérieure. Côté place Notre-Dame, splendide porte de 1586. A l'intérieur, pas beaucoup de mobilier prestigieux. Une chaire en gothique fleuri. Fort beau vitrail du XVIe siècle, *l'Entrée du Christ à Jérusalem,* dans la 3e chapelle à droite (depuis l'entrée place Notre-Dame).

– *Le vieux Vitré* : probablement le plus bel ensemble médiéval de Bretagne (mais pas de maisons porches comme à Dinan). Précieux patrimoine architectural arrivé par miracle à l'aube du XXIe siècle. Parcourez les rues d'Embas, Baudrairie, Saint-Louis, Notre-Dame, etc. Accumulation de demeures de toutes époques qui présentent chacune un caractère insolite. *Rue d'Embas*, notez particulièrement le n° 30. Escalier dans la cour et galeries de circulation. Au n° 20, superbe pignon. Au n° 10, la maison qui attire tous les peintres et photographes. *Rue Baudrairie*, au n° 30, bel *hôtel* gothique (à côté, construction récente s'intégrant bien à la rue). Au n° 25, pan de bois sculpté Renaissance. Au n° 18, la seule construction du XVIIIe siècle, avec ses balcons en fer forgé typiques de l'époque. Au n° 5, escalier extérieur en bois. Traquez les sculptures (pilastres ornés de têtes). *Rue Notre-Dame*, en face de l'église, *hôtel Ringues*, superbe bâtisse du XVIe siècle et sûrement, aujourd'hui, l'un des plus beaux centres sociaux de Bretagne.

## A voir aux environs de Vitré

● *Le château des Rochers-Sévigné* : à 6 km au sud-est de Vitré, par la D 88. Ouvert de 10 h à 12 h et de 13 h 30 à 18 h (samedi-dimanche 14 h-18 h). C'est un petit château, mais à l'architecture élégante et raffinée. Symphonie de toits pittoresques. Notez la curieuse chapelle octogonale et son toit en carène de navire surmonté d'un clocheton. Construit au XVe siècle et remanié au XVIIe. Un site hanté par le souvenir de Marie de Rabutin-Chantal, épouse Sévigné, célèbre pour avoir fait travailler dur les postes de l'époque. Elle y fit de fréquents séjours pour s'y reposer de la Cour et trouva en ces lieux calme et inspiration pour écrire les 267 lettres adressées à sa fille, la comtesse de Grignan. Dans l'une d'elles, elle note : « Il passe autant de vin dans le corps d'un Breton que d'eau sous les ponts. » Intéressante visite du château. Décoration et meubles du XVIIe au XIXe siècle. Le grand salon, à l'agencement exquis, présente de nombreux meubles et portraits du temps de la marquise. Le *jardin français* a été reconstitué fidèlement comme l'avait conçu Charles, son fils.

## CHAMPEAUX (35500)

Visite obligatoire, nous insistons, à ce petit village perdu dans la campagne, à environ 8 km à l'ouest de Vitré. Vous y découvrirez une *église* parmi les plus fascinantes du pays rennais. Construite au XVe siècle, clocher du XVIIIe. Encore une fois, une splendeur, une importance disproportionnée par rapport à la taille du village. C'est que vécurent dans la région, au XVIe siècle, les d'Espinay, une grande famille assez puissante pour y entretenir également un chapitre de chanoines. L'harmonieux ensemble architectural, autour de la place et du vieux puits à clocheton (1601), était leur logement. Stupéfiant mobilier intérieur : une cinquantaine de superbes *stalles* sculptées Renaissance avec leurs baldaquins ciselés. A gauche de l'autel, outrageusement riche tombeau de Guy III d'Espinay. Tombeau de sa fille à côté, plus fin, plus délicat. Chaire du début du XVIIIe siècle. Attardez-vous, chapelle sud, sur le séduisant *retable* à cinq panneaux polychromes figurant la Passion.

Mais le chef-d'œuvre de Champeaux, ce sont les *vitraux* du XVIe siècle, l'un de nos grands coups de cœur bretons (avec ceux de Moncontour, des Iffs et quelques autres, bien sûr). Bleus d'une qualité et d'une luminosité extraordinaires, en particulier dans la *verrière de la Crucifixion* et celle du *Martyre de sainte Barbe*. Remarquable *Sacrifice d'Abraham* également, ainsi que le *vitrail de la Pentecôte* (avec le déluge de feu tombant du ciel). Bon, laissez-nous regarder, sans rien dire, maintenant !

— Complément quasi nécessaire : aller rendre visite au *château de l'Espinay*, à 2 km au sud. On ne peut admirer que de l'extérieur ce bel ouvrage Renaissance (ne se visite pas), mais on s'en contente bien.

## LA ROCHE-AUX-FÉES

L'un des plus impressionnants monuments mégalithiques de France. Situé vers le sud, juste dans l'axe de Châteaubourg et à l'ouest de La Guerche-de-Bretagne. *Retiers*, bourgade la plus proche. C'est une *allée couverte* de 20 m de long et 6 m de large. Recouverte de dalles de schiste de plus de 40 t chacune ! D'après la légende, des fées (drôlement costaudes) auraient transporté les cailloux jusqu'ici dans leur voile (en toile de jean sûrement). Par le passé, les soirs de pleine lune, les fiancés venaient compter les blocs. S'ils n'arrivaient pas au même résultat, c'était mauvais signe.

## LE MORBIHAN

« Le Morbihan n'est pas de ces pays qu'on peut voir en chaise de poste. Il faut être moins pressé... ne jamais suivre les grandes routes et toujours les sentiers... pour découvrir mille choses qu'on ne soupçonnait pas. »

Guy de Maupassant, 1884.

Le Morbihan, seul département à porter un nom breton (signifiant mer petite), doit sa notoriété touristique aux ressources du littoral. 331 000 habitants résident sur la côte tandis que 260 000 personnes seulement vivent dans les cantons ruraux : l'Argoat, par opposition à l'Armor.

Et pourtant, à l'intérieur, ce pays des bois ne manque pas de richesses archéologiques ni d'équipements de loisirs. On peut y faire des découvertes surprenantes et y passer des vacances sportives (et écologiques) tout à fait agréables, comme dans le reste de la Bretagne centrale !

### La pêche à la ligne dans le Morbihan

Surprenant de constater que la ligne de partage des eaux en Morbihan suit, grosso modo, celle du parler breton et du parler gallo, de Rohan à Auray. A l'est de cette ligne, on trouvera des rivières plutôt lentes et paresseuses, donc faiblement peuplées en salmonidés. En revanche, à l'ouest, les cours d'eau deviennent plus rapides, vifs car descendant d'un relief plus accentué : les montagnes Noires. On y pêchera des truites et de plus en plus de saumons. Les meilleurs « coins » se trouvent à Remungol et à Guénin, sur l'Ével. Le Scorff a bénéficié de travaux lui redonnant sa jeunesse et sa richesse d'antan : se placer sur le site merveilleux de Pont-Calleck, près de Plouay. Près du Faouët et de Priziac, l'Ellé fait la joie des pêcheurs à Loge-Coucou, sur des fonds de sable et de graviers peu profonds.

Il ne faut pas croire que la Bretagne n'offre que des possibilités de pêche en mer ; bien au contraire, il faut laisser l'océan aux professionnels, c'est leur gagne-pain... C'est du moins ce que recommande l'association agréée de pêche et de pisciculture qui a ses « rives d'entraînement » à Tréauray, près d'Auray, où elle forme les passionnés de pêche au coup, au lancer, à la mouche. Renseignez-vous auprès de la *Fédération de Pêche La Gouarnais*, 56000 Saint-Avé, ou demandez le dépliant *Pêche*, édité par le Comité départemental du Tourisme, Hôtel du département, rue de Saint-Tropez, 56000 Vannes (voir « Adresses utiles » du chapitre « Blavet-Scorff »).

## – LORIENT ET LA RADE DU BLAVET ET DU SCORFF –

### LORIENT (56100)

Voilà Lorient, tournée vers le large depuis sa fondation par Colbert, en 1666. La ville s'est d'abord développée à l'abri de la citadelle de Port-Louis, tout en restant un faubourg de la paroisse de Ploëmeur. La véritable création de Lorient, centre commercial et portuaire, qui sent bon les épices, date de 1735, quand les Lorientais élisent leur première municipalité. Cette communauté urbaine a survécu aux faillites successives des Compagnies des Indes et, après mille et une vicissitudes, aux terribles bombardements de 1944-1945. Ne cherchez donc pas de vieilles pierres autour du bassin à flot, ni sur la place Alsace-Lorraine. Lorient, moderne et de gauche, s'est toujours distinguée de Vannes, l'autre préfecture du Morbihan, médiévale et bourgeoise.

### Adresses utiles

– *Office du tourisme-syndicat d'initiative :* maison de la Mer (plan B3), quai de Rohan. ☎ 97-21-07-84. L'office du tourisme se trouve au rez-de-chaussée. Particulièrement dynamique. Organise des visites guidées de la rade et du port de pêche (les lundis, mardis, mercredis et jeudis, à 8 h ; rendez-vous à l'entrée principale du port de pêche).

Visite de la rade et du musée de la Compagnie des Indes (les mercredis et vendredis). Départ vers 14 h 30 à l'embarcadère des vedettes jaunes (cale Ory, au bout du quai des Indes).

– *S.N.C.F.* (plan A1). ☎ 97-21-21-04. Liaisons directes avec Paris, Lyon, Bordeaux.

– *Météo-répondeur :* ☎ 97-84-83-44.

– *Gare maritime* (plan B3). ☎ 97-21-03-97. Embarquement pour l'île de Groix. Horaires variables suivant la saison. On peut passer sa voiture, mais ce n'est pas utile : location autos, vélos, sur place.

– *Centre information jeunesse :* place Jules-Ferry. ☎ 97-84-84-57.

– *S.E.P.N.B. (Société pour l'étude et la protection de la nature de Bretagne).* Maison du Moustoir, rue du Professeur-Mazé, plateau des Quatre-Vents. ☎ 97-83-17-29. Très dynamique.

– *Aérogare de Lann-Bihoué en Ploëmeur :* ☎ 97-82-32-93.

## Manifestations

– *Festival interceltique :* renseignements et programme : ☎ 97-21-24-29. Cette étonnante manifestation se déroule la première quinzaine d'août. Elle réunit les peuples d'Irlande, d'Écosse, de Cornouailles, du pays de Galles, de Bretagne, de Galice, des Asturies ; musique, danse, spectacle folklo, crêpes et cotriade à gogo au port de pêche. Ambiance garantie.

– *Les Océanes :* festival de théâtre, chants, contes, au goût de sel marin, la semaine précédant le 14 Juillet. Renseignements : ☎ 97-65-63-01.

## Lorient dans l'histoire

Au milieu du XVII<sup>e</sup> siècle, Charles de La Meilleraye exploite à Port-Louis une compagnie commerciale dite Compagnie de Madagascar. En 1664, Louis XIV fonde la Compagnie des Indes orientales qui rachète le privilège de la Compagnie de Madagascar. Le site de Port-Louis étant trop resserré, une ordonnance royale établit un partage entre Port-Louis pour les entrepôts et le futur Lorient, pour les chantiers de construction navale, sur la rive droite de l'estuaire du Scorff. En 1732, la compagnie décide d'y effectuer toutes ses transactions. Un nom s'impose pour la nouvelle ville : L'Orient. Elle connaît vite la prospérité grâce à toutes les marchandises précieuses débarquées ici : étoffes, porcelaines, tapis et épices.

Les guerres de la Révolution et de l'Empire porteront un coup fatal à ce commerce international artificiellement implanté à la faveur du monopole d'État... La pêche sera certes encouragée suite à l'invention des conserves à l'huile, en 1804 ; mais c'est la Marine qui assure, au XIX<sup>e</sup> siècle, la persistance d'une importante industrie. L'arsenal connaît son apogée sous le second Empire, grâce à Dupuy de Lôme, inventeur des cuirassés.

Un port de pêche industrielle (à Kéroman) est inauguré en 1927. L'occupation allemande et les bombardements alliés provoqueront la destruction de toute la vieille ville et d'une partie des faubourgs récents. Il ne reste plus que 5 000 maisons d'avant-guerre, dont 250 sont de beaux spécimens du style Arts-déco.

## Où dormir ?

● *Très bon marché*

– *Camping :* à Larmor-Plage, *le Phare ;* 100 emplacements en bord de route. Vraiment pas terrible.

– *Auberge de jeunesse :* sur les rives de l'étang du Ter, route de Larmor-Plage. ☎ 97-37-11-65. Fermé du 20 décembre au 31 janvier. Réserver son lit en été. Établissement relativement neuf et de bon confort. 36 F la nuit. Chambres de 2 à 5 lits, camping possible l'été.

● *Bon marché*

Le boulevard Franchet-d'Esperey, de l'autre côté de la gare, où s'élève Lorientis, centre administratif et commercial, concentre plusieurs hôtels sans restaurant qui feront votre bonheur. En voici quelques autres ailleurs :

– *Hôtel-restaurant Gabriel :* 45, avenue de la Perrière (l'artère principale du port de pêche). ☎ 97-37-60-76. Ouvert toute l'année. Établissement entièrement rénové. Soirée étape à 235 F par personne. Menus à partir de 55 F (à midi) et jusqu'à 150 F. L'étape routarde nouvelle à Lorient.

– *Hôtel d'Arvor :* 104, rue Lazare-Carnot. ☎ 97-21-07-55. Restaurant fermé fin décembre et le dimanche hors saison. Bon petit hôtel 1 étoile, dont le prix des chambres (très propres) s'échelonne de 90 à 160 F. Le restaurant propose trois menus d'un bon rapport qualité-prix, de 70 à 100 F. Décor breton.

● *Plus chic*

– *Victor Hugo Hôtel :* 36, rue Lazare-Carnot. ☎ 97-21-16-24. Ouvert toute l'année. Accueil très sympathique et souriant de la patronne. Les chambres sont irréprochablement propres et dotées de tout le confort. Tout près de la Maison de la mer et du pont d'embarquement pour l'île de Groix et pas loin du centre, non plus. Chambres de 120 à 220 F. Une bonne adresse.

## Où manger ?

Recherchez le grand plateau de fruits de mer ou la belle recette de poisson. Attention, c'est toujours cher, car de première qualité, et l'approvisionnement

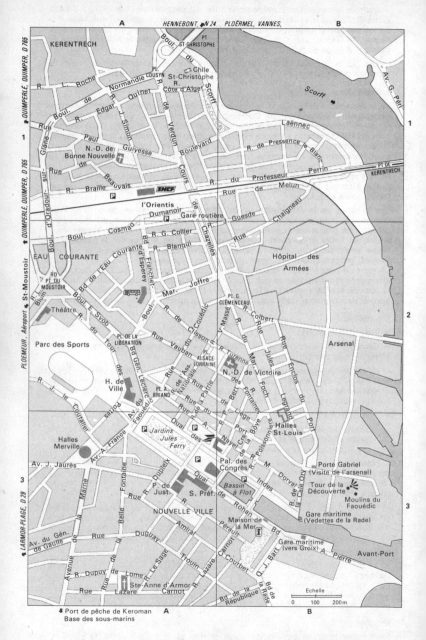

Lorient

reste soumis aux aléas de la mer. Tous les restaurants inscrivent une spécialité variable selon la saison : langoustines, crevettes, crabes, sardines, thon, l'été. Lieu noir, lingue, raie, sole, cabillaud, l'hiver.
Faites-vous servir des plats parfumés au kari gosse. Il ne faut pas confondre cette épice avec le curry, bien que ce soit aussi un mélange de plantes exotiques. Sa saveur, où la cannelle domine, est tout à fait originale ; on l'emploie surtout dans les sauces accompagnant le poisson. La recette appartient à la pharmacie Pinson, à Lorient, 20, rue Ducouëdic, qui en est le dépositaire grossiste.

● *Bon marché*

– *La crêperie Sainte-Hélène* : 34, rue du Docteur-Villers. ☎ 97-21-33-81. Fermé le dimanche et le mercredi soir (sauf juillet et août), 15 jours à la Toussaint et en février. Façade toujours fleurie, décoration intérieure rénovée. Pour 40 F, soit 3 ou 4 crêpes + une bolée de cidre, on fait un excellent repas.

– *Bar-restaurant de la Liberté* : 26, rue Poissonnière. ☎ 97-21-07-05. Fermé le dimanche et en août. On s'y bouscule le midi car le rapport qualité-prix est exceptionnel. L'élégance de la patronne cuisinière accompagne l'accueil aimable du son barman de mari. On y sert au menu à 46 F S.C. : feuilleté de petits légumes ou moules marinière ou assiette de campagne, puis rosbif ou gratin dauphinois (spécialité) ou noix de porc en cocotte ou andouillette grillée ou filet de lieu sauce hollandaise ; enfin, au dessert : gâteau au chocolat, ou tarte Tatin, ou glaces variées. Voilà notre meilleur conseil de bonne cuisine à Lorient pour le sourire, le goût, le décor, et on ne vous parle pas du menu à 85 F.

– *Le Kiosque* : à l'entrée du port de pêche. Ouvert à partir de 2 h tous les jours de criée. Les noctambules peuvent emporter boissons chaudes et froides, croque-monsieur, gâteaux, pâtés, etc.

● *Plus chic*

– *Au Poisson d'Or* : rue Maître-Esvelin. ☎ 97-21-57-06. On vous sert une très bonne cotriade (bouillabaisse locale). Menus à 90 et 130 F. Le tout dans un cadre superchic rénové en 1990, avec en prime le sourire du patron !

– *Le Pic* : 2, boulevard du Maréchal-Franchet-d'Esperey. ☎ 97-21-18-29. Fermé le samedi et le dimanche. « Parlez de nous en bien ! Parlez de nous en mal ! Mais parlez de nous ! » C'est la devise de cet établissement. Aux menus à 85 et 150 F, ils proposent, entre autres, terrine de légumes au coulis de tomate et basilic, compote de joue de bœuf aux pâtes fraîches, blanc de carrelet sauce tartare, gâteau au chocolat amer, etc. Le tout exquis, inventif mais pas trop. Le patron est un expert en vins – il fut couronné meilleur sommelier de Bretagne en 1986. Jetez donc un coup d'œil sur sa cave !...

– *Le Bistrot du Yachtman* : 14, rue Poissonnière. ☎ 97-21-31-91. Fermé le dimanche et lundi soir, et la 2ᵉ quinzaine d'août. Menu à 58 F (sauf le samedi soir), avec terrine de langoustine à la crème de cresson, filet de daurade à la fondue de poireaux, fromage, œufs à la neige et caramel. Décor sobre et élégant comme le patron, un ancien sommelier bordelais qui vous présentera donc une belle carte des vins.

● *Très chic*

– *L'Amphitryon* : 127, rue du Colonel-Muller, à la sortie de la ville vers Quimperlé. ☎ 97-83-34-04. Fermé samedi midi et dimanche. Il faut réserver sa table, car c'est la meilleure et la plus luxueuse de la région, si vous n'êtes pas un familier des « Relais et châteaux » (voir à « Hennebont »). L'Amphitryon donc vous régalera les papilles et les yeux au choix de ses menus à 140, 200 et 300 F.

**Où boire un verre ?**

– *Entrac't Bar, la Rotonde-Chambord,* etc. : place Aristide-Briand. Nombreux bars autour du cinéma *Royal*, ils se partagent la clientèle des jeunes marins.

– Les civils fréquentent les troquets de la galerie marchande autour de la Maison de la mer, face au port de plaisance.

— *Pub Gallery* : 3, rue Olivier-de-Clisson ; et *Pub Glen* : 25, rue Jean-Jaurès. Offrent un autre confort à une clientèle choisie.

### Les boîtes

— *Le Rive Gauche* : sous les arcades, au n° 5 de la place Jules-Ferry. ☎ 97-84-90-00. Une vieille cave voûtée reçoit une belle clientèle de noctambules B.C.B.G.
— *Le Pacifique* : au n° 4 de la même place, de l'autre côté. ☎ 97-21-30-90. C'est aussi en sous-sol mais dans un style résolument moderne et tout aussi luxueux, et ça chauffe fort.

### A voir

Lorient, c'est d'abord le deuxième port français pour le tonnage, la valeur et la diversité du poisson débarqué. 2 km de quais, une criée couverte de 2 ha, à voir et à sentir tôt le matin... Plusieurs milliers de personnes vivent par et pour la pêche. Le chalutier est le bateau le plus utilisé, mais les autres techniques de pêche ne sont pas en reste, comme la palangre, le filet maillant ou le casier. Quelque 60 espèces sont offertes sur le marché sous les halles de Merville tous les matins, près de la mairie.

— Le *port militaire* comprend, entre autres, la base des sous-marins et la célèbre base aéronautique navale de Lann-Bihoué. La Marine est en effet le premier employeur de la région. Environ 40 000 personnes en dépendent... Les détenteurs d'une carte d'identité française peuvent visiter l'arsenal (entrée porte Gabriel : plan B3) et la base des sous-marins (près du port de pêche). Mais attention lorsque vous venez reprendre votre carte d'identité, car pendant votre séjour à bord les gendarmes ont vérifié, par l'intermédiaire du réseau Saphir, que vous étiez bien en règle avec la loi. Alors gare à ceux qui n'auraient pas payé leurs contraventions ou leur pension alimentaire. Vous serez invité à vous mettre en règle de suite !

— Le *port de plaisance* accueille régulièrement les concurrents de la transat en double, la course de l'Europe et le Tour de France à la voile. Une belle escale que ce bassin à flot dominé par la Maison de la mer, qui a pour mission de faire connaître au public les activités liées aux ports de Lorient, ainsi que les nouvelles technologies consacrées à la mer. L'architecture de cet édifice au toit en forme de voile est due à Jacques Rougerie.

— En suivant le quai des Indes (plan B3), gagnez le quartier piéton toujours très animé, autour de la place Aristide-Briand (plan A2). Sur la place Alsace-Lorraine (plan A2), l'*église Notre-Dame-des-Victoires*, de plan carré, est construite en béton armé, recouverte par un dôme aplati. A l'intérieur, vitraux jaunes et blancs, et fresque d'Untersteller *(le Jugement dernier)*. Ailleurs, les immeubles n'inspirent pas une admiration délirante, sauf aux amateurs du modern style du premier quart de notre siècle ; voir les maisons de la rue Madame-de-Sévigné et de la rue Carnot. Quelques belles façades classiques au bout du quai des Indes ; voir, au passage, la charpente des archives de la marine sous la tour de la Découverte. A découvrir aussi les gargouilles « osées » de l'église Notre-Dame-de-Kerentrech, quartier au nord de la gare S.N.C.F. ; la chapelle qui domine le pont Saint-Christophe, ancienne maison du passeur du Scorff ; le parc à bois sur la rive de Lanester et le cimetière de bateaux à l'embouchure du Blavet, en amont de Lorient sur la commune de Lanester.

## LARMOR-PLAGE (56260) _____

Commune touristique et balnéaire très fréquentée par les Lorientais. Lorsqu'un bâtiment de guerre part en campagne, il salue Notre-Dame de Larmor de trois coups de canon, la cloche de l'église répond alors au navire et le « recteur » fait hisser le pavillon français. A la Saint-Jean a lieu la bénédiction des Coureaux (nom du chenal qui sépare Groix de la côte).
L'*église*, dont quelques piliers du transept seraient du XIIe siècle, possède un porche flamboyant, exceptionnellement ouvert au nord pour se protéger des vents du large (tour forteresse achevée en 1666). Elle est maintenant entourée d'une belle place entièrement réservée aux piétons... enfin ! A l'intérieur, dans le bas-côté gauche, retable de la Crucifixion, d'inspiration flamande. On y voit

des petits personnages très expressifs. Au bas de la rue conduisant au cimetière, *fontaine Notre-Dame,* du XVIII° siècle. Le dimanche le plus proche du 24 juin a lieu la bénédiction de la mer.

Des deux plages que possède la commune, une en rade, l'autre ouverte sur le large, nous vous recommandons cette dernière, facile à comprendre, non ? Le port de plaisance a été inauguré en mars 1987 dans l'anse de Kernével que protège le fort à la Vauban construit en 1746, et qui abrite maintenant le club nautique de la marine. A signaler, l'intense activité et les champions du club de véliplanchistes !

### Adresses utiles

– *Office du tourisme :* place Notre-Dame. ☎ 97-33-70-02.
– *Base nautique de l'anse de Kerguelen :* ☎ 97-65-40-75.
– *Port de plaisance de Kenevel :* club-house et capitainerie. ☎ 97-65-48-25.
– *Homard-club subaquatique :* à Ploëmeur. ☎ 97-82-21-80.

### Où dormir ? Où manger ?

● *Bon marché*

– *Camping :* voir à la mairie de Ploëmeur (☎ 97-82-32-14) qui exploite des terrains municipaux très corrects sur la côte, dont un près de la *plage naturiste des Kaolins.*
– *Chambres d'hôte :* 9, rue des Roseaux. ☎ 97-65-50-67. Chez *Jean Allano.* 3 chambres pour 180 F environ.

● *Assez bon marché*

– *Hôtel-restaurant Confortel-Louisiane :* 2, avenue de Kerhoas. ☎ 97-83-58-28. Entre Lorient et Larmor, à droite, face à l'hypermarché Leclerc. Hôtel de 31 chambres, tout neuf. Stationnement facile, calme. Prix des chambres : 240 F. Menus de 48 à 89 F, très complets. Si la cuisine est banale, le cadre ne l'est pas.

● *Plus chic*

– *Hôtel-restaurant Les Mouettes :* ☎ 97-65-50-30. Ouvert toute l'année. 21 chambres avec salle de bains, w.-c. et vue sur mer. Chambres à 280 F en moyenne. Confort deux étoiles. Salle à manger panoramique. Menus de 79 à 295 F. Calme et accueil sympa garantis.

## PLOËMEUR (56270) ⸻

De Larmor-Plage, suivez la route côtière qui passe par le joli petit port de *Lomener* où on peut embarquer sur le *Dorn Doué* pour une partie de pêche autour de l'île de Groix. Réservez votre place au café *le Moulin Vert,* ☎ 97-82-94-92 (matériel et appâts sont fournis par le patron du bateau). Si la croisière ne vous tente pas, vous pouvez plonger pour chasser les poissons autour du port de Kerroch qu'on dit fréquenté par les « Marocains » (parce qu'on se marre à Kerroch !).

Poursuivez vers Guidel, la *plage du Fort-Bloqué* (propriété privée accessible seulement à marée basse) est fréquentée par les planchistes sur pneumatique, et par les surfeurs quand il y a gros temps (c'est assez fréquent). Plus loin, vous trouverez la *plage naturiste des Kaolins* et enfin les dunes de *Guidel-Plage* et son port de plaisance à l'embouchure de la Laïta : difficile d'accès. Un joli sentier de 9 km permet d'aller d'une rive à l'autre via le pont Saint-Maurice, sans avoir recours au passeur.

### Adresses utiles

– *Office du tourisme :* à la mairie. ☎ 97-65-37-11.
– *Poney-Club des Cinq Chemins :* à Kerleho. ☎ 97-65-33-31.
– *Golf Ploëmeur-Océan :* 18 trous en bord de mer. ☎ 97-32-81-82.

### Où dormir ? Où manger ?

– *Chambres d'hôte :* à Keryvelen. ☎ 97-65-31-95. 4 chambres chez Simone Le Caignec.

– *Camping de Penermalo :* ☎ 97-05-99-86. En bord de mer. Ouvert toute l'année.
– *Camping naturiste de Keranstumeau :* à Cléguer. ☎ 97-32-57-91.

● **Plus chic**

– *Hôtel la Châtaigneraie :* à Guidel, route de Clohars. ☎ 97-65-99-93. Chambres à 380 F. Situé dans un magnifique manoir breton.
– *Restaurant Vent de Soleil :* sur le port de Lomener. ☎ 97-82-83-58. Ouvert toute l'année. Salle à manger à l'étage avec vue sur mer. Cuisine inventive de la patronne. Premier menu à 85 F.
– *Bar-restaurant le Vieux Fort :* devant la plage du Fort-Bloqué, à Ploëmeur. Ouvert midi et soir, de mai à octobre. Menus à 65, 90 et 120 F. Le patron fait une bonne cuisine copieuse, servie éventuellement sur la terrasse face à la mer !

**A voir**

– *La Manufacture de Bonneterie lorientaise :* zone industrielle des Cinq Chemins, à Guidel. ☎ 97-65-97-67. Ouvert de 9 h à 12 h et de 14 h à 18 h. De Guidel, prendre direction Lorient par voie rapide. Pulls superbes 30 % moins chers. En juillet et août, une solderie offre des réductions jusqu'à 50 % du prix.
– *Le Val Queven :* golf 18 trous au vert. ☎ 97-57-18-96. Près du zoo de Pont-Scorff.

## PORT-LOUIS (56290)

Autrefois nommée le Havre du Blavet, cette ancienne place forte commande l'entrée de la rade de Lorient, en arrière de la presqu'île de Gâvres. Toujours protégée par ses remparts, la ville garde quelques beaux souvenirs de sa splendeur au temps de la Compagnie des Indes dont elle abrite maintenant le musée.

### Un peu d'histoire

Ce port bénéficie d'une situation exceptionnelle et connaît, dès le Moyen Age, une grande activité. A l'époque de la Ligue, les Espagnols viennent soutenir le duc de Mercœur, gouverneur de Bretagne, qui a chassé les protestants retranchés à Port-Louis. Les soldats de don Juan del Aguila construisent alors la citadelle où ils resteront jusqu'en 1598.
En 1618, Louis XIII, qui a terminé les travaux de fortification de la ville, lui donne le nom de Port-Louis. Sous Louis XIV, elle devient un important port de commerce, mais, face à la concurrence de Lorient, Port-Louis périclite avec la fin du siècle.

### Adresses utiles

– *Office du tourisme :* Grande-Rue. ☎ 97-82-52-93.
– *Port de plaisance de l'anse du Driasker :* ☎ 97-82-46-16. 169 places.
– *Club nautique :* ☎ 97-82-18-60.

### Où dormir ? Où manger ?

– *Hôtel du Commerce :* 1, place du Marché. ☎ 97-82-46-05. Fermé dimanche soir et lundi hors saison. Un hôtel banal mais confortable. Chambres de 155 à 256 F. Menus corrects à 60 et 90 F... Sans surprise.

● **Plus chic**

– *Restaurant Avel-Vor :* 25, rue Locmalo. ☎ 97-82-47-59. Ne fait plus hôtel. Dommage, car la vue est superbe sur la « petite mer » de Gâvres. Bon menu à 90 F avec salade de poisson ou 9 huîtres, suivies d'un filet de lieu ou de côtes d'agneau, fromage ou dessert.

**A voir**

S'il reste de nombreux témoignages de la splendeur passée de Port-Louis, la ville a cependant souffert des bombardements de la Seconde Guerre mondiale.

– *La Citadelle :* commencée par les Espagnols en 1590, à l'époque de la guerre de la Ligue, elle fut achevée en 1620 sous Louis XII. Elle occupe la pointe de la presqu'île qui ferme au S.-E. la rade de Lorient. Le grand pavillon de la porte Royale et ses 2 bastions latéraux sont l'œuvre de Cristobal de Rojas ; les autres tours ont été édifiées par l'architecte du maréchal de Brissac : Jacques Corbinau. Cette citadelle « accueillit » de nombreux prisonniers : prêtres réfractaires pendant la Révolution, conscrits réfractaires sous l'Empire, Louis-Napoléon Bonaparte, en 1836, communards et résistants... A l'intérieur, il faut visiter le *musée de la Compagnie des Indes* (ouvert de 10 h à 19 h de juin à septembre ; de 10 h à 12 h et de 14 h à 17 h d'octobre à mai ; fermé le mardi et en novembre). Ce musée, qui occupe les casernements de la citadelle, retrace l'aventure commerciale des Compagnies par actions de navigation et de commerce. On expose des échantillons de marchandises exotiques : épices, étoffes, porcelaines. Il y a aussi beaucoup de souvenirs de la marine royale.

— De l'esplanade des Pâtis, une porte dans les remparts donne accès à la *plage des Grands Sables*, qui regarde la pleine mer barrée au loin par le profil de Groix. Les remparts forment une superbe digue de pierre. Très belle vue sur la rade.

— Dans la *vieille ville* de Port-Louis, maisons anciennes et serrées les unes contre les autres, telles celles des n<sup>os</sup> 13 ou 36, rue des Dames, du 36, rue de la Pointe, etc.


## GÂVRES (56290) _____

A l'extrémité d'une langue de sable de 3 km orientée est-ouest (terrain militaire), on accède au bourg via Plouhinec ou en traversant en bateau la petite mer de Gâvres en 5 mn. A marée basse, la vasière fait le bonheur des pêcheurs à pied.
Gâvres plaira au routard curieux et pas snob. Il pourra vivre auprès des marins pêcheurs — des vrais, ceux-là — au bord de la mer.
Cette petite commune possède de belles plages vierges accessibles seulement le week-end, car souffrant d'une servitude de tir de la Marine nationale qui dispose sur place d'un important atelier pyrotechnique : essai de poudre à canon. Pas de danger en principe... Donc, pas de camping sauvage ; il en existe un très confortable en bord de mer :
— *Camping municipal des Joncs* : rue du Polygone. ☎ 97-82-46-88.

— *Club Nautique U.C.P.A.* : ☎ 97-82-13-33.

Pas d'hôtel mais une crêperie :
— *Crêperie du Mengwen* : 13, place du Général-de-Gaulle. ☎ 97-82-52-76. Ouvert tous les jours, midi et soir, du 15 juin au 15 septembre. Un café sera gracieusement offert à toute personne présentant le Guide du Routard. Bien et pas cher !
— *Chambres à louer* : chez Noël Guennec à Kervassal-en-Riantec.


## LOCMIQUÉLIC (56570) _____

La rive gauche de l'embouchure du Blavet dans la rade est appelée « terre sainte » par les Lorientais, et les habitants de Locmiquélic des « minaouets », du nom de l'outil qui servait à roter le chanvre pour faire les épissures. L'appellation de terre sainte s'explique probablement par l'existence — jadis —, sur cette paroisse détachée de Riantec, de deux couvents : Sainte-Catherine, fondé en 1447 par les franciscains sur un minuscule « îlot » proche du bourg actuel, et Saint-Michel, fondé en 1040 par les bénédictins de Sainte-Croix de Quimperlé, sur l'île Tanguethen, située au centre de la rade. Il n'y a plus de couvent et pourtant on parle encore de la terre sainte. La plupart des minaouets ne savent pas pourquoi ! Posez-leur la question le jour de la fête des Langoustines, en juillet. L'accent du pays est charmant... Ils seront surtout loquaces à propos de leur projet de cité lacustre cinématographique à Sterbouest...

— *Chambres à louer* : chez Eugène Frapper, à La Villeneuve-en-Kervignac. ☎ 97-65-74-60.
— *Auberge de Kernours* : près du rond-point Hennebont, Port-Louis et Lorient Belz. ☎ 97-81-26-09. Excellent routier tout neuf, animé. Ouvert toute l'année. Grande capacité d'accueil. Rapport qualité-prix exceptionnel. Menus de 40 à 140 F.

## HENNEBONT (56700)

La ville fut de tout temps un point stratégique important, à la fois port maritime et ville de passage sur le Blavet. Elle subit au cours du Moyen Age des sièges mémorables, dont un fit la gloire de Jehanne la Flamme en 1342. Plus près de nous, au cours de la Seconde Guerre mondiale, les Allemands, retranchés dans la poche de Lorient, lancèrent sur la ville des obus incendiaires. Profondément meurtrie par les bombardements, la cité a heureusement préservé sa basilique, superbe élan de pierre, et ses remparts dominant le Blavet.

### Adresses utiles

– *Office du tourisme :* place du Maréchal-Foch. ☎ 97-36-24-52.
– *Gare S.N.C.F. :* ☎ 97-36-20-08.
– *Société hippique des haras :* ☎ 97-36-16-34.

### Où dormir ? Où manger ?

– *Auberge de jeunesse :* à Inzinzac-Lochrist, ferme du Gorée. ☎ 97-36-08-08. Fermé de novembre à février. Cadre agréable, vieille ferme rénovée avec cheminée et four à pain en état. Possibilité de confectionner ses repas. 37 F la nuit. Accès par le bus 35.
– *Auberge de Toul Douar :* ancienne route de Lorient. ☎ 97-36-24-04. Fermé lundi, dimanche soir, et en février. Chambres de 100 à 200 F. Au restaurant, premier menu à 58 F. Grande salle pour noces et banquets. Le chef patron élève aussi ses poules et cultive son jardin. C'est de plus un excellent pâtissier, et ultrasympa, comme sa charmante épouse. Accueil chaleureux !

### A voir

– *La basilique Notre-Dame-du-Paradis :* ce splendide édifice de style gothique a été épargné pendant la guerre, à l'exception de la flèche, haute de 72 m, maintenant restaurée. Sous l'énorme tour carrée de façade s'ouvre un porche orné d'arcatures flamboyantes. Sur la place, puits ferré datant de 1623 et quelques belles façades du XVIIe siècle.

– *La porte Broërec :* du XIIIe siècle. Elle servait autrefois de prison. *Marion du Faouet,* une sacrée nana ! (dont nous vous recommandons de lire la vie...) y fut détenue en 1746. Après avoir franchi la porte, prenez à gauche l'escalier qui monte au chemin de ronde des remparts, d'où l'on a une vue plongeante sur les jardins à la française et le Blavet.

– *Les haras nationaux :* visite commentée en saison. Pour les passionnés d'équitation. Écuries installées en 1857 sur le parc de 24 ha de l'ancien monastère de cisterciennes de la Joie-Notre-Dame. L'effectif est maintenant limité à 80 étalons dont 30 de la race bretonne. On visite les écuries, la sellerie, le manège et la forge du maréchal-ferrant. Le haras entretient une belle collection de calèches.

– *Les forges d'Hennebont :* en fait, à *Inzinzac.* Elles ont été créées en 1860 et abandonnées un siècle plus tard. L'*écomusée* des Forges est ouvert de 14 h à 18 h en saison. Hors saison, de 9 h à 12 h et de 14 h à 16 h. Fermé samedi, dimanche et lundi matin. Dans un paysage démantelé, on retrouve les souvenirs de la vie sociale et de la technologie de ce qui a été une des plus importantes entreprises de Bretagne.

– A partir d'Hennebont, belles balades le long du Blavet : parcours du cœur pour les sportifs. Base nautique de canoë-kayak à Lochrist.

## L'ÎLE DE GROIX (56590)

« Qui voit Groix, voit sa joie. »
A trois quarts d'heure en bateau de Lorient, l'île de Groix permet une réelle évasion... et l'on comprend vite pourquoi les habitants de Lorient sont désireux d'y avoir une résidence secondaire... Le contraste est frappant entre la côte est abritée du vent, où les maisons sont nombreuses, et la côte ouest où la mer s'impose furieusement.
Située à environ 6 km du continent, l'île de Groix est longue de 8 km, large de

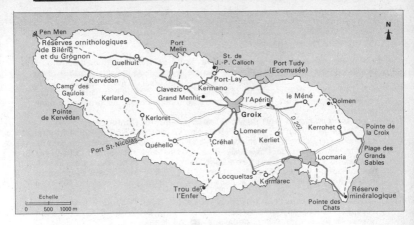

*Ile de Groix*

3 km et culmine à 52 m. Une réserve minéralogique attire des géologues du monde entier. Ils étudient les phénomènes de métamorphisme : la transformation des roches sous la pression et la chaleur. Le site le plus intéressant se trouve entre la pointe des Chats et le fort de Nosterven.

### Comment y aller ?

— *En bateau : Compagnie morbihannaise et nantaise de navigation*, boulevard Adolphe-Pierre, Lorient. ☎ 97-21-03-97. 4 à 8 transbordements par jour, selon la saison ; 45 mn de traversée. Pour les passages de voitures en saison, il faut réserver.
— L'île possède un petit *aérodrome,* près du fort de Crognon.

### Adresses utiles

— *Syndicat d'initiative :* sur le port. Ouvert en saison. ☎ 97-86-53-08. Renseigne aussi pour les locations de villas et meubles.
— *Location de vélos :* sur le port. Idéal pour découvrir l'île. Fournit une carte.
— *Location de voitures :* ☎ 97-86-81-57. Environ 200 F la journée et environ 2 F du kilomètre.
— *Club de plongée Subagrec :* route de Cremal. ☎ 97-86-22-23. Il y a de beaux sites à explorer autour de l'île.

### Un peu d'histoire

Groix fut longtemps fréquentée par les Celtes. On pense même que le nom de l'île dérive du nom gaélic *Groulh* qui signifie « fée » et qui a sans doute pour origine la présence d'un collège de druidesses. De nombreux monuments mégalithiques sont encore visibles : dolmen et tumulus de Moustero, ainsi que les vestiges d'un camp romain à Kervedan, qui fut établi vers l'an 50 avant notre ère. On appelle les Groisillons des *Grecs* parce qu'ils ont pour habitude de garder toujours au chaud une cafetière (la *grek* en breton) pour servir le pêcheur de retour au foyer.
Lors de la christianisation de la Bretagne, au Vᵉ siècle, l'île sert de refuge aux Grands-Bretons fuyant les Anglo-Saxons. Les Normands, eux, débarquent au Xᵉ siècle. On a retrouvé à Locmaria, fait unique en France, une sépulture viking à barque incinérée sous tumulus et datée. Groix était sur la route des conquérants scandinaves. Au XVIᵉ siècle, l'île passe sous la coupe des Rohan. Le prince de Rohan afferme les terres et perçoit des redevances seigneuriales. Il faudra attendre 1830 pour voir la fin de la dépendance féodale.
Curieusement, ce n'est qu'à la fin du XIXᵉ siècle que l'île aura un port : Port-Tudy. Jusqu'en 1940, Groix sera le premier port français d'armement au thon. Avec la concurrence du port de Lorient et la disparition de la pêche à la voile,

Groix se voit contrainte de se reconvertir dans le tourisme, pour le meilleur et pour le pire.

## Où dormir ? Où manger ?

– *Auberge de jeunesse du Fort de Méné* : ☎ 97-86-81-38. Fermée à partir du 7 octobre. Prenez le sentier côtier qui mène à la pointe de la Croix. Cette A.J. de 66 lits se trouve remarquablement bien située en bord de mer. Plage au pied de la falaise. Camping à proximité, location de tentes. 32 F la nuit. Ouvre à 18 h.
– *Gîte d'étape* : à Port-Tudy, dans une jolie bâtisse, avec une grande terrasse dominant le port.
– *Camping municipal* : fort du Méné. ☎ 97-86-80-15. Confortable.
– *Hôtel de la Marine* : 7, rue du Général-de-Gaulle. ☎ 97-86-80-05. Fermé le dimanche soir, le lundi hors saison, et en janvier. Au bourg, à droite, en haut de la côte, en venant de Port-Tudy. Il a été restauré récemment. Chambres doubles de 170 à 328 F. Au restaurant, menus à 62 F avec soupe de poisson, plat du jour ou filet de lieu poêlé, et dessert, et à 95 F avec soupe de poisson, moules à la crème d'ail, filet de saint-pierre à l'estragon, et assiette aux trois sorbets.
– Quelques crêperies et de très nombreux cafés, dont *Ty Beudeff*, à droite toujours, sur la route qui monte du port, vers le bourg. ☎ 97-86-80-73. Tout à fait typique de l'esprit groisillon : gouaille et bonne humeur.
On ne s'ennuie pas non plus dans la *Taverne Celtique*, tenue par Serge Bihan, à Kerampoulo, sur la route de Locmaria. ☎ 97-86-89-34. Ouverte toute l'année. Gilles Servat y vient souvent chanter son répertoire marin breton. Ce n'est pas triste non plus avec Lucien Gourong, autre enfant du pays et conteur truculent : « C'est ici qu'on boit et pas ailleurs. » Ses histoires de veillées mortuaires déclenchent le fou rire...

## A voir

● *Le Méné* : ce village est remarquable pour ses maisons traditionnelles de pêcheurs-agriculteurs, maisons basses en schiste enduit, avec corniche de bois, serrées autour de la chapelle Notre-Dame-du-Calme.

● *La plage des Grands-Sables* : à l'est de Groix, c'est l'une des rares plages convexes d'Europe. Idéale pour les sports nautiques. Dommage qu'on ait construit au-dessus de la plage un village de vacances qui porte atteinte au site. Au sud, elle est prolongée par des criques superbes. On se baigne, mais l'eau reste froide même par très beau temps. Secteur extra pour la plongée et la chasse sous-marine.

● *Locmaria* : sur la côte sud, très joli village avec ses ruelles étroites, ses lavoirs et ses fontaines, ses maisons blanches, serrées les unes contre les autres. Il fallait bien se protéger du vent. Dans l'église, des ex-voto marins. La côte de Locmaria au *Trou de l'Enfer* est très belle.

● *Le Bourg* : c'est la plus grosse bourgade de l'île. Sur la place centrale, l'*église Saint-Tudy*, dont le clocher est surmonté d'un thon « en guise » de coq. La route des plages longe le cimetière qui abrite un monument des « Péris en mer ».

● *Port-Tudy* : port de commerce, de pêche et de plaisance. Capitainerie, ☎ 97-86-54-62. Bassin à flot avec pontons (105 places). On peut aussi s'amarrer sur les coffres du grand bassin, c'est moins calme. Pourtant Groix est une escale très appréciée. *Club nautique* : ☎ 97-86-82-84.
– *Écomusée de Groix* : à Port-Tudy. ☎ 97-86-84-60. Ouvert tous les jours, sauf lundi, du 9 septembre à la fin juin, de 10 h à 12 h 30 et de 14 h à 17 h ; tous les jours, de la fin juin au 8 sept., de 9 h 30 à 12 h 30 et de 15 h à 19 h.

● *Pen Men* : la pointe nord-ouest de l'île est une réserve naturelle très bien gérée par la Société d'étude et de protection de la nature en Bretagne. Visites guidées sur réservation à l'écomusée. Un paysage très sauvage que l'association essaie de protéger en aménageant des sentiers et en informant le public. On y voit toutes sortes d'oiseaux de mer et des plantes rares, d'origine méditerranéenne. Un minéral très particulier, le glaucophane bleu, fait la célébrité internationale du site.

● *Port-Saint-Nicolas* : très jolie crique au milieu des falaises, où gisent quelques barques de pêcheurs. Malgré les épaves qui longent la plage, l'eau reste très claire. En revenant de Port-Saint-Nicolas, ne manquez pas les maisons du village de *Kerlard*, très représentatives de l'habitat de l'ouest de l'île.

Nous avons cité les points les plus importants de l'île. Mais vous découvrirez aussi des sites superbes en marchant sur les sentiers côtiers bien balisés. Bonne promenade...

## – AUTOUR DE LA RIVIÈRE D'ÉTEL –

Si vous voulez faire quelques découvertes vraiment superbes « hors des hordes », sachez qu'à deux pas des lieux surpeuplés se trouve une rivière qui étale ses charmes entre ciel et terre, et rivalise de beauté, de paix et de lumière avec ses orgueilleux voisins. La rivière d'Étel présente, aux curieux seulement, une multitude de sites dont on vous signale ici les plus remarquables.

D'autre part, le routard un tantinet curieux observera la végétation originale. Sur un sol de granit imperméable, l'eau stagne partout en hiver. L'ajonc aux deux floraisons et le genêt constituent une lande riche. Les murets de pierres sèches abritent la bruyère, les digitales étalent leur pourpre, les ormes et les chênes résistent à la prolifération des pins maritimes. La S.E.P.N.B. (Société d'étude et de protection de la nature en Bretagne), encore elle merci, a remarqué la présence de l'*eryngium viviparum*, une plante très rare qui ne pousse que dans les terrains maritimes piétinés par les vaches. On s'emploie maintenant à protéger les prés humides où cette petite herbe précieuse survit. On vous l'avait dit, la rivière d'Étel est pleine de ressources... et pas seulement de parcs ostréicoles.

## ÉTEL (56410)

Surprenante, la ria d'Étel ! C'est le plus bel exemple de ce qu'on appelle une ria en bouteille. Elle est étroite à l'embouchure, où se forme une méchante barre (le Dr Bombard s'en souvient !) quand le flux des eaux douces se heurte à la marée montante ; et évasée en aval, avec de multiples bras de mer où logent les chantiers ostréicoles. Le pont Lorois franchit majestueusement la rivière du Sach d'où l'on a un spectacle permanent, variant avec la marée, le ciel, les saisons. C'est un des plus beaux sites de la côte bretonne.

– *Le Trianon :* 14, rue du Général-Leclerc. ☎ 97-55-32-41. 15 chambres confortables et bien tenues, à 260 F par jour et par personne en demi-pension.

### ● *L'île de Saint-Cado*

Voici une perle rare qu'il faut absolument aller voir au soleil couchant... en amoureux romantique. Située au milieu de la rivière, l'île, reliée au continent par un pont, abritait au XVII<sup>e</sup> siècle le port des « pressiers de sardines ». Ils ont laissé la place aux ostréiculteurs qui vendent leurs huîtres aux touristes intéressés par la chapelle du XVI<sup>e</sup> siècle et son énorme calvaire, et par l'aiguade où les pêcheurs venaient s'approvisionner en eau douce. Le port d'Étel ne vaut pas un long détour ; par contre, un coup d'œil sur la barre au pied du sémaphore, rive droite, peut procurer quelques vives sensations. Josiane René est la seule femme civile à exercer le métier de sémaphoriste en Europe. En dehors du code maritime, elle a plein d'histoires à raconter.

– *Camping du Moulin des Oies :* à Belz. ☎ 97-55-31-89. En bordure de la rivière d'Étel. Idéal pour les amateurs de calme et de pêche.

– *Hôtel-restaurant le Relais de Kergou :* à Belz. ☎ 97-55-35-61. Logis de France de 12 chambres donnant sur un jardin. Compter de 150 à 250 F. Salle à manger avec vieilles poutres et cheminée. Cuisine soignée du jeune chef patron. Menu à 90 F. Voilà un bon lieu de séjour un peu en retrait des grandes stations balnéaires.

## ERDEVEN (56410)

*Ar deuen*, « sur la dune » en breton, garde pour cause de servitude militaire les plus vastes espaces libres en bord de mer sur la côte sud de la Bretagne. Le *château de Keravéon,* maintenant transformé en hôtel de luxe, se trouve à proximité d'un parc d'attractions ouvert au public. La commune possède aussi quelques beaux monuments mégalithiques dont le *dolmen de Crucuno* (un bien joli nom). Plage naturiste de *Kerminihy*.

Char à voile, tourisme équestre, golf, pêche, excursions sur la rivière d'Étel, tout est possible. Renseignez-vous à l'*office du tourisme* d'Erdeven, « la nouvelle station de vacances près de la nature », B.P. 26. ☎ 97-55-64-60.

### Où dormir ? Où manger ?

– *Chez Maurice Hubert* : près de l'église. ☎ 97-55-64-50. Fermé le lundi, et en octobre. 18 chambres récemment modernisées, une bonne table classique, ambiance et prix sympa.

– *Camping des Sept-Saints* : ☎ 97-55-52-65. Fermé à partir du 15 septembre. 200 emplacements. Boutique, jeux, salle de réunions, piscine. Réservation souhaitable.

– *Manoir de Kercadio, La Grignotière* : route d'Auray à Erdeven. ☎ 97-55-64-69. Ouvert tous les jours de juin à septembre et les week-ends de mars à juin. Offre plusieurs types de cuisine, dans un décor médiéval, ou sur la terrasse de la crêperie.

– *Hôtel-restaurant des Voyageurs* : ☎ 97-55-64-47. Premier menu à 50 F.

## PLOËMEL (56400) _____

Connu pour son superbe golf de 3 fois 9 trous. Parc de loisirs et zone résidentielle. A la mi-juillet, pittoresque fête folklorique : *Fest ar Blead* (fête du blé), animée par les *Danserion Bro Plenner ;* ambiance joyeuse, repas campagnard, exposition d'artisanat et d'antiquités. Du bon folklore enfin.

– *Chambres d'hôte :* route d'Erdeven. ☎ 97-56-84-50. 4 chambres chez Joseph Marpaud. 160 F avec petit déjeuner.

## LOCOAL-MENDON (56550) _____

Possède – qui l'eut cru – 40 km de littoral sur la rivière d'Étel. Là, niche une faune variée de canards, hérons, et cormorans. A découvrir aussi les trois croix du village du Moustoir, la croix de Pen er Pont, sur l'isthme de Locoal, le porche et le chevet de l'église paroissiale de Mendon. La « cache » de Cadoudal, creusée dans les talus de l'île de la Forest, n'est plus accessible (propriété privée), mais on trouve au cimetière de Locoal d'émouvants vestiges de la guerre des chouans : tombe des courriers de Cadoudal.

– *Manoir de Porh Kerio :* ☎ 97-24-67-57. Fermé le mardi soir, le mercredi et un mois en hiver. Un manoir du XVe siècle en pleine campagne, avec une immense cheminée. Quel dommage qu'il n'y ait pas de chambres ! Menus à 76, 135 et 215 F. Quelques plats : huîtres pochées à l'émincé de choux, filet de porc au cidre, buissonnière de pétoncles à la vinaigrette de pamplemousse.

– *Crêperie de Ty Baron :* à la sortie de Belz, direction Auray. ☎ 97-55-46-39. Jolie ferme bretonne fleurie, bien aménagée, grande cheminée, décoration rustique authentique. Maman Collet et ses deux filles servent de délicieuses crêpes et créent l'ambiance. Il est prudent de réserver sa table le soir.

– *Ferme-auberge du Moustoir :* ☎ 97-24-64-59. Gîte et table d'hôte tenus par Anne-Marie et Gilbert Guellec.

## LANDEVANT (56690) _____

*Chapelle de Locmaria* dont le chevet est éclairé par une splendide fenêtre rayonnante. On remarquera aussi une petite colonne à chapiteau dorique et tailloir sculpté de masques du XVe siècle ; des statues anciennes ornent une galerie. A l'endroit précis où la rivière de Kergroix se jette dans la ria d'Étel, subsiste un *moulin à marée* dont on voit encore l'énorme roue de 6 m de diamètre plonger ses palettes dans le « coursier ».

### Où dormir ? Où manger ?

– *Le Pélican :* au bourg. ☎ 97-56-93-12. Restaurant très connu depuis qu'il a obtenu le diplôme d'honneur des Relais routiers. Pourtant la RN 165 ne passe

plus devant. On vous sert pour 72 F : crevettes, melon, langoustines (au choix) puis truite meunière et poulet-frites, moka ou mousse au chocolat glacé ! Voilà vraiment une bonne table pas chère qui ne démérite pas depuis 30 ans !
– *Le Vieux Chêne :* au sud de la RN 165. ☎ 97-56-90-01. Un fermier s'est reconverti avec succès en hôtelier-restaurateur de bon niveau. Bon menu à 85 F. Chambres coquettes pour 175 F.


## NOSTANG (56690)

« Queue de l'étang » en breton. Garde précieusement quelques belles *chapelles :*
Saint-Cado-du-Kergo (XVII<sup>e</sup>-XVIII<sup>e</sup> siècle). *Notre-Dame-de-Grâce* semble avoir été édifiée par les hospitaliers ; elle est divisée en deux parties reliées par un arc. *Notre-Dame-de-Joie-de-Legevin,* de style Renaissance, a un clocher octogonal accolé à une tourelle d'escalier, la tour reposant sur un socle carré débordant la façade sur des corbeaux reliés par des arcatures.


## MERLEVENEZ (56700)

Superbe église avec porche roman du XII<sup>e</sup> et du XIII<sup>e</sup> siècle. Celui qui s'ouvre au sud, en plein cintre, est mouluré de deux tores. Église bien restaurée après les dégâts de la dernière guerre. Dans le bourg, une très belle fontaine-lavoir en granit sculpté.


## PLOUHINEC (56680)

« La petite plaine » est une terre riche où l'on cultive des primeurs. La côte sauvage dispose d'immenses plages vierges. Ne manquez pas de descendre sur le port de pêche du *Magouer,* juste en face du port d'Étel.

– *Chez Marie-Annick :* Grande-Rue. ☎ 97-36-76-23. Fermé en octobre et le lundi hors saison. Pour 40 F, la patronne vous servira crudités, charcuterie, plat du jour mitonné, fromage et dessert. Accueil familial.
– *Georges Le Baron :* impasse Kercam. ☎ 97-36-76-60. Loue 3 chambres.


## PLOUHARNEL (56720)

A la racine de la presqu'île de Quiberon d'où part le train « tire-bouchon » (fonctionne seulement en juillet et août) en direction de Quiberon : devinez pourquoi ? Ici encore, on bénéficie de belles plages sauvages. A visiter, la *chapelle Notre-Dame-des-Fleurs* ou des Pleurs car elle suppléa l'église paroissiale, interdite pendant la grande peste de 1599. De forme rectangulaire, elle est consolidée par des contreforts à pinacles. Des fenêtres à meneaux éclairent, à l'intérieur, des fresques naïves et de nombreux ex-voto évoquant les naufrages. La présence de saint Jean Baptiste fait penser à une origine templière ou pour le moins à une influence des chevaliers de Malte.
Village et chapelle Sainte-Barbe parmi quelques menhirs proches des dunes. Du haut d'une petite tour carrée en saillie sur la façade, Hoche observa, en 1795, la défaite des émigrés.
Vers Carnac, *abbaye de Sainte-Anne-et-de-Saint-Michel* de Kergonan. On y vend des disques de chants grégoriens, des céramiques, objets en étain, et des fruits et légumes biologiques.

– *Camping des Landes :* à la sortie de Plouharnel en direction de Quiberon. ☎ 97-52-31-48. Agréable et bien entretenu.

## – LA BAIE DE QUIBERON ET AURAY –

### LA PRESQU'ÎLE DE QUIBERON

Un climat très doux : plus de 2 000 h de soleil par an et le Gulf Stream qui baigne la presqu'île expliquent sans doute le succès touristique de Quiberon. La baie de Quiberon est un superbe stade nautique de 18 × 20 km, animé toute l'année par l'École nationale de voile... Le nombre de résidences secondaires a triplé en 20 ans, le parc hôtelier offre 1 200 chambres classées, et le célèbre institut de thalassothérapie fondé par Louison Bobet attire, bon an mal an, quelque 16 000 curistes. Hors saison, on voit beaucoup de cars du troisième âge. 4 600 habitants recensés l'hiver ! Par contre, c'est un peu surpeuplé l'été.

#### La presqu'île dans l'histoire

Les nombreux mégalithes témoignent d'une ancienne civilisation celtique, bouleversée par l'invasion romaine, puis au Ve siècle par l'arrivée des Bretons d'Angleterre. Au Moyen Age, la presqu'île est une des grandes terres de chasse des ducs de Bretagne, car elle possède une vaste forêt, largement défrichée à partir du XIIIe siècle. Le long de la côte « en dedans », quelques boqueteaux de pins retiennent les dunes de sable. Pour protéger les nouvelles plantations, on doit les entourer d'une petite palissade en bois...
En 1795, l'escadre anglaise qui débarque avec une armée de plusieurs milliers d'émigrés est écrasée par le général Hoche : 1 500 morts et 3 000 prisonniers. Les royalistes, qui ont plusieurs fois dynamité sa statue à Port-Maria (voyez sa redingote et son sabre pliés), ne lui ont pas pardonné.
En 1882, la ligne de chemin de fer parvient à Quiberon, facilitant le transport des sardines et invitant surtout les touristes à découvrir l'endroit. Dès le début du siècle, Quiberon devient une station balnéaire, décrochant le label de station « climatique », en 1924.

#### Quiberon, l'île aux trésors ?

Les îles, ou les presqu'îles, c'est bien connu, sont propices à receler des trésors. Compte tenu des vicissitudes de l'histoire, il ne serait pas étonnant d'en découvrir à Quiberon ; tous les heureux bénéficiaires ne déclarent pas leurs trouvailles ! Pourtant, en avril 1975, un lot de 624 pièces de monnaie d'argent fut mis au jour dans une maison en réfection à Kerhostin, en Saint-Pierre-Quiberon. Elles datent des règnes de Ferdinand et d'Isabelle, Charles Quint et Philippe II (autour de 1590). On songe bien entendu au passage, en Bretagne, des troupes espagnoles venues prêter main-forte au duc de Mercœur, gouverneur de Bretagne et chef de la Ligue. On relève dans les chroniques du temps des plaintes pour que « ne soient, les maisons, arbres fruitiers, boys de marques et décorations, coupées, ruinées et abattues... ». Les soldats espagnols, ne pouvant tout emporter avec eux, enterrèrent leur butin... et le perdirent.
Tout n'a pas été récupéré. Alors, de nos jours, les touristes arpentent encore la campagne et les grèves munis de détecteurs de métaux, à la recherche de quelques trésors oubliés. A bon entendeur, salut !

#### Adresses utiles

– *Office du tourisme* : 7, rue de Verdun, à Quiberon. ☎ 97-50-07-84. Ouvert de 9 h à 12 h 30 et de 14 h à 18 h 30. Fermé hors saison le dimanche. En juillet-août, ouvert de 9 h à 20 h. Enfin un syndicat d'initiative efficace qui renseigne bien ; n'hésitez pas à le mettre à contribution.
– *Location de vélos Cycl'omar* : place Hoche, tout près de la plage. ☎ 97-50-26-00. Ouvert toute l'année. 30 F par jour pour un vélo, caution 150 F. Location de scooter 50 cc³ : 144 F la journée, caution 1 000 F.
– *Club de char à voile de la presqu'île* : ☎ 97-54-28-63.
– *Compagnie morbihannaise de navigation* : départs pour Belle-Ile, Houat et Hoëdic. ☎ 97-50-06-90. Il est prudent de laisser sa voiture dans un parking privé gardé. *Garage Sizorn*, ☎ 97-50-06-71 ; *la Sirène*, rue de Kervores, ☎ 97-50-03-97 ; *les Iles*, boulevard de la Côte-Sauvage, ☎ 97-50-08-34.

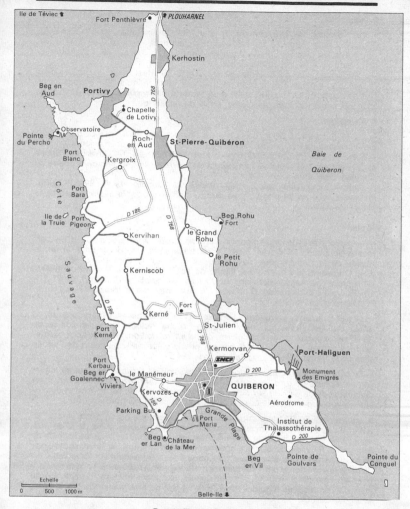

*Presqu'île de Quiberon*

## Où dormir ? Où manger ?

### ● *Bon marché*

— *Auberge de jeunesse :* 45, rue de Roch-Priol. ☎ 97-50-15-54. Ouverte toute l'année. Sans limitation d'âge. 80 chambres et dortoirs de 4 à 8 lits. Cuisine à disposition. Réservée aux membres des A.J., mais possibilité d'adhérer sur place. Stage de voile, randonnée, etc. A 10 mn du centre ville et de la mer.

— *Hôtel de l'Océan :* 7, quai de l'Océan. ☎ 97-50-07-58. Fermé de novembre à Pâques. 35 chambres de 120 à 180 F. Jolie vue avec, en premier plan, le port de pêche. Bonne cuisine, goûtez à la « fondue de la mer ». Menus à 65 et 78 F. Jeune patronne sympa.

— *Auberge du Petit Matelot :* à Penthièvre en Saint-Pierre-Quiberon. ☎ 97-52-31-21. Une maison bretonne neuve, sur le bord de la route. Menus entre 70 et 140 F. Chambres entre 170 et 290 F.

● *Plus chic*

— *Ibis* : avenue des Marronniers, à la pointe de Goulphar. ☎ 97-30-47-72. 20 duplex pour loger les familles sur 96 chambres entre 200 et 300 F. Au calme avec sa piscine. Cuisine vraiment bonne et accueil amical. Cet établissement est tout à fait recommandable.
— *L'Ile Verte* : quai de Belle-Ile. ☎ 97-50-08-39. Restaurant de l'*hôtel Beau Rivage*. Sur la plage. Décor plein de fraîcheur et un menu à 99 F proposant un filet de saumon frais mariné, suivi d'un feuilleté aux moules et d'un émincé de lotte aux petits légumes (délicieux), choix de desserts.

● *Campings*

— *Do-Mi-Si-La-Mi* : à 50 m de la mer, à Saint-Julien. ☎ 97-50-22-52. Ouvert des vacances de Pâques au 1er novembre. Douches, jeux pour enfants.
— *Les Joncs du Roc'h* : à 500 m de la mer. ☎ 97-50-24-37. Ouvert de Pâques au 30 septembre. Presque à l'extrémité de la presqu'île, pas loin de la pointe du Conguel. Bien situé.
— *Camping municipal les Sables Blancs* : à Plouharnel. ☎ 97-52-33-86. Immense, en bord de plage : anse du Pô. Agréable pour la pêche à pied ou la planche à voile.

A voir

— *Le galion de Plouharnel* : copie d'un bateau du XVII° siècle. C'est un bar-musée-boutique. Tout près, après avoir traversé la voie de chemin de fer, le *musée de la Chouannerie,* ouvert du 25 mars au 15 septembre. ☎ 97-52-31-31. Ensuite, le « tombolo », flèche de sable reliant Quiberon au continent, présente un paysage surprenant vu d'avion. *Aéroclub de Quiberon,* ☎ 97-50-11-05, vols à la demande. D'un côté, la baie immense et tranquille, de l'autre, l'Océan souvent furieux.

— *Le fort Penthièvre* commande l'entrée de l'île de Quiberon. Il fut reconstruit au milieu du XIX° siècle sur les fondations d'une redoute en bois édifiée au XVIII° siècle par le duc de Penthièvre, grand amiral de Louis XV. Ce sont maintenant les marsouins du 3° RIMA qui ont pris la place de la garnison de l'armée allemande, retranchée là jusqu'au 10 mai 1945.

— *La côte Sauvage* : c'est une longue succession de crevasses, aiguilles mena-çantes, éboulis de rocs, grottes et arches, où le vent vient s'engouffrer. Il est dangereux de se baigner sur cette côte, en raison des lames de fond et du ressac provoqué par la houle contre le talus sous-marin qui borde la côte.

● *Quiberon* (56170) : la station balnéaire et climatique fut en partie lancée, au début du siècle, par les soyeux lyonnais. Peu d'immeubles, mais de jolies maisons familiales font face à la plage, située entre la place Hoche et les rochers de Beg-er-Vil. Plus loin, une route côtière conduit à l'institut de thalassothérapie, puis un chemin mène à la pointe du Conguel : vue splendide sur Belle-Ile ! Faire de la voile ou du dériveur (centre nautique : ☎ 97-30-49-51) ; des randonnées en vélo (☎ 97-50-31-50) ; du tennis, du golf miniature, du judo ou du jujitsu, avec Jacques Riguidel (☎ 97-50-19-64) ou à la mairie (de 9 h à 11 h : ☎ 97-50-00-50).

● *Port-Maria,* d'où partent les bateaux pour Belle-Ile, Houat et Hoëdic, a perdu sa place de premier port sardinier de France.
— *La grande plage* va de Port-Maria à la pointe de Vaudré Heul où se trouve le casino, en avant du palais des Congrès. C'est la grande plage mondaine, animée, que longe le boulevard du front de mer, le boulevard Chanard : la promenade des bonnes rencontres... Plus loin, en direction de la pointe du Conguel, on vous recommande la *plage du Goviro,* plus sélecte et plus calme ; une plage sauvage, dans l'anse du Conguel ; la plage familiale et sportive devant le boulevard des Émigrés, près du yacht-club de Port-Haliguen. Vous voyez, on a le choix !

● *Port-Haliguen* : ce grand port de plaisance possède 3 darses : le vieux bassin du port de pêche où l'on s'échoue ; le port sur pontons, 400 places ; le bassin sur bouées, 600 places. Joli site, animé, bonne escale, club nautique sympa, très dynamique, compétent.
— *Maison du port :* ☎ 97-50-20-56.
— *Cercle nautique* de Port Haligen. ☎ 97-56-21-52.

Plongée, chasse sous-marine, char à voile, pêche en mer. S'adresser au S.I. On ne peut pas tout vous dire, il y a tellement de choses à faire à Quiberon, jour et nuit !

La plage de Castero serait la plus chaude de la baie de Quiberon. C'est à Port-Haliguen que débarqua le capitaine Dreyfus, à son retour de l'île du Diable en Guyane en 1899.

## BELLE-ÎLE-EN-MER (56360)

Une île, ça se mérite : il faut supporter le voyage en bateau, réserver sa place en saison, louer une maison longtemps à l'avance. Mais quelle joie en débarquant ! Voilà une île aux paysages préservés, authentiques... Certes, les maisonnettes ont poussé, ici et là, autour des hameaux. Il n'y a pourtant pas ce « mitage » que l'on voit trop souvent sur le littoral. Il reste d'immenses espaces livrés aux ajoncs et aux goélands.

Les artistes ont tous aimé Belle-Ile, de Sarah Bernhardt à Prévert, en passant par Monet, et aujourd'hui Alain Souchon et Laurent Voulzy. Ils chantent ses louanges, reprises et fredonnées en cœur par M. Collas, le sympathique président de l'office du tourisme, et sa gentille collaboratrice Marie-Aude : « Belle-Ile ? C'est la Marie-Galante de la Bretagne. »

Belle-Ile : en quelques chiffres, un canton de 4 communes classées stations balnéaires. Longueur : 17 km ; largeur : de 5 à 9 km ; superficie : 84 km². La plus grande des îles bretonnes culmine à 63 m au-dessus du niveau de la mer. Au dernier recensement : 4 500 habitants (multipliés par 5 l'été ! dont 2 400 au Palais).

### Un peu d'histoire

Après le départ des Normands qui avaient envahi l'île, Geoffroy I<sup>er</sup>, duc de Bretagne, s'approprie les biens d'Alain Canhiart, comte de Cornouailles, dont Belle-Ile. Il cède l'île aux moines de Redon, mais Alain Canhiart, ayant réussi à faire valoir ses droits, récupère son bien qu'il donne à l'abbaye Sainte-Croix de Quimperlé. Les moines des deux abbayes furent en procès pendant 143 ans (même eux !) et pour finir, ce sont ceux de Quimperlé qui l'annexent purement et simplement à la Couronne de France.

En 1573, Charles IX confie aux Gondi, ducs de Retz, le sort de Belle-Ile. Albert de Gondi fait édifier au Palais une forteresse prise et abandonnée par les Anglais, ce qui incitera des propriétaires à améliorer le système de défense. Les ducs de Retz séjournent souvent à Belle-Ile où ils invitent leurs amis. Parmi les Gondi, le plus illustre est le fameux cardinal de Retz. Mais la belle vie n'a qu'un temps. Couverte de dettes, la famille Gondi doit vendre l'île à Fouquet, le célèbre surintendant de Louis XIV. Le roi verra dans cette île fortifiée une menace qui jouera sans doute dans la décision de faire arrêter plus tard son ministre. Vauban va remanier les fortifications en 1683.

Le roi achète toute l'île en 1704, la loue à la Compagnie des Indes pour en faire un entrepôt. En 1722, l'île est cédée aux fermiers généraux. A l'époque, Belle-Ile compte 5 000 habitants. Riche et prospère, elle attise la convoitise des Anglais. En 1761, elle tombe entre leurs mains, mais les Français la récupéreront deux ans plus tard, au traité de 1763. Ils l'échangent alors contre Minorque.

Ledit traité détache définitivement le Canada du royaume de France. Les Acadiens se voient contraints de partir... C'est pourquoi, en 1765, 78 familles s'établissent à Belle-Ile. C'est ce qu'ils appelèrent « le Grand Dérangement ». Au XIX<sup>e</sup> siècle, Belle-Ile connaît une relative prospérité avec le développement de la pêche.

Au cours de la Première Guerre mondiale, de nombreux prisonniers allemands sont envoyés à Belle-Ile. Puis la citadelle devient un des grands centres d'hébergement des réfugiés de la guerre d'Espagne. Après, l'île connaîtra l'occupation allemande, de juillet 1940 à l'Armistice, car comprise dans la « poche » de Lorient. Ses habitants en ont beaucoup souffert, nous a dit la gardienne de la citadelle.

### Adresses utiles

– *Office du tourisme* : à côté de la gare maritime, 56360 Le Palais. ☎ 97-31-81-93. Ouvert tous les jours toute l'année. Efficace. Fournit une liste des locations contre une enveloppe timbrée. Location à la semaine hors saison à prix intéressant.

— *Gare maritime* : récemment installée dans un immeuble neuf au bout du quai Macé. ☎ 97-31-80-01. Traversée : 40 mn. Liaisons, en été, avec Vannes, par *les Vedettes Vertes*, et Quiberon-Sauzon sur *le Gavrinis*, Le Palais-La Turballe, Le Palais-Pornichet. Pour les véhicules, il faut réserver son passage très tôt, et lorsqu'on vient en excursion d'une journée, le premier bateau aller et le dernier bateau retour sont surchargés. On en connaît qui sont restés sur le quai, faute de place ! Il leur reste le passage en avion avec l'aéroclub de Quiberon ou *Finist'air* à Bangor. ☎ 97-31-41-14.

## Où dormir ?

### ● *Bon marché*

— *Auberge de jeunesse* : à Haute-Boulogne, Le Palais. ☎ 97-31-81-33. Derrière la citadelle du Palais. 100 lits, disponibles toute l'année. Salon de lecture et de T.V., cafétéria, table commune ou cuisine libre. Stages de tennis, plongée, équitation. La vraie occase pour le routard à Belle-Ile. 50 F la nuit, petit déjeuner compris et repas de 38 à 60 F.

— *Hôtel du Phare* : à Sauzon. ☎ 97-31-60-36. Simple, mais le site est tellement beau... Terrasse et jardin sur la mer. 15 chambres pour deux, de 170 à 190 F. Demi-pension obligatoire en saison. Poissons tout frais pêchés...

— *Hôtel la Frégate* : face au port. ☎ 97-31-54-16. Petit hôtel disposant de chambres simples et pas chères. 135 F pour 2 personnes.

— *Hôtel Les Tamaris* : allée des Peupliers, à Sauzon. ☎ 97-31-65-09. Ouvert toute l'année. En haut du bourg. Une belle maison neuve. 15 chambres très confortables. De 200 à 250 F pour 2 personnes. Pas de restaurant.

— *Hôtel Bel-Islois* : 36, rue Joseph-Le-Bris, Le Palais. ☎ 97-31-84-86. Les chambres les moins chères de l'île (100 F la double hors saison !). Pas le grand luxe, bien sûr, mais correct pour le prix. Hors saison, la demi-pension n'est pas obligatoire. Menu à 60 F.

### ● *Plus chic*

— *Hôtel-restaurant le Grand Large* : à Bangor, après l'anse de Goulphar, sur la route menant aux aiguilles de Port-Coton. ☎ 97-31-80-92. Vue exceptionnelle. 10 chambres modernisées avec T.V. et téléphone. Une table convenable.

— *Hôtel-restaurant de Bretagne* : quai Macé, Le Palais. ☎ 97-31-80-14. Ouvert toute l'année. Hôtel entièrement rénové. 29 chambres entre 120 et 170 F, avec vue sur mer. Pension à 450 F pour 2 personnes. Belle salle à manger où l'on peut se régaler de fruits de mer ou faire un repas sage à 50 F avec : assiette du jardinier, steak à l'échalote, pommes rissolées, fruits ou pâtisseries.

— *Hôtel Atlantique* : quai de l'Acadie. ☎ 97-31-80-11. Vient d'être entièrement rénové. Chambres avec vue sur le port, entre 300 et 450 F. Fermé en janvier.

— *Hôtel-motel la Désirade* : au Petit Cosquet, sur la route de Bangor après l'aérodrome. ☎ 97-31-70-70. De jolies petites maisons neuves au calme et très confortables : entre 300 et 500 F pour une famille. Piscine et jardin.

### ● *Campings*

Paradoxalement, les campings ne sont pas toujours complets en saison.

— *Camping municipal de Bangor* : au bourg. ☎ 97-31-89-75 (en juillet et août) et 97-31-84-06 (toute l'année). Réservation conseillée. Très calme, notre endroit préféré. 65 emplacements. Douches. Herbeux.

— *Camping de Port-Andro* : à Locmaria, à environ 3 km au nord-est. ☎ 97-31-70-92. Ouvert du 1er juin au 15 septembre. Dans un site superbe. Très tranquille.

— *Camping Borcénéo* : au Palais. ☎ 97-31-88-96. De loin le plus confortable, 65 emplacements, en pleine campagne. Très bons équipements commerciaux.

## Où manger ?

### ● *Au Palais*

— *Crêperie-snack la Chaloupe* : 8, avenue Carnot. ☎ 97-31-88-27. Un cadre agréable ; abat-jour à perles, marines, aquarelles, rideaux de dentelle, banquettes confortables, bonne musique, cuivres et faïences bretonnes sur les murs, fleurs séchées font de cette crêperie une étape idéale. L'accueil y est, de

plus, charmant, et les galettes variées. On vous apporte rapidement et avec le sourire une addition ne dépassant pas 60 F pour un bon repas.
– *Crêperie Traou-Mad :* rue Willaumez (la rue du cinéma). ☎ 97-31-84-84. Des crêpes bonnes et pas chères servies sur la terrasse.

● *A Sauzon*

– *Crêperie Les Embruns :* près de l'église. Une belle et bonne maison à découvrir, car les crêpes et les galettes sont honnêtes et pas chères !
– *Le Contre-Quai :* ☎ 97-31-60-60. Accès direct par le port de Sauzon. Là, Arlette et Bill, deux vrais pros de la restauration, développent leurs talents à des prix encore raisonnables : c'est notre meilleure table de Belle-Ile, toutes proportions gardées, bien sûr, car il y a une très belle table « étoilée » au *Castel Clara*, à Bangor, qui dispose maintenant d'une superbe petite thalasso.
– *Crêperie le Tilleul :* sur le quai. ☎ 97-31-63-79. Excellentes crêpes et glaces maison. Ouvert de 8 h à 1 h. Fermé du 30 septembre au 1er avril. Accueil sympa, normal, Dominique est un bon copain à nous.
– *Le Roz-Avel :* ☎ 97-31-61-48. Eva et Christophe Didoune vous reçoivent en amis et servent une cuisine raffinée, bien présentée. Premier menu à 85 F. Le patron est un lecteur du G.D.R., un brave homme donc !

● *A Bangor*

– *Crêperie Chez Renée :* ☎ 97-31-52-87. Fermé le lundi et en janvier. Dans une ferme restaurée, sur des tables dressées à l'ancienne, des crêpes aux garnitures variées. Menu à 37 F.

### Boîtes et bars

– Nombreux bars saisonniers sur le quai Vauban, au Palais, ouverts l'été seulement : *Le Goéland*, piano-bar, chic et cher, ouvert jusqu'à 2 h (celui-ci est ouvert toute l'année et propose des concerts), ou *L'Étoile du Port*, plus classiquement breton.
– A Belle-Ile, les boîtes de nuit ouvrent et ferment avec la saison. Elles changent d'enseigne souvent et sont plus qu'ailleurs soumises à la mode. On vous propose *Quai Ouest* (écrit à la française ) : 45, rue J.-Le Bris, au Palais. ☎ 97-31-41-26.
– *Chez Popeye :* aux Grands Sables. La soirée tzigane de fin août est un événement plus important que les 13 spectacles de Nuits z'îliennes.

### Activités

– *Plongée sous-marine* avec le V.V.F. Réservations : ☎ 64-59-78-18 ou 97-31-64-69. Bateau équipé de bouteilles au vieux Sauzon.
– *Golf public de Sauzon :* 18 trous, club-house récent. ☎ 97-31-64-65.
– *Tennis du Guerc'h :* au Palais. ☎ 97-31-83-87. Plusieurs formules sur ses trois courts couverts et cinq courts en plein air.
– *Aérodrome :* ☎ 97-31-83-09. Liaison avec Quiberon par l'aéroclub ou avec Finist'air pour l'aéroport de Lann-Bihoué à Lorient. ☎ 97-31-41-14 et 97-31-83-09.
– *Centre hippique du Bois du Semis :* à Sauzon. ☎ 97-31-73-64. Randonnées accompagnées par un écuyer moniteur.
– Pour une promenade en mer, l'école de croisière ou la location avec skipper d'un sloop hauturier de 12 m. *Guidelvoile.* ☎ 97-31-52-06.
– *Kayak de mer et V.T.T. :* chez Vitamin Oxygène à Locmaria.
– *Location de voitures et d'autocars chez Locatourisle :* quai Bonnelle. ☎ 97-31-83-56. Le plus actif, le mieux outillé, le plus compétent. Flotte de méharis décapotables. Sensas !
– *Centre équestre :* domaine des Chevaliers de Bangor, devant l'aérodrome. ☎ 97-31-52-28. Domaine de 27 ha en plein centre de l'île. Ouvert du 1er juillet au 31 août, sinon possibilité de stages. Réservation conseillée.

### Randonnées pédestres

On ne saurait trop vous recommander de partir à pied, hors des sentiers battus. Le syndicat d'initiative vend une intéressante carte (5 F) des sentiers côtiers avec 16 circuits de 6 à 16 km.
Des topo-guides pour vous permettre de faire le tour de l'île : 82 km en 6 jours, logement en gîte d'étape. Les marcheurs seront à la fête. Sur toute la côte, des

sentiers balisés permettent de se promener en plein vent, avec pour seul paysage la mer, pour compagnie les lapins et les oiseaux, pour musique le vent, et pour nourriture l'air iodé (là on exagère !). Voilà la meilleure façon de découvrir l'île.

## ● LE PALAIS

La cité est située sensiblement au milieu de la côte « du dedans » en bas d'un vallon. Ses ombrages, ses remparts et la citadelle qui la domine lui donnent beaucoup de charme. Le port s'enfonce dans la verdure de la ria transformée en bassin à flot pour l'hivernage des voiliers.

### Adresses utiles

– *École de voile :* ☎ 97-31-86-15.
– *Location de vélos :* dans un petit garage avant l'église. 30 F la journée.

### A voir

– *La citadelle :* construite à partir de 1549, garde des fossés très impressionnants. Depuis 1961, elle est propriété privée (si ! l'État l'a vendue 270 000 F). La citadelle servit longtemps de prison, notamment pour Cadoudal, Blanqui et Barbès. Un *musée* (☎ 97-31-84-17) expose l'histoire de l'île et de ses hôtes. Il vaut une visite, ne serait-ce que pour faire la connaissance de sa gardienne, Nanie, qui succède à son père dans cette noble fonction. Drapée dans son éternelle cape noire et coiffée d'un béret, elle raconte tout... renseigne sur tout... dans un style inimitable. Quel talent ! Et pourtant elle n'a pas fait l'école du Louvre !

## ● SAUZON

L'extrémité ouest de l'île, voilà notre site préféré ! Un miracle d'équilibre, de nature préservée, de charme. Quelques maisons, le long du port aux jolies teintes pastel, regardent l'autre rive d'une ria longue de 2,2 km. Les coteaux en face, couverts d'ajoncs et de bruyère, sont de toute beauté. Des casiers de pêche attendent la prochaine marée tandis que les pêcheurs devisent sur le temps. Prévert séjourna à Sauzon, ainsi que Desnos. Dans l'église, un beau lutrin, des stalles anciennes et des ex-voto témoignant de la ferveur des marins.

### Aux environs

● *La pointe des Poulains :* c'est l'extrémité nord-est de l'île, à 3,5 km de Sauzon. Avant d'y parvenir, on passe devant le havre de paix où séjourna Sarah Bernhardt. Le castel, très style Belle Époque, qu'elle habitait, fut détruit par les troupes allemandes d'occupation pendant la dernière guerre. Une partie de la propriété a été transformée en terrain de golf. Imaginez... Ça doit être autre chose qu'à Saint-Nom-la-Bretèche. Jadis, la pointe des Poulains s'appelait « Beg er Pollen », ce qui signifie : pointe des rochers pointus, mais ils s'usent de plus en plus.

● *La grotte de l'Apothicairerie :* au bout de la D30. On arrive au sommet d'une falaise sous laquelle s'ouvre une arche. Là nichent les oiseaux de mer, dans les alvéoles creusées dans la roche, cela fait penser à la boutique d'un apothicaire. L'endroit est très impressionnant mais hyperdangereux !

## ● BANGOR

La commune de la côte sauvage. Au bourg, l'église a une nef romane et un chœur gothique. La côte, très découpée, intéresse spécialement les pêcheurs de « pousse-pieds » : pêche acrobatique et strictement réglementée.

● *Donnant :* descendez le vallon vers le sud et en bas vous aboutirez à la plage de Donnant, souvent fréquentée par les naturistes. *Attention,* baignade dangereuse par gros temps ! C'est ici qu'Arletty, amoureuse de Belle-Ile, venait méditer.

● *Le Grand Phare :* visite guidée de 10 h à 12 h et de 14 h à 16 h en saison. Après avoir dépassé l'aérodrome de Bangor, on découvre le dernier phare habité de l'île. Construit en 1835, il a 32 milles de portée ! Il culmine à 92 m au-dessus de la mer. Ceux qui pourront gravir ses 256 marches auront au sommet une vue allant de Lorient au Croisic. Du phare, prenez la direction de *Port-*

*Goulphar*, crique très profonde et bien abritée où deux hôtels de luxe jouissent d'un calme et d'une vue imprenables.

● *Port-Coton* : au bout de la route, les aiguilles de Port-Coton se dressent au milieu de la fureur des flots... L'endroit tire son nom de l'écume projetée qui s'élève avec le vent comme des touffes d'ouate ! Monet, qui habitait à Kervilahouen, à deux pas de là, a peint ce spectacle plusieurs fois.

● *LOCMARIA*

Cette paroisse, dont la fondation remonte à 1070, présente encore actuellement des caractères particuliers. C'est la commune du sud-est de l'île avec sa jolie placette dotée d'une belle fontaine, devant l'église blanche à clocher à poivrière. A droite de l'église, un chemin descend à *Port-Maria*, crique étroite en forme de Y, où l'eau est particulièrement claire.
De Locmaria au Palais par la côte, les paysages superbes se succèdent : *Port-Andro* et sa plage, la *pointe de Kerdonis*, puis *plage des Grands-Sables* : la plus vaste de l'île, si propice aux débarquements que Vauban y fit construire des fortifications dont il reste de nombreuses ruines. On est frappé par l'aspect riant de cette côte dite « du dedans » qui contraste avec la côte Sauvage, toute déchiquetée parce que exposée au vent. Prenez votre bain aux Grands-Sables en toute sécurité et bien à l'abri des vents d'ouest. La *plage de Bordardoué* près du Palais est aussi très fréquentée.

## L'ÎLE DE HOËDIC (56170)

« Petit canard » en breton. Cette île a subi le même destin que Houat. Son régime politique a été longtemps celui de la théocratie, c'est-à-dire que le recteur – traduire le curé de la paroisse – faisait aussi fonction de maire, juge, infirmier, notaire et préfet. Et tout ne se passait pas si mal !
Avec 138 habitants au dernier recensement, cette île de 2,5 km sur 1 km de large vit exclusivement de la pêche et du tourisme nautique. La flottille de pêche compte une quinzaine de bateaux (dont le *Coh-Karek*, le palangrier de M. le maire), et 40 personnes en vivent. On a construit sur l'île une dizaine de gîtes communaux disponibles toute l'année. On dit que les couples « à la dérive » acceptent de venir là en récollection sous la houlette de M. le recteur. Réservations : ☎ 97-56-52-60. Comme à Houat, le paysage est plat, peu boisé ; la côte offre une alternance de criques et de caps rocheux sans grande plage, l'eau est froide.
Les petites îles bretonnes se découvrent avec patience et minutie. Il faut parcourir lentement son rivage, pénétrer toutes ses échancrures, côtoyer la population un rien méfiante ; respirer à pleins poumons les fragrances épicées auxquelles se mêlent des parfums de lys des sables et d'œillets sauvages. Alors, l'indicible paix insulaire s'empare de l'âme du visiteur, comme un envoûtement bénéfique et merveilleux. Voyage réservé aux esthètes ! (Pour y accéder, voir « Houat »).

– *Syndicat d'initiative* : à la mairie. ☎ 97-30-63-32.
– *Randonnées pédestres* : l'association l'Abri vend un topoguide pour les amateurs de sentiers côtiers et d'air iodé : en vente à *l'Abri*, 9, rue des Portes-Mordelaises, 35200 Rennes. ☎ 99-31-59-44.
– Un seul *hôtel*, Les Cardinaux : ☎ 97-30-68-31. 10 chambres avec douche et w.-c. Pension complète pour 300 F. Il existe un autre *restaurant*, *Chez Jean-Paul*.
– Le *camping municipal* accueille 100 personnes confortablement, mieux qu'à Houat, grâce au gardiennage et à un beau bloc sanitaire.

Il y a deux ports : *La Croix*, près des paludens, sur la côte sud-est où l'on échoue à marée basse ; et *Argol*, plus important et accessible presque par tous les temps, sur la côte nord-est. A Houat comme à Hoëdic, il vaut mieux se dénicher un mouillage naturel adapté aux conditions météo ; c'est plus simple. Au milieu de l'île, le fort Vauban, achevé en 1874, a été transformé en centre nautique, écomusée, et centre socioculturel. Il est la propriété du Conservatoire du littoral, et encore en bon état de conservation.

## L'ÎLE DE HOUAT (56170)

L'île, de 7,5 km de long, a une superficie de 4 km². Elle se trouve dans l'alignement de Quiberon, dont elle est le prolongement sur l'anticlinal qui borde la côte
sud de la Bretagne, à 15 km du rivage actuel. C'est du Port-Maria de Quiberon
qu'on embarque pour Houat, une île qui ne compte pas plus de 386 habitants
l'hiver et peut tout juste en recevoir 1 000 l'été. Même si, de nos jours, l'eau ne
risque pas de manquer, sa capacité d'hébergement – certains disent de tolé-
rance – reste limitée. Elle offre une plage merveilleuse de calme et de sauvage-
rie. L'eau reste froide pour la baignade jusqu'au mois d'août.
Autant dire que Houat n'est pas une île de la taille des Baléares ! Son économie
repose essentiellement sur l'agriculture et la pêche aux crustacés. Une flottille
de 45 bateaux armés par 85 marins a débarqué 6 000 t de poisson en 1990.
L'écloserie de homard n'était plus rentable, elle s'est reconvertie en laboratoire
de production de phytoplancton. Ses habitants manifestent une farouche
volonté de préserver leur tranquillité. Houat est comme un œuf : lisse et jolie à
l'extérieur, mais l'intérieur reste caché, et c'est un objet fragile !

### Adresses utiles

– *La Compagnie morbihannaise de navigation* assure le passage sur Houat (pas
de véhicules admis ; ils sont inutiles). ☎ 97-50-06-90. Fréquence variable suivant la saison. Avec le nouveau catamaran *Dravente*, la traversée pour
Quiberon ne dure pas plus de 40 mn et de Houat à Hoëdic, 15 mn de plus après
l'escale.
– *Les Vedettes Vertes* : au départ de Vannes. ☎ 97-63-79-99. C'est une traversée deux fois plus longue, soit 2 h 30, mais on a, en plus, le spectacle du
golfe du Morbihan.
– *Randonnées pédestres* : l'association l'Abri vend un topoguide pour les amateurs de sentiers côtiers et d'air iodé : *l'Abri*, 9, rue des Portes-Mordelaises,
35200 Rennes. ☎ 99-31-59-44.
– *Location de vélos* : sur le port. Réservation : ☎ 97-30-68-74.

### Où dormir ? Où manger ?

Officiellement, il n'y a pas de camping autorisé sur l'île ; pourtant, la mairie
tolère l'installation « diffuse » de campeurs derrière la plage de Treach-er-
goured qui dispose d'un petit équipement sanitaire (site protégé).
– *Hôtel-restaurant des Iles* : ☎ 97-30-68-02. Au-dessus du port. 7 chambres
avec lavabo-bidet. Reçoit de Pâques à fin septembre. Tout à fait convenable, de
230 à 250 F la demi-pension. Menus à 100 et 180 F.
– *Autre solution* : trouver un « penty », maison de pêcheur, à louer par l'intermédiaire de la mairie. ☎ 97-30-68-04.
– Il existe aussi deux *crêperies-restaurants*. Donc, on n'est pas obligé d'apporter son casse-croûte avec soi quand on débarque à Houat.

## CARNAC (56340)

Carnac, aujourd'hui, se présente comme une chic station balnéaire au climat
très doux et aux ressources touristiques multiples. La commune possède une
belle base nautique pour dériveurs et planches à voile avec une école de voile
hautement qualifiée. Cinq grandes plages reçoivent des milliers de vacanciers
qui peuvent occuper leurs loisirs entre la pratique de la voile, du golf à Saint-
Laurent (en Ploëmel, à 5 km), de l'équitation à Kermario, du tennis, ou bien à
arpenter les quelque 15 km des alignements de menhirs de Kerlescan à l'est
(240 pierres), via Kermario (982 pierres), vers le Menec (1 099 pierres) à
l'ouest. On ne les a peut-être pas tous recensés, pardonnez-nous. Ils datent de
4 500 à 4 000 ans avant J.-C., et ne cherchez pas à savoir leur signification, à
moins de vous prendre pour Champollion... Il y a tellement de curieux qui
tournent autour des menhirs que le piétinement a quasiment déchaussé les
pierres. On mène actuellement des travaux de remblaiement et de semailles
d'une végétation plus résistante.

– *Office du tourisme* : avenue des Druides. ☎ 97-52-13-52.

**Où dormir ? Où manger ?**

C'est compliqué en saison... Ayez le bon réflexe de vous adresser au syndicat d'initiative, avenue des Druides, ☎ 97-52-13-52, ou à l'une des agences immobilières ; celles-ci sont informatisées et gèrent remarquablement bien le parc des 4 ou 5 000 résidences et villas de la baie de Quiberon.

● *Campings*

– *Les Menhirs :* près du centre commercial de la grande plage. ☎ 97-52-94-67. Réservation conseillée. Cadre et équipements agréables : garderie d'enfants, piscine, toboggan aquatique, sauna et salle de jeux. Location de *mobile-homes :* 2 450 F la semaine pour quatre et 2 800 F pour six, tout compris.
– *Le Moulin de Kermaux :* prendre la voie express du sud de la Bretagne et sortir à Auray. ☎ 97-52-15-90. Juste à côté des menhirs. Ambiance familiale et nombreux divertissements (T.V., vidéo).

● *Hôtels-restaurants*

– *Restaurant-crêperie-grill la Côte de Bœuf :* près des menhirs de Kermario. ☎ 97-52-02-80. Un fermier vous reçoit à sa table. Sa fameuse côte de bœuf pour 2 ou 3 personnes, avec salade et pommes Pont-Neuf, vaut 160 F. Le cidre maison sec ou doux vous réjouira.
– *Le Râtelier :* 4, chemin Douët. ☎ 97-52-05-04. Fermé en octobre et le mardi. A Carnac-Ville. Petite auberge de 10 chambres. Bien sympathique, avec une bonne table. Compter 150 à 200 F environ.
– De nombreuses crêperies, grills et glaciers ouvrent en saison à Carnac-Plage. Il faudra être sélectif pour tenter de réunir l'ambiance, le cadre et la gastronomie. Autour de l'anse du Pô, vers Plouharnel, on peut déguster des huîtres à même les parcs.

● *Plus chic*

– *Hôtel-restaurant Lann Roz :* près de la poste, à Carnac-Ville. ☎ 97-52-10-48. En saison, il est prudent de réserver. Maison toujours très fleurie, premier menu à 115 F. Excellente table. Petites chambres rénovées louées 260 F. Dans l'annexe au fond du jardin, un appartement pour loger 6 personnes.
– *Le Bateau Ivre :* 71, boulevard de la Plage. ☎ 97-52-19-55. Hôtel-résidence face à la mer avec jardin et piscine. Demi-pension exclusivement en saison. Les chambres disposent de cuisines équipées. Ce superbe lieu de villégiature coûte 600 F par jour pour deux personnes.
– *Le Plancton :* 12, boulevard de la Plage. ☎ 97-52-13-65. 30 chambres modernes. Pension entre 400 et 435 F par jour. La vue sur la mer et le confort se paient.

**Les boîtes**

– *Le Stirwen* (l'Étoile) : pour vos folles nuits dansantes. Une construction néo-romantique et bretonne cachée dans la forêt de l'arrière-pays.
– *Les Chandelles :* face aux Salines du Novotel, près de la grande plage. Une boîte jeune et « branchée ».

**A voir**

– *Musée de Préhistoire :* à Carnac-Ville. Ouvert tous les jours en saison, de 10 h à 12 h et de 14 h à 18 h 30. Carnac, c'est des menhirs, oui, mais les menhirs ne sont pas qu'à Carnac. On en voit partout en Bretagne, et même en Auvergne, en Corse, en Afrique et aussi en Corée. Si vous désirez tout savoir – ou presque – sur les menhirs (pierres levées), dolmens (tables de pierres), cromlec'hs (pierres dressées en cercle), tumulus (buttes de terre). Établi dans l'ancien presbytère, ce musée intéresse tous les visiteurs, quels que soient leur âge, leur niveau de culture et leur intérêt pour l'archéologie. Il contient 6 600 objets illustrant la faune, la flore, l'outillage, depuis l'ère paléolithique jusqu'au Moyen Age.

– *L'église Saint-Cornély :* à Carnac-Ville. Le porche à colonnes doriques porte un baldaquin en granit finement ciselé. La grande porte ouest est ornée de deux motifs en bois peint qui rappellent que cette église est consacrée au saint réputé guérir les bêtes à cornes (pas les humains ?).

– *Chapelle et fontaine de Saint-Colomban :* dans un petit village qui, malheureusement, a perdu sa dernière ferme exploitée par un vrai paysan. Il reste la chapelle de style flamboyant, bien coincée entre de belles maisons restaurées. A l'intérieur, un mur porte encore une fresque d'inspiration marine très naïve. Voyez aussi quelques statues en bois peint. La chapelle est ouverte au culte en été.

Sur la vieille route reliant le village au bourg, une fontaine construite au XVI° siècle qui comporte deux bassins : l'un pour les lavandières, l'autre en aval du débit de la source est destinée aux bestiaux. On raconte qu'on y plongeait aussi la tête des simples d'esprit pour qu'ils y puisent quelque intelligence. A Carnac, Astérix n'est pas loin !

— *Tumulus Saint-Michel* : un peu plus spectaculaire que les menhirs, il faut l'avouer : c'est une butte de terre et de cailloux haute de 15 m, surmontée d'une chapelle et d'une table d'orientation. On visite (à quatre pattes) les couloirs et les chambres (tombes) qui se trouvent à l'intérieur. Il daterait de 4 000 ans avant J.-C.

— Les cinq *plages de Carnac*, bordées d'un très beau sentier de douanier, s'étalent de l'anse du Pô, en limite de Plouharnel, à l'anse de Beaumer, côté La Trinité-sur-Mer. Cette côte en festons fait alterner des caps et des anses de sable fin. Toutes ces plages sont très appréciées par les familles, car surveillées et bien équipées. C'est sur la plage de *Legenèse* que 5 000 royalistes débarquèrent le 27 juin 1795 pour renverser la Révolution. Ils tombèrent sur le général Hoche... On connaît la suite ! On pratique la planche à voile en toute saison, même par grand vent, car il y a rarement de grosses vagues en baie de Quiberon.

## LA TRINITÉ-SUR-MER (56470)

Jusqu'en 1860, ce village était le port de Carnac. La cohabitation entre les marins et les paysans n'a pas été toujours facile. Maintenant, La Trinité vit essentiellement du tourisme nautique : son port de plaisance n'est-il pas mondialement connu ? Les Tabarly, de Kersauzon, Riguidel, Caradec, Facque, etc., tous enfants du pays, sont de sacrés marins ! On oublie heureusement vite que Jean-Marie Le Pen est aussi originaire du coin !

— *Office du tourisme* : cours des Quais. ☎ 97-55-72-21.

### Où dormir ?

● *Campings*

Deux très beaux campings se trouvent près de la plage de Kervillen. Ils sont aussi bien équipés l'un que l'autre. Réservation indispensable.
— *La Baie* : ☎ 97-55-73-42. 170 emplacements.
— *La Plage* : ☎ 97-55-73-28. De mai à septembre. 200 emplacements.
— *Camping de Kervilor* : ☎ 97-55-76-75. C'est aussi du 3 étoiles, mais au vert avec piscine. Commerces, et beaucoup d'étrangers. Excellent confort au calme et à l'ombre.

● *Hôtels*

— *Gîte de Kerguille* : 21, rue Er-Vammen, chez Claudine Brien. ☎ 97-55-75-26. Chambres et petit déjeuner.
— *Hôtel-restaurant Ostréa* : ☎ 97-55-73-23. Ouvert de Pâques à fin septembre ; fermé le mardi. Magnifique vue sur le port. Petites chambres coquettes, récemment modernisées, louées entre 150 et 330 F. Menu à composer autour d'un plateau de fruits de mer, car le patron est fils d'ostréiculteurs. Au sous-sol, pub marin animé tard dans la nuit !
— *Hôtel Le Rouzic* : sur les quais. ☎ 97-55-72-06. De grande tradition. 32 chambres classiques à 290 F, avec vue sur mer. Possibilité de manger, menus de 75 à 98 F.

### Où manger ?

— *Les Hortensias* : juste au-dessus de la place de la mairie, face au yacht-club. ☎ 97-55-73-69. En saison, il faut réserver sa table. Une belle maison bourgeoise agrémentée d'une terrasse et d'un jardin d'hiver où il est possible de s'offrir une belle fête gourmande parmi les massifs d'hortensias avec, en prime, le coup d'œil sur le port. Ça se paie cher, compter 250 F pour l'addition.

– *L'Azimut :* rue du Menhir. ☎ 97-55-71-88. Au-dessus du yacht-club. Un jeune chef patron vient de racheter cette belle maison. Il vous servira du homard à des prix défiant toute concurrence. Belle carte des vins. Cadre fait de boiseries, bibelots marins, cheminée. 200 F pour un bon repas.

– *La Teignousse :* 13, cours des Quais. Arrêtez-vous à cette adresse pour déguster quelques douceurs car le patron est un maître pâtissier...

**A voir**

– *Nouvelle halle aux poissons* (faites-y votre marché sans faute) où logent aussi le bureau du port et le syndicat d'initiative, bien située, entre le port de plaisance et le bassin des pêcheurs. On aime aussi l'architecture néo-bretonne de ce bâtiment qui a suscité pourtant bien des polémiques (comme à Clochemerle).

– *Le pont de Kerispert :* beau point de vue sur la rivière, délimite la zone maritime réservée à la plaisance, en aval, et aux chantiers ostréicoles, en amont. L'animation des quais du port de plaisance – 1 000 bateaux au mouillage – ne faiblit pas, même hors saison.

– Belle promenade à pied, à partir du yacht-club en suivant le chemin du douanier, 5 km jusqu'à la plage de Beaumer vers Carnac.

– Plusieurs circuits bien balisés rayonnent autour de La Trinité-sur-Mer : durée entre 1 h et 3 h de marche. Topoguide au syndicat d'initiative.

– *Excursion en mer :* Vedettes Vertes. ☎ 97-55-81-00. Traversées pour Belle-Ile de Pâques à septembre, tour du golfe, excursions vers les îles de Houat et de Hoëdic du 1er juillet au 31 août.

– *Charters de pêche en mer :* à la journée, demi-journée ou en nocturne. Renseignements au *Club Acti Nautic.* ☎ 97-55-80-85.

**LOCMARIAQUER** (56740) ─────────────────────────────

Agréable petite station, à l'entrée du golfe du Morbihan. Sa population décuple pendant l'été. Autant dire que le tourisme représente désormais une activité importante pour ce village d'ostréiculteurs.

**Adresses utiles**

– *Office du tourisme :* place de la Mairie. ☎ 97-57-33-05. Ouvert en saison.
– *Vedettes vertes :* place E.-Frick. ☎ 97-57-36-78. Excursions vers Belle-Ile, Houat et Hoëdic, et visite commentée du golfe.
– *École départementale de kayak en mer :* ☎ 97-39-85-32.

**Où dormir ? Où manger ?**

– *Le Lautram :* place de l'Église. ☎ 97-57-31-32. Fermé de fin septembre à début avril. Petit hôtel sans prétention, mais très correct. Demandez les chambres de l'annexe avec salle de bains, qui donnent sur un joli jardin (de 150 à 250 F). On est à 1,5 km de la grande plage et côté de l'église. Le restaurant nous a plu et si vous ne vous sentez pas d'attaque pour le menu, contentez-vous du plat du jour, portions très copieuses... Spécialités de fruits de mer. Menus à 55 et 93 F.
– *L'Escale :* sur le port. ☎ 97-57-32-51. Plus agréable que le précédent, avec vue sur la mer, plus confortable, mais aussi plus cher : de 494 à 598 F la pension complète pour deux.
– *Camping la Ferme Fleurie :* à environ 1 km par la route de Kerinis. ☎ 97-57-34-06. Ouvert toute l'année. Petit camping, bien au calme, où vous devrez réserver pour l'été.
– *Camping Lann Brick :* à 2,5 km sur la route de Kerinis. ☎ 97-57-32-79. Ouvert en été seulement. Près de la mer. Plus de confort que le précédent. Pensez à réserver en juillet-août.
– *Gîte d'étape de Keraric :* à Crac'h. ☎ 97-56-31-26. Chez Mme Dréan, qui vous réserve un grand feu de cheminée.

**A voir**

– *La pointe de Kerpenhir :* face à Port-Navalo. De l'autre côté du golfe, soit à 70 km par la route ! Très belle vue sur l'île de Meaban. Réserve ornithologique.

— *L'église Notre-Dame-de-Kerdro* : l'édifice s'est affaissé depuis sa fondation, comme le prouvent la position des bénitiers et le dallage du sol, surélevé à plusieurs reprises. Le transept et l'abside sont romans. Remarquez les fonts baptismaux du XVe siècle et les chapiteaux ornés de feuillages et têtes de béliers. De la place voisine qui donne sur le port, on aperçoit — à marée basse — les parcs à huîtres à 600 m du rivage.

— *Le Grand Menhir et la Table des marchands* : à droite, à l'entrée du bourg, suivez les panneaux. Le site est maintenant protégé et commercialisé... On se demande toujours si le plus grand menhir de Bretagne (20 m) a vraiment été mis debout un jour ? Certains spécialistes prétendent qu'il se serait effondré lors de son érection. Ou bien a-t-il été abattu par la foudre ? Il pèse environ 350 t. Était-il destiné à signaler la présence du dolmen voisin, appelé Table des marchands ? On pénètre sous la grande table par une galerie. Dans le fond de la chambre, très belle hache gravée sur la pierre, connue sous le nom de « bouclier ogival ».

— *Le dolmen de Mané-Lud* : prenez le sentier qui part derrière la Table des marchands et mène au tumulus de Mané-Lud. Cette butte contient, dans sa masse, deux rangées de menhirs qui, lorsqu'on les a découverts, étaient surmontés de crânes de chevaux. Ce tumulus serait vieux de 4 000 ans... On trouve beaucoup d'autres mégalithes intéressants à Locmariaquer, dont des vestiges de l'âge néolithique. Des souvenirs romains et celtiques sont déposés au musée du château Gaillard, à Vannes.

Mais Locmariaquer, c'est aussi une station balnéaire familiale, réputée pour ses grandes plages de sable fin entre la pointe de Kerpenhir et l'estuaire de la « rivière » de La Trinité-sur-Mer.

— A Crach, dans la *chapelle Saint-André de Lomarec*, sarcophage où aurait été inhumé Waroc, éponyme du Bro-Érec, l'un des premiers rois du pays vannetais.

— *Excursions sur le golfe*, à partir de la cale du Guilven.

— *La Trinitaine* : au bord de la route menant à Auray, ne manquez pas ce supermarché des gâteaux. L'usine produit sur place des tonnes de galettes, quatre-quarts et autres biscuits. Mais, le succès aidant, on y trouve maintenant toutes les spécialités bretonnes à déguster ou à emporter...

## AURAY (56400)

Une bonne petite ville de 10 300 habitants, port de fond d'estuaire du fleuve, dont elle prend le nom, et qui pénètre dans les terres par le ruisseau du Loch. Auray doit son charme à ses vieux quartiers, et surtout celui de Saint-Goustan, à l'extrême fond du golfe du Morbihan. Il faut absolument visiter l'*église de Saint-Gildas*, de style Renaissance et baroque, la place de l'Hôtel-de-Ville, et ses maisons à pans de bois, l'ancienne commanderie du Saint-Esprit aux gigantesques ogives du XIIIe siècle, le musée-prison de la rue du Jeu-de-Paume et le mausolée de Cadoudal sur la route de Quiberon.

### Adresses utiles

— *Syndicat d'initiative* : au rez-de-chaussée de la mairie. ☎ 97-24-09-75.
— *Relais départemental des gîtes ruraux* : 2, rue du Château. ☎ 97-56-48-12.

### Où dormir ?

— *Hôtel de la Mairie* : 26, place de la Mairie. ☎ 97-24-04-65. Fermé les 3 premières semaines d'octobre et les 2 premières de janvier, samedi soir et dimanche, hors saison. Hôtel très correct avec chambres de 110 à 220 F. Accueil charmant. Au restaurant, menu à 60 F.
— *Iff-Hôtel* : ☎ 97-56-44-56. Près de l'échangeur RN 165 route de Quiberon. Motel-grill tout nouveau comme *Inter-Hôtel Toul Garros*. ☎ 97-56-22-22. Ces établissements se valent : chambres modernes entre 230 et 290 F. Menus à partir de 65 F.
— *Hôtel Branhoc* : route du Bono. ☎ 97-56-41-55. Chambres neuves aussi à 230 et 260 F. Le petit restaurant d'à côté est également recommandable : *Le Chaudron*, ☎ 97-56-39-74. Le chef patron cuisine encore au feu de bois. On y fait un bon repas complet pour 100 F.

– *Camping les Pommiers* : au carrefour de la route qui mène au Bono. ☎ 97-24-01-48. 135 emplacements. Dispose d'une belle piscine et d'un night-club. Il est prudent de réserver sa place en été.
– *Camping du Fort Espagnol* : à Creac'h. ☎ 97-55-14-88. Très boisé. Au calme. Piscine, jeux. Location de grandes caravanes : pour 4 personnes, 120 F la nuit. Rabais de 30 % hors saison.

## Où manger ?

– *L'Ocarina* : 6, rue Saint-Sauveur. ☎ 97-56-64-20. La vieille rue étroite face au pont du port de Saint-Goustan. Ouvert de Pâques à fin septembre. Les jeunes cuisiniers ne cachent pas leurs outils de travail. Ils composent des salades originales pas chères et omelettes variées entre 28 et 36 F. Galette frisson-folk et cidre bouché.
– *Restaurant l'Armoric* : sur le port de Saint-Goustan. ☎ 97-24-10-36. Plusieurs grandes salles en plus de la terrasse. Carte appétissante et sage. Pour 60 F : moules marinière, poulet au poivre vert et un grand choix de glaces.
– *L'Églantine* : toujours sur le port de Saint-Goustan. ☎ 97-56-46-55. Fermé le mercredi hors saison. Cuisine traditionnelle soignée. Goûter à la choucroute de poisson ou à la marmite des produits de la mer. Accueil sympa de la patronne.

## Où boire un verre ?

Nombreux bars ouverts sur les quais du port de Saint-Goustan, où Benjamin Franklin débarqua, en 1776, pour demander l'aide du roi de France. Le quartier reste animé le soir, et l'ambiance se prête à la rêverie... D'autant plus que se trouve amarrée maintenant, au quai Martin, *la goélette-musée Saint-Sauveur*, réplique exacte des caboteurs en service au siècle dernier : diaporama et maquette du port en cale. Réservation : ☎ 97-24-07-78.
Au bout du quai, le nouveau pont de la RN 165 franchit majestueusement le fleuve.

● A faire

– *Le Rêve irlandais* : 8, rue Clemenceau. ☎ 97-56-68-75. Pour les amateurs de littérature celtique, mais aussi de vêtements et de toutes les gourmandises créées par nos cousins grands-bretons.

## SAINTE-ANNE-D'AURAY (56400) ⸺⸺⸺⸺⸺⸺⸺⸺

Dans ce village se tient chaque année le plus important rendez-vous religieux de Bretagne, les 25 et 26 juillet. On y compte 20 000 pèlerins et 800 000 visiteurs par an. C'est un peu le Lourdes breton. On vient de très loin invoquer sainte Anne apparue ici à Yves Nicolazic, en 1623. La mère de la Vierge lui demanda d'élever une chapelle en son honneur. Alors, ce brave paysan déterra, au lieu indiqué, une statue de la sainte. Il n'y a pas longtemps, on a encore découvert sous le parvis de la basilique 56 pièces d'argent et 3 pièces d'or ! La basilique actuelle a été édifiée à la fin du XIXe siècle pour remplacer la chapelle du XVIIe siècle. A l'intérieur, un fragment de la statue brisée sous la Révolution est enchâssé dans le socle de la statue moderne.
Sainte Anne est considérée comme la sainte patronne des Bretons. Selon la légende, Anne serait née en Bretagne. Veuve, elle se rendit en Palestine, où elle eut pour enfant... Marie, la mère de Jésus. On pense, en fait, qu'il y a là une association de deux cultes : celui de sainte Anne, venue d'Orient au moment des croisades, et celui d'Ana, mère des dieux celtes.
Non loin de la basilique, le monument aux morts qu'entoure un mur portant les noms de 8 000 soldats bretons parmi les 240 000 victimes de la grande guerre.

## Où dormir ? Où manger ?

– *Hôtel-restaurant le Moderne* : face à la basilique. ☎ 97-57-66-55. L'étape classique dans une grande maison neuve. Chambres avec douche et w.-c. à 160 F. Au menu à 71 F, rillettes de canard, vol-au-vent de fruits de mer, coquelet grillé sauce diable, fromage et dessert...
– *L'Auberge* : 56, rue de Vannes. ☎ 97-57-61-55. Fermé mardi soir et mercredi toute la journée, 15 jours en octobre ainsi qu'en janvier. Chambres

simples, mais convenables de 84 à 130 F, et excellent restaurant avec un premier menu à 65 F, très bien.

– *Hôtel de la Croix Blanche* : 25, rue de Vannes. ☎ 97-57-64-44. Fermé dimanche soir et lundi hors saison, ainsi que d'octobre à avril. Chambres confortables de 126 à 260 F. Jardin, téléphone dans les chambres. Très correct. Également restaurant, menus à partir de 58 F.

– *Les Rahed Koët* : à Plougoumelen. ☎ 97-56-34-96. Entre Vannes et Auray, accessible par l'échangeur du centre commercial du Kenyah sur la RN165. Vous trouverez une vraie ferme, couverte de chaume, où toute la famille se met en quatre pour vous gâter et vous rassasier : menus à 48, 58 et 75 F. Crêpes variées mais aussi plats accommodés selon les recettes traditionnelles.

– *Crêperie Er Velin* : à Treuroux-en-Brech. ☎ 97-57-71-63. C'est un moulin transformé en auberge dans un cadre champêtre d'un calme absolu qui devrait plaire aux pêcheurs à la ligne. Très beau menu à 100 F. 4 chambres à louer entre 130 et 160 F.

### A voir, à faire dans les environs

● *Pluneret* : la gare S.N.C.F. de Sainte-Anne-d'Auray, surmontée d'une reproduction de la statue de la basilique, est de pur style rétro. Elle eut ses heures de gloire quand les pèlerins y descendaient par trains entiers pour aller au pèlerinage. Le T.G.V. ne s'arrête pas à Plumeret, les hôtels autour de la gare ont fermé leurs portes, les cochers ne se battent plus pour charger les pèlerins, gare a sauvé sa peau, elle ne sera pas détruite, allez la voir, elle s'ennuie.

● *Écomusée de Saint-Degan-en-Brech* : ☎ 97-57-66-00. Ouvert ... ...s jours l'après-midi en saison. Belle reconstitution d'un village breton du sia... ...e dernier.

● *Centre équestre du Boisguy* : à Plumergat. ☎ 97-56-11-95.

## – VANNES ET LE GOLFE DU MORBIHAN –

## VANNES (56000)

Vannes fait partie de ces villes de province un peu B.C.B.G. dont la longue histoire invite à y séjourner, pour se délecter de découvertes et de sensations esthétiques originales. Le touriste un tant soit peu cultivé s'attend à trouver, dans cette vieille cité de 45 700 habitants, la bonne ville bourgeoise qui s'honore de posséder un collège de jésuites et une garnison de troupes de marine. Certes, le sabre et le goupillon y ont longtemps imposé leurs lois, mais, de nos jours, les Vannetais émancipés manifestent un dynamisme remarquable.

### Adresses utiles

– *Office du tourisme* : 1, rue Thiers. ☎ 97-47-24-34. Dans un hôtel du XVIIᵉ siècle des anciens quais du port. Un personnel compétent et souriant vous propose des itinéraires guidés ou la location d'un baladeur pour visiter la ville.

– *Gare S.N.C.F.* (rénovée) : au nord de la ville. ☎ 97-42-50-50.

– *Bureau information jeunesse* : hôtel de ville, rue Hoche. ☎ 97-54-13-72.

– *Port de plaisance* : bassin à flot avec pontons, au centre ville. Avant-port, gril de carénage, avitaillement, mouillages forains à Conleau, à côté d'une piscine d'eau de mer en plein air. Renseignement à la capitainerie. ☎ 97-54-16-08.

– *Navix Tourisme, gare maritime* : le parc du Golf. ☎ 97-63-59-48. Liaisons maritimes avec les îles.

### Vannes dans l'histoire

La presqu'île de Men-Gweur (pierre de la Chèvre), aboutissant au gué de Saint-Patern, permet le franchissement aisé des marais du fond du golfe du Morbihan. Les Vénètes bâtissent donc leur capitale Darioritum, un siècle avant d'être battus par Jules César en 56 avant J.-C. Les Romains s'installent sur le plateau et tracent des routes.

L'évêché de Vannes aurait été fondé au Vᵉ siècle. Les princes et ducs de Bretagne défendent leur possession convoitée par les souverains mérovingiens. Brûlée au Xᵉ siècle par les Normands, Vannes devient bientôt une grande ville marchande assiégée à plusieurs reprises durant la guerre de Succession de Bretagne. Anne de Bretagne signe à Vannes le rattachement du duché de Bretagne au royaume de France (plaque commémorative dans le passage de la Cohue). La ville connaît une grande prospérité aux XVIᵉ et XVIIᵉ siècles, surtout quand elle abrite momentanément le parlement de Bretagne.

Durant la Révolution, le pays vannetais reste farouchement royaliste et chrétien. Ses habitants accueillent fort mal le général Hoche venu combattre les émigrés débarqués à Quiberon en 1795 (voir son hôtel rue Saint-Vincent). L'Empire — ni le premier, ni le second — ne marquera pas la ville, malgré le soulèvement des élèves du collège Jules-Simon pendant les Cent-Jours. Aujourd'hui, le visiteur sera charmé par l'animation des vieux quartiers intra-muros dont on vous propose plus loin une visite attentive.

## Où dormir ?

● **Bon marché**

– *Hôtel Moderne :* centre ville, 2, rue de la Boucherie. ☎ 97-47-40-78. Petit hôtel sans prétention mais correct, rénové récemment. Chambres de 135 à 200 F, la plupart avec douche. Pas de restaurant. Parking couvert.
– *Confortel-Louisiane :* près de l'échangeur, direction Vannes-Centre, sur la 4-voies RN165, avenue Georges-Pompidou. ☎ 97-40-92-61. 2 étoiles avec une trentaine de chambres propres, modernes et pas chères. Stationnement facile, cuisine très simple. Bruyant à cause de la RN 165.

● **Plus chic**

– *Hôtel l'Oasis :* route de Conleau. ☎ 97-40-82-05. Au niveau du pont Vert. Cet établissement récent, de 37 chambres, présente un excellent rapport qualité-prix, bien qu'il soit un peu tristounet. Chambres avec bains de 170 à 280 F. Certaines ont une petite vue sur le golfe. Premier menu à 65 F convenable.
– *Hôtel Mascotte :* au rond-point devant le palais des Congrès et l'hôtel de police. ☎ 97-47-59-60. Grande maison neuve située sur le boulevard de la Paix dans le centre ville. Chambres insonorisées avec tout le confort de 280 à 350 F. Restaurant relativement simple. Menu à 55 F le midi si on veut.
– *Hôtel des Remparts :* 4, rue des Vierges. ☎ 97-54-11-90. Pour ceux et celles que cette enseigne et cette adresse ne rebutent pas… Jolies chambres aménagées dans une demeure historique intra-muros avec vue sur les jardins. Prix raisonnables de 175 à 240 F. Stationnement impossible sur place.

● **Campings**

– *Camping de Vannes-Conleau :* 188, avenue du Maréchal-Juin. ☎ 97-63-13-88. Fermé du 30 septembre au 1ᵉʳ avril. Site exceptionnel et très confortable.
– *Camping de Pen-Boch :* à 400 m de la plage, 56610 Arradon. Prenez la route de Roguedas, c'est à 2 km. ☎ 97-44-71-29. Fermé du 30 septembre au 30 avril. Très tranquille. Piscine. 125 emplacements.
– *Camping de l'Allée :* à 1,5 km par la route du Moustoir, Arradon. ☎ 97-44-01-98. Ouvert du 15 avril au 15 octobre. Il est préférable de réserver les mois d'été. 65 emplacements ombragés, et calme assuré.

## Où manger ?

● **Bon marché**

– *La Tour Trompette :* une tour des remparts près de la porte Saint-Vincent. ☎ 97-47-58-40. Cadre original sur 3 niveaux, ambiance yachting Moyen Age et musique funky. Service jeune et hyperdécontracté. Bonne cuisine. Cassolette de fruits de mer à 35 F, brochettes de poissons ou de viandes grillées au feu de bois entre 48 et 65 F. Tarte maison à 18 F et muscadet sur lie à 48 F.
– *Le Pavé des Halles :* 17, rue des Halles, comme son nom l'indique. ☎ 97-47-15-96. Fermé dimanche et lundi hors saison. En plein centre piéton. Plusieurs formules avec buffet de hors-d'œuvre et desserts au choix. Belle carte des vins. Décor original. Service prévenant. Ambiance sympa.

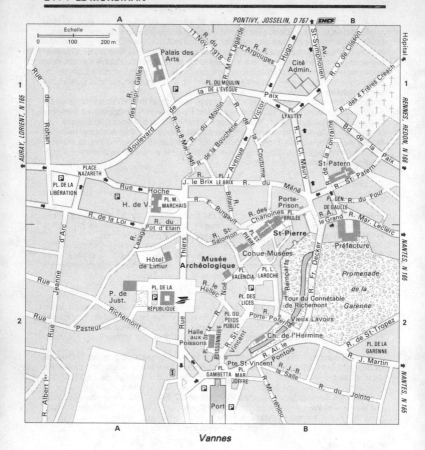

*Vannes*

– *Crêperie Saint-Gwenhael :* 23, rue Saint-Gwenael, à droite de la cathédrale Saint-Pierre (plan B2). Cadre médiéval en sous-sol avec une fontaine du XIII$^e$ siècle. Bon choix de crêpes entre 8 et 30 F.

● *Plus chic*

– *La Varende :* 22, rue de la Fontaine. ☎ 97-47-57-52. Une vraie cuisine à l'ancienne à partir de 68 F mais on se laisse facilement tenter par la carte appétissante. Joli cadre et accueil sympa par la jeune patronne sur un fond de musique classique.

– *La Marée Bleue :* 8, place Bir-Hakeim. ☎ 97-47-24-29 (et 97-47-34-29 pour l'hôtel : *La Marébaudière*). Fermé le dimanche soir hors saison. Premier menu à 65 F. Simple mais déjà convenable et copieux. Pour 142 F, les gourmets se régaleront de saumon fumé, rouget meunière et autres spécialités locales rapidement et gentiment servies. Ce restaurant possède aussi 16 chambres simples. C'est l'étape préférée des V.R.P. à Vannes.

**Dans les environs**

– *Hôtel-restaurant la Voltige :* à Locqueltas, sur la route menant à l'aérodrome de Meucon. ☎ 97-60-72-06. Fermé le lundi, à la Toussaint et en février. Une douzaine de chambres bien aménagées et pas chères à 170 F, au-dessus d'une petite salle à manger où se réunissent les fanas du para club... Comptez 150 F pour faire un bon repas.

– *Hôtel et crêperie du Moulin de Lesnevé* : à Saint-Avé. ☎ 97-60-77-77. Authentique moulin à eau possédant encore sa machinerie. Transformé en hôtel très agréable par sa simplicité. 10 chambres entre 170 et 190 F selon la taille et le confort. Calme absolu garanti et pourtant on se trouve à 30 mn des ports du Crouesty en Arzon ou de La Trinité-sur-Mer !

– *Restaurant Le Pressoir* : 7, rue de l'Hôpital, 56890 Saint-Avé. ☎ 97-60-87-63. Fermé dimanche soir et lundi, première quinzaine d'octobre et première quinzaine de mars. A 5 km de Vannes par la route de Pontivy. C'est la meilleure table du pays. Le premier menu est à 145 F et vaut le déplacement. Cadre, confort, gastronomie et accueil de haut niveau.

– *Hôtel-restaurant le Stivel* : rue Plessis-Arradon. ☎ 97-44-03-15. Jolie maison moderne, près des tennis et de la plage du port. Chambres entre 220 et 260 F. Menus de 70 à 220 F.

– *L'Auberge du Petit Verger* : à Monterblanc. ☎ 97-45-95-57. Fermé le lundi. Ferme située en pleine campagne sur la route allant de Vannes à Plumelec, au nord de la ville ; la D126 est bien fléchée. Vous rencontrerez au bout du chemin un couple de jeunes très passionnés par leur métier. Ils font une cuisine sincère avec les produits du pays quelquefois accommodés à la mode périgourdine (le chef patron doit être originaire de par là-bas). Premier menu autour de 70 F. Et quelques bouteilles de derrière les fagots...

## Les boîtes et bars

– *L'Atlantide* (club de nuit) : à la sortie de la ville, en direction de Baud-Sainte-Anne-d'Auray. Une grande salle pour les jeunes, musique disco et laser et 2 salons dansants plus calmes et intimes pour les autres clients.

– *Le Ginn-Fizz* : 20, rue Saint-Patern. ☎ 97-42-57-63. Dans un quartier ancien en pleine rénovation architecturale. Voilà le bar à cocktails chics, géants, colorés, chers ; superbe aussi la clientèle.

– *Tartine et Framboise* : 78, boulevard de la Paix. ☎ 97-54-37-33. Comme son nom l'indique, bar tenu par des hôtesses charmantes. C'est une maison toute petite et mignonne où l'on ne s'ennuie pas.

– *Le Moulin du Roy* et tous les bars à terrasse de la *place Gambetta*, devant le port, regorgent de monde les soirs d'été. Il faut absolument y aller pomper l'air du large.

## Activités et excursions

– *Excursions sur le golfe et jusqu'à Belle-Ile* avec les *Vedettes Vertes*. Possibilité de croisière-déjeuner à bord. Affrètement pour groupes. Plusieurs circuits et escales. Service très complet. Renseignements à la gare maritime, parc du golfe, au pont Vert, route de Conleau. ☎ 97-63-79-99.

– *Tennis-club vannetais* : allée du Clos-Vert. ☎ 97-63-14-66.

– *Club hippique et centre régional de parachutisme à Meucon* (internat) : ☎ 97-60-78-69.

– *École de voile* : à Arradon. Capitainerie du port de plaisance. ☎ 97-54-16-08.

– *Club subaquatique les Vénètes* : pour la plongée-exploration, la chasse sous-marine et de bons conseils. ☎ 97-42-47-00.

## A voir

Le premier problème à régler, après avoir choisi son étape, sera de garer convenablement et gratis sa voiture. Nous vous signalons le parking de la Rabine sur le port, c'est facile à trouver, à côté de l'office du tourisme. Le vieux Vannes est resté intact : l'unique bombe tombée pendant la dernière guerre a eu la délicatesse de ne pas exploser. Et maintenant, en route pour une heure de visite à pied.

– *Intra-muros* (plan B2) : on entre dans la vieille ville par la porte Saint-Vincent, couronnée d'une statue. La rue Saint-Vincent suit l'ancienne digue. Elle est bordée de beaux hôtels du XVIIe siècle ayant appartenu aux membres du parlement de Bretagne que Louis XIV exila à Vannes.

Au bout de la rue Saint-Vincent, en bas de la place des Lices où se tient le marché public, le samedi et le mercredi, prenez la rue René-Rogue vers la place Valencia où se trouve la *maison de saint Vincent Ferrier*, le *château Gaillard* (musée archéologique intéressant), puis remontez la rue des Halles (ex-rue Latine où logeaient les séminaristes), et tournez à droite par la rue Saint-Salomon (belles maisons à encorbellement) pour déboucher sur la *place Henri-IV*, point d'orgue de la visite de Vannes !

– *La cathédrale Saint-Pierre* (plan B2) : elle n'a pas l'allure de la cathédrale de Quimper. L'édifice est massif et composite, depuis la tour romane du XIII° siècle jusqu'à sa flèche du XIX° siècle ! La façade nord s'ouvre sur la rue des Chanoines par un portail flamboyant orné de douze niches dédiées aux apôtres. On remarquera aussi une curieuse chapelle ronde, de style Renaissance italienne... ce qui est rare en Bretagne ! Le trésor de la cathédrale se trouve dans une salle capitulaire du déambulatoire, ouverte du 1ᵉʳ juillet au 15 septembre (10 h-12 h et 15 h-18 h).

– *Le passage de la Cohue* (plan B2) : tout le quartier autour de la cathédrale garde de vieilles maisons, notamment *la Cohue* (anciennes halles, du breton « cochug »). Au Moyen Age, le rez-de-chaussée était occupé par les étals des marchands. La cour de justice du parlement de Bretagne se trouvait à l'étage. Le bas-côté abrite des expositions temporaires, tandis qu'à l'étage sont présentées les collections du *musée des Beaux-Arts* (ouvert de 10 h à 12 h et de 14 h à 18 h, sauf les jours fériés). L'œuvre la plus célèbre est *la Crucifixion* d'Eugène Delacroix. De nombreux tableaux évoquent différents aspects de la Bretagne : *le Mendiant* de Flavier Peslin, *la Procession* de Raoul Le Carà, *les Bigoudens* de Bouchor. Deux autres salles sont consacrées à l'histoire et à l'ethnologie du golfe du Morbihan. Maquettes et photos illustrent le monde de l'ostréiculture. Belle maquette de sinagot, bateau de pêche en forme de sabot doté de voiles carrées.

– *La porte Prison* (plan B2) : à droite du portail de la cathédrale, descendez la rue Saint-Gwenaël aux belles maisons à pans de bois. Les spécialistes feront la différence entre les croisillons et les montants rectilignes pour dater les immeubles presque tous restaurés. Les boutiques occupant les rez-de-chaussée ne manquent pas d'attrait : c'est chic et de bon goût ! On quittera la ville intra-muros par la porte Prison, bel exemple d'architecture militaire médiévale, qu'on a pourtant failli raser au début de ce siècle. Le toit et la charpente ont été restaurés en 1975 par les compagnons du tour de France. Tourner à droite pour avoir un splendide point de vue sur les remparts.

– *Les remparts* (plan B2) : ces belles murailles, dont les fossés sont agrémentés de jardins à la française, constituent un ensemble unique. Vous admirerez au fond le *château de l'Hermine* (reconstruit vers 1800), puis les splendides *lavoirs* du XVIII° siècle devant la porte Poterne. Jusqu'à la Seconde Guerre mondiale, les Vannetaises y venaient laver leur linge et bavarder... La plus haute tour est dite « du Connétable » (en souvenir du connétable de Clisson qui y fut enfermé). De l'autre côté des remparts, la *promenade de la Garenne*, aménagée au XVIII° siècle dans le parc de l'ancien château ducal. Inutile de signaler que ce paysage intéresse les photographes. Au bout de la promenade, on débouche sur le port, via la place Gambetta.

– *Le port* (plan B2) : transformé en bassin à flot, n'abrite plus que des bateaux de plaisance. Il est bordé sur la rive droite par des maisons anciennes où François Coppée voyait « un décor de la Comédie Française » ! Plus bas, la promenade boisée de la Rabine conduit au pont Vert ; port de commerce et embarcadère des vedettes d'excursion sur le golfe.

– *L'aquarium* : ☎ 97-40-67-40. Ouvert tous les jours, toute l'année et journée continue en saison. La visite de Vannes serait incomplète si on ne vous recommandait pas de « pousser » jusqu'à la presqu'île de Conleau via l'embarcadère du pont Vert où s'élève la pyramide de l'Aquarium. Dans une cinquantaine de bassins, des poissons de toutes origines évoluent silencieusement dans une féerie de couleurs. Chose rarissime en aquarium, des requins de récifs à aileron noir, un rémora, poisson-ventouse, et des nautiles, habitués à vivre à près de 800 m de fond.

– *Le musée des Automates* : parc du Golfe, direction Conleau, après le pont Vert, et la *Serre aux papillons tropicaux* sont des visites qui s'imposent.

– *Piscine d'eau de mer en plein air* : à Conleau. Gratis. Beau point de vue sur le golfe. Embarquement pour l'île d'Arz.

**Aux environs**

● *Port de plaisance et plage d'Arradon* : traverser le bourg d'Arradon pour aller faire à pied le tour de sa « pointe ». On aura un magnifique coup d'œil sur les voiliers au mouillage, l'île aux Moines et la plage. Attention, la marée basse découvre une grève un peu vaseuse.

● *Château du Plessis-Josso* : à Theix, visite du 14 juillet au 1ᵉʳ septembre, l'après-midi seulement. Une tourelle, la décoration des portes et fenêtres, les trous qui servaient de colombier, une silhouette un peu plus élevée, voilà tout ce qui différencie cette belle demeure – toujours privée – du reste des habitations de la commune de Theix. C'est un bon exemple du parfait manoir breton. Le château possède encore ses murs crénelés et ses tours d'angle qui protégeaient la maison forte construite au XIIIᵉ siècle. La façade du logis est surmontée de trois gerbières, dont l'une a conservé la décoration gothique de son fronton, entre les deux autres de style Renaissance. Une tourelle d'escalier polygonale rompt la ligne de la façade percée de fenêtres à meneaux (montants ou traverses en pierre qui divisent une fenêtre).

● *La chapelle Notre-Dame-la-Blanche* : à Theix. Il faut visiter l'intérieur ; les sablières qui limitent le revêtement de la charpente présentent la face d'animaux ou de personnages en alternance avec quatre rosaces et des inscriptions ou des blasons. La galerie de portraits mérite l'attention... Quel défoulement pour les artistes... On reconnaît : un porc ivrogne, une tête de juif, un diable grimaçant, une truie qui file, une chèvre portant une hallebarde... Le retable qui est derrière le maître-autel encadre un grand tableau du couronnement de la Vierge.

● *La forteresse de Largoët* : à Elven, RN166, direction de Ploërmel, à 14 km. On ne voit plus que les ruines imposantes où Henri Tudor fut retenu prisonnier au XVᵉ siècle, avant de devenir roi d'Angleterre sous le nom d'Henri VII. Le donjon de 44 m est le plus haut de France. Idéal pour les tournages de films !
A l'entrée du parc, admirez la maison du garde et ses lapins géants en granit.
De la mi-juin à la fin août, vendredi et samedi, à 23 h, superbe son et lumière autour de la légende de Tristan et Yseult. Quelque 150 acteurs bénévoles réalisent ce merveilleux spectacle remarquablement mis en scène. Il est tout imprégné de poésie lyrique, animé, coloré et de haute valeur littéraire. C'est une belle soirée qu'on vous souhaite chaude, sinon munissez-vous d'une couverture.
– *Association pour la renaissance du château de Largoët,* 56250 Elven. ☎ 97-53-52-79 pour les réservations.

● *Château de Trédion* : à la sortie d'Elven vers Ploërmel. Fière demeure du XIXᵉ siècle transformée en *hôtel-restaurant,* au centre d'un parc magnifique.
Puis gagnez Callac, en direction de Sérent, vous y trouverez un chemin de croix aux personnages grandeur nature, en granit ; impressionnant dans son cadre naturel : *toccata et fugue, sonnez* !
– *Auberge du Moulin de Callac* : se trouve à deux pas de là. ☎ 97-67-12-83. Pour le repos de l'âme et du corps ! Vous serez soigné aux petits oignons par l'épouse du maire de la commune. On sert encore le petit déjeuner dans des grands bols d'autrefois. La maison dispose de 8 chambres avec bains et w.-c. pour 160 F. Pension à 280 F.

● *Guéhenno* : le plus beau calvaire du Morbihan. Ce monument de 1550 est précédé d'une colonne décorée des instruments de la Passion et couronnée d'un coq (pour rappeler le reniement de saint Pierre). Derrière le calvaire se trouve un ossuaire surmonté d'une statue de la Résurrection. A voir aussi : la chapelle du Mont, le manoir du Grand Lemay, récemment acquis par la commune, et le village du Roch où 11 des 12 fermes, pourtant superbes, sont abandonnées. Gageons que nos voisins européens vont s'en porter acquéreurs !

## LE GOLFE DU MORBIHAN _____

C'est une mer petite *(mor bihan)* aux paysages changeant avec la marée, les saisons, le temps... Voilà un enchevêtrement de bras de mer qui enlacent des îles aussi nombreuses, selon la légende, que les jours de l'année. « Il faut voir ces îles certains matins brumeux, quand les îlots multiples surgissent comme les sommets d'une chaîne de montagnes dont l'eau aurait un jour envahi les vallées. » Les poètes ont tous exprimé leur enchantement devant ce spectacle

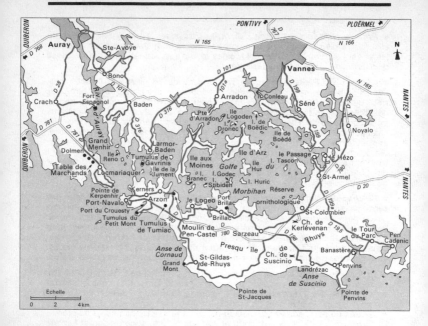

*Le golfe du Morbihan*

## Comment visiter le golfe ?

Tous les guides vous diront que la meilleure façon de visiter le golfe du Morbihan est d'embarquer sur une vedette à Vannes. Il existe pourtant d'autres façons beaucoup moins classiques de découvrir le golfe :

● Louez donc un petit bateau à moteur (avec ou sans permis) à la pointe d'Arradon. Prix raisonnable si vous vous groupez (à quatre par exemple). Vous pourrez aller d'île en île à votre rythme, faire une escale là où il vous plaît pour mieux apprécier le paysage.

– *Location de bateaux à moteur :* **Le Blan Marine,** port d'Arradon. ☎ 97-44-06-90. Réservez la veille. Le patron est très sympa et vous expliquera bien la manœuvre si vous êtes néophyte. Il faut en particulier s'écarter des parcs à huîtres, à marée basse. Attention aux courants (jusqu'à 21 km/h à Port-Blanc !) tant au flux qu'au jusant.

– *Formule « le golfe en liberté » :* possibilité d'aller d'île en île à son rythme grâce à un système de navettes maritimes. *Navix Vannes,* ☎ 97-63-79-99.

● L'autre façon insolite, en saison, d'aborder le golfe et de manière très sympa, est d'embarquer pour une journée à bord d'un *sinagot* (ancien voilier de pêche classé monument historique). Pour 6 ou 8 personnes : environ 50 F. Il faut apporter son déjeuner. Départ de Séné.

– Renseignements pour les dates à l'*office du tourisme de Vannes* : 1, rue Thiers. ☎ 97-47-24-34.

● Enfin, il ne faut pas l'oublier, même si c'est plus cher, l'*avion* vous permettra d'embrasser le golfe du Morbihan : le mot n'est pas trop fort ! Louez un petit coucou et son pilote à l'*aéroclub de Vannes-Meucon* (☎ 97-60-73-08) ; à Quiberon (☎ 97-50-11-05). Quand vous l'aurez vu du ciel, vous ne manquerez pas de vous interroger pour trouver l'explication de l'origine de ce site.

## Les origines

A l'époque quaternaire, l'Océan pénétra l'intérieur du bassin excavé par l'érosion des fleuves. Il y est resté depuis, bien que son niveau ait varié plusieurs fois. Depuis l'édification de certains monuments préhistoriques, le niveau général de la mer s'est élevé d'au moins 4 à 5 m, c'est pourquoi il existe certainement beaucoup d'autres vestiges noyés dans le golfe. Les mieux connus sont le cromlec'h d'Er-Lannic et les deux dolmens de Kervoyal, dans la rivière du Bono. Le golfe du Morbihan couvre entre 47 et 132 km² selon la marée. Il est parsemé de 40 îles et îlots, tous privés à l'exception des deux communes ci-dessous. Le goulet de Port-Navalo mesure 900 m de large et a 35 m de fond seulement, vous imaginez la force du courant ! A certaines marées, le golfe n'est pas encore plein, ou vidé, quand la marée se retourne. Ce site a été classé, en 1990, patrimoine naturel de valeur internationale à protéger. Ouf, merci ! Cela renforce et confirme les mesures prises autour de la *réserve ornithologique de l'île de Bailleron*, appartenant à Ifremer (voir plus loin).

### ● L'ÎLE D'ARZ

On y accoste par bateau en embarquant à Vannes-Conleau. Traversée : 15 mn, toutes les heures. Renseignements sur les horaires : ☎ 97-66-92-06 ou 97-66-94-38.

Un fin clocher que l'on repère de loin, ses vieux toits en ardoises mauves, ses maisons à pigeonniers, aux portes surbaissées et rondes (d'inspiration Renaissance). Cette île mesure 3 km de long, mais elle est tellement dentelée qu'aucun point n'est à plus de 400 m de la mer.

C'est le paradis des amateurs de planche et de voile. Quatre clubs s'y sont d'ailleurs installés, dont une *annexe de l'école de voile des Glénan* (ouverte toute l'année, ☎ 97-44-31-16).

Au bourg, l'église paroissiale dont le carré du transept — arcades et chapiteaux sculptés d'animaux grotesques — est du XII° siècle ; la charpente a été refaite au XV° siècle. Quant à la chapelle à l'angle de la nef et du croisillon nord, elle date du XVII° siècle. Derrière l'église, prieuré aux proportions harmonieuses, du XVIII° siècle. A l'angle de la rue Joubioux et du presbytère : belle maison au double escalier en granit.

Il faut quand même quitter les ruelles du bourg pour faire le tour de l'île à pied, c'est possible, agréable, et plein de surprises. Au sud-ouest : superbe plage de Brouel ; à Pénéro, manoir du XVII° siècle, etc.

#### Adresses utiles

– *Location de vélos* : J.-R. Guillot. ☎ 97-44-31-83.
– *Mairie* ; gestionnaire du *camping municipal les Tamaris*. Réservation : ☎ 97-44-31-14.

#### Où dormir ? Où manger ?

– *Hôtel de l'Escale* : face à l'embarcadère. ☎ 97-44-32-15. Ouvert d'avril à octobre. Petit hôtel très simple mais correct, les pieds dans l'eau, avec vue panoramique sur le golfe du Morbihan. Chambres doubles de 190 à 240 F. Demi-pension obligatoire. Menus de 65 à 92 F.
– *Gîtes de Kervio et Le Lann* : Robert Tanguy. ☎ 97-44-33-84.

### ● L'ÎLE AUX MOINES

Ici, l'odeur du goémon se mêle à la senteur des pins, et, grâce au climat particulièrement doux, camélias, palmiers et orangers poussent à profusion. Les habitants sont d'ailleurs très fiers de leurs trois oliviers... C'est la plus grande des îles du golfe du Morbihan. Mesurant 6 km de long, elle a la forme d'une croix, et doit son nom aux moines de Redon à qui le roi Érispoë en fit don. L'île reste très boisée : bois d'Amour, bois des Soupirs, bois des Regrets... C'est ce qui lui donne son charme. On y accède à partir de Port-Blanc en Baden, à 14 km de Vannes. Parking payant très encombré l'été, mais il y a d'autres parkings qui, eux, ne le sont pas.

– *Office du tourisme* : sur le port. ☎ 97-26-32-45.
– *Base nautique du Drehen* : jeunesse et marine. ☎ 97-26-31-57.

#### Où manger ? Où dormir ?

En dehors des buvettes et crêperies ordinaires, il n'y a plus de grande table. On vous signale toutefois :

— *Le Café de Jeannette* : face à l'embarcadère. Accueil jovial, volubile et chaleureux de la patronne qui utilise systématiquement le tutoiement pour vous raconter tout ce qu'elle sait sur l'île et ses habitants !

— *La Désirade* : au Bindo. ☎ 97-26-36-81. Ouvert de Pâques à octobre et le week-end hors saison. Petit restaurant chic. Menu à 138 F.

Et pour dormir on peut profiter des 6 chambres du *Bar des Îles*. ☎ 97-26-32-50. La soirée-étape coûte 278 F pour 2 personnes.

Quant au camping, il est sévèrement réglementé : pas plus de trois installations, tentes ou caravanes, par parcelle de terrain, avec l'autorisation du propriétaire, afin d'éviter le camping sauvage. Mais il existe un *camping municipal*. Il y a des douches et sanitaires. S'adresser à l'office du tourisme.

**A voir**

Dans le sud, les dolmens de Boglieux et de Penhap. Dans le nord de l'île : étonnant calvaire à paliers, à la pointe du Trech, d'où la vue sur Arradon et le golfe est superbe. Le meilleur moyen pour visiter l'île est de louer un vélo (sur le port). Vous serez séduit par les maisons basses des pêcheurs, les murets en pierres sèches ou les villas blotties au fond des jardins. On trouve une belle plage, un sentier côtier bien balisé, plusieurs mouillages sûrs si l'on accoste par exemple à l'anse du Loriot.

● *L'ÎLE DE GAVRINIS*

De Larmor-Baden, une barque vous y transborde, de 9 h 30 à 11 h 30 et de 13 h 30 à 17 h, toutes les demi-heures.

Visite guidée du cairn (30 mn) du 1ᵉʳ mai au 30 septembre de 9 h à 12 h et de 14 h à 18 h ; prix : 30 F. Réservations groupes : ☎ 97-57-19-38.

Le cairn (monticule) est une sépulture datant du néolithique, 3 000 ans av. J.-C., considérée comme un monument majeur de l'art mégalithique. La butte de cailloux a une taille impressionnante : hauteur 6 m, diamètre 50 m. Un couloir de 14 m de long conduit à un large dolmen souterrain couvert par une énorme dalle longue de 4 m et pesant quelque 400 t. Les pierres levées portent des sculptures rudimentaires où l'on reconnaît des spirales, des cercles ou des demi-cercles concentriques, et peut-être des haches de pierre. Les archéologues s'efforcent de percer le mystère de ces dessins très peu fréquents, mais Gavrinis garde encore son secret.

Un secret que les hommes sont en train d'effacer car, comme des marches, les gravures s'usent sous les caresses curieuses des visiteurs. L'administration des Antiquités historiques a pris des mesures draconiennes pour sauver ce monument qui est la propriété du département. Certains préconisent de construire un fac-similé du cairn, comme cela a été fait avec les grottes de Lascaux. Les moulages en élastomère seront, paraît-il, plus beaux que la réalité ?

● *L'ÎLE DE BERDER*

Propriété privée de 23 ha (3 km de côté avec plage), reliée à Larmor-Baden par une chaussée noyée à marée haute. On doit au comte Arthur Dillon, qui acheta l'île en 1880, la construction des bâtiments actuels, dont une tour hexagonale de 5 étages et la chapelle Sainte-Anne édifiée pour le mariage de son fils. Il a aussi créé un jardin d'agrément de 10 ha, dont ont longtemps profité les propriétaires : une congrégation de religieuses qui voudrait la vendre, seulement l'île est louée depuis 1986 à l'association *Loisirs Vacances Tourisme* qui ne veut pas s'en aller ! Capacité d'accueil : 200 vacanciers. Réservations : ☎ 97-57-03-74.

● *LES AUTRES ÎLES*

Le routard parti à la découverte du golfe du Morbihan va se mouiller les pieds d'île en île, et se perdra comme nous dans le dédale des chemins qui longent une côte si découpée qu'on ne sait jamais très bien où l'on se trouve. Il vaut mieux emporter son paquetage sur le dos, ou le mettre à bord d'un « canotte », comme on dit ici. L'aventure se présentera très vite.

Certaines îles sont accessibles à pied à marée basse. On n'a pas pour autant le droit de s'y installer, à moins d'être invité par Danielle Darrieux, sur son *île de Stibiren*, ou par M. X, à l'*île de Goevan*... La propriété privée commence à la limite atteinte par les plus hautes eaux. Dans le golfe, le marnage s'élève à 4 m. Donc, à marée basse, les grèves sont librement accessibles, mais pas au-delà.

A l'est du golfe, sur 2 000 ha centrés autour de l'*île de Bailleron*, se trouve une *réserve ornithologique* où nichent des oiseaux migrateurs, à partir du mois de septembre : canards siffleurs et bernaches en majorité.

Ne manquez pas non plus, entre Baden et Auray, le site du « golf du golfe » à Kernic, ni le petit bois du moulin de la Jalousie à Larmor-Baden, ni les monuments mégalithiques et le petit port de pêche du *Bono* (jolie vue du pont).

Cherchez, avant d'arriver à Auray, la *chapelle de Saint-Avoye* nichée dans un village de quelques chaumières. On est surpris par la charpente en forme de carène renversée, et surtout par le jubé (tribune entre la nef et le chœur) en chêne, qui met en scène les 12 apôtres. Près du chœur, le prie-Dieu seigneurial est toujours là, sans titulaire, comme la chaise du célébrant... Cette magnifique chapelle est malheureusement désaffectée, en dehors des pardons de mai et de septembre. Voyez aussi une jolie fontaine à proximité.

– *Club nautique de Larmor-Baden* : cale de Pen Lannic. Belle flotte de Dart 18. ☎ 97-57-16-03.

## Où dormir ? Où manger autour du golfe du Morbihan ?

### ● *Arradon* (56610)

– *Les Vénètes* : hôtel-restaurant au bord de l'eau, à « La Pointe ». ☎ 97-44-03-11. Fermé le mardi, de janvier à mars et de fin septembre à fin décembre. Face au port de plaisance. Site superbe : 12 chambres seulement, louées entre 270 et 400 F. Menus entre 120 et 180 F. Une fort bonne escale pour les plaisanciers. Belle promenade sur le sentier du douanier. Stationnement difficile auprès de l'hôtel en été, car on est en face de la plage et de la base nautique.

### ● *Larmor-Baden* (56790)

– *Hôtel du Centre* : près de l'église. ☎ 97-57-04-68. Vient de moderniser 16 chambres pour leur donner 2 étoiles (de 140 à 200 F). Menus de 55 à 155 F. Carte appétissante, salade d'ailerons de volaille au gingembre, 40 F. Pétoncles farcis, 45 F. Feuilleté aux poires et caramel à 25 F.
– *Larmor Hôtel* : ☎ 97-57-04-72. Pas de restaurant, et ses 10 chambres ne sont pas chères : 110 à 190 F.
– *Gîte rural le Diben* : à la femme de Louis Le Pelve. Près des plages. ☎ 97-57-05-36.

### ● *Baden* (56870)

– *Hôtel-restaurant le Gavrinis* : à Toul Broch. ☎ 97-57-00-82. Ouvert toute l'année ; fermé le lundi hors saison. Une fort bonne étape gastronomique. Carte des vins remarquable, menus entre 126 et 196 F, prix justifiés. 19 chambres confortables et calmes, de 278 à 367 F.
– *Restaurant Pilitrinic* : à Penmern. ☎ 97-57-06-85. Dans un bois sur les rives du golfe, entre Arradon et Larmor-Baden. Cadre délicieux comme la cuisine. Menus de 120 à 180 F. Possibilité de déjeuner sur la terrasse ou sous la pergola. Menu à 72 F le midi, en semaine seulement. Certains suppléments peuvent alourdir l'addition !

### ● *Le Bono* (56400)

– *Snack-bar du Vieux Port* : 23, rue Pasteur (en bas du bourg). ☎ 97-57-87-71. Bar fréquenté par les pêcheurs du port tout proche. Petits prix au restaurant et chambres entre 125 et 150 F.
– *Le Forban* : près du nouveau port, sur la rive du Bono. ☎ 97-57-88-65. Tout nouveau petit hôtel-restaurant. 21 chambres bien situées. Exploité par des pros qu'on avait connus et appréciés ailleurs. Ils devraient réussir avec leur nouvel outil de travail.

### ● *Campings*

– *A Baden* : au Mané Guernehue. ☎ 97-57-02-06. Un beau 3-étoiles de 90 places, avec tennis, piscine et pataugeoires chauffées. Épicerie fournie et gentillesse à toute heure. Pas très loin du littoral.
– *A Larmor-Baden* : ☎ 97-57-05-23. Une centaine d'emplacements à Ker Eden, agréable mais un peu prétentieux tout de même. A vous de vérifier.
– *A Séné* : au moulin de Cantizac, juste au bord du golfe (100 places). Tout près de Vannes.

## – LA PRESQU'ÎLE DE RHUYS ET LA VILAINE MARITIME –

Elle n'est certes pas aussi connue que la presqu'île de Quiberon... mais, en l'an 2000, ce sera certainement la Riviera de la Bretagne. Le Conseil général du Morbihan y a créé une station touristique autour de l'anse du Crouesty, commune d'Arzon, à l'extrême pointe de la langue de terre qui ferme au sud le golfe du Morbihan. Qui donc aujourd'hui peut imaginer qu'au siècle dernier on cultivait 2 000 ha de vigne en Morbihan, spécialement en presqu'île de Rhuys ? Les vins du Morbihan étaient réputés : un blanc proche du muscadet et un rouge semblable au gamay de Touraine. Port-Navalo connaissait une activité commerciale moins avouable : la contrebande, en marge du commerce officiel concentré à Nantes et à Lorient.

### SARZEAU (56370)

Chef-lieu du canton que constitue la presqu'île de Rhuys, cette petite commune voit sa population décupler l'été. Son territoire s'étend sur les deux rives de la presqu'île : côté golfe et face à l'Atlantique. C'est la patrie d'Alain-René Lesage, écrivain du XVIIIe siècle auquel on doit *Turcaret*, *Gil Blas*, et *le Diable boiteux*. Le bourg possède quelques belles vieilles maisons mais surtout le château de Suscinio. Ce n'est pourtant pas dans cette demeure qu'échoua la fameuse baignoire de Marat, mais au presbytère de Sarzeau. On ne comprend pas bien pourquoi ni comment. En revanche, nous savons qu'elle a été vendue au début de ce siècle à un collectionneur qui en fit don au musée Grévin à Paris. Le curé de la paroisse avait besoin d'argent pour construire son école. Surprenante histoire qui doit bien gêner l'âme du vieux révolutionnaire qu'était Marat.

– *Syndicat d'initiative :* à la mairie. ☎ 97-41-82-37.

### Où dormir en presqu'île de Rhuys ?

● *Campings*

– *La Côte d'Amour :* 56750 Damgan. ☎ 97-41-11-39. 100 emplacements. Le mieux équipé du secteur.
– *Le Tindio :* camping municipal, 56640 Arzon. 240 emplacements ; proche de la mer, très bonne étape.
– *Bédume :* à Ambon, 56190 Muzillac. ☎ 97-41-68-13. Quand tout est occupé en bord de mer ou lorsque l'on fuit la foule, repliez-vous sur ce terrain de 200 emplacements.
– *Camping municipal de Penvins :* Penvins, 56370 Sarzeau. ☎ 97-67-33-96. Environ 150 emplacements sur la dune derrière la plage. Site très fréquenté.

● *Plus chic*

– *Hôtel Alain-René Lesage :* 3, place de la Duchesse-Anne, à Sarzeau. ☎ 97-41-85-85. Ouvert toute l'année. 60 chambres, toutes de style différent, mais d'un très bon confort. Chambres avec bains entre 210 et 315 F. Table correcte avec des menus de 65 à 85 F.
– *La Chaumière de la Mer :* à Penvins. ☎ 97-67-35-75. Ouverte en saison seulement. Une petite maison de 17 chambres, près de la plage. Chambres entre 250 et 300 F. Menus à 59 et 96 F.

### Où manger ?

– *Le Moulin de Pen Castel :* sur la route qui longe les rives du golfe (à 12 km de Sarzeau). Authentique moulin à marée du XVIIe siècle dont on peut encore admirer les installations techniques. Menu à partir de 100 F.
– *Bretagne Douce :* sur le port de plaisance du Crouesty-en-Arzon. Un snack-bar tout neuf au décor résolument marin, assez recherché. En revanche, la carte des mets manque d'imagination. Les prix sont sages : comptez 90 F pour un repas complet.
– *Le Tournepierre :* dans le village des antiquaires, à Saint-Colombier (rive golfe). ☎ 97-26-42-19. Fermé de novembre à Pâques. Cadre rustique agrémenté d'objets d'art. Service jeune et courtois. Compter 130 F.

● *Plus chic*

− *Le Grand Largue :* 56640, Port-Navalo. ☎ 97-53-71-58. Fermé le lundi et le mardi hors saison et de mi-novembre à mi-décembre. Votre escale gourmande, dans deux salles à manger de style Louis XV, dominant l'entrée du golfe. Les prix pratiqués sont justifiés par la qualité de la cuisine préparée par le chef patron. On apprécie l'amabilité et le charme de sa jeune femme tout aux petits soins de ses clients. Premier menu à 125 F et un menu découverte à 270 F. Belle variété de desserts.

**A voir**

● *Le château de Suscinio*

Gardien, ☎ 97-41-91-91. Ouvert tous les jours, sauf mercredi matin, d'avril à septembre (9 h 30-12 h et 14 h-18 h 30). Entre le 5 et le 20 août, spectacle de nuit dans les douves du château. Soirée littéraire, concert... Renseignez-vous au syndicat d'initiative de Sarzeau.
Cette forteresse impressionnante était la résidence de chasse des ducs de Bretagne. Le site avait été merveilleusement choisi pour le plaisir des princes. Au sud, l'Océan, horizon éternellement changeant et vaste, et la ligne de la côte descendant vers Guérande. A l'arrière, la forêt ducale. Des étangs et de beaux jardins s'étendaient au-delà des douves.
L'histoire de Suscinio n'est qu'une longue suite de sièges, aussi le château est-il passé dans toutes les grandes familles qui illustrèrent l'histoire de la Bretagne. Il fut inscrit par erreur bien d'émigré et vendu le 4 juillet 1796 à un forain lorientais qui dispersa les pierres taillées ainsi que les pierres, fenêtres et métairies du domaine.
En 1966, le château est racheté par le Département du Morbihan et fait l'objet d'une restauration minutieuse. Récemment, les fouilles des ruines de l'ancienne chapelle située au sud du château ont mis au jour un pavement daté de 1330, désormais exposé dans les salles consacrées à l'histoire de la Bretagne. On passe de la salle des cérémonies à la petite chapelle dotée de deux oratoires privés avec cheminée − la piété n'empêche pas d'aimer son confort −, puis vous accédez au sommet de la courtine ouest d'où l'on a un vaste point de vue sur la presqu'île de Rhuys. L'architecture massive et sévère impressionne les enfants qui se prennent vite pour Du Guesclin. C'est vrai que celui-ci s'empara en 1373 du château alors occupé par les Anglais. Voilà une visite qui s'impose. Comptez une bonne heure.

**ARZON, KERJOUANNO, PORT DU CROUESTY** (56640) ⎯⎯⎯⎯⎯⎯

Arzon, la nouvelle station touristique de Bretagne, grâce au talent de l'architecte M. Bezançon. Voilà un grand port de plaisance creusé dans une anse naturelle pour abriter 1 200 bateaux, essentiellement des voiliers. Tout autour des darses, plusieurs villages tentent de se donner un air d'ancien loup de mer : dans 20 ans, on y croira sans peine. C'est vrai qu'on a bâti partout et en copiant le port d'Honfleur ! Il y a même le gigantesque bâtiment/vaisseau de *l'hôtel Thalasso Miramar.* Quoi qu'il en soit, c'est dans l'ensemble beau, bien organisé, ambiance sympa et sportive, et infiniment mieux que ces marinas artificielles qui ont été créées ici et là, sur la côte... Suivez mon regard !
La plage de Kerjouanno s'ouvre largement sur l'océan et complète donc les possibilités de loisirs d'une station en voie d'achèvement.
Ne quittez pas Arzon-Le Crouesty sans aller voir le *Petit Mont,* un tumulus dominant de ses 41 m l'ensemble du port. Le fortin d'à côté est devenu un hall d'information sur les mégalithes de Rhuys. Le tumulus de Tumiac, à droite de la route, à l'entrée d'Arzon, aurait servi de poste d'observation à César lors de la célèbre bataille navale qui anéantit les Vénètes en 56 av. J.-C.

● *Port-Navalo :* à la pointe de la presqu'île de Rhuys, petit port de pêche et de plaisance fort sympathique. Beau point de vue sur le « goulet » du golfe et l'île de Meaban. Jolie plage aussi ! Nous vous recommandons de faire à pied le tour de la pointe en passant sous le phare.

**Adresses utiles**

− *Syndicat d'initiative d'Arzon-Le-Crouesty :* ☎ 97-41-31-63.
− *École de voile :* ☎ 97-53-78-07.

## SAINT-GILDAS-DE-RHUYS (56730)

Fondée par saint Gildas en 530, cette commune se rendit célèbre par son abbaye qui eut un très grand rayonnement religieux, intellectuel et économique jusqu'en 1772. Abélard en fut le prieur pendant quelques années. Ce qui reste du monastère de style roman fait maintenant partie d'une pension de famille, centre de vacances. En revanche, l'*église paroissiale* mérite une visite car elle possède un chœur et un transept de style roman. La sacristie abrite – précieusement – un trésor de grande qualité artistique : calice, croix, reliquaire, etc. Sur cette commune, belle *plage des Govelins* et un délicieux petit port de plaisance à *Saint-Jacques*. Un golf de 18 trous s'étend entre la route et la côte, à Kerner. Autant vous dire que c'est une station de vacances très agréable. Pierre Messmer, ancien Premier ministre, apprécie tant l'endroit qu'il y a une maison et qu'il veille à préserver la côte voisine.

– *Plage naturiste* (tolérée) à Kerners.

## LE TOUR DU PARC

En suivant la côte vers l'estuaire de la Vilaine, on découvre des chantiers ostréicoles et des étiers livrés à l'aquaculture. Sur ces terres argileuses, régulièrement recouvertes par la marée, pousse à l'état sauvage la criste marine, appelée aussi salicorne. De Guérande à Carnac, on en recueille 25 à 30 t par an. C'est un délicieux légume qui ressemble au haricot vert.

– *Hôtel-restaurant la Croix du Sud :* route de Pen-Cadenic. ☎ 97-67-30-20. Fermé le dimanche soir et le lundi de novembre à Pâques. Le patron s'est lancé dans l'élevage de crevettes, palourdes, turbots. Allez les goûter. Menus de 120 à 196 F. Comptez 300 F environ pour 1 personne en demi-pension.

## DAMGAN (56750)

Cette station balnéaire reçoit énormément de monde l'été. Sa population est probablement multipliée par 40. Son parc de résidences secondaires, par rapport à la population permanente, la classe au premier rang du Morbihan. A noter, de plus, un grand nombre de campings, plus de 1 000 emplacements de toutes catégories. C'est donc un lieu de villégiature bon marché qui semble avoir été occupé depuis la nuit des temps par l'homo erectus. On a en effet trouvé, entre Kervoyal et Cromenach, des racloirs en silex probablement vieux de plus de 600 000 ans.

### Adresses utiles

– *Office du tourisme :* place du Presbytère. ☎ 97-41-11-32.
– *École de voile :* ☎ 97-41-12-49.
– *Centre équestre de Billiers :* ☎ 97-41-51-00.

### Où dormir ?

– Plusieurs aires naturelles de camping méritent d'être signalées. Petits *campings à la ferme* de 25 emplacements maxi. Équipement sanitaire simple mais complet. A réserver, car très recherché par les amoureux de la nature. *Camping de la Côte d'Amour.* ☎ 97-41-11-39.
– *Ferme de l'Ile :* ouvert toute l'année. ☎ 97-41-15-33.
– *Hôtel l'Albatros :* entre la grande plage et Kervoyal. ☎ 97-41-16-85. Fermé d'octobre à avril. 24 chambres neuves, de 150 à 270 F. L'avantage de cette maison, c'est qu'elle se trouve au calme, et ses chambres donnent sur la mer. Menus de 70 à 148 F.

● *A Penerf :* joli mouillage pour la plaisance. Au XVII° siècle, on avait même envisagé de créer là le port de commerce de la Compagnie des Indes. Voilà que le projet refait surface ! sous forme d'une grande marina... La polémique reprend ! L'histoire est un perpétuel recommencement.

pilier central. Voir la porte en chêne (d'époque), dont l'encadrement en granit est formé de deux jambages moulurés se rejoignant en cintre et surmontés d'un fronton triangulaire. A l'intérieur du musée se trouvent une maquette du port ancien et de nombreux objets illustrant la technologie maritime du XVII° au XIX° siècle.

## A voir ou à faire dans les environs

● *Nivillac* : *le musée des Autos d'Alfred,* en la ville Marguerite, ouvert toute l'année, ☎ 99-90-79-79. Alfred Le Moine collectionne tout ce qui roule, même les voitures à pédales.

● *Excursion en vedette panoramique sur la Vilaine* : embarquement à Arzal. ☎ 97-45-02-81. Toute l'année. Avec ou sans repas à bord, sur les *Vedettes Jaunes.*

● *Béganne* : château Lehellec. ☎ 99-91-81-14. Visite l'après-midi seulement, en saison. Belle maison classique du XVIII° siècle en schiste rouge.

● *Férel* : l'église possède un vitrail de l'arbre de Jessé du XVI° siècle et puis une bonne nouvelle... il y a un coq tout neuf en haut du clocher depuis le 15 août 1990. Le précédent coq avait perdu sa queue lors de la furieuse tempête de 1987, il ne servait donc plus à rien !

## LE BARRAGE D'ARZAL (56190)

En aval de La Roche-Bernard, cet ouvrage terminé en 1970, long de 380 m, permet de contrôler le débit de la Vilaine, en évitant l'inondation des marais de Redon. Il alimente aussi en eau douce les agglomérations de Nantes, Saint-Nazaire et Vannes. Un port de plaisance a été aménagé, c'est maintenant un site touristique très fréquenté.

Autour du barrage, entre novembre et février, on pratique la pêche à la civelle. La zone de pêche est strictement délimitée. Chaque année, l'anguille va pondre ses œufs dans la mer des Sargasses (nord-est des Antilles). Suivant le Gulf Stream, l'alevin arrive en Vilaine au bout de trois ans, et mesure alors 6 à 8 cm. On le pêche la nuit avec un tamis à mailles fines en forme d'entonnoir, immergé à 6 ou 7 m de profondeur, 3 h avant et 1 h après la pleine mer. Cette civelle (ou pibale) est très appréciée des gourmets.

— *Hôtel-restaurant la Vilaine* : à Camoël. ☎ 99-90-01-55. Fermé le mardi et en février. Chambres avec bains et w.-c. à 220 F calmes et coquettes. Table élégante. Service prévenant. Autour d'une bouteille de cidre nous avons dégusté des moules, des tripes et une tarte aux pommes. Tout cela savoureux, pour 100 F.

## PÉNESTIN (56760)

Sur la rive droite de l'embouchure de la Vilaine, Pénestin tient probablement son nom du commerce maritime de l'étain, organisé par les Phéniciens. Ainsi la toponymie prouve la vocation touristique de cette commune où l'on pratique intensément la mytiliculture (culture des moules). C'est un site plein de ressources. N'y a-t-on pas découvert récemment, sur le flanc d'une falaise, un bloc de quartzite taillé sur 2 faces par les pithécanthropes, il y a au moins 300 000 ans ? La présence de l'homme singe sur cette partie de la Bretagne remonte sans doute à 900 000 ans !

## Adresses utiles

— *Office du tourisme* : à la mairie. ☎ 99-90-37-74 en été, et 99-90-30-02 en hiver.

— *Club nautique de Pénestin* : plage de Pondrantais. ☎ 99-90-32-50. École de voile de l'initiation au perfectionnement, stages de 5 jours. Hébergement en auberge de jeunesse, en *mobile-home* de 6 personnes, ou encore en internat agréé. Ouvert de mars à octobre.

— *Port de plaisance de Tréhiguier* : ☎ 99-71-10-66.

— *Club de loisirs des jeunes, plage de la Mine d'Or* : ☎ 99-90-30-22.

**Où dormir ?**

— *Hôtel le Cynthia* : près de la plage de la Mine d'Or. ☎ 99-90-30-23. Petite maison familiale pas très chère. Chambres de 90 à 250 F et menus de 69 à 150 F.
— *Hôtel-restaurant de Loscolo* : face à la plage du même nom. ☎ 99-90-31-90. Ouvert en saison seulement. Une belle maison neuve, isolée, confortable. Chambres à 300 F. Très bonne table entre 120 et 300 F.
— *Camping du Inly* : ☎ 99-90-35-09. Piscine, restaurant, jeux, assez luxueux.
— *Camping les Pins* : ☎ 99-90-33-13. Mérite bien son nom.

## LE CANAL DE NANTES À BREST — L'OUST ET LE BLAVET

Il est possible de passer de la Manche à l'Atlantique via Dinan, Rennes, Redon, La Roche-Bernard, pour déboucher sur le grand large, en franchissant l'écluse du barrage d'Arzal. Ce qui nous paraît le plus excitant, c'est un rallye d'eau de mer et d'eau douce entre La Roche-Bernard, Josselin, Pontivy, Hennebont, l'île de Groix, Belle-Ile et retour à La Roche-Bernard. Si vous possédez un bateau, à moteur bien sûr, et qui cale moins de 1,15 m, voilà une idée « routard marin » extra. A votre disposition, la *location de coches d'eau* en différentes escales de cet itinéraire, et sur l'Aulne en Finistère. Renseignements au *Comité des canaux bretons et voies navigables de l'Ouest*, 9, rue des Portes-Mordelaises, 35000 Rennes. ☎ 99-31-59-44. On peut écrire.

## QUESTEMBERT (56230)

Ce chef-lieu de canton doit son nom aux châtaignes (*kistin* en breton). En 888, ce fut le théâtre d'une violente bataille entre les Armoricains, commandés par le duc Alain le Grand, et les Normands. Le bourg possède de splendides halles. Construites en 1552 par Jérôme de Carné, créateur des foires de Questembert, elles furent restaurées en 1675 par Estienne Charpentier ! Un nom prédestiné, n'est-ce pas ? Du même style, voir les halles du Farouët et de Plouescat. Ce sont les trois dernières encore debout ! On trouve, près des halles, deux bustes, Questembert et sa femme, superbement installés dans l'hôtel de Belmont (ici plus dénudés qu'à Vannes ou à Malestroit).
Maison du XVᵉ siècle aux lucarnes ouvragées et décorées de deux cariatides de bois sculpté.
A voir aussi la *chapelle Saint-Michel,* du XVIᵉ siècle, et l'hostellerie de Jehan Le Guenedo, rue des Halles (à côté du syndicat d'initiative). C'est la plus ancienne maison de Questembert (1450). L'hôtel de Carné du XVIᵉ siècle et les rues aux noms pittoresques : du Pilori, de la Tannerie, la place du Marché, etc.

**Adresses utiles**

— *Office du tourisme :* ☎ 97-26-11-38.
— *Club nautique :* ☎ 97-26-18-71.
— *Groupement d'intérêt touristique de Bro céliande :* place du Général-de-Gaulle. ☎ 97-26-60-10. Fabienne renseigne sur tout avec compétence et gentillesse. Tout ce qui concerne Questembert, Malestroit et Ploërmel.

**Où dormir ? Où manger ?**

— *Auberge bretonne :* 6, place du 8-Mai. ☎ 97-26-60-76. Pour moins de 100 F, on y fait un repas simple, bon et copieux. Chambre avec lavabo, 95 F, et 180 F avec la demi-pension.
— *Hôtel-restaurant Armor Vilaine :* à Péaule. ☎ 97-42-91-03. Bonne auberge, chambres bien tenues et agréables. Bien plus chère que la précédente. Compter entre 360 et 420 F la chambre en demi-pension. Par contre, menus bon marché, de 60 à 190 F.
— *Camping municipal de Calac :* auprès du plan d'eau en ras du bourg, joli site boisé. ☎ 97-26-11-24.

● **Très chic**

— *Au Bretagne :* 13, rue Saint-Michel, à Questembert. ☎ 97-26-11-12. Une des meilleures tables de France ! Premier menu à 150 F ; superbe. Rien de

## AMBON (56190)

Commune rurale disposant de vastes espaces marécageux et dunaires (où s'étale le camping plus ou moins anarchique). Ancien village de paludiers au Brouel.

Dans l'église paroissiale, au bourg, un entrepreneur vient de mettre au jour trois couches superposées de vestiges archéologiques. D'abord des sculptures, des XVII° et XVIII° siècles. Dessous est apparu le chœur roman d'une ancienne chapelle, lui-même recouvrant une petite construction quadrangulaire. A son côté, en profondeur, on a trouvé des sarcophages et des fosses taillées dans la roche, témoignant de la présence d'une communauté chrétienne à cet endroit il y a plus de 1 000 ans. Le chantier ouvert n'est pas prêt d'être fermé. Pour ceux qui s'intéressent de près à l'archéologie.

– *École de voile :* ☎ 97-41-53-38.
– *Camping les Peupliers :* ☎ 97-41-12-51.

## MUZILLAC (56190)

Chef-lieu de canton, Muzillac constitue une bonne étape sur l'axe Nantes-Quimper. Au bourg, quelques belles vieilles façades et la chapelle de Penesclus. Pour se dégourdir les jambes, faire le tour de l'étang de Pen-Mur, site splendide.

– *Syndicat d'initiative :* ☎ 97-41-53-04.

### Où dormir ? Où manger ?

– *Hôtel-restaurant les Genêts d'Or :* 5, rue du Couvent (derrière la mairie). ☎ 97-41-68-49. Un établissement simple exploité en famille. Menus à 55, 80 et 140 F. Chambres avec lavabo, 105 F ; avec bains, 150 F.
– *Auberge de Pen-Mur :* route de Vannes, à l'entrée du bourg. ☎ 97-41-67-58. Chambres bien aménagées avec tout le confort et T.V., entre 150 et 300 F. Joli salon type paquebot 1930 et salle à manger fleurie. Menus de 70 à 150 F.

● *Très chic*

– *Domaine de Rochevilaine :* à la pointe de Pen-Lan en Billiers. ☎ 97-41-69-27. Superbe installation en bord de mer que ce manoir breton, où s'allient gastronomie et luxe. Attention aux prix qui débutent à 200 F à table et à 400 F pour la chambre.

### A voir

– *Moulin de Pen-Mur :* ☎ 97-41-43-79. Manufacture de papier fabriqué encore à l'ancienne avec des chiffons (oui, venez voir !). Depuis le XIV° siècle, la Bretagne a une belle tradition papetière. Ce moulin appartint à François II, le père de la princesse Anne. Ce fut un monastère, puis un moulin à grain, une grange, etc. Un jeune ouvrier hautement spécialisé le loue maintenant à la commune pour y fabriquer du papier de luxe avec la technologie du XIV° siècle... et ça marche ! Bravo ! Expo-vente.

– *Le parc de Branféré :* 56190, Le Guerno. ☎ 97-42-94-66. Ouvert toute l'année de 9 h à 12 h et de 14 h à 18 h 30 (17 h 30 en hiver). Entre Auray et La Roche-Bernard. Placé sous le patronage de la fondation de France. Sur 50 ha, on a rassemblé environ 2 000 animaux, 100 espèces d'oiseaux et de mammifères, dont certains en voie de disparition (maras, ibis sacrés, oies céréops). Très agréable. Toutes ces bestioles sont en liberté dans un parc botanique (espèces rares) aménagé au XVIII° siècle.

– *Le Guerno :* église Notre-Dame, en forme de croix latine, avec chevet circulaire. Surprenante chaire extérieure et vitraux du XVI° siècle. Construite par les Templiers en 1590, son clocher est une tour cylindrique à toiture conique, couronnée d'un lanternon sous laquel on aurait gardé un morceau de la Vraie Croix... (voyez aussi la commune de La Vraie-Croix, près de Questembert).

## – LA ROCHE-BERNARD ET LE PAYS DE VILAINE –

### LA ROCHE-BERNARD (56130)

On connaît les nombreuses et mesquines polémiques engagées entre les députés républicains lors du découpage des départements, en 1790. Alors que certains voudraient un sixième département autour de Saint-Malo, on convient non sans mal d'échanger Redon contre La Roche-Bernard entre l'Ille-et-Vilaine et le Morbihan. Pour des raisons stratégiques, dit-on, les deux rives des estuaires doivent appartenir au même département (cf. « Saint-Malo-Dinard »). C'est pourquoi La Roche-Bernard, pourtant à l'évidence sous l'influence de Nantes, fait partie du Morbihan. Soit ! On s'incline, cette toute petite commune rayonne sur le pays de Vilaine et se présente comme la porte d'accès au Morbihan. Elle doit son nom au chef viking Bernhardt, qui, le premier, apprécia à sa juste valeur l'intérêt du promontoire dominant la Vilaine. Ce fut au cours des siècles un fief protestant, puis républicain : les Bleus la baptisent La Roche-Sauveur ! Des chantiers navals s'installent autour d'une anse bien abritée où se trouve maintenant un joli petit port de plaisance.

### La ville aujourd'hui

La mairie s'est installée dans la *maison du Canon* : un hôtel particulier de 1599 de style Renaissance. Tout autour, quelques vieilles maisons du XVIIIᵉ siècle rappellent la gloire d'une ville portuaire où l'on a construit en quatre ans, selon les recommandations de Richelieu, le premier vaisseau à trois ponts, *La Couronne*, lancé en 1635.

*L'auberge des Deux Magots,* aujourd'hui transformée en hôtel, possède encore un soubassement en granit et une façade remarquable : fenêtres en anse de panier. Voyez aussi la place du Bouffay et la rue du Ruicard.

– *Office du tourisme* : place du Bouffay. ☎ 99-90-67-98 en été, et 99-90-60-51 en hiver.

### Où dormir à La Roche-Bernard ?

– *Hôtel-restaurant les Deux Magots* : 3, place du Bouffay. ☎ 99-90-60-75. Belle façade avec des fenêtres à anse de panier. Pour une maison bourgeoise de 15 chambres, joliment meublées. De 150 à 290 F. Menus à partir de 85 F. Au bar, voir une impressionnante collection d'échantillons de bouteilles d'apéritifs, cognac, whisky, etc.

– *Chambres d'hôte* : au Moulin Bernard, à Béganne. ☎ 99-91-81-37. 5 chambres avec salle de bains. Piscine...

– *Camping Le Patis* : ☎ 99-90-60-13. Ouvert toute l'année. Très bien équipé.

– *Ferme-auberge du Portal* : à Nivillac. ☎ 99-90-64-79. Joseph Savourel est à la fois cuisinier, bricoleur et facteur d'orgues !

### Où manger ?

#### ● *Très chic*

– *Auberge bretonne* : sur la place Du-Guesclin. ☎ 99-90-60-28. Fermé le jeudi et le vendredi jusqu'à 16 h, et du 15 novembre au 15 décembre. L'une des meilleures tables de Bretagne. Le premier menu à 100 F (servi uniquement en semaine) vous comblera d'aise et, si vous désirez une fête de dégustation, c'est ici qu'il faut le faire : du chou farci cuisiné à l'ancienne à la corolle de lotte fumée maison, tout est un régal, agrémenté d'une carte des vins vraiment exceptionnelle ! Notre seconde table en Morbihan ! Ni snob, ni très coûteuse. Il y a aussi 13 chambres dont 6 de luxe, entre 250 et 650 F.

### A voir

– *Le musée* : le château des Basses-Fosses abrite maintenant le musée de la Vilaine maritime. ☎ 99-90-83-47. Ouvert tous les jours en saison. Il intéressera le touriste curieux de connaître la vie des marins de jadis, quand ils remontaient la Vilaine jusqu'au port de Redon. Ce bâtiment est construit sur le rocher de la rive droite de la Vilaine, comme le reste de la ville. L'immeuble compte cinq niveaux côté sud, et deux niveaux côté nord. A la partie du XVIᵉ siècle est accolée une tour carrée correspondant à l'emplacement de l'escalier en bois à mieux en Bretagne ! Il y a aussi 6 chambres luxueuses et décorées avec un goût extrême par Georges Paineau, cuisinier, peintre, poète et chef d'entreprise. Le tout avec talent. Bravo !

**A voir dans les environs**

● *Berric :* magnifique petite chapelle Notre-Dame-des-Vertus, du XV° siècle.

● *Château de Tremohar :* bâtiment du XVIII° siècle. Visite possible en saison.

## LA VRAIE-CROIX (56250)

Ce village fleuri, séparé de Sulniac en 1870, s'appelait Bourg-de-l'Hôpital du temps des chevaliers hospitaliers.
Dans la chapelle des Templiers reconstruite en 1611, on trouve une relique de la Vraie Croix, contenue dans une croix à double traverse en cuivre doré, ornée d'une guirlande de feuille de chêne gravée en creux. On accède à la chapelle par un escalier à double révolution. Sous la voûte s'ouvre un portail à 5 voussures en arc brisé, dont la dernière seule repose sur des colonnes à chapiteaux.

## ROCHEFORT-EN-TERRE (56220)

Ce village situé dans un paysage boisé, presque montagneux, s'est rendu célèbre par ses jolies maisons anciennes et fleuries. Si, comme on l'a si bien écrit : « L'éclat de la fleur répond à la patine des ans », on peut y trouver un côté un peu artificiel, un peu trop « granit et géraniums ». Néanmoins, ce village est très touristique et généralement apprécié.

**Adresse utile**

– *Office du tourisme :* place des Halles. ☎ 97-43-33-57 en été, et 97-43-32-81 en hiver.

**Rochefort dans l'histoire**

L'intérêt stratégique de ce belvédère a été vite reconnu. Les Romains y installent un camp, créant la « Roche forte ». Au cours du Moyen Age, le village perché est protégé par une forteresse. Les seigneurs de Rochefort jouent un rôle de plus en plus important dans le duché, ce qui vaut à la place forte d'être démantelée à deux reprises. Après diverses tribulations, le château est démoli par les républicains. Le village ne périclite pas pour autant, grâce à une petite industrie prospère (textile, ardoise). Au début du siècle, le peintre américain Klots, séduit par l'endroit, achète les ruines du château et s'installe dans les communs. En 1911, il prend l'initiative d'un concours de maisons fleuries, le premier en France. Cette initiative sera poursuivie par son fils Trafford. La petite cité de caractère connaît depuis un développement touristique certain, bénéficiant du label « village fleuri ». Le puits devient bouquet, l'abreuvoir, pot de fleurs.

**Rochefort aujourd'hui**

C'est devenu une station touristique à part entière... L'un des hauts lieux d'excursion en Bretagne. Le département a aménagé l'étang du Moulin-Neuf, à Malansac, avec un village de *gîtes communaux* et un plan d'eau qui contribuent à alimenter cette manne qu'est le tourisme. (Réservation, location : ☎ 97-43-35-13.) Il est vrai que sur le plan de l'emploi, la situation économique est difficile face à la concurrence de Malansac, de Questembert et surtout de Pleucadeuc, commune qui a reçu la Marianne d'or du dynamisme en 1990. Son maire a développé un capitalisme populaire pour créer de florissantes industries (agro-alimentaires surtout : le Morbihan est le premier producteur de dindes en Europe). On trouve à Berric un atelier d'ionisation intégré, pour transformer la viande en poudre !

**Où dormir ?**

– *Ty-Kendalc'h :* à Saint-Vincent-sur-Oust. ☎ 99-91-28-55. Fermé en janvier. Centre culturel breton qui « maintient » et perpétue les traditions. Stages de

danse et de musique. Correspondant des auberges de jeunesse, 30 lits disponibles pour tous, nuit de 21 à 37 F par personne selon la catégorie. Repas à 38 F. Joli cadre champêtre. Chambres à 2, 4 ou collectives. Ambiance familiale.
– *Hôtel le Gaudence* : à Allaire, route de Redon. ☎ 99-71-93-64 et 99-71-91-12. Ouvert toute l'année, parking privé. Chambres de 70 à 180 F.
– *Camping municipal de Bogeais* : à 1 km au sud-ouest par la D774, puis prenez à droite. ☎ 97-43-32-81. Ouvert d'avril à septembre. Très tranquille et agréable. Bon marché.
– *Chambres d'hôte* : près de Rochefort-en-Terre. Chez Joël Mounier. ☎ 97-43-33-16. Dans un prieuré du XVIII° siècle, 6 superbes chambres avec salle de bains.
– *Château de Talhouët* : à Pluherlin. ☎ 97-43-34-72. 8 chambres d'hôte dans un château des XVI° -XVII° siècles.

### Où manger ?

● *Bon marché*

– *Crêperie Sarrasine* : rue Candré, face à la mairie. Le cadre et la gastronomie jouent une harmonie du temps jadis. Les prix, eux, sont contemporains...
– *Hôtel-restaurant la Bonne Table* : au bourg de Molac, à 8 km. ☎ 97-45-71-88. Une maison ancienne sur la place de l'Église. Chambres de 77 à 140 F et menus entre 45 et 158 F. L'enseigne ne ment pas !
– A Rochefort même, quelques crêperies et restaurants profitent de leur situation, un peu comme au Mont-Saint-Michel. Pour satisfaire une grande soif, on peut s'offrir tout de même une bolée de cidre au *Café Breton*, près des halles : le décor mérite un coup d'œil.

● *Plus chic*

– Déjeunez sur la rive du *Moulin Neuf*, en bas du bourg de Rochefort-en-Terre, route de Limerzel. Menus de 60 à 150 F, tout à fait délicieux. Accueil très cordial.
– *Restaurant le Vieux Logis* : rue Saint-Michel. ☎ 97-43-31-71. Dans une belle maison du XVI° siècle, assez luxueuse. Bonne table, menus de 100 à 270 F.
– *Restaurant Le Lion d'Or* : rue Candré. ☎ 97-43-32-80. Une maison encore plus belle tant pour son architecture et son mobilier que pour la qualité de sa cuisine. Comptez 180 F pour un bon repas.

### A voir

– *Les anciennes halles* : en forme de fer à cheval. Elles abritent la mairie et une exposition de peintures.

– *Les maisons anciennes* : pour la plupart, c'étaient les hôtels particuliers des administrateurs seigneuriaux (sénéchal, greffier, notaire, etc.). Belles façades de granit, ponctuées de tourelles d'angle, dont les pierres de taille semblent exulter de magnificence florale. Une balance signale la porte d'entrée de l'ancien tribunal (place du Puits).

– *Le château* : ouvert de 10 h à 12 h et de 14 h à 18 h en saison. ☎ 97-43-41-39. Il est aujourd'hui constitué par les anciens communs du XVII° siècle, transformés en manoir grâce à de nombreuses pièces d'architecture, provenant du château de Keraliv, près de Muzillac. Un petit *Musée régional* a été aménagé dans une tour de l'entrée. Visite des appartements superbement meublés par M. Klots (l'ancien propriétaire). Vue splendide sur la Grée, depuis l'arrière du château.

– *L'église Notre-Dame-de-La-Tronchaye* : de la Grande-Rue, une ruelle conduit à l'église située à flanc de coteau. La tour carrée remonterait au XII° siècle, mais l'ensemble date des XVI° et XVIII° siècles. Belle façade à pignons percée de fenêtres flamboyantes. Aux angles du clocher, quatre figures de bœufs. A l'intérieur, sablières ornées de faces grimaçantes. Au fond, superbe *tribune* en bois finement sculptée, provenant de l'ancien jubé. Dans le chœur, stèles du XVI° siècle en chêne massif. Mais il faut surtout remarquer, sur la gauche de la chaire, une étonnante *sculpture macabre* en bois. On y voit deux crânes, des fragments de fémurs et de tibias... Il s'agit d'un *memento mori* destiné à effrayer le bon peuple en lui rappelant une mort certaine.

— Sur la place, un très beau *calvaire*, spécimen des « croix-panneaux » que l'on trouve dans cette région. Sur les trois étages de sculptures, scènes de la Passion...

**Aux environs**

● *Parc de la Préhistoire* : à Malansac. ☎ 97-43-34-17. Ouvert de 14 h à 18 h du 15 octobre au 11 novembre, et de 10 h à 19 h des Rameaux au 1ᵉʳ octobre. Dans des carrières d'ardoise et de schiste, on vous montre une reconstitution du cadre de vie de l'homme de Cro-Magnon ; cela vous rappellera le film *la Guerre du feu*.

● *Peillac* et *Saint-Martin-sur-Oust* : deux stations vertes de vacances qui ont fait de réels efforts pour bien accueillir et distraire les touristes. *Syndicat d'initiative* des Portes-de-Lanvaux à Peillac : ☎ 99-91-26-76.

**MALESTROIT** (56140) ———————————————————

Avec ses ponts et sa rivière, la petite ville de Malestroit n'est pas sans charme. Elle a fêté avec éclat son millénaire en 1987 ! Elle proclame toujours fièrement sa devise, *« Quae numerat nummos non est male stricta domus »*, que nous traduirons par « Une maison bien administrée est toujours à l'aise ».
La visite de cette ville démontre sa richesse passée tant on y voit de nobles demeures, de style gothique ou Renaissance, les unes en bois à pignons et étages à encorbellement, les autres en pierre avec lucarnes et gargouilles sculptées. On ne le répétera jamais assez, une ville se visite les yeux levés, les vitrines se ressemblent toutes, par contre les étages conservent souvent une architecture plus variée. C'est pourquoi nous vous invitons à une flânerie dans les rues de *Maltreu* (en parler gallo).

— *Office du tourisme* : ancienne gare routière. ☎ 97-75-14-57 en été, et 97-75-20-22 en hiver.

**Où dormir ? Où manger ?**

— *Au Vieux Lierre* : à Reminiac. ☎ 97-93-22-51. Bonne auberge au bord de la route vers Guer. Menus de 42 à 103 F. Cuisine excellente.
— *Le Canotier* : place du Docteur-Queinnec. ☎ 97-75-08-69. Bon rapport qualité-prix pour ce restaurant qui propose sur deux niveaux des menus allant de 70 à 150 F : émincé de saumon sur toasts chauds, lotte à la marmite, canard grand veneur. Ouvert tous les jours, stationnement facile sur la place du Marché.
— *Le Petit Keriquel* : à la Chapelle-Caro, au carrefour de la route allant de Malestroit à Ploërmel. ☎ 97-74-82-44. Fermé le dimanche soir et le lundi. Cette jolie maison reconstruite dispose de 8 chambres pas chères. C'est un Logis de France très sympa et la table nous a comblés. Compter de 140 à 190 F pour la chambre et de 72 à 170 F pour les menus.
— *Chez Antoine* : à Peillac, en direction de Redon, à deux pas des rives de l'Oust. Fermé le lundi et en février. Voilà un petit hôtel-restaurant ayant une vieille et bonne réputation. 17 chambres simples et une grande salle à manger feront votre bonheur.
— *Ferme-auberge du Domaine de Castellan* : à Saint-Martin-sur-Oust. ☎ 99-91-51-69. Fermé de novembre à mars. 6 chambres et un gîte. 140 F la chambre et menus de 65 à 95 F.
— *Camping la Dufresne* : sur les rives de l'Oust. ☎ 97-75-13-33. Près de la piscine municipale, face au quai où s'amarrent les coches d'eau et où sommeille le voilier de Roger Plisson, enfant du pays et navigateur solitaire intrépide. Faites-vous raconter ses tours du monde par un gars du pays...
— *Chez Grand-Mère* : à Carentoir, près de l'étang de Beauché. ☎ 99-08-93-69. Dans un parc de 4 ha, planté de 100 espèces d'arbres et d'arbustes. *18 chalets à louer* pour 2 ou 4 personnes : 200 F la nuit et 2 000 F la semaine.

**A voir**

— *Rue de la Madeleine* : têtes de Malestroit et de sa femme qui se regardent. *Rues du Froment et des Anglais*, vieilles maisons du XVIᵉ siècle, et, *place du Bouffay*, maisons datées de 1640 et 1646. Voyez aussi une maison en bois du

XV° siècle aux surprenantes sculptures : une truie file sa quenouille, un lièvre joue du biniou et un homme bat sa femme. *Rue Huberdière*, on lit sur une façade les sentences suivantes : « J'ai espéré en la miséricorde de Jéhova », en hébreu, le fameux « Connais-toi toi-même » de Socrate, en grec, et « La terre n'est qu'un bref séjour, c'est le ciel que Dieu nous a réservé comme patrie », en latin.

Pourquoi tant de sciences et de sagesse en ces lieux ? Ce fut probablement le logement d'un professeur du noviciat de la congrégation des prêtres de Saint-Méen, installés en 1828 dans l'ancien couvent des Ursulines par l'abbé Jean-Marie de La Mennais. Cette cité baigne dans la spiritualité. Elle a reçu, parmi des hôtes célèbres, Montalembert et Lacordaire. Il y eut jusqu'à trois couvents : des Augustines, des Ursulines, de la Sagesse. Le premier abrite maintenant une clinique où s'illustra pendant la dernière guerre la révérende mère Yvonne Aimée de Jésus, à qui le général de Gaulle remit la Légion d'honneur le 22 juillet 1945 pour hauts faits de résistance (cf. maquis de Saint-Marcel).

— *L'église Saint-Gilles* : construite au début du XII° siècle sur une fontaine sacrée, toujours présente, fut incendiée par les ligueurs en 1592. De l'édifice de base, il ne reste que le croisillon sud et le chevet plat, substitué à une abside en cul-de-four qui devait couvrir la fontaine. Lors de sa reconstruction, elle fut doublée d'une seconde nef. Dans celle de gauche se dresse une chaire sculptée style Renaissance, ornée de deux sirènes. Plusieurs fragments de vitraux du XVI° siècle garnissent les fenêtres ; l'un d'eux retrace la légende de saint Gilles et du péché de Charlemagne. Le portail nord de la façade occidentale présente une décoration flamboyante et riche. Celui de la longère méridionale est orné, si l'on peut dire, de sculptures symboliques très expressives. Les panneaux en bois sculptés des portes, datant du milieu du XV° siècle comme le porche, ne sont pas d'origine. Vers 15 h, l'ombre projetée du bœuf sculpté sur le portail sud ressemble au profil de Voltaire.

**A voir dans les environs**

— *Musée de la Résistance bretonne* : à Saint-Marcel. Ouvert tous les jours de juin à fin septembre, ou sur réservation pour les groupes. Une très bonne rétrospective de l'épopée glorieuse des maquis bretons. Bâtiment ultramoderne, dans un cadre de verdure : maquettes, véhicules, armes, salle de projection, etc. Exposition tout à fait pédagogique qui mérite un détour. Les spécialistes peuvent compléter leur découverte de ce morceau d'histoire à *Plumelec*, au nord de Vannes, par la visite du moulin qui servait de tour d'observation aux résistants. *Musée des parachutistes S.A.S.* dont la devise était *« Who dares, wins ! »*, « Qui ose, gagne ! »

**PLOËRMEL** (56800) _____

Cette ancienne sous-préfecture (jusqu'en 1926) dont la devise est *« tenax in fide »* (tenace en sa foi) s'est développée au carrefour des routes reliant Saint-Malo à Vannes et Rennes à Lorient. Son nom vient de Plouarthmel, « la paroisse d'Armel », moine anglais débarqué au VI° siècle. La ville ne possède plus que de maigres vestiges : un morceau de l'enceinte qui la protégeait au XII° siècle, *maison des Marmousets*, 1585, et l'hôtel des ducs de Bretagne. En 1273, le comte de Richemont fonde le *couvent des Carmes*, rue du Val, transformé maintenant en centre administratif (on visite). C'est ici que Jean-Marie de Lamennais crée en 1824 la congrégation des Frères de l'Instruction chrétienne. Jumelé avec Cobh, en Irlande.

— *Office du tourisme* : ☎ 97-74-02-70.

**Où dormir ? Où manger ?**

— *Hôtel le Cobh* : 10, rue des Forges. ☎ 97-74-00-49. Fermé le mardi soir, et du 10 au 30 janvier. 12 chambres rénovées dans une belle maison de la route de Rennes. Chambres de 140 à 270 F. Dans le parc, un pavillon peut loger 6 personnes. Le chef-patron ne manque pas d'imagination et il réussit bien ses préparations. Menus de 95 à 150 F. A la carte, rognons de veau aux langoustines, volaille en suprême, aiguillette de canard au vinaigre de framboise, etc.
— *L'Yvel* : à Loyat, près de l'étang au Duc. Camping de 20 emplacements bien équipés, une très bonne étape sur la N166 direction Dinan.

– *Camping naturiste international du Bois de la Roche* : à Néant-sur-Yvel. ☎ 97-74-42-11 et 97-74-42-12.

– *L'Orée de la Forêt* : place de l'église, à Campénéac. ☎ 97-93-40-27. 15 chambres bien rénovées, et une cuisine rustique convenable, de 50 à 150 F.

– *Relais du Porhoët* : à Guilliers. ☎ 97-74-40-17. On profite de 15 chambres dans ce joli Logis de France situé sur la place de l'Église d'un gentil village breton, supercalme, bonne cuisine, l'étape relax quoi ! Menus entre 78 et 168 F.

– *Chambre d'hôte* : chez Michel Jan, au Bouix-en-Guilliers. ☎ 97-74-41-56. Une chambre seulement.

– *Chez Maxime* : à Concoret. ☎ 97-22-63-04. Jolie auberge ancienne fort bien tenue. Ça sent la cire d'abeille et les daubes qui mijotent. Demi-pension entre 200 et 233 F, et 9 chambres rustiques à 85 et 125 F.

– *Restaurant Saint-Pierre* : au centre du bourg de Sérent. Sur la route de Vannes. ☎ 97-75-94-69. Les sœurs Le Brun cuisinent à l'ancienne un sauté d'agneau aux haricots fondants et, avec une généreuse crème caramel, pain et beurre à volonté, l'addition ne dépasse pas 47 F en semaine ! Odeurs du terroir et musique bretonne en prime. C'est sympa, non ?

– *Hôtel-restaurant Saint-Marc* : ☎ 97-74-00-01. Près de la gare. Rien à craindre, elle ne voit plus passer beaucoup de trains. Chambres avec douche et w.-c. à 160 F. Au menu à 85 F, flan de moules au beurre émulsionné, filet de merlu sauce oseille, chariot de desserts. Service « smart » par un garçon en veste blanche.

– *Camping municipal de Concoret* : au bord de son étang, il paraît bien accueillant.

## A voir

– *Église Saint-Armel* : ce saint tient son nom du celtic *Arthos* réduit à Arz qui signifie : ours ; et à *maglos* : grand. L'édifice a été reconstruit de 1511 à 1602. Le portail nord (1530) est formé de 2 arcs en anse de panier et accolade séparés par un trumeau illustré de scènes de l'Évangile, ou bouffonnes, par exemple : un savetier coud la bouche de sa femme, etc. Les bombardements des 12 et 13 juin 1944 n'ont épargné que le vitrail dit *Verrière de l'arbre de Jessé* (1552), signé de Jehan le Flamand. On a placé dans le transept nord les belles statues tumulaires des ducs Jean II et Jean III ; au sud, magnifique tombeau en granit de Kersanton, de Philippe de Montauban, chancelier d'Anne de Bretagne et d'Anne du Chastellier.

– *L'horloge astronomique* : construite de 1852 à 1855 par le frère Bernardin, elle se trouve dans la cour intérieure du collège de La Mennais, fondé en 1824, rue du Général-Dubreton. Chacun de ses 10 cadrans donne une information temporelle concernant notre système solaire.

– *La maison des Marmousets* : rue Beaumanoir (façade en bois de style Renaissance), et l'*hôtel des Ducs de Bretagne*, route de Dinan, sont des immeubles classés bien mis en valeur.

## Aux environs

● *Étang au Duc* : route de Dinan. ☎ 97-74-29-37. Base de plein air des Belles-Rives. *Campings* et *gîtes communaux*. Site plaisant.

● *Musée du Souvenir des écoles militaires de Saint-Cyr de Coëtquidan* : visite gratuite toute l'année, sur la route de Rennes.

● *Oratoire de la Madone des motards* : Porcaro. Pèlerinage national le 15 août, concentration de motos. Superbe *camping de la Priaudais* au bord de l'eau.

● *Aérodrome de Loyat* : base d'entraînement d'U.L.M.

● *Château de Crévy* : à la Chapelle-Caro. ☎ 97-74-91-95. Entre Vannes et Ploërmel. Ce château au passé prestigieux (monument historique classé) abrite maintenant un *musée du Costume civil* de 1730 à 1930 (dont un jupon ayant appartenu à Marie-Antoinette). Ouvert l'après-midi des mercredis, samedis et dimanches hors saison, l'après-midi tous les jours en juin, toute la journée tous les jours en saison.

## LA FORÊT DE PAIMPONT

C'est l'antique *forêt de Brocéliande*, riche en légendes et qui servit de décor aux épisodes merveilleux de la Table ronde, aux exploits des chevaliers du roi Arthur et à l'idylle de l'enchanteur Merlin avec la fée Viviane. On ne visite pas la forêt de Paimpont, changeante et insaisissable, on s'y perd et on se laisse envoûter par son charme empreint de mystère : sols détrempés, étangs magnifiques, odeurs d'humus... Malheureusement, la forêt appartient en majorité à des particuliers, on ne peut en découvrir qu'une partie et encore... car elle a en partie brûlé durant l'été 1990. De généreux mécènes, industriels bretons, ont décidé de payer le reboisement. Ils méritent d'être cités : François Pinault, marchand de bois, Yves Rocher, parfumeur, Daniel Roullier, distributeur d'engrais, Jean-Pierre Le Roch, des magasins Intermarché. Bravo messieurs et merci !

### Adresse utile

– *Office touristique de Brocéliande :* mairie de Plélan-le-Grand. ☎ 99-06-86-07. En été, accueil à l'*abbaye de Paimpont.* ☎ 99-07-84-23.

### Où dormir ? Où manger dans la région ?

– *Auberge de jeunesse le Choucan-en-Brocéliande :* ☎ 97-22-76-75. L'une des mieux situées de Bretagne, en lisière de la forêt de Paimpont, dans un paysage de landes sauvages et rudes *(landes de Lambrun).* De Paimpont, suivez la D773, puis la routière forestière vers Concoret. C'est bien indiqué de toute façon. Signalé depuis Concoret également. Isolée dans une très belle campagne accidentée, près d'un hameau de fermes anciennes qui donnent un aspect rural à l'A.J. Superbalades à faire alentour, dans les landes et la forêt. Conviendra à tous nos lecteurs(trices) un peu romantiques. Possibilité de camper.
– *Ferme-auberge :* M. et Mme Grosset, Trudeau, 35380 Plélan-le-Grand. ☎ 99-07-81-40. Située dans le mini-hameau de *Trudeau,* sur la mignonne D40, au sud du château de Brocéliande. Gîte d'étape dans une belle maison du pays couverte de lierre. Chambres de 160 à 180 F. Possibilité de camper. Tout est cuit au feu de bois dans le four à pain. Location de vélos. Bon cidre bouché à vendre. Est-il besoin de préciser que c'est une bien sympathique adresse ?
– *Relais de Brocéliande :* bourg de *Paimpont.* ☎ 99-07-81-07. Très belle maison en pierre du pays. Chambres de 140 à 240 F. Menus à 58 et 92 F. Grand jardin bien agréable.
– *Camping municipal :* sur la route de Gaël (la D773). A la sortie du village.

● **Plus chic**

– *L'auberge du Presbytère :* 35380 *Treffendel.* En marge de la N24, avant d'arriver à Plélan-le-Grand (venant de Mordelles). ☎ 99-07-93-93. Ouvert le midi et le soir jusqu'à 20 h 30 (réservation le soir). Fermé lundi soir et mardi. En pleine campagne, très belle maison de grès couverte de lierre. Aux beaux jours, on mange dehors dans un environnement serein. Menus à 98 F (suprême de pigeonneau grillé au feu de bois, raviolis de saumon), à 140 F (fricassée d'escargots aux champignons, filet de morue fraîche et son flan de poireaux) et à 220 F.

### A voir

● **Les Forges-de-Paimpont :** entre deux étangs entourés d'arbres séculaires, le hameau est formé des bâtiments des anciennes forges qui existaient dès l'époque de la Renaissance ; on y exploitait le fer de Brocéliande. Heureusement qu'elles finirent par fermer, car les forges engloutissaient les arbres de la forêt par milliers dans leurs feux.

● **Paimpont :** à 4 km au beau milieu de la forêt, c'est un point de départ idéal pour les randonnées pédestres et équestres. Le village, où l'on entre en passant sous une voûte, doit son origine à une ancienne abbaye dont il reste un grand bâtiment du XVIIe siècle occupé par la mairie.
Le long de la rue principale, toutes les maisons sont en granit et ont un petit jardin à l'arrière. Sur l'une d'elles, une plaque rappelle que c'est ici que Mme de Gaulle entendit, en 1940, l'appel de son fils, le général de Gaulle. Quelle curieuse coïncidence : elle est à « Paimpont », quand son fils donne l'alarme ! L'ancienne *église abbatiale* du XIIIe siècle témoigne de la prospérité du monastère qui disposait de ressources en bois, eau et minerai de fer... Les bâtiments

abbatiaux n'en sont pas moins importants. Voyez, dans l'église, le *trésor* dans la sacristie. Orfèvrerie religieuse et splendide *Christ* en ivoire. Boiseries, chaire et stalles du XVII° siècle. Les habitants de Paimpont étaient des privilégiés puisqu'ils ne payèrent pas d'impôts jusqu'à la Révolution. Le pardon de Paimpont a lieu le dimanche de Pentecôte.

### Dans les environs

● *L'étang et le château de Comper :* du château féodal, qui aurait été la résidence de la fée Viviane, il ne reste que quatre tours reliées par des courtines. Le corps de logis est du XIX° siècle. La fée Viviane, parce qu'elle avait fait construire ici ce château, fut appelée *la Dame du Lac*. Elle recueillit et éleva Lancelot du Lac.
De Comper, prenez la route de Concoret et, de là, descendez en direction de Tréhorenteuc. Il faut s'arrêter au hameau délicieusement nommé *La Folle-Pensée.*

● *La fontaine de Barenton :* de La Folle-Pensée on atteint à pied, à travers bois, la fontaine enchanteresse de Barenton dont quelques gouttes, répandues sur le perron de Merlin, opéraient d'incroyables prodiges. Le plus fréquent était la mise en branle de tempêtes épouvantables sur la forêt. Ici se sont réunis tous les mystères : Merlin y rencontra Viviane, les druides y exercèrent leur pouvoir sur les individus atteints de maladie mentale (la folle pensée) et le recteur de Concoret, au XIX° siècle, vint souvent en procession y tremper le pied de la croix en période de sécheresse.

● *Tréhorenteuc :* à 5 km de Barenton, le village est célèbre pour son *église* où les symboles chrétiens et païens font bon ménage. Ainsi, dans la neuvième station du chemin de croix, peut-on voir Morgane, la sœur du roi Arthur. Au fond de l'église, mosaïque représentant un épisode des romans de la Table ronde. *Office du tourisme :* Le Borug. ☎ 97-93-05-12.

● *Le val Sans-Retour,* ou *val des Faux-Amants :* à 1 km au sud de Tréhorenteuc. Ici demeurait prisonnier, séquestré par les maléfices de la fée Morgane, tout chevalier traître à sa dame ! Il est vrai que le paysage, tout empreint de mystère, devait développer l'imagination.

● *Le château de Trécesson :* du val Sans Retour, allez jusqu'à Campénéac, puis à Trécesson. C'est une propriété privée qu'on ne visite pas, mais le château, construit en schiste rouge au XIV° siècle, se reflétant dans les eaux de l'étang qui l'entoure, a belle allure.

## JOSSELIN (56120) _____

Une noble place aux allures de gros village, maintenant classée petite cité de caractère et surtout connue pour son superbe château. Il serait dommage de ne pas aller visiter la basilique Notre-Dame-du-Roncier, ou de ne pas voir les maisons anciennes aux amusants pignons inclinés en surplomb et comme prêts à chavirer.
Un bon conseil : garez votre voiture au bord de l'Oust, près de l'écluse.

### Josselin dans l'histoire

La vie de Josselin se confond d'abord avec les avatars de son château, édifié par un certain Guethenol, vicomte de Porhoët, au début du XI° siècle. Son fils, Josselin, donne son nom au bourg. Plantagenêt, en guerre avec le duc de Bretagne, démolit la ville et son château en 1168. Eudes II va le reconstruire en 1173. En 1370, Pierre de Valois vend le château au connétable Olivier de Clisson qui le transforme complètement et en fait un des plus fermes bastions de la cause française dans le duché. Clisson épouse Marguerite de Rohan. Le château passe par leur fille à la maison de Rohan. A la fin du XV° siècle, le duc de Bretagne François II fait démanteler le château pour mettre fin au soutien de Jean II de Rohan au parti français. Il sera réédifié, puis de nouveau détruit sur ordre de Richelieu car, à l'époque, Henri de Rohan est le chef des huguenots ; Richelieu lui aurait dit : « Je viens, Monsieur, de jeter une boule dans votre jeu de quilles. » Il faut attendre le milieu du XIX° siècle pour que la forteresse soit restaurée par la famille de Rohan, qui en est toujours propriétaire (Josselin de Rohan-Chabot, sénateur, maire de Josselin), et dont la devise est : « Roi ne puis, prince ne daigne, Rohan suis ».

## Adresses utiles

— *Office du tourisme :* place de la Congrégation. ☎ 97-22-36-43. Logé dans une magnifique maison médiévale fleurie.
— *Association régionale de tourisme équestre :* 8, rue de la Carrière. ☎ 97-22-22-62. Loue des roulottes et organise des semaines à cheval pour visiter la Bretagne.

## Où dormir ? Où manger ?

— *Gîte d'étape de l'Écluse :* au bord du canal. ☎ 97-22-21-69. Reçoit tous les randonneurs à pied, à cheval, en canoë, à vélo. Capacité d'accueil : 20 lits.
— *Relais du Bardeff :* à Moréac, sur la RN24 entre Josselin et Locminé. ☎ 97-60-18-60. Menu routier à 41 F (traduit en anglais, allemand, italien). Chambres en motel pour 2 à 4 personnes avec petite cuisine, louées entre 180 et 320 F.
— *Chambres d'hôte :* à Josselin. ☎ 97-22-22-62. Chez Alain Bignon, 5 chambres de 200 à 280 F pour 2 personnes, petit déjeuner compris. Dans la vieille ville, grand confort.
— *Restaurant Ty Mad :* à Naizin, route de Locminé. ☎ 97-27-43-32. La délicieuse auberge de campagne pas chère !

● **Plus chic**

— *Hôtel du château :* en face du château, sur les rives de l'Oust, superbe emplacement. ☎ 97-22-20-11. Salle à manger médiévale, cuisine classique, menus à partir de 65 F. Chambres à 115 F. Excellente étape « historique ».
— *Restaurant des Frères Blot :* 9, rue Glatinier. ☎ 97-22-22-08. Fermé le mercredi toute l'année et le mardi soir hors saison. Les deux frères proposent une cuisine super de 70 à 179 F. Au menu : terrine de lotte au coulis de crustacés, darne de saumon grillé au beurre blanc. C'est super, tout comme la vue sur la vallée de l'Oust où évoluent les coches d'eau (caravanes flottantes pour le tourisme fluvial).
— *Hôtel-restaurant le Relais de l'Oust :* à 2 km de Josselin, sur le bord de l'Oust, en direction de Pontivy. ☎ 97-75-63-06. Possède 25 chambres neuves et un restaurant bon et pas cher. Menus entre 55 et 148 F.

## A voir

— *Le château :* ☎ 97-22-22-50. Ouvert du 31 mars au 1ᵉʳ juin et du 30 septembre au 15 novembre, mercredi, dimanche et jours fériés de 14 h à 18 h ; du 1ᵉʳ au 30 juin et du 1ᵉʳ au 20 septembre, tous les jours de 14 h à 18 h ; du 1ᵉʳ juillet au 31 août, tous les jours de 10 h à 12 h et de 14 h à 18 h. Fermé du 15 novembre au 1ᵉʳ février. Il présente deux aspects très différents : d'une part, la forteresse moyenâgeuse vue de l'extérieur, et, d'autre part, la façade intérieure très riche d'ornementation. Pour avoir une vue d'ensemble, il faut descendre vers l'Oust. La façade extérieure plongeait autrefois ses fondations dans la rivière. Elle en est aujourd'hui séparée par la route. Les courtines et les trois tours rondes à toitures côniques datent de l'époque d'Olivier de Clisson (XIVᵉ siècle). Au-dessus de la courtine du XIVᵉ siècle, les portes hautes ont été refaites à la fin du XVᵉ siècle. La façade intérieure s'ouvre par une cour d'honneur, avec le traditionnel puits. Admirez les dix lucarnes à deux étages. C'est une véritable dentelle de pierre. Sur la galerie qui les relie, on peut voir les fleurs de lys de France et l'hermine bretonne. Les *A* surmontées d'une couronne ducale désignent Anne de Bretagne, et les cordelières évoquent l'ordre qu'elle avait fondé. Le motif principal représente la devise des Rohan : « A plus », sous un rang de couronnes. La forme particulière du *S* final, une guivre, rappelle les armes des Visconti de Milan, maison dont descendait Louis XII par sa grand-mère Valentine Visconti. Surprenante alliance ancienne de la Bretagne avec l'Italie.

— *Le musée des Poupées :* 3, rue des Trente. ☎ 97-22-22-50. Ouvert de 14 h à 18 h les mercredis, samedis, dimanches et jours fériés, en mars, avril, mai, et d'octobre au 15 novembre ; de 10 h à 12 h et de 14 h à 18 h de juin à septembre. Dans les anciennes écuries du château, Mme la duchesse de Rohan a constitué une collection de 500 poupées anciennes, des XVIIᵉ et XVIIIᵉ siècles.

— *La basilique Notre-Dame-du-Roncier :* selon la tradition, au IXᵉ siècle, un paysan découvrit une statue de la Vierge cachée sous des ronces qui, curieusement, ne perdaient pas leurs feuilles. Le paysan emporta la statue chez lui ; le lendemain, elle avait disparu. Il la retrouva encore sous les ronces. Ce manège s'étant produit plusieurs fois, le paysan comprit que la Vierge désirait qu'on édifiât en son honneur une chapelle à la place du roncier (cette légende est commune à de nombreux lieux de pèlerinage en Bretagne). La statue miraculeuse (objet de superstition) fut brûlée en 1789, et l'église transformée en temple de la déesse Raison. Des fidèles cependant réussirent à sauver des flammes quelques fragments de l'objet saint, pieusement conservés aujourd'hui dans un reliquaire. La statue que l'on voit dans la chapelle, à gauche du chœur, est moderne. L'église a subi plusieurs remaniements. Elle conserve dans le chœur des vestiges d'architecture romane de la fin du XIIe siècle, curieuse frise d'hommes, d'animaux et de feuilles, qui orne les chapiteaux. C'est maintenant un ensemble flamboyant présentant une étonnante suite de pignons percés de grandes fenêtres, et séparés par des gargouilles. Du clocher, vue superbe sur la vallée de l'Oust.

— *Les vieilles demeures :* autour de la basilique, rue des Vierges (maisons tout en bois), rue des Devins, Olivier-de-Clisson (maison Morice), rue des Trente avec ses maisons à pans de bois.

— *Le port de plaisance sur l'Oust :* devant le château, est souvent le but extrême atteint par les plaisanciers. La navigation est plus difficile jusqu'à Pontivy. *Le Ray Loisirs,* rue Caradec, à Josselin, ☎ 97-75-60-98, loue des coches d'eau habitables pour des croisières superbes tout à fait insolites.

## Le pardon de Josselin

Il a lieu le 8 septembre, toujours aussi populaire et pieusement suivi. Ce pardon est curieusement appelé pardon des Aboyeuses : toujours ces légendes étranges qui peuplent la vie de la Bretagne... On raconte qu'une mendiante demanda un jour de l'eau aux femmes qui lavaient le linge à la fontaine. Elles se moquèrent et lâchèrent sur elle des chiens... La vagabonde était en fait la Vierge Marie en voyage. Pour les punir, elle les condamna à hurler comme des chiennes, chaque année à l'époque de la Pentecôte. Dès lors, on mena les épileptiques à la basilique de Josselin, et ce pèlerinage devint une attraction pour les habitants de la ville qui assistaient aux crises des pauvres malades.

## Aux environs

● *Manoir de Guermahia :* à Saint-Servant-sur-Oust. Entre Josselin et Lizio. Aller déguster la cervoise de Bernard Lancelot, apiculteur écologiste, qui se dit petit-fils des chevaliers de la Table ronde. Il fabrique à nouveau la boisson favorite des Celtes et des Gaulois.

● *Radenac :* à 14 km à l'ouest. Prenez la direction de Lorient et tournez à droite, à 6 km. Le nom vient du breton *radénnec,* lieu où pousse la fougère. Dans l'église, voyez un retable aux armoiries des familles de Rohan et de Lantivy. Prenez la route en direction de Réguiny, et arrêtez-vous à la jolie *chapelle Saint-Fiacre.* Sur les vitraux, on peut reconnaître les armes (macles) des Rohan.

● A 7 km de Josselin, en direction de Ploërmel, *lieu du combat des Trente,* livré en 1351 entre Anglais et Bretons, dont Beaumanoir, auquel Geoffroy du Boys cria : « Bois ton sang Beaumanoir et la soif te passera... » Une colonne commémore cet épisode de la guerre de Succession de Bretagne...

● *Abbaye Notre-Dame-de-Timadeuc, à Bréhan :* sur les rives de l'Oust. ☎ 97-51-50-29. Réunit des moines trappistes de l'ordre des cisterciens, qui exploitent une ferme et vendent des fromages et des pâtes de fruits. Ils accueillent aussi des pensionnaires en retraite spirituelle, 40 chambres disponibles.

● *Rohan :* du château créé en 1104 par Alain de Porhoët, 1er vicomte de Rohan, il ne reste que des ruines et la chapelle de Bonne-Encontre : une curieuse inscription en vers donne la date de 1510. A l'intérieur, un tableau votif représente les membres de la famille de Rohan.
— *Restaurant l'Eau d'Oust :* ☎ 97-38-91-86. A Saint-Sanson, route Rohan-Loudéac, près du canal. Joli cadre rustique. Jeux. Cuisine soignée. Menus entre 85 et 180 F.
— *Camping du Val d'Oust :* ☎ 97-51-30-33. Situé également au bord du canal, près du bourg. Site ombragé. Bons équipements, attractions.

● *Lizio* : petit village de caractère, connu surtout pour son patrimoine architectural et ses gîtes ruraux tout ce qu'il y a de plus authentique. Une vieille tradition d'artisanat d'art, peut-être lancée par les moines soldats templiers, se perpétue et donne lieu le 2ᵉ dimanche d'août à une petite foire exposition très originale.
– *Réservation gîtes :* ☎ 97-74-83-03.
– *Auberge rurale :* ☎ 97-74-89-15.
– *Centre équestre de Sainte-Catherine :* ☎ 97-74-80-21.
– *Écomusée :* ☎ 97-74-93-01. Reconstitution d'une ancienne ferme et de vieux ateliers qui vous plongent dans le passé !

## – PONTIVY ET LA VALLÉE DU BLAVET –

La rivière, que dis-je, le fleuve, puisque le Blavet se jette directement dans l'Atlantique au terme d'un cours de 140 km, sera notre fil conducteur. D'Argoat en Armor, nous traverserons Napoléon-Ville, sous-préfecture, maintenant nommée Pontivy, puis Baud, en pleine forêt de Camors, puis Lochrist, là où le Blavet devient salé. Voilà un itinéraire à suivre à pied, à cheval, en calèche, en coche d'eau, en canoë, à vélo, et pourquoi pas aussi en U.L.M. Le fleuve et son chemin de halage offrent de multiples possibilités. A vous de choisir...

### Adresses utiles

Pour une découverte insolite du Blavet...
– *En avion :* aérodrome de Noyal-Pontivy. ☎ 97-25-03-90.
– *Aéroclub :* vol à voile. ☎ 97-25-57-79.
– *En calèche :* réservation au *Relais de l'histoire.* ☎ 97-65-22-27.
– *En péniche sur le Blavet :* à Languidic. ☎ 97-27-88-05.
– *Topoguide pour randonnée à pied :* avec *l'Abri.* ☎ 99-31-59-44.
– *Maison de la Ligue de canoë-kayak :* à Kernascléden. ☎ 97-51-61-51. 20 lits à Kerchopine (tiens, tiens !).
– *Club canoë de Lochrist :* ☎ 97-36-98-47.
– *Club kayak de Saint-Nicolas-des-Eaux :* ☎ 97-51-02-70.
– *Centre équestre l'Écurie des Ajoncs :* à Pontivy. ☎ 97-25-21-72.

## PONTIVY (56300)

Curieux destin que celui de *Pondi* (en breton) qui, après avoir été le fief de la maison de Rohan, devint le centre de rencontre des fédérés décidés à combattre les ennemis de la Révolution. De ces événements date la caserne des gardes mobiles du quartier Clisson, qui vient d'être entièrement reconstruite dans le style du XVIIIᵉ siècle au bord du Blavet. La position centrale de Pondi au milieu des campagnes insurgées inspire à Napoléon Iᵉʳ la décision de construire une ville nouvelle qu'il baptise Napoléon-Ville (décret du 20 floréal an 8 – 10 mai 1805). La ville gardera ce nom jusqu'au 14 avril 1814.

### Adresses utiles

– *Office du tourisme :* au pied du château féodal. ☎ 97-25-04-10. Logé dans la Malpandrie, ancienne léproserie.
– *Association de pêche de Pontivy :* M. Connan. ☎ 97-25-00-33.
– *Base nautique de Pontivy :* île des Récollets. ☎ 97-25-09-51.
– *Pour se distraire :* discothèque *la Rascasse,* sur la route de Baud, au vieux Rimaison, à Pluméliau, en week-end seulement. ☎ 97-51-93-38.
– *Pour se régaler :* goûtez les croquines en chocolat de *M. Geflaut,* expert en friandises installé place Leperdit.

### Où dormir ? Où manger ?

La ville possède plusieurs bons petits hôtels, de confort et de prix équivalents. Deux d'entre eux sont récents donc plus modernes et, de plus, proches l'un de l'autre, rue Nationale.
– *Hôtel le Rohan :* ☎ 97-25-02-01. Même propriétaire que la brasserie *la Locomotive,* à deux pas de là, face à la gare S.N.C.F., évidemment !

– *Hôtel de l'Europe :* ☎ 97-25-11-14. Au restaurant, menus à 65, 80, 130, 160 F. Soirée étape à 250 F.
– *Auberge de jeunesse :* île des Récollets. ☎ 97-25-58-27. Ouverte toute l'année. Près de la piscine et du musée des Moulins à eaux.
– *Hôtel-restaurant Robic :* 2, rue Jean-Jaurès. ☎ 97-25-11-80. Simple et sympa, bonne table, bonne cave. Menus de 40 à 98 F. Cidre en pichet à 8 F. L'assiette saucissonnade à 16 F. Côte de veau au pineau à 40 F, gâteau breton à 8 F. Cuisine du patron : P'tit Louis I Chambres doubles de 110 à 200 F. Vente de produits régionaux. Tabac et journaux sur place.

## A voir

– *Le château féodal :* achevé en 1485 par Jean II de Rohan, il domine le Blavet. La forteresse, entourée de larges et profonds fossés, est impressionnante avec ses deux énormes tours et ses hautes courtines. C'est l'un des très beaux spécimens d'architecture militaire du XVe siècle. En 1572, il accueillit le synode protestant. Le château fut l'un des premiers temples protestants de Bretagne. Dans une salle de la tour ouest, on a remonté une cheminée provenant du manoir de Coët-Candec en Grandchamp. Elle est haute de 4,30 m et présente une succession d'écussons et armoiries en pierre. Il y a beaucoup d'autres curiosités à voir en ce château où se tiennent l'été des expositions.

– *La vieille ville :* elle cache encore, enchevêtrées autour de la place du Martray, quelques belles rues bordées de maisons à pans de bois. Notez les noms d'autrefois : rue du Fil (qui témoigne de l'industrie des toiles qui firent la fortune de la ville), place du Martray, rue du Pont, etc. Ces rues viennent d'être réservées aux piétons : merci pour eux.

– *L'église Notre-Dame-de-la-Joie :* de style flamboyant, a subi, au cours des âges, de nombreux remaniements. Sur la porte, on devine les armes des Rohan : des losanges d'argent sur fond pourpre. Ce signe vient des macles : des pierres qu'on trouve sur les rives de l'étang des Salles, en forêt de Quénécan.

– *Napoléon-Ville :* toute la ville nouvelle a été bâtie perpendiculairement et parallèlement à une « magistrale », selon le plan du sous-préfet Gilbert de Chabrol. La mairie et la sous-préfecture, de style Empire, font face à la Caisse d'Épargne et au Tribunal, de part et d'autre d'une place carrée : le Champ-de-Manœuvre, appelé aussi « la Plaine ».

## Aux environs

● *Lac de Guerlédan :* seule la rive sud du lac artificiel appartient au Morbihan. On y a créé un beau camping au bord de l'anse de Sordan (☎ 97-39-69-46). Bar-crêperie et possibilité de canoë, baignade, excursion sur le lac, pédalo, ski nautique. Une petite base de loisirs supercalme, qui gagne à être connue.

● *Forêt de Quénécan :* c'est l'extrémité nord-est de la montagne Noire. Elle culmine à 287 m, on l'appelle la petite Suisse bretonne. Trois étangs : celui des Salles où l'on ramasse des macles (pierres) ; l'étang des Fourneaux auprès duquel se trouvait jusqu'en 1860 une forge ; l'étang du Moulin-Neuf qui alimentait en tan les tanneries de cuir.
Les amateurs de mystère iront visiter la *grotte Magique* du peintre fantastique Réon au moulin du Corbeau, en pleine forêt. On y accède par Sainte-Brigitte. Pour en savoir plus, lire l'excellent *Guide de la France insolite* de Claude Arz (éd. Hachette, *of course* I).

● *L'église de Stival :* à 3 km au nord-ouest. A l'entrée du bourg, belle fontaine du XVIe siècle dédiée à saint Mériadec, avec, au fond de la niche, la statue du saint. La chapelle Saint-Mériadec ne retiendrait guère l'attention des touristes, malgré son portail flamboyant, si elle ne recelait deux vitraux Renaissance et de superbes peintures murales du XVIe siècle. Le vitrail qui décore la fenêtre du chevet représente l'arbre généalogique du Christ ; saint Mériadec s'installa ici au VIe siècle et, plus tard, fut évêque de Vannes. Il laissa à la chapelle une cloche de cuivre qui a pour vertu, dit-on, de guérir la surdité.

● *Cléguérec :* allée couverte de Bot-er-Mohed, un couloir de dolmens long de 27 m, comme à Saint-Nizon en Malguénac.
– *Chambres d'hôte :* à Saint-Aignan, chez Micheline Herio. ☎ 97-39-62-77.

– *Hôtel-restaurant Christian :* en face de l'église, à Saint-Aignan. ☎ 97-27-50-12. Fait aussi boucherie-charcuterie. Pension avec 8 chambres à 95 F. Au menu à 35 F, consommé de volaille, moules au curry, côte de porc charcutière, fromage et fruits. Qui dit moins cher ?

– *Manoir de Kera-Mour :* à Malguenac. ☎ 97-27-35-81. 11 chambres douillettes et chères, 350 F pour une double. Dans un splendide manoir breton.

● *La chapelle Notre-Dame-de-la-Houssaye :* à 3 km au sud-est de Pontivy. Au sommet d'une colline, un peu sévère et triste au milieu des arbres qui l'enserrent, se trouve ce petit chef-d'œuvre, peu connu (XVe siècle). A l'intérieur, retable en pierre tendre polychrome, empreint d'un art très séduisant, unique en Bretagne. Sa partie centrale est peuplée de personnages aux attitudes vivantes.

● *Noyal-Pontivy :* à 6 km au nord-est. Dans ce hameau s'élève un ensemble d'édifices religieux dédiés à sainte Noyale, sainte née en Angleterre, venue s'établir en Armorique au VIe siècle. Décapitée par un chef breton qu'elle avait éconduit, elle poursuivit son chemin, la tête sous le bras. Épuisée après plusieurs lieues, elle consentit alors à mourir... quand même ! Dans le bourg, l'église édifiée au XVe siècle présente un décor flamboyant.

– *La Ville Neuve :* au bord de la route Pontivy-Vannes. ☎ 97-39-83-10. L'ancien chauffeur routier s'est fait hôtelier et il reçoit bien. Menus de 65 à 150 F. Demi-pension à 180 F et superbes chambres de 175 à 220 F.

● *Réguiny :* première station verte de vacances créée en Bretagne. Cette petite commune rurale fait tout ce qu'elle peut pour attirer et distraire les vacanciers : plan d'eau aménagé, salle des fêtes, piscine, camping. Réservation à la *mairie :* ☎ 97-38-66-11.
Église consacrée à saint Clair, envoyé en Armorique par le pape saint Lin, successeur de saint Pierre, avec, comme gage de sa mission, le clou qui avait fixé le chef des apôtres sur sa croix. Voilà pourquoi la statue de saint Clair, au porche de l'église, tient un clou. Il y en a aussi dans les crosses en fer de la porte sud.

– *Hôtel-restaurant de Bretagne :* ☎ 97-38-66-07. Excellent rapport qualité-prix. Grande capacité d'accueil. Au restaurant, menus de 60 à 150 F. Demi-pension à 200 F. Tennis.

– *Barnight-club l'Écurie :* à Locmalo, entre Réguiny et Rohan. Pour faire une étude sociologique sur les distractions à la campagne...

● *Guern :* le bourg n'a pas beaucoup d'intérêt mais l'un de ses villages, *Quelven,* possède une *chapelle* impressionnante. Elle a été construite à la fin du XVe siècle et son clocher s'élève à 70 m. A l'intérieur, statue ouvrante de Notre-Dame de Quelven et vitraux du XVIe siècle. Spectaculaire et pieux pardon le 15 août autour de la scala proche de la chapelle. En bas du village, fontaine du XVIe siècle.
La rivière de la Sarre, qui traverse Guern, constitue un riche parcours de pêche à la truite.

– *Auberge de Kerlen :* à Corn-er-Pont en Guern. ☎ 97-27-70-93. Des bungalows et un restaurant au milieu d'un parc, bordé par la rivière de la Sarre. Piscine et jeux pour enfants. Menus entre 80 et 160 F. Logement pour 5 personnes, 200 F la nuit.

– *La Taverne de Kurn Er Pont :* « cabaret » breton animé par Philippe et Jean-Marie. Pour connaître le programme : ☎ 97-27-71-17.

● *Melrand :* on y trouve quatre calvaires, oui, pas moins ! Le plus beau, selon nous, s'élève sur la route de Guéméné : le fût de la croix est orné des têtes des apôtres que couronne la Sainte Trinité.
Sur la route menant à Bubry, visitez la *ferme archéologique de Lann-Gouh.* Ouvert tous les jours en saison. ☎ 97-51-09-37. Reconstitution, sur son site originel, d'un village de l'an 1000, dont on découvre peu à peu les vestiges. Cultures et animaux « d'époque » reprennent place dans le paysage. Tout cela est très pédagogique.

– *La Mijotière :* sur la route de Pontivy, au lieu dit Quenetevec. ☎ 97-27-72-82. Une ferme transformée en restaurant, menus entre 95 et 200 F.

● *Bieuzy-les-Eaux :* à l'entrée du village, jolie *fontaine* qui dresse au fond d'un enclos le triangle de son pignon orné de crochets. L'eau de la fontaine a, selon la légende, la vertu de tuer les chiens atteints de la rage et de guérir ceux qui ont été mordus. Près de la fontaine part un joli sentier pédestre dit circuit de Castennec. L'*église* sur un îlot surélevé, est du XVIe siècle. A l'intérieur, poutres et sablières sculptées déroulent avec verve leurs monstres, dragons et lions à crinière. Quelques vieilles maisons classées dans le bourg et vieux puits en granit. En descendant vers le Blavet, on passe sur la presqu'île de la Couarde dite *montagne de Castennec*. Ici s'élevait sous l'occupation romaine une ville fortifiée à l'intersection des voies Vannes-Carhaix et Rennes-Quimper. Vue sur un superbe méandre du Blavet.

— *Camping de la Couarde* : à Bieuzy. Vue imprenable sur la vallée.

● *Saint-Nicolas-des-Eaux* : sur la rive gauche du Blavet, le quai de Saint-Nicolas-des-Eaux est le paradis des pêcheurs à la ligne. Pédalos et vedettes d'excursion. Au-delà du vieux village, la flèche de la *chapelle de Saint-Nicodème* jaillit à 46 m au-dessus de l'horizon des champs de blé (cf. Peguy et Notre-Dame de Chartres). L'édifice de style flamboyant date de 1537. Sa situation surprend, sa richesse aussi. Voyez à côté une triple fontaine aux gables à crossettes.

— *Parc de loisirs du pays de Baud* : ☎ 97-25-47-55. Écluse de Gamblen, à 3 km de Saint-Nicolas, rive gauche, suivez les flèches menant à une propriété de 8 ha dont 2 ha de plan d'eau. Un bassin est réservé à l'évolution des modèles réduits de bateaux radioguidés. Pêche dans le Blavet, jeux de boules, crêperie et guinguette charmantes.

— *Hôtel-restaurant du Vieux Moulin* : au bord du Blavet, à Saint-Nicolas-des-Eaux. ☎ 97-51-81-09. Fermé le lundi et en février. Sur ses 10 chambres, 4 viennent d'être superbement refaites, elles coûtent 250 F. Bonne pension pour les pêcheurs et les cyclotouristes.

● *Saint-Barthélemy* : chapelle Saint-Adrien, du XVe siècle, d'où s'échappe une source qui a la propriété de guérir les maladies gastriques. C'est dit autrement en breton... Tout autour subsiste un joli village de chaumières avec deux fontaines.

## BAUD (56150)

Ce petit bourg, maintenant évité par la RN24, ne recèle pas de trésor, hormis sa *Vénus de Quinipily* à laquelle Flaubert trouva « une sensualité à la fois barbare et raffinée ». Toute une légende a été colportée autour de cette statue qui n'a pourtant rien d'érotique... enfin, à chacun ses goûts. A voir quand même.

— *Office du tourisme* : à la mairie. ☎ 97-51-02-29.

### La forêt de Camors

Ses 570 ha font partie de ce massif forestier qui couronne les maigres reliefs morbihannais en prolongeant la montagne Noire finistérienne. Les forêts domaniales de Camors, Florange et Lanvaux s'alignent d'ouest en est, vers 150 m d'altitude, pour marquer le début de l'Argoat. Ce massif forestier fut pendant des siècles une pépinière de bûcherons, de charpentiers, de charbonniers, de sabotiers et autres scieurs de long. La tradition populaire a véhiculé la légende de ces hommes rudes, vivant dans leur « loge » pendant tout l'hiver, et dont la mentalité était fondamentalement différente de celle des paysans. L'expression « homme des bois » leur a longtemps collé à la peau. Vous n'en verrez plus aujourd'hui... la tronçonneuse a tout transformé. Dieu merci, elle n'a pas encore attaqué le patriarche d'Armorique : ce *chêne* bimillénaire de 11 m de circonférence et de 20 m de haut que l'on voit de loin sur la route allant de Guéhenno à Saint-Jean-Brévelay.

### Où dormir ? Où manger ?

— *Le Relais de la Forêt* : face à la mairie de Baud. ☎ 97-51-01-77. Assez calme et stationnement facile, bien qu'en plein centre ville. 23 chambres entre 80 et 200 F. Ouvert toute l'année sauf le jeudi en hiver. Menus à partir de 55 F. Spécialités : langoustines, saumon à l'oseille, nougat glacé. Jolie salle à manger rustique, service rapide et souriant. Ça vaut le coup de quitter la RN 24 pour faire étape ici.

— *Hôtel-restaurant Ar Brug* : à Camors. ☎ 97-39-20-10. 20 chambres, en face de l'église. Cuisine copieuse et pas chère. On trouve là un rapport qualité-prix extraordinaire.

— *Hôtel Les Bruyères* : à Camors. ☎ 97-39-29-99. Chambres neuves, pas de restaurant. Confort classique. 220 F environ la chambre.

– *Camping municipal* : en pleine forêt domaniale de Camors. ☎ 97-39-22-06. 70 emplacements.

● *Dans les environs*

– *Le relais de Floranges* : à Bienzy-Lanvaux entre Baud et Vannes. ☎ 97-56-00-14. Une toute nouvelle auberge à l'orée des bois et à 30 km des plages. Chambres de bon confort à partir de 160 F. Excellent menu à 90 F. Pour les amateurs de grand calme !

**A voir aux environs**

● *Locminé* : ce nom vient de *Loc-ménéc'h*, « lieu des moines ». Un monastère aurait donc été fondé là par saint Colomban, et reconstruit en 1606. Ce qui intrigue le touriste aujourd'hui, c'est de voir une église moderne précédée des façades de l'ancien sanctuaire du XVIᵉ siècle et de la chapelle Saint-Colomban. On doit cet assemblage pour le moins bizarre, réalisé en 1971, au député-maire de Locminé, et curé du lieu de surcroît. Cet abbé Laudrin fit abattre les deux édifices délabrés, pour construire à leur place une église en béton, d'une indicible laideur. *« Is fecit cui prodest »* dit le proverbe (« Chacun agit selon son intérêt »). Locminé se taille une autre réputation, grâce à la chanson... des gars de Locminé, qui ont de la maillette dessous leurs souliers... De la maillette, il n'y en a plus guère chez les cordonniers... par contre, les pâtissiers ont pris le relais...
– *Auberge de la Ville au Vent* : 9, rue de Clisson. ☎ 97-60-08-40. Ouvert tous les jours. Ce chic restaurant de tradition vient de s'installer dans une ancienne ferme. Tous les menus sont extra. De 60, 75, 95 F à beaucoup plus !
– *Hôtel-restaurant de Bretagne* : rue Max-Jacob. ☎ 97-60-00-44. Tout à fait simple. Menu à 44 F. Chambres avec lavabo à 115 F, bains et w.-c. pour 2 personnes à 170 F. Demandez la soirée-étape à 230 F : super !

● *Bignan* : domaine du château de Kerguehennec. Le parc constitue un arboretum de qualité où sont maintenant exposées des sculptures modernes. On a voulu en faire un lieu de création et de rencontre avec l'art contemporain. Vous découvrirez donc 17 sculptures ? modernes ? en tout cas plus désopilantes les unes que les autres. Le château a été bâti par des banquiers suisses à l'époque de la splendeur de la Compagnie des Indes, architecte Olivier Delourme, parc à l'anglaise par Bühler. Le domaine a changé plusieurs fois de propriétaires avant d'être acheté par le Conseil général du Morbihan en 1972. Ouvert tous les jours du 1ᵉʳ mai au 30 octobre, de 10 h à 18 h ; entrée 10 F. Réservation pour visite guidée : ☎ 97-60-21-19.

● *Moustoir-Ac* : se signale de loin par le pylône de l'émetteur TV du pays de Vannes, mais aussi parce qu'on y trouve le plus haut menhir debout en Morbihan (plus de 7 m), caché dans la forêt (beau parcours de pêche sur le Tarun).
– *Chambre d'hôte* : chez Marie-Ange Demais, à Kerdréan-La Grand-Ville, Brandivy. ☎ 97-56-12-50.

● *Pluvigner* : l'église Saint-Guigner (1546) et la chapelle Notre-Dame-des-Orties (1426) sont reliées comme des sœurs siamoises par le même presbytère. Ce n'est pas commun ! Il y a aussi un site archéologique où l'on a découvert les ruines d'un village gaulois, datant de 300 à 150 ans avant J.-C., constitué de maisons en pierre à l'intérieur d'une enceinte.
– *Centre équestre la Crinière de Kerlihuen* : à Pluvigner. ☎ 97-24-97-76.
– *Chambres d'hôte* : au château de Kerangat, à Plumelec, chez Mme Hunt. ☎ 97-42-24-25.
– *L'auberge de Kerreau* : Kerreau-Malachappe, 56330 Pluvigner. ☎ 97-24-74-64. De Baud, prenez la D24 en direction de Malachappe ; après environ 8 km, tournez à droite vers Kerreau. Petite auberge tout à fait charmante et qui vaut le détour. C'est une chaumière bretonne typique du XVᵉ siècle, décorée et meublée en style régional ancien. Cuisine originale (entre la nouvelle cuisine et la cuisine du terroir), menus très copieux à 85, 135 et 160 F. Certains plats sont sur commande. Mousseline de courgettes aux moules, filets de sole au vin de pêche, magret de canard au confit de groseilles. Dispose de 4 chambres à 180 F pour 2 personnes.

## – ENTRE LE BLAVET ET LE SCORFF –

**Adresses utiles**

– *Association pour la protection des salmonidés en Bretagne :* ☎ 97-87-92-45.
– *Fédération des associations de pêche en Morbihan :* ☎ 97-42-52-06.

## GUÉNIN (56150)

Petit village dominé par une butte dont la borne géodésique indique 155 m d'altitude. Excusez du peu, on est en Bretagne. Cette montagne sacrée du *Mané Guen* (montagne blanche) attire pourtant de nombreux curieux : du sommet, on aperçoit 15 clochers alentour. La première chapelle a été édifiée en 1300, grâce à la générosité d'Aline Olivro de Guénen, puis restaurée au XVIe siècle ; la nef date de 1511, l'abside de 1751. A proximité se trouvent un puits profond de 30 m et une fontaine datée de 1610. Cette « montagne » constitue un beau lieu d'excursion à pied, ou à moto (on y organise des courses de côte) car la route monte sur un versant et descend sur l'autre.

## QUISTINIC (56310)

Quel dommage que le *château de la Villeneuve-Jacquelot* (visite sur demande seulement), du Boisrouvray – nom de la famille qui en est encore propriétaire – ne soit plus dans l'état d'avant l'éboulement de 1897. Du XVIe siècle sont conservées, dans la salle d'honneur, 2 belles portes en bois et la cheminée ; dans le parc, la chapelle. Intéressantes aussi, la façade méridionale du XVIIe siècle et les boiseries de la tour et de l'aile ouest.
La *chapelle de Locmaria* mérite aussi votre attention, ne serait-ce qu'en raison de ses dimensions, 32 x 6 m. Elle est flanquée d'une croix et d'une fontaine. Grand pardon le 15 août. L'importance du monument nous laisse deviner la notoriété du sanctuaire et probablement la richesse du pays, jadis.

### Le village de Poul-Fétan

Haut lieu et fierté des promoteurs du tourisme vert en Bretagne. Ils n'ont pas tort ! Encore faut-il aborder ce hameau de chaumières restaurées en faisant un petit effort, car l'atteindre par la voie carrossable, avec parking au bout, donne l'impression d'y débarquer en ascenseur ! Nous vous recommandons de suivre la route de la vallée du Blavet, et de profiter du sentier qui escalade la butte : c'est fléché et on se gare facilement sur une prairie en contrebas de la route. Alors apparaissent peu à peu les toits de chaume, leurs cheminées sculptées, puis les façades si bien proportionnées. On laisse à gauche un enclos où paissent quelques biches et autres animaux semi-sauvages. Enfin, vous découvrez une douzaine de chaumières, et encore quelques ruines en cours de restauration (à l'ancienne, faut-il le préciser ?). Des artisans logent sur place, fabriquent et vendent leurs objets en cuir, bois, laine, etc. Vous avez aussi à votre disposition un *gîte d'étape* d'une douzaine de lits.
– *Réservation et visite guidée :* ☎ 97-39-71-08.
– *La crêperie du village :* ☎ 97-39-73-33.

## PLOUAY (56240)

Ce gros bourg, de plus en plus rattrapé par l'urbanisation de l'agglomération lorientaise, vit encore largement de l'agriculture et possède donc un marché au cadran. A côté de l'église, le monument aux morts de la guerre de 1914-1918 présente quatre statues de soldats – dont un aviateur – et ça, ce n'est pas commun !

### Où dormir ? Où manger ?

– *Le Relais du Marquis :* à Plouay. ☎ 97-33-25-00. Fermé le lundi. Dans un joli hôtel du XVIIe siècle qui aurait servi de cour de justice, Fabienne et Martine préparent une cuisine rustique faisant largement usage des cuissons au feu de bois dans la cheminée en salle. Compter 160 F pour faire un bon repas.

## INGUINIEL (56240)

La *chapelle Saint-Cornély* date sans doute du Moyen Age. Édifiée dans ce qui reste le dernier et seul enclos paroissial du Morbihan, elle était entourée jusqu'en 1947 d'un cimetière ; l'ossuaire attenant à la sacristie en est le seul témoin. A 300 m au sud, calvaire dédié à saint Cornély, daté de 1611. Dans l'enclos : calvaire classique de 1813, Jésus seul en croix encadré des larrons ; à leurs pieds, des pleureuses. La chapelle massive fait l'objet d'une minutieuse restauration par un comité local de bénévoles. L'été, on y donne des concerts. Dans un tout autre registre, sachez qu'Inguiniel possède l'un des plus grands élevages de visons de Bretagne : 20 000 femelles qu'on nourrit avec les déchets des abattoirs de volailles, et des poissons. Le Morbihan est en effet le plus gros fournisseur de peaux en France (800 000 par an). Cela ne va pas sans nuisances pour l'environnement. On ne visite pas les élevages, cela va sans dire ! On les sent de loin, ça suffit.

● *Pont-Augan*

Au confluent de l'Évei et du Blavet, jolie base nautique pour canoë-kayak et camping « au vert » de première qualité sur la rive qui fait face à une ancienne usine, qui ne demande qu'à être restaurée pour recevoir des vacanciers dans ce site idyllique (message adressé à Serge Trigano). Le GR 38 passe par là, auprès des chaumières de Kerdrono, Bourron, Coët-Pouron.
– *Base nautique de l'Ével-Blavet :* ☎ 97-51-11-82.
– *Camping :* ☎ 97-51-04-74. 32 emplacements au bord de l'eau, très sympa.

## KERNASCLEDEN (56540)

L'*église* consacrée à Notre-Dame a fière allure, tant la pierre est festonnée et témoigne d'une richesse encore incompréhensible, compte tenu de la médiocrité du reste du village. A l'intérieur, la fresque de la *Danse macabre* fait la célébrité du lieu. Bien que délabrée, cette composition reste un chef-d'œuvre de l'art breton du XV° siècle. Les monstres sont peints avec un réalisme effrayant. Autres danses macabres (pour les amateurs !) à Kermaria-an-Lokuit en Plouha (22), Ploudivy (22), La Martyre et La Roche-Maurice (29). Dans le transept gauche – attention aux marches – une pierre abandonnée semble avoir été taillée pour recevoir le sang du sacrifice d'animaux. Tout cela vous fait froid dans le dos !

## – LA CORNOUAILLE MORBIHANNAISE ET LE PAYS POURLET –

Avant la création des départements en 1790, les trois cantons de Guéméné-sur-Scorff, Le Faouët et Gourin appartenaient à deux territoires différents, séparés par le fleuve Ellé. Le pays Pourlet, à l'est, était rattaché au diocèse de Vannes, tandis que la partie ouest dépendait du diocèse de Quimper. Cette région, essentiellement agricole, perd ses habitants à cause de la crise laitière. Pourtant, on peut y passer de très agréables vacances et faire de belles découvertes. La route Roscoff-Lorient traverse un paysage boisé, très vallonné, parcouru par des rivières et semé d'étangs. Quand on se souvient que la basse Bretagne a été une région riche aux XVI° et XVII° siècles, on ne sera pas surpris de découvrir tant de beaux monuments, surtout des chapelles et des manoirs. En voici quelques échantillons.
Pour de plus amples renseignements, on peut s'adresser à la très compétente secrétaire du *Comité d'accueil du pays Pourlet,* à la mairie de Plouray (56770). ☎ 97-23-83-97.

## BERNÉ (56240)

Église du XVII° siècle dédiée à saint Brévin, archevêque de Canterbury, construite dans un enclos surélevé. Les vitraux montrent les chapelles disséminées dans la campagne environnante. Du château de Clément-Chrysogone de Guer, marquis de Pontkallek (*cf.* la conspiration du 26 mars 1720), sis sur les rives du Scorff et entouré d'une forêt de 550 ha, il ne reste presque plus rien. En revanche, il faut absolument longer la vallée ou suivre le GR 34, la balade est superbe !

## LE FAOUËT (56320)

Voilà le théâtre des exploits de « la Marion », un chef de brigands morbihannais des années 1750. Autant vous dire que ce village est chargé d'histoire et aussi fort riche en monuments.

– *Office du tourisme :* rue du Soleil. ☎ 97-23-08-37.
– *Musée des Ursulines :* au bourg. ☎ 97-23-23-23. Ouvert de juin à septembre. Expositions de peintures de l'école du Faouët.

### Où dormir ?

– *La Croix d'Or :* devant les halles du Faouët. ☎ 97-23-07-33. Fermé du 15 décembre au 15 janvier et le samedi hors saison. 15 chambres à 230 F environ. La table est très convenable. Menus de 58 à 95 F.

● *Plus chic*

– *Le Cheval Blanc :* à Priziac. ☎ 97-34-61-15. Chambres à la décoration et au confort ultramodernes, de 200 à 230 F. Menus de 50 à 150 F. Le jeune patron, toujours souriant, vous invite à faire un détour chez lui : ça vaut la peine.

● *Camping*

– *Camping municipal de Beg-er-Roch :* au Faouët. ☎ 97-23-15-11 ou 97-23-09-19. Une centaine d'emplacements bien situés, au bord de l'Ellé.

### Où manger ?

– *Ferme-auberge de Kerizac :* sur la route de Scaer. ☎ 97-23-14-29. Fermé le lundi.
– *Crêperie sarrasine :* 1, rue du Château, au Faouët. ☎ 97-23-67-29. Ouvert tous les jours. Très joli cadre rustique.

### A voir

– *Les halles :* elles datent du XVIe siècle. C'est un édifice de 53 m sur 19 m surmonté d'un clocher octogonal et partagé en 15 travées. Des piliers en bois reposant sur des socles en granit soutiennent une charpente digne de nos grands architectes contemporains.

● *Une série de chapelles à nulle autre pareille !*

– *La chapelle Sainte-Barbe :* à 2,5 km au nord-est du bourg. Elle surprend par son emplacement. Construite entre 1489 et 1512 sur le flanc d'un ravin, elle s'élève parmi un fouillis de châtaigniers. On y accède par un double escalier monumental du XVIIIe siècle. Cette chapelle est de style flamboyant du XVe siècle : quatre vitraux Renaissance, une tribune en bois sculpté met en scène des anges malicieux parmi des motifs floraux ; quelques ex-voto bizarres agrémentent la nef tout en largeur avec maître-autel au centre.
Un sentier, en contrebas de la chapelle, conduit à la fontaine Sainte-Barbe, où les jeunes filles impatientes de trouver un époux viennent jeter des épingles.

– *La chapelle Saint-Fiacre :* au sud du bourg. Elle possède un clocher à balcon et tourelle s'élevant sur une façade richement ouvragée qui fait penser à Notre-Dame de Kernascléden. Ce n'est pas étonnant puisque ce sont des anges qui l'ont construite en utilisant les outils et les matériaux des ouvriers de Kernascléden pendant leur repos, dit la légende ! L'élégance de Saint-Fiacre est plus discrète et son intérêt essentiel réside dans le splendide jubé sculpté par Olivier de Loergan, entre 1480 et 1492. Il présente des scènes sacrées et profanes qu'il faut prendre le temps de déchiffrer. A quelques centaine de mètres de la chapelle, dans la forêt, une fontaine : on attribue à son eau des vertus magiques.

– *La chapelle Saint-Sébastien :* à 3 km à l'est, au Drezers, route de Rostrenen. Construite de 1598 à 1602, cette chapelle est méconnue à cause du renom des deux précédentes. Elle vient d'être remise en valeur par l'aménagement des abords : son cadre champêtre nous a plu. Elle a la forme d'une croix latine, et se termine par un chevet à noues multiples. Les contreforts sont consolidés par des tas de charge en forme de pinacles à crochet. Au-dessus du pignon ouest s'élève un petit clocher carré et à jour, flanqué d'un escalier extérieur. Dans la chapelle, des sablières sculptées montrent encore des monstres. Sur des culs-de-lampe, on croit reconnaître un malade en train de vomir.

– *La chapelle Saint-Nicolas :* à droite quand on va à Priziac. Noter au passage, à gauche, un joli sentier conduisant par le fond de la vallée à Sainte-Barbe. Saint-Nicolas est aussi un sanctuaire de style gothique flamboyant, abritant un jubé Renaissance, petit chef-d'œuvre d'art naïf.

## LANGONNET (56630)

L'*église Saint-Pierre-et-Saint-Paul* fait partie, peut-on dire, de la « série romane » de Priziac, Ploërdut, Calan. Elle possède encore des piliers et des chapiteaux du XIIᵉ siècle. L'architecture extérieure est gothique. L'abbaye cistercienne a été fondée en 1136 sur les rives de l'Ellé, à côté de l'ancienne voie romaine Vorgium-Blabia. De ce monastère, il ne reste que la salle capitulaire, de style gothique (1250). Les bâtiments actuels ont été édifiés de 1688 à 1736, et abritent encore les pères du Saint-Esprit. *Musée missionnaire* (visite tous les jours, sauf le mardi).

– *Centre équestre de Keraudrenic :* ☎ 97-23-92-54. Ouvert toute l'année. École élémentaire d'équitation par un moniteur diplômé d'État. Accueil de classes primaires, sport-étude, promenade en attelage. Gîte de 60 lits.

## GOURIN (56110)

Station verte de vacances, à mi-chemin de Morlaix et de Lorient. C'est un grand carrefour de voies de communication, au contact avec les trois départements de la basse Bretagne. On peut aller voir les ardoisières avec leurs profonds puits d'exploitation. Le paysage est aride, nous sommes dans la capitale des montagnes Noires.

Quelle surprise de voir ici se côtoyer la statue de la Liberté (une vraie) et un poilu de la guerre de 14. Beaucoup moins surprenant quand on sait qu'ici les gens vivent depuis longtemps sous la double protection du drapeau aux hermines blanches et de la bannière « Stars and Stripes ». A tel point que si le poilu parlait, il aurait peut-être l'accent américain ! C'est un certain Nicolas Le Grand qui s'est installé aux États-Unis en premier, en 1881. Près de 5 000 enfants du pays sont plus proches de l'Hudson River que de l'Aulne. Le maire, Louis Le Quintrec, dit lui-même que toutes les familles ont des parents, frères ou cousins, de l'autre côté de l'Atlantique, aux États-Unis ou au Canada. Qui l'eût cru ? L'*église* du XVIIᵉ siècle, de style gothique flamboyant, est couronnée par un beau clocher à balustres et clochetons. A l'intérieur, pietà et chaire du XVIIIᵉ siècle. Le *manoir de Tronjoly* n'est qu'un gros logis en partie reconstruit en 1898, qui présente un joli toit à la Mansart. C'est un lieu chargé d'histoires révolutionnaires.

– *Office du tourisme :* rue de Cornouaille. ☎ 97-23-66-33.

### Où dormir ?

– *Ferme-auberge de Quenepevant :* à Langoelan. Poney-club. ☎ 97-51-26-52.
– *Camping municipal de But Min :* à Gourin. ☎ 97-23-42-74.
– *Hôtel-restaurant La Chaumière :* rue de la Libération. ☎ 97-23-43-02. 10 chambres petites mais assez confortables, louées entre 150 et 180 F. Cuisine convenable.

## ROUDOUALLEC (56110)

Sur la route qui va de Saint-Brieuc à Quimper, on traverse la capitale du gâteau breton. Si cela ne se voit pas tellement dans le paysage, on le sent : une bonne odeur de pâtisserie flotte sur le village. La *biscuiterie Le Guillou*, la Villeneuve (☎ 97-34-50-50), cuit depuis 1949 des tonnes de quatre-quarts et autres galettes dont Émile Le Goff, boulanger-pâtissier au bourg, assure la vente au détail. Que ne fait-on pas avec du beurre, des œufs, du sucre et de la farine ? S'en souviennent-ils les quelque 5 000 Bretons de ce pays, émigrés aux États-Unis ? On se trouve au berceau des migrants : ça se voit, ça s'entend ! L'*église paroissiale*, du XVIᵉ siècle flamboyant, se signale par un beau clocher du XVIIIᵉ avec un dôme lanternon. Près de Pananvern se trouvent les vestiges d'un camp romain, et l'allée couverte de Castel-Ruffel. A quelques kilomètres au nord-ouest, le parc du *château de Trevarez* (75 ha), à Saint-Goazec-en-Finistère (voir « Aux environs de Spézet »).

– *Aérodrome de Guiscriff-Keranna* : ☎ 97-34-09-80.
– *Aéroclub-club U.L.M.* et *aéromodélisme de Guiscriff* : ☎ 97-34-00-55 et 97-34-06-98.

**Où manger ?**

– *Le Bienvenue* : à Roudouallec, à l'entrée du bourg quand on vient de Gourin. ☎ 97-34-50-01. Ouvert toute l'année ; fermé le mardi soir et le lundi soir hors saison. Il ne faut pas juger ce petit restaurant sur sa mine, mais à sa table, et quelle table pour un si petit pays ! Menus de 60 à 138 F. Le jeune chef patron vous surprendra avec sa fricassée d'ailes de pigeonneau à la crème d'ail, ses poissons fumés maison, et une gamme de pâtisseries à vous faire oublier tout régime diététique. Encore une maison qui vaut le détour.

**PLOURAY** (56770) ─────────────────────────────

Un village aux pieds des Montagnes Noires, et non pas du Tibet ! Pourtant il y a, au lieu-dit Bel Avenir, un monastère bouddhiste de la secte Droukpa-Kagyu. La porte est ouverte...
Voyez l'église du village, datée de 1666, de style Renaissance bretonne : abside et croisillons à pans coupés, clocher à flèche dentelée, porche de 1687 orné de niches, ossuaire à cinq petites baies cintrées. En mai 1990, 4 apôtres du jubé avaient été volés... On les a retrouvés, remis en place et bien fixés cette fois. Vous comprendrez pourquoi on se heurte souvent aux portes closes des chapelles. A 7 km à l'ouest, le mont Saint-Joseph culmine à 297 m.

**PLOËRDUT** (56160) ─────────────────────────────

*Église Saint-Pierre* : tour et nef romanes. Sous les bancs du porche, on trouve de curieuses excavations ressemblant à des cupules. Les chapiteaux présentent une décoration géométrique extrêmement variée. Au sud, dans l'angle du clocher, un ossuaire d'attache s'éclaire par une claire-voie en granit d'un seul morceau (XV<sup>e</sup> ou XVI<sup>e</sup> siècle).

**Où manger ?**

– *Chez Marie-Thé* : 5, Grande-Rue. ☎ 97-39-43-82. Menu à 40 F la semaine, mais, le dimanche, on met les petits plats dans les grands et pour 100 F on se régale.

**A faire**

– *Centre équestre le Joyau d'Or* : au Lannic, sur la route de Guéméné. ☎ 97-39-43-98. Toute l'année. Avec ou sans hébergement. Ambiance familiale très sympa et décontractée, dans une campagne de rêve où les curieux pourront aller à la recherche de vestiges préhistoriques.

**GUÉMÉNÉ-SUR-SCORFF** (56160) ─────────────────────

Le nom de la commune tient son origine de Kémenet Guégant, un seigneur du XI<sup>e</sup> siècle dont le fief revint à la famille des Rohan-Guéménée (voir « Josselin »). Louis II de Rohan, duc de Montbazon, construit vers 1480 un château féodal dont on voit encore une porte. L'un de ses descendants, Louis VII, crée des halles (comme au Faouët) car la région connaît une grande prospérité à cette époque. Il ne reste plus rien de cette gloire, ni des halles rasées en 1923. On se souvient pourtant des fameuses andouilles de Guéméné dont le boyau est poussé en cercles concentriques (à ne pas confondre avec l'andouille de Vire). Il n'y a plus de nos jours que deux charcutiers à en produire selon la recette artisanale : Laurent Quidu, sur la place Loth, et Patrick Saille, rue Émile-Mazé.

– *Office du tourisme* : à la mairie. ☎ 97-51-20-23.

**Où dormir ? Où manger ?**

– *Hôtel-restaurant le Bretagne* : 18, rue Pérès. ☎ 97-51-20-08. 27 chambres de 130 à 183 F.

**A voir aux environs**

● *La chapelle de Crénénan :* au clocher gothique du XVIIᵉ siècle, entourée d'abris en pierres sèches enfouies à demi.

# LA LOIRE-ATLANTIQUE

Étonnant département que cette Loire-Atlantique bretonne géographiquement, historiquement aussi, et faisant partie de la région Pays de la Loire ! Le nord du département est marqué du sceau breton, alors que le Sud est attiré vers la Vendée. Le choix de Nantes, ancienne capitale du duché de Bretagne, comme centre administratif de la région des Pays de la Loire a d'ailleurs suscité en 1969 bien des polémiques, pas encore éteintes... La tour Bretagne, symbole du modernisme nantais, rappelle aussi ses attirances et ses contradictions. Qu'y a-t-il de commun entre les vignes du Sud et les landes granitiques du Nord, entre les maisons basses sous leurs toits de tuiles romaines, typiques du Sud, et les longues fermes aux toits d'ardoises, voire de chaume, du nord de la Loire ? Puisque ce guide est consacré à la Bretagne, et sans prendre parti dans une longue querelle de clocher, nous avons privilégié Nantes et ses environs, nous réservant de revenir au sud de la Loire dans un autre titre de la collection.

## NANTES (44000)

« Nantes est une ville très intéressante du point de vue architectural. Le spectacle des quais, en amont et en aval, a la couleur fraîche et neutre que l'on retrouve si souvent dans les ports français, cette tonalité grise et brillante qui caractérise l'art paysagiste français. »

Henry James (1877).

**Adresses utiles**

– *Office du tourisme :* place du Commerce (plan B2). ☎ 40-47-04-51. Ouvert du lundi au vendredi de 9 h à 19 h et le samedi de 10 h à 18 h.
– *S.N.C.F. :* ☎ 40-08-50-50 (plan D 2).
– *Bus et tramway :* ☎ 40-29-39-39.
– *C.R.I.D.J. :* 28, rue du Calvaire. Renseignements sur randonnées et choses à voir au départ de Nantes.
– *Maison du Tourisme en Loire-Atlantique :* place du Commerce. ☎ 40-89-50-77. Multi-services, dévoués, compétents et souriants, ces gens-là !
– *Aérogare de Château-Bougon :* ☎ 40-84-80-00. Modernisée et agrandie pour recevoir le trafic international.

**Nantes dans l'histoire**

Sous les Romains, Condivincum, où vivent les Namnètes, d'où le nom de Nantes, est déjà un centre actif qui bénéficie de sa situation au confluent de l'Erdre et de la Loire. Le martyre des frères Donatien et Rogatien, patrons de la ville, symbolise l'entrée du christianisme et les églises prennent la place des temples païens. Après avoir subi les invasions saxonnes au Vᵉ siècle, la ville se réorganise au VIᵉ. Nominoë devient roi des Bretons en 842. Mais Nantes est envahie ensuite par les Normands. Le duché de Bretagne est reconstitué en 936 par Alain Barbe-Torte. A sa mort, la souveraineté de Bretagne est revendiquée à la fois par les comtes de Nantes et les comtes de Rennes. Pierre de Dreux, dit Mauclerc, nommé duc de Bretagne par Philippe Auguste, fait de Nantes sa capitale et fortifie la ville. Après les péripéties des guerres de Succession, le duché devient puissant sous la houlette des Montfort, vainqueurs du conflit. Une université est créée.

Lorsque Louis XI décidera d'annexer la Bretagne à la Couronne de France, il se heurtera à la résistance du duc François II. La défaite de l'armée bretonne, à Saint-Aubin-du-Cormier (près de Saint-Malo) en 1488, porte un coup fatal à l'indépendance de la Bretagne. En épousant Charles VIII puis Louis XII, Anne de Bretagne apporte en dot la Bretagne à la France mais lui conserve tout de même une autonomie de pays d'états. Au cours des guerres de Religion, Nantes est peu touchée par le calvinisme. Au contraire, les Nantais suivent le gouverneur de la Bretagne, Mercœur, du côté des ligueurs. Henri IV n'obtient la soumission de Mercœur qu'en venant lui-même à Nantes où il signe le célèbre édit de Nantes en 1598, qui mettra fin aux guerres de Religion.

Du XVIe au XVIIIe siècle, Nantes profite du commerce du « bois d'ébène » : les armateurs échangent en Afrique de la pacotille fabriquée à Nantes contre des esclaves qu'ils transportent aux Antilles. Et la vente des Noirs leur permet l'achat de sucre de canne qui sera raffiné à Nantes. Grâce à ce commerce triangulaire, Nantes devient le premier port de France. La Fosse et l'île Feydeau sont connues dans le monde entier. La ville déborde vers la place Vierme et les places Royale, Graslin, etc. Les hôtels de style Louis XV et Louis XVI sont les témoins de cette période prospère, voire fastueuse.

● *Nantes et la traite des Noirs*

Pour mieux comprendre comment fonctionnait ce « système » qui fit la fortune de la ville, il suffit, grâce aux archives de l'époque, de suivre un des navires qui effectuaient ce *commerce triangulaire*.

Le bateau est chargé à Paimbœuf car les bâtiments ayant un trop fort tirant d'eau ne pouvaient accéder à Nantes. Les marchandises consistent, entre autres, en bagues, barrettes de cuivre, boutons, cadenas, cristaux (vrais ou faux), fusils, grelots, miroirs, pantoufles, rubans, taffetas, toile, etc. Elles sont groupées en lots, futures monnaies d'échange sur le continent africain. Le navire est bien armé, car les chargements d'esclaves sont particulièrement convoités. Deux mois plus tard, le navire parvient en Afrique.

Après moult tractations, on embarque des esclaves, qui vivent dans des conditions épouvantables le trajet vers les Antilles. Les Noirs sont entassés les uns contre les autres et enchaînés. Dans le meilleur des cas, ils n'ont droit qu'à une seule promenade quotidienne sur le pont. Ce qui explique la mortalité effrayante. On dira qu'ils meurent de « langueur ». L'auteur d'un ouvrage intitulé *Le Parfait Négociant* propose, pour la « conservation des nègres », d'« embarquer quelque personne qui sût jouer de la musette, de la vielle, violon ou de quelques autres instruments pour les faire danser et tenir gais, le long du chemin ». C'est d'abord la Martinique qui reçoit le plus d'esclaves. Après 1735, Saint-Domingue la supplante. À l'arrivée, les captifs sont vendus au magasin d'esclaves. Ils travailleront ensuite dans les plantations ou seront employés comme domestiques. Le *Code noir* de 1685 réglemente leur sort : à la première évasion, l'esclave a les oreilles coupées et est marqué au fer rouge. À la deuxième, on lui coupe le jarret. À la troisième, c'est la mort...

Après la vente aux Antilles, le navire retourne en France, chargé de sucre brut, de café, d'indigo, coton et tabac. De 1715 à 1775, on a enregistré 787 retours de navires négriers, soit la moitié de la traite française. Le sucre était traité à Nantes : c'est de cette époque que datent les grandes raffineries nantaises. Quant au coton, il était travaillé à Nantes et les indiennes réalisées prenaient ensuite le chemin de l'Afrique. Le financier Graslin créa la première manufacture d'indiennes de la ville.

Les ambitions de la bourgeoisie nantaise croissent en même temps que sa richesse. Les armateurs se font élire aux états de Bretagne, ce qui ne va pas sans résistance de la part des privilégiés. Le commerce nantais souffre par ailleurs de la contrainte des barrières douanières... Tout ceci explique pourquoi la bourgeoisie de la ville accueillit dans un premier temps favorablement la Révolution.

● *Les troubles de la Révolution*

Si, avec la Révolution, Nantes devient le chef-lieu de la Loire-Inférieure, elle n'en connaît pas moins une période bien troublée.

– *L'attaque de Nantes :* en 1793, les deux armées royales, de Charette et de Cathelineau, attaquent la ville. La résistance est vive, et Cathelineau est tué place Viarme.
– *Les noyades de Carrier :* en octobre 1793, Carrier est envoyé par la Convention à Nantes pour « purger le corps politique de toutes les mauvaises humeurs qui y circulent ». Il juge la guillotine insuffisante pour tuer les suspects et les prisonniers. Il achète alors un « gabareau », où il fait pratiquer des sabords de chaque côté. On y transporte une centaine de personnes, et, au milieu de la Loire, on fait sauter les sabords. Et il recommence l'opération de nombreuses fois. En tout, il fit guillotiner et noyer environ 13 000 personnes.
A la suite des plaintes des Nantais, Carrier fut jugé puis exécuté.
– *La mort de Charette :* à la suite de l'affaire de Quiberon, Charette reprend les armes. Après une ultime résistance, il est capturé et fusillé place Viarme le 29 mars 1795.

● *Le XIXᵉ siècle : Nantes, ville industrielle*

L'abolition de la traite par la Révolution, l'invention de la fabrication du sucre à partir de la betterave, le blocus continental et l'ensablement de la Loire constituent de sérieux handicaps à la croissance économique de la ville.
Nantes pourtant opère sa reconversion dans les conserveries, les biscuiteries et la métallurgie. En 1856, un avant-port est créé à Saint-Nazaire. Et les dragages de la Loire, à la fin du siècle, redonnent un nouvel élan au commerce maritime.

● *Les transformations de l'avant-guerre*

De grands travaux bouleversent le visage de Nantes : les îles Feydeau et Gloriette sont rattachées à la rive droite par le comblement des anciens bras de la Loire. L'Erdre est détournée dans un tunnel.

● *La Seconde Guerre mondiale*

Nantes connaît de terribles bombardements (alliés) à partir de septembre 1943, qui coûteront la vie à des centaines de personnes et ravageront le centre. Le maquis nantais de Saffré est anéanti, en forêt de Saffré. Et le cours des Cinquante-Otages rappelle la tragédie qui suivit l'assassinat du colonel Holz, commandant allemand.

## Où dormir ?

● *Très bon marché*

– *Auberge de jeunesse :* installée dans une ancienne manufacture des Tabacs (pas loin de la gare). ☎ 40-20-57-25. En été seulement. Au cours de l'année, places réservées aux étudiants. 60 lits, cuisine à disposition. Chambres à 100 F et repas à 40 F environ. L'architecture industrielle style centre Pompidou !
– *Foyer des Jeunes Travailleurs* ou *Porte-Neuve :* 1, rue Porte-Neuve, 44042 Nantes Cedex 01. ☎ 40-20-00-80. Ouvert toute l'année, mais peu de places. Nuits de 45 F à 52 F, repas entre 30 et 40 F.

● *Assez bon marché*

– *Hôtel de l'Océan :* 11, rue du Maréchal-de-Lattre-de-Tassigny. ☎ 40-69-73-51. Fermé 15 jours fin décembre. Clair et bien situé (près de la place Graslin). Chambres de 100 à 150 F.
– *Hôtel Fourcroy :* 11, rue Fourcroy. ☎ 40-44-68-00. Simple mais près, lui aussi, de la place Graslin et de l'agréable cours Cambronne. Chambres de 105 à 164 F.
– *Le Cordon Bleu :* dans les environs, à Sucé-sur-Erdre (16 km), 44240 La Chapelle-sur-Erdre. ☎ 40-77-71-34 et 40-77-70-03. Fermé seconde quinzaine d'août, dimanche soir et lundi. Quelques chambres seulement pour cette auberge dans un village agréable. De 140 à 190 F. Bons menus de 78 à 168 F.

● *Plus chic*

– *Hôtel Graslin :* 1, rue Piron. ☎ 40-69-72-91. Fermé dernière semaine de décembre. Rénové récemment. Chambres avec TV couleur, vidéo, téléphone direct. Comptez 250 F pour deux.
– *Hôtel Maeva :* 3, rue du Marais. ☎ 40-89-60-60. Entre l'hôtel de ville et la tour Bretagne. Très calme. Chambres avec douche ou salle de bains, certaines avec TV. De 153 à 190 F.

● *Vraiment plus chic*

– *L'Hôtel* : 6, place Henri-IV. ☎ 40-29-30-31. Près de l'agréable jardin des Plantes. Chambres joliment décorées. Demandez celles avec terrasse. De 290 à 380 F. Tout le confort.

● *Camping*

– *Le Val du Cens* : 21, boulevard du Petit-Port. ☎ 40-74-47-94. Ouvert toute l'année. Bien aménagé, fleuri et ombragé. Tout le confort.

## Où manger ?

Un nombre incroyable de bons petits restos pas chers à Nantes, situés pour la grande majorité dans le centre.

● *Bon marché*

– *La Mangeoire* : 10, rue des Petites-Écuries. ☎ 40-48-70-83. Fermé dimanche et lundi. Cadre agréable avec pierres apparentes. Cuisine dite « campagnarde ». Étonnant menu servi le midi seulement à 58 F avec terrine, plat du jour ou pot-au-feu (superbe) ou poulet cocotte, dessert. Les vins sont honnêtes, comme le côtes-de-buzet. Le menu à 75 F est également d'un bon rapport qualité-prix : terrine de foies de volaille, escalope normande et gâteau au chocolat.
– *Le Sélect* : 14, rue du Château. Un bon petit menu sans prétention à moins de 50 F, dans un cadre années 60. Nostalgie, nostalgie.
– *Le Vetury* : 21, rue des Petites-Écuries. ☎ 40-89-64-46. Fermé dimanche. A l'angle de la rue de la Juiverie. Plat du jour dans les 35 F le midi. Ambiance sympa. Accueil chaleureux.
– *Parfum d'Épices* : à l'angle de la rue dotée du joli nom de Bois-Tortu et d'une petite place derrière le cours des Cinquante-Otages (prenez à droite en allant vers l'île Feydeau, juste après le magasin Philips). Sympathique petit resto aux couleurs fraîches (blanc et orange). Pierres apparentes. Menu à moins de 50 F avec salade Marie-Galante, brochette au colombo, et mousse caraïbe.
– *L'Entrecôte* : 2, rue du Couëdic. ☎ 40-48-62-83. Cadre frais, nappes vertes, murs écossais, chaises bistrot et plantes vertes. Bonne formule à 67 F : entrecôte-frites. Service sympathique.
– *La Baguette* : 19, rue Paul-Bellamy. ☎ 40-48-15-20. Menu de crêpes et galettes.

● *Plus chic*

– *La Cigale* : 4, place Graslin. ☎ 40-69-76-41. Ouvert tous les jours. Si vous ne devez faire qu'un repas à Nantes, c'est ici. Un must ! Splendide brasserie 1900 très bien restaurée... Plafonds peints, céramiques, boiseries... Vous ne saurez où donner des yeux. Cuisine sans originalité mais très correcte. Service efficace. Formule du marché à 120 F avec goujonnette de lotte et de sole. Spécialités de poissons, avec diverses formules de 70 à 120 F. Bons petits vins vendus au verre. Fait aussi salon de thé.
– *Le Méditerranée* : 20, allée d'Orléans. ☎ 40-48-48-50. Fermé le dimanche. Deux formules, dont « l'idée méditerranéenne », à 83 F, avec l'escabèche de poisson, le filet de daurade à la crème de poivrons et la crème brûlée catalane. Récent. Bon accueil. Cadre agréable avec jardin. Pour les nostalgiques du Midi.

● *Vraiment plus chic*

– *Le Gavroche* : 139, rue des Hauts-Pavés. ☎ 40-76-22-49. Fermé dimanche soir et lundi, ainsi qu'en août. Une adresse excentrée certes, mais excellente. Grande salle aux tons saumon, un peu banale, mais en revanche la cuisine y est résolument inventive et vous hésiterez longtemps devant la carte avant de faire votre choix. Menus à 135, 175 F et plus. Au menu à 175 F, confit de canard au gingembre, daurade au four... Les desserts sont peut-être moins éblouissants mais délicieux quand même. Le muscadet bien frais est parfait et ne vous ruinera pas trop.
– *La Cigogne* : 16, rue Jean-Baptiste-Rousseau. ☎ 44-69-72-65. Fermé le week-end. Eh bien non, ce n'est pas un resto alsacien ! Il est lyonnais ! Le patron propose, entre autres, petit salé, salade vigneronne, gras-double, andouillette. Cher, bien sûr (compter 220 F), mais délicieux et portions généreuses.

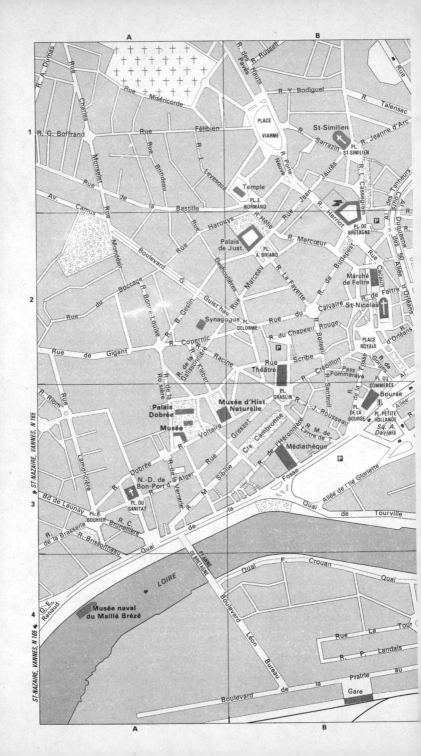

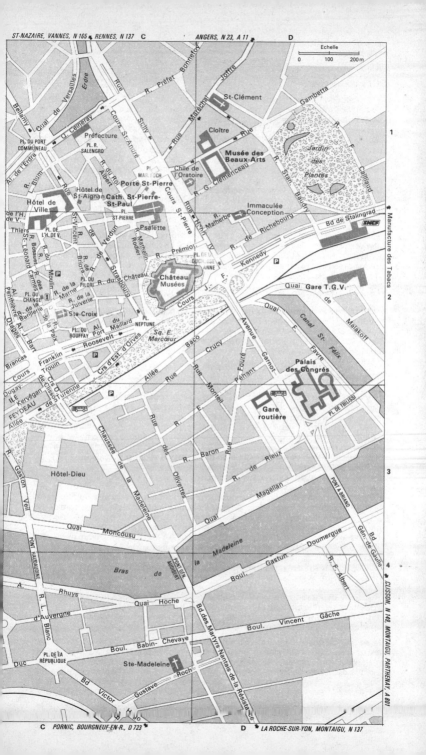

**A voir**

● *La vieille ville*

– *La cathédrale Saint-Pierre* (plan C1-2) : vous serez frappé par l'unité de style de l'édifice, malgré la durée des travaux (450 ans). Sur la façade, remarquables portails à voussures finement sculptées. Les deux tours, érigées en 1508, ont une hauteur de 63 m. Autant l'extérieur nous apparaît sale, autant l'intérieur, restauré après l'incendie de la toiture en 1972, surprend dans sa splendeur et sa netteté. Les piliers de la grande nef s'élancent jusqu'à la voûte sans aucun chapiteau. C'est clair, propre, surtout depuis que les 500 m² de vitraux modernes, réalisés (en 12 ans !) par Jean Le Moal, donnent au chœur une coloration flamboyante.
Dans le croisillon sud, le *tombeau* de François II et Marguerite de Foix, qu'Anne de Bretagne, leur fille, commanda à Michel Colombe. Il fut sculpté de 1502 à 1507. Aux angles, les vertus cardinales : la Justice, la Force, la Tempérance et la Prudence, représentée par un double visage de jeune femme et de vieillard.

– *Place de la Psallette* : délicieux petit jardin à droite de la cathédrale. Pour les amoureux qui veulent se marier derrière l'église ! Il relie le cours Saint-Pierre, où s'exercent les vieux boulistes, à la place Saint-Pierre. Autour du jardin s'élèvent toujours des immeubles de style Renaissance d'inspiration châteaux de la Loire. Au n° 3, une plaque rappelle l'aventure rocambolesque de la duchesse de Berry, cachée dans une cheminée pour échapper aux gendarmes de Louis-Philippe (en 1832) auquel elle voulait du mal !

– *La place Maréchal-Foch* (plan C1) : superbe ensemble architectural, conçu au XVIIIᵉ siècle entre les cours Saint-Pierre et Saint-André qui reliaient le quai de la Loire à celui de l'Erdre. A voir, l'*hôtel d'Aux*, construit par Ceineray, où séjourna Napoléon en 1808 et l'*hôtel Montaudouin* que l'on doit à Crucy.
Près de la cathédrale, la *porte Saint-Pierre*, vestige de l'ancien évêché.

– *Le château des ducs de Bretagne* (plan C2) : Henri IV, qui le visita, s'exclama joyeusement : « Les ducs de Bretagne n'étaient pas de petits compagnons, ventre saint-gris ! » Et c'est vrai qu'elle a fière allure, cette forteresse reconstruite à la fin du XVᵉ siècle. Témoin des grands moments de l'histoire de Bretagne, le château vit la naissance de la duchesse Anne et, en 1499, le mariage dans la chapelle de l'héritière et du roi de France Louis XII. En août 1532, François Iᵉʳ, usufruitier du duché, y donna l'édit prononçant, sur la requête des états assemblés à Vannes, « l'union perpétuelle des pays et duché de Bretagne, avec le royaume de France ». Après avoir servi de prison d'État au XVIIᵉ siècle – le cardinal de Retz s'en est échappé – et d'arsenal en 1791, le château a été restauré en 1861. Il appartient à la ville depuis 1915.
En 1924, le château est converti en musée municipal. La rénovation des remparts permet d'accéder à la plupart des courtines.
En pénétrant dans la cour, remarquez le *puits* dont les fers forgés symbolisent la couronne ducale. Vers la tour du Port se trouve le grand logis, aux lucarnes de style gothique flamboyant. A droite, la tour de la Couronne d'or, où des loggias permettaient d'assister aux fêtes données dans la cour.
Au-dessus de la voûte d'entrée, le *Grand Gouvernement* où se trouve le *musée d'Art populaire régional* (voir plus loin : « Les musées »). Au fond de la cour, près de la tour de la Rivière, s'élève le *Petit Gouvernement*, de style Renaissance, dont les cheminées de brique et d'ardoise sont d'origine.
Remarquez dans la cour une ligne de pavés qui représente le tracé du château primitif.
A gauche de l'entrée, l'ancien donjon du XIVᵉ siècle, accolé à la conciergerie.
Pour bien situer le château dans son époque, il faut se rappeler qu'il était baigné par la Loire au sud et à l'est. Ce n'est qu'au XIXᵉ siècle que la création des quais en modifia l'aspect extérieur.

– *Autour du château* : par la vieille rue du Château (remarquez, au n° 14, l'hôtel de Goulaine, du XVIIIᵉ siècle) et la rue de la Morue bordée par l'ancien grand magasin Decré, devenu Nouvelles Galeries, on parvient à la place du Change, avec la superbe *maison des Apothicaires*, des XVᵉ et XVIᵉ siècles, à pans de bois et à encorbellements. Au-delà du carrefour de la rue de la Barillerie et de la rue de la Marne, vous arrivez à la place Sainte-Croix.

– *L'église Sainte-Croix* (plan C2) : de style jésuite. La façade et le portail sont de 1685. La tour est surmontée d'un beffroi avec anges sonnant de la trompette :

on y a placé la grosse cloche de l'ancien beffroi de Nantes, dite la Bouffay. A l'intérieur, stalles du XVIIe siècle et chaire où parla le tristement célèbre Carrier.

— *Autour de Sainte-Croix* subsiste tout un quartier de la ville du Moyen Age aux rues étroites encore bordées de maisons à colombage, appelé *plateau piéton Sainte-Croix*. Au n° 11 de la rue de la Juiverie, bas-reliefs inexpliqués ; au n° 7, maison des XVe et XVIe siècles ; cette dernière rue conduit à la *place du Bouffay*, ouverte sur les anciens quais de la Loire. Ici eurent lieu de nombreuses exécutions comme celle du comte de Chalais, en 1626, coupable d'avoir comploté contre le cardinal de Richelieu avec Gaston d'Orléans, frère de Louis XIII. Le jour de l'exécution, ses amis, désirant le sauver, enlevèrent le bourreau. Mais ce dernier fut remplacé par un prisonnier qui obtint une remise de peine à condition de décapiter le condamné. L'inexpérimenté tremblait tellement qu'il dut s'y reprendre à quinze reprises avant de l'achever... Au nord de la place, bel immeuble du XVIIe siècle.

● *La ville du XIXe siècle, le quartier Graslin*

— *La place Royale* (plan B2) : elle fut construite à la fin du XVIIIe siècle par Crucy, architecte de la ville. Bombardée en 1943, elle fut reconstruite à l'identique.

— *La rue Crébillon* (plan B2) : c'est le faubourg Saint-Honoré de Nantes, dont les habitants sont très fiers. Grande animation le samedi. La rue relie la place Royale à la place Graslin.

— *La place Graslin* (plan B3) : elle porte le nom du receveur général des fermes du royaume qui acheta de vastes terrains dans le quartier et les revendit à la ville. Sur la place, le *Grand Théâtre* (1783), de style corinthien, que surveille une nuée de chérubins potelés.
Au n° 4, *brasserie La Cigale,* splendide établissement Art nouveau, inauguré en 1895, véritable délire de mosaïques et miroirs. A l'angle de la brasserie s'amorce le *cours Cambronne* (mort en 1842 à Nantes), dont l'unité architecturale est remarquable.

— *Le passage Pommeraye* (plan B2) : superbe et étonnant passage couvert, d'époque Louis-Philippe, chanté par les poètes tels qu'André Pieyre de Mandiargues (dans *le Musée noir*) ou le cinéaste Jacques Demy (dans *Une chambre en ville* ou *Lola* ). Son escalier central à trois paliers ornés de statues et de médaillons et ses nombreux commerces auraient de quoi séduire plus d'un surréaliste. Il subsiste encore quelques boutiques rétro comme celle des *Gants Guibert*, à côté d'autres plus branchées comme *Art culinaire*.

— *La place du Commerce* (plan B2-3) : située sur l'ancien port au vin. Le *palais de la Bourse* fut édifié par Mathurin Crucy au début du XIXe siècle, dans le style néoclassique. Il abrite l'office du tourisme. De nombreux cafés *(La Coquille, La Bourse, Le Commerce)* rendent la place bien animée. A l'ouest de la Bourse, à la suite de la rue de la Fosse, s'étend le *quai de la Fosse*. De nombreux hôtels d'armateurs du milieu du XVIIIe siècle rappellent l'époque florissante du commerce maritime à Nantes. Remarquez les thèmes marins ou bachiques de certains mascarons. C'était aussi le quartier chaud avec de nombreux « bars à putes ». Mais le quartier se transforme, avec la médiathèque et la rénovation des immeubles, et devient plus respectable...

— *La médiathèque* (plan B3) : 24, quai de la Fosse (autrefois appelé quai de la Fesse, en raison de ses bars à marins...). Ouvert mardi de 13 h à 19 h, mercredi de 9 h 30 à 19 h, jeudi et vendredi de 13 h à 19 h (discothèque fermée le jeudi), samedi de 13 h à 17 h. Fermé le lundi. C'est une réussite architecturale, clin d'œil au passage Pommeraye avec sa cascade de verrières, qui ne heurte pas à côté des hôtels du XVIIIe siècle du quai de la Fosse. Ici sont regroupés bibliothèque et discothèque municipales, lieu d'expositions, musée de l'Imprimerie (voir « Les Musées ») et galerie commerciale.

— *Tour Bretagne* : ce n'est pas qu'on soit fana des gratte-ciel... Celui-ci domine le cours des Cinquante-Otages de ses 24 étages, où loge, entre autres, le Centre de communication de l'Ouest. Une institution originale et très efficace, pour les réunions et la culture. A voir aussi pour son architecture moderne, la gare Sud, créée pour le T.G.V. Elle est faite de tubes, de câbles, et de bâches

● *L'île Feydeau* (plan B-C2-3)

Ce n'est plus une île depuis 60 ans, mais les Nantais l'appellent toujours ainsi... Et si les anciens quais se devinent, le quartier demeure toujours isolé du reste de la ville. Il regorge de splendides hôtels particuliers construits au XVIIIᵉ siècle pour les négociants ou les armateurs. On a comparé ces demeures, avec leurs balcons en saillie ornés de balustrades ventrues en fer forgé, à « des bourgeois pansus, le ventre orné de breloques»... Chaque propriétaire a affirmé sa fortune et son goût dans la décoration des façades.

La *rue Kervégan* (plan C3) est l'une des rues les plus pittoresques de Nantes, avec ses balcons en saillie, ses déformations en tous sens. Au n° 9, remarquez les mascarons à visages de pirates ou de faunes. En face, aux nᵒˢ 12 et 14, deux immeubles symétriques avec chacun trois balcons en pyramide. Au n° 30, trois balcons en pyramide décorés de balustrades ventrues.

Au n° 3, *place de la Petite-Hollande, hôtel de la Villestreux,* immeuble majestueux comportant une centaine de fenêtres extérieures. Au n° 2, *hôtel Jacquier,* avec mascarons représentant Neptune entouré des quatre éléments : la Terre, le Feu, l'Air et l'Eau.

● *Les musées*

— *Le musée des Beaux-Arts :* 10, rue Georges-Clemenceau (plan D1). ☎ 40-74-53-24. Ouvert tous les jours sauf mardi, de 10 h à 12 h et de 13 h à 17 h 45. Gratuit le samedi et le dimanche. Presque entièrement consacré à la peinture, du XIIIᵉ siècle à nos jours. Les écoles anciennes sont particulièrement bien représentées. Bonnes expositions temporaires.

Parmi les œuvres les plus célèbres, il faut citer *le Reniement de saint Pierre* de Georges de La Tour, ainsi que *le Songe de saint Joseph* du même ; la *Diane chasseresse* d'Orazio Gentileschi ; le fameux *portrait de Mme de Senonnes* d'Ingres ; les *Cribleuses de blé* de Courbet ; et les *Nymphéas* de Monet.

Parmi les œuvres contemporaines, une part importante est faite à l'abstraction avec Kandinsky, Sonia Delaunay, Bryen, Vasarely, Poliakoff, etc.

— *Le musée des Arts décoratifs :* dans le château des Ducs de Bretagne (plan C2). ☎ 40-57-18-15. Ouvert tous les jours sauf mardi, de 10 h à 12 h et de 14 h à 18 h. Gratuit les samedis et dimanches. Dans la tour dite du Fer-à-Cheval. Il abrite une section d'art textile contemporain avec, entre autres, des œuvres de Sheila Hicks (États-Unis), Daniel Graffin et Pierre Daquin (France).

— *Le musée d'Art populaire régional :* situé toujours dans le château (plan C2), dans le bâtiment du Grand Gouvernement. Mêmes horaires que le précédent. On y découvre des éléments d'histoire et d'ethnologie de la Bretagne historique, une salle évoquant l'intérieur paysan du pays maraîchin en Vendée. Deux salles sont consacrées aux coiffes et aux costumes (costumes de Cornouaille, du Vannetais, du pays nantais, etc.). Une salle est dédiée au pays de Guérande, avec mobilier (lits clos), costumes et outils des paludiers.

— *Le musée des Salorges :* mêmes horaires que les deux musées précédents. Très intéressant. On y évoque l'histoire maritime, commerciale et industrielle de Nantes depuis le XVIIIᵉ siècle ; maquettes, modèles réduits, instruments de navigation anciens, etc.

— *Le musée Thomas Dobrée :* place Jean-V (plan A3). ☎ 40-89-34-32. Ouvert tous les jours sauf mardi, de 10 h à 12 h et de 14 h à 18 h. Cet étonnant palais de style roman a été construit par Thomas Dobrée qui appartenait à une famille d'armateurs. Il acheta aussi le *manoir Jean-V,* bâti au XVᵉ siècle par l'évêque Jean de Malestroit. Il comprend une importante collection d'ouvrages rares et précieux. A voir aussi : collection d'armes, reliquaire en or du cœur d'Anne de Bretagne, cabinet des estampes et collections historiques concernant les guerres de Vendée et de la Révolution.

— *Le Musée archéologique :* place Jean-V (plan A3). ☎ 40-89-34-32. Il abrite les découvertes provenant des chantiers de fouilles de la région.

— *Muséum d'histoire naturelle :* 12, rue Voltaire (plan A-B3). ☎ 40-73-30-00. Ouvert tous les jours de 10 h à 12 h et de 14 h à 18 h sauf lundi, dimanche matin et jours fériés. Un des plus beaux musées d'histoire naturelle de France. Superbes coquillages. Au 1ᵉʳ étage, zoologie. Vivarium avec reptiles et insectes vivants. Salles d'expositions temporaires.

– *Musée de l'Imprimerie* : 24, quai de la Fosse (plan B3). ☎ 40-74-73-57. Dans la médiathèque. Ouvert mardi, jeudi et vendredi de 14 h à 18 h. Mercredi de 10 h à 12 h et de 14 h à 18 h, samedi de 10 h à 12 h et 14 h à 17 h. Visite commentée à 14 h 30. Les différentes techniques de l'imprimerie y sont présentées. On participe à la réalisation d'un imprimé.

– *Le musée Jules-Verne* : 3, rue de l'Hermitage (plan A3). ☎ 40-89-11-88. Ouvert tous les jours sauf mardi, de 10 h à 12 h 30 et de 14 h à 17 h. Gratuit samedi et dimanche. Ce musée dédié à Jules Verne, né en 1828 à Nantes, fait revivre par des objets, lettres et photographies anciennes, le souvenir de l'écrivain.

– *Le Planétarium* : square Moysan (plan A3). ☎ 40-73-99-23. Séances à 10 h 30, 14 h 15 et 15 h 45. Fermé lundi et dimanche matin. Très intéressant pour les enfants, ce théâtre d'étoiles sur fond de coupole hémisphérique. Il y est possible de reproduire le mouvement des planètes.

– *Musée de la Poupée et des Jouets anciens* : 34, bd Saint-Aignan. ☎ 40-69-14-41. Ouvert tous les jours de 14 h 30 à 17 h 30 sauf lundi, mardi et jours fériés, du 15 avril au 15 septembre. Fermé en plus le dimanche. Comme son nom l'indique, une collection de poupées, reconstituant la vie quotidienne au XIXᵉ siècle.

### A voir encore

– *La table d'orientation de la Butte Sainte-Anne* : dans le prolongement du quai de la Fosse, rue de l'Hermitage. Idéal pour avoir une bonne vue d'ensemble de la ville. Une table d'orientation permet de situer les différents monuments. La vue embrasse tout le port, l'île Beaulieu et, plus loin, les rives sud de la Loire. Une certaine nostalgie vous envahit devant le petit nombre de bateaux, et les grues qui ne fonctionnent plus ou presque.

– *La place du Général-Mellinet* : remarquable ensemble de huit hôtels construits sur un même modèle sous la Restauration.

– *Le jardin des Plantes* : face à la gare (plan D1). Il fut ouvert au public en 1829. Ce jardin, joliment dessiné, constitue un agréable havre de verdure et de fraîcheur. Allez vous y promener au printemps lorsque les camélias, blancs, roses ou pourpres, sont en fleurs. Quelque 300 espèces de camélias. C'est un enchantement.

– *L'île de Versailles* : « Un poumon vert au cœur du béton » (hors plan C1). Superbe jardin ponctué de cascades, bassins, plages de galets... Nombreuses essences telles qu'azalées, rhododendrons, bambous et même séquoias. Inauguré en septembre 1987. Un véritable dépaysement tout oriental dans le cœur de la ville... On y trouve aussi des jeux pour enfants, des aquariums et un jardin de mousse. L'ensemble est assez réussi. A voir aussi la *maison de l'Erdre*, initiation aux différents écosystèmes de l'Erdre. On y évoque les activités aujourd'hui disparues de la batellerie.

– *Viaduc de Cheviré* : pour franchir la Loire en aval de Nantes, ainsi la rocade ouest prend forme, enfin ! Ce brontosaure de béton, long de 1,5 km, porté par 23 piles, permet à 6 voies de franchir le fleuve à 50 m de haut. La travée métallique centrale pèse 2 400 t et mesure 242 m. On nous dit que c'est un exploit technique ; nous, on trouve ce pont bien pratique.

### Aux environs

● *L'Erdre* : possibilité de remonter le cours de l'Erdre avec les *River Palace*, de bizarres mais superbes et luxueuses péniches qui font aussi restaurant : quai de Versailles. ☎ 40-20-24-50. Sinon, vous pouvez également vous adresser au *Comité des canaux bretons et des voies navigables de l'Ouest*, 7, rue de la Clavurerie. ☎ 40-20-20-62. Les Nantais sont très fiers de leur rivière que François Iᵉʳ aurait qualifiée de « plus belle rivière de France ». Le trajet permet d'apercevoir de nombreux châteaux et offre de superbes points de vue. Après Sucé, le cours de l'Erdre s'élargit en *lac de Mazerolles*. C'est à partir de cet endroit que Napoléon fit réaliser le canal de Nantes à Brest.
Sur l'Erdre, à Sucé, *château de la famille Descartes (château de la Jaille)*. Plus au nord, *château de Chavagnes* où vécut Descartes. Pendant les guerres de Religion, Sucé fut un foyer protestant. C'est surtout à Sucé que les calvinistes

venaient de Nantes par l'Erdre pour se réunir. Du *manoir de Montretait* qui dominait le port de Sucé, et résidence d'été des évêques, partaient des attaques contre les protestants. Lors de la révocation de l'édit de Nantes, le temple qu'ils avaient édifié ici fut fermé.

## LA BRIÈRE

« Il y a en Brière des caches profondes si dissimulées qu'elles vont jusqu'à tromper le flair des canards sauvages ; nids fourrés que l'hiver dessèche sans les éclaircir, faits de grands joncs lancéolés, de chandelles de loup et de toute une flore creusée tout exprès, dirait-on, pour le chaland qui s'y glisse comme en son gîte de bête de marais.
Nulle part l'homme n'est plus loin du monde, y compris les îles et leurs villages, que dans ces fourrés dont le roitelet, le crapaud et les grands faucheux d'eau se partagent la jouissance. » Alphonse de Châteaubriant.
La *Grande Brière mottière* (de « motte » : briquette de tourbe) couvre 6 700 ha (21 communes) sur les 40 000 ha du parc naturel régional de Brière, créé en 1970. Deuxième marécage de France après la Camargue, c'est une immense tourbière que les pluies d'automne transforment en une vaste étendue d'eau. A mi-saison, quand ciel et eau se confondent, on se retrouve dans un monde plein de mystère... jusqu'aux horizons indéfinis, comme un miroir s'étale l'eau grise crevée par des roseaux empanachés. Comment croire que nous sommes à une vingtaine de kilomètres de La Baule ?

### Adresses utiles

— *Maison du parc naturel régional de Brière* : 180, île de Fédrun, 44720 Saint-Joachim. ☎ 40-88-42-72.
— *Syndicat d'initiative de Brière* : maison du Sabotier, La Chapelle-des-Marais, 44100 Herbignac. ☎ 40-66-85-01.
— L'idéal pour découvrir la Brière est de prendre le *bateau*. Des promenades sont possibles à La Chaussée-Neuve (Saint-André-des-Eaux), Fédrun (Saint-Joachim), Rosé, aux Fossés-Blancs, à Bréca et au Clos-d'Orange.

### Un peu d'histoire

On pense que cette zone d'effondrement, une fois boisée, fut (vers l'an 7000 av. J.-C.) envahie par la mer et le marais. Il s'est constitué derrière une digue formée par les alluvions de la Loire. Témoin de ce raz de marée, les arbres fossilisés appelés *mortas*, plus durs et plus noirs que l'ébène.
Le grand marais, au sol de tourbe, a été jusqu'à la seconde moitié du XIX° siècle la terre nourricière des riverains, notamment ceux des îles. Le marais suffisait presque à tout. Le roseau était utilisé pour le chaume, les claies, les fourrages ; la tourbe servait comme combustible ; l'osier était employé dans la vannerie ; poisson et gibier abondaient. On élevait les oies, canards, on recueillait les sangsues pour les vendre aux pharmaciens.
La tourbe faisait l'objet d'un commerce substantiel. Méan, où se jette le Briret (qui traverse la Brière), était le port briéron. La motte de tourbe était vendue jusqu'à l'île de Ré.
En Grande Brière, l'adage « Pas de terre sans seigneur » n'avait pas cours. Les paroisses riveraines devenues communes gardaient la propriété indivise de la Grande Brière mottière.
La fin de l'été était marquée par l'extraction de la tourbe. Pendant les huit jours accordés au tourbage chaque année, on se livrait aussi à la recherche des mortas.
Le pays de Brière vivait replié sur lui-même. Les habitants se mariaient entre eux. Pour mieux connaître les habitudes de vie de ce pays autrefois, il faut lire le beau roman d'Alphonse de Châteaubriant, *La Brière*.
Depuis la Seconde Guerre mondiale, le tourbage a presque disparu. Les gros troupeaux de bétail font partie de l'histoire, seuls oies et canards mettent leur note pittoresque dans ce beau paysage. La coupe des roseaux artisanale est sévèrement concurrencée par la coupe industrielle de la Camargue... Les *piardes*, ou plans d'eau, ont diminué devant le comblement et l'extension de la roselière.

## Le marais

Le marais souffre de n'avoir plus d'utilité immédiate. Si on ne fait rien, la Brière va s'assécher progressivement : la terre va gagner sur l'eau et la forêt de saules et de bouleaux va repousser. Les étés secs comme celui de 1990 montrent le péril. L'association *Rando-Loisirs en Brière*, ☎ 40-66-57-32, organise des randonnées de découverte du marais. Le visiteur embarque sur un blin poussé à la perche sur les piardes, de curées en coulisses, parmi les nénuphars nacrés, les lotus blancs, les iris jaunes, les laiches, les jonchées. Tout un univers aussi fascinant (ou presque) que l'Amazone ou les canaux de Bangkok !

## La faune en Brière

Les ornithologues seront à la fête. De nombreuses espèces d'oiseaux peuvent être observées en Brière : des rapaces (busard des roseaux), le butor (le plus bel oiseau d'Europe), des passereaux (bruant des roseaux, mésange à moustaches), des oiseaux aquatiques (grèbes, sarcelles, moretons, rousseroles, hérons). A voir encore la foulque macroule qui fait son nid près des plans d'eau, où les enfants viennent pêcher les sangsues destinées aux industries pharmaceutiques.
Le marais nourrit 4 000 bovins (18 000 au début du siècle).

## Petit vocabulaire briérois

Certains mots usuels de la Brière semblent aussi mystérieux que le pays :

| | |
|---|---|
| Blin | grand chaland pour le transport de la tourbe, du roseau. |
| Bosselle | nasse en osier pour capturer les anguilles. |
| Curée | fossé-canal, bien entretenu, qui entoure les îles. |
| Fouesne ou fouine | fourche avec laquelle on pêche l'anguille. |
| Gagnerie | centre des îles, que l'on consacre à la culture. |
| Marre | outil pour extraire la tourbe. |
| Morta | arbre fossilisé. |
| Le noir | la tourbe. |
| Piarde | plan d'eau. |
| Pimpeneau | anguille de vase |
| Plattière | terre ou pâture basse. |
| Salais et trusquin | donnent la mesure officielle des mottes. |

## La chaumière de Brière

A la différence des chaumières bretonnes et normandes, la chaumière de Brière est trapue, sa hauteur sous plafond est faible. Les murs épais sont montés en pierre et en terre. Trois ouvertures traditionnelles sont exposées au midi (pas bête !). La porte basse s'ouvre en deux parties. En général, une seule pièce en terre battue, où l'on a disposé bancs, table et lits dans les coins. Un petit escalier étroit monte au grenier.

## Où dormir ? Où manger ?

– *Auberge de Kerhinet* : 44410 Saint-Lyphard. ☎ 40-61-91-46. A 5 km de Saint-Lyphard, sur la route de Guérande, au village-musée de Kerhinet (voir plus loin). Fermé le mardi soir et le mercredi sauf en juillet et en août. Accueil sympathique. Cuisine du terroir. Quelques chambres situées dans une chaumière. 200 F avec bains et w.-c. Au menu à 65 F : rillettes d'oie, jambon braisé aux pleurotes, œufs à la neige. Autres menus encore plus soignés, jusqu'à 170 F. Service par des garçons stylés et gentils. Décor rustique et campagnard. Belle collection de photos anciennes. Une bonne adresse.
– *Auberge du Parc* : 44720 Saint-Joachim. ☎ 40-88-53-01. Menus de 82 à 190 F.
– *Camping les Brières du Bourg* : sur la D47. A 500 m du village. Au bord d'un plan d'eau. ☎ 40-91-43-13. Ouvert du 1ᵉʳ mai au 30 septembre. 120 emplacements. Boisé et bien situé.

## A voir

Sortez de Saint-Nazaire par la N 171, direction Nantes. A Montoir-de-Bretagne, ancien port de mer comblé au XVIIᵉ siècle, tournez à gauche. Vous parvenez à Rosé.

● **L'ancienne maison de l'Éclusier** : ouvert de juin à septembre, de 10 h à 12 h 30 et de 15 h à 19 h. Sur le quai est exposée la chaloupe *Theotiste* qui transportait à Nantes la tourbe de Brière. Elle ressemble à un gros sabot ponté, à 2 mâts rabattables. Armée par deux à trois marins, ceux-ci s'aidaient de perches pour pousser le bateau sur les canaux quand le vent était défavorable.

● **Le parc animalier** : ouvert de mai à octobre, de 10 h à 19 h. Location de jumelles. Le hall d'accueil se trouve à 800 m à droite après avoir franchi le pont sur le canal. Un sentier aménagé, ponctué de postes d'observation, vous fera découvrir les oiseaux à l'état sauvage.
Reprenez la route et, juste avant Saint-Joachim, tournez à gauche.

● **L'île de Fédrun** : c'est l'île la plus intéressante, en dépit d'un habitat disparate, au moins au niveau des toitures puisque alternent chaume, tuiles et ardoises ! Primitivement, les chaumières s'installèrent sur le pourtour de l'île, adossées aux canaux. Le centre de l'île, jamais inondé, était réservé aux cultures. On l'appelait la « gagnerie ». Ceinturant l'île, un canal, la « curée », desservait les appontements d'amarrage, les « seuils » ou les fossés pour garer les chalands. A visiter : la *maison de la Mariée* qui abrite une superbe collection de parures de mariage, décorées de fleurs d'oranger. A la fin du XIXᵉ siècle, une fabrique de fleurs d'oranger artificielles (qui exportait dans toute l'Europe) s'était établie à Saint-Joachim. On obtenait la fleur en trempant de la toile amidonnée dans un bain de cire. Après le mariage, les fleurs de la mariée étaient disposées sur un coussin de velours et conservées sous un globe de verre. La *chaumière briéronne* restitue l'ambiance d'un intérieur du pays.

● **Camer** : quittez la route principale pour vous rendre à ce village très typique, en fait deux îlots où les maisons serrées les unes contre les autres s'ouvrent par-derrière sur un canal.

● **La Chapelle-des-Marais** : à 10 km plus au nord. A l'entrée du bourg, *maison du Sabotier* (ouverte du 1ᵉʳ juillet à la mi-septembre et le mercredi après-midi hors saison). Dans l'église, statue polychrome de saint Corneille, protecteur des troupeaux. Le long de l'escalier de la mairie, *morta* (arbre fossile) de 7 m de haut. La *mairie* est ouverte les lundis, mardis, mercredis de 9 h à 12 h et de 14 h à 17 h, et les jeudis, vendredis et samedis de 9 h à 12 h. ☎ 40-53-22-02.

● **Mayun** : de la chapelle des Marais, prenez la direction Saint-Lyphard. Mayun est resté célèbre pour sa vannerie qui garde beaucoup de cachet. De nombreux habitants fabriquaient autrefois des paniers. Ils tressent encore la bourdaine.

● **Les Fossés-Blancs** : ici, le canal du Nord mène au cœur de la Grande Brière. N'hésitez pas à faire une promenade en chaland, pour vous enfoncer plus profondément dans l'intimité briéronne.

● **Saint-Lyphard** : 44410 Herbignac. Grimpez les 135 marches du clocher de l'église qui constitue un superbe belvédère sur toute la Brière.

● **Breca** : continuez vers Saint-André-des-Eaux mais, à 4 km, tournez à gauche vers Breca, hameau riche en vieilles demeures, d'où l'on peut s'embarquer pour le marais. Abri pique-nique.

● **Kerhinet** : ce hameau est devenu un authentique musée vivant, de plein air, acquis et restauré par l'administration du parc régional. Les voitures n'y pénètrent pas. On y trouve le *Musée briéron* : costumes et outils d'autrefois, la vitrine de l'artisanat, un atelier privé de tissage et un gîte d'étape en complément d'un gentil hôtel-restaurant que nous recommandons.

● **La Chaussée-Neuve** : de Saint-André-des-Eaux (44117), une route s'enfonce au cœur du marais. A la sortie de Marland, on pourra faire une halte à l'*auberge du Haut-Marland* (☎ 40-01-29-00 ; fermé dimanche soir et lundi), dans une vieille demeure. Toit de chaume, poutres, cheminées et cuivres contribuent au charme de cette étape. Bon menu à 85 F avec terrine de canard maison suivie d'anguilles poêlées et d'un canard au muscadet, fromage et dessert (vin compris).
A La Chaussée-Neuve, on embarquait jadis pour un ou deux jours pour livrer sel et légumes à Trignac ou Saint-Joachim, d'où l'on rapportait sable ou fumier. Le long canal n'attend plus désormais que les touristes en mal de poésie... qui ne seront pas déçus. Location de chalands ou promenades à cheval les sembleront.

## PIRIAC (44420)

Un des plus beaux endroits de la région. Occupé déjà par les Phéniciens, puis par les Bretons du temps de la splendeur du roi Warroc'h ! La petite église de granit, Saint-Pierre, semble protéger le petit port des intempéries... Les rues étroites de l'intérieur se serrent pour mieux lutter contre le vent omniprésent. Admirez les maisons anciennes de la place de l'Église. Pas de marina intempestive, pas d'immeubles sur ce port qui a gardé tout son cachet. Très style *Pauline à la plage*.

Office du tourisme : 7, rue des Cap-Horniers. ☎ 40-23-51-42. Ouvert tous les jours de 10 h à 13 h et de 14 h à 19 h en saison.

### Où dormir ? Où manger ?

– *Hôtel-restaurant de la Pointe :* 1, quai de Verdun. ☎ 40-23-50-04. Fermé de novembre à février et le mercredi hors saison. Sur le bord de mer, près de la digue. Notre adresse préférée. Chambres doubles à partir de 125 F. Simples, mais patron sympa et certaines chambres donnent sur le port et la plage, si jolie. Vous ne serez dérangé que par le doux bruit des gréements. Le resto est très correct. Déjà, on entre par le bar où l'on peut faire une halte pour l'apéro. La grande salle du restaurant ne fait pas dans la décoration, mais on y est bien. Service rapide et attentif. Bon menu à 82 F avec, au choix, salade composée, 6 huîtres, soupe de poisson ou terrine maison... Vient ensuite le canard au muscadet, ou le colin au beurre blanc ou encore le poulet rôti. Fromage ou dessert.

– *Hôtel-restaurant l'Abri Côtier :* 1, rue Neuve. ☎ 40-23-56-03. Une étape toute simple autour d'une large cheminée, pour une soirée-étape à 200 F par personne.

### ● Campings

Un grand nombre de campings dans les parages :

– *Parc du Guibel :* à 3,5 km sur la route de Mesquer, puis prenez à gauche la route de Kerdrieu. ☎ 40-23-52-67. Réservez en été. Bien ombragé. Tranquille et agréable. Plus confortable que le précédent.

– *Pouldroit :* à 300 m de la mer, et 1 km de Piriac par la route de Mesquer. ☎ 40-23-50-91. Réservation conseillée pour l'été. Tout le confort souhaité.

– *Camping naturiste le Clos Marot :* à Saint-Sébastien. ☎ 40-23-59-20. Ouvert en juillet et août. 30 emplacements à l'ombre.

### A voir

– *Le calvaire de Pen Ar Ren :* des Xe et XIe siècles.

– *La pierre druidique* du tombeau d'Almanzor, à la pointe Castelli.

– Suivre le *sentier côtier* conduisant jusqu'à la grotte Madame, via la pointe Castelli placée sous le regard du sphinx ; le sémaphore de la marine.

– Ne cherchez plus le vignoble de Piriac... seuls les vieux pêcheurs s'en souviennent, mais cela souligne la chaleur du climat local.

## LA TURBALLE (44420)

La sardine a fait la fortune du port, créé au XIXe siècle. En 1824, l'implantation de conserveries stimula l'activité de la pêche.
C'est aujourd'hui le premier port sardinier de la côte atlantique, avec une flottille moderne et un port récemment agrandi. Sur le toit de la criée, *maison de la Pêche* avec salle d'exposition et de restauration (produits de la mer, *of course*). La ville possède aussi une longue plage de 5 km, dite de la Grande Falaise. De réputation internationale pour les véliplanchistes et les naturistes qui se réfugient à la pointe de Pen Bron.

– *Office du tourisme :* sur le port. ☎ 40-23-32-01. Ouvert tous les jours de 9 h 30 à 13 h et de 14 h à 19 h 30.

— *Camping du parc Sainte-Brigitte* : à 3 km, direction Guérande. A la sortie de Clis, sur la droite. Domaine de Brehet. ☎ 40-23-30-42 ou 40-24-88-91 en saison. Ouvert du 1er avril au 1er octobre. Agréable car établi dans un domaine boisé. Réservez en juillet-août. Piscine. Jeux pour enfants.
— *Crêperie Tante Marie* : 7, quai Saint-Pierre. ☎ 40-23-45-54. En parlant de sardines... allez donc les manger. 6 belles sardines grillées pour 25 F. Et des crêpes, bien sûr. Service rapide.

## A voir

— *Le clocher-belvédère de l'église de Trescalan* (édifiée en 1852) : il permet d'avoir une vue panoramique à 70 m au-dessus du niveau de la mer. Il y a 990 marches à monter et une échelle en bois ! Visite guidée les lundis, mercredis et vendredis de 10 h à 11 h 30 et de 16 h à 18 h.

— *Le calvaire de Fourbihan* : à Trescalan, du XVIe siècle.

## GUÉRANDE (44350) ⸻⸻⸻⸻⸻⸻⸻⸻⸻⸻⸻

La ville, de fondation très ancienne, a pour nom breton *Gwen-Ran* : « ville blanche » par référence aux marais salants qui l'isolent du continent. Elle se trouve donc sur une presqu'île et sa fonction portuaire justifie sa protection par de robustes remparts pour protéger le carrefour des axes La Roche-Bernard-Le Pouliguen et La Turballe-Saint-Lyphard.

— *Office du tourisme* : place du Marhallé. ☎ 40-24-96-71. Organise en saison une visite guidée de la ville (durée : 1 h).

## Un peu d'histoire

Les monuments mégalithiques de l'arrière-pays témoignent d'une occupation ancienne. Les Romains s'installent sur place et consolident les marais salants. La place forte joue un rôle important dans la constitution du duché de Bretagne. L'église de Guérande bénéficie d'un statut particulier, mais les invasions normandes n'épargnent pas la cité en 919. Pendant la guerre de succession de Bretagne, Guérande a pris le parti de Montfort, elle sera donc ravagée par les Espagnols, alliés du roi de France et de Charles de Blois.

C'est à Guérande qu'Anne de Bretagne signe ses premières ordonnances lorsqu'elle succède à son père, le duc François II, en 1488. A cette époque, la flotte guérandaise compte 269 vaisseaux. La presqu'île produit du blé, du sel, du vin. Ses chantiers navals seront actifs jusqu'à la Révolution de 1789. En juin 1830, Honoré de Balzac, au bras de Laure de Berny, parcourt le pays, qu'il décrit dans son roman *Béatrix*. Aujourd'hui, Guérande maintient la récolte artisanale du sel de mer, mais vit surtout du tourisme grâce à sa situation géographique entre La Baule, la Brière et Le Croisic.

## Où dormir ? Où manger ?

— *Hôtel les Floralies* : chemin du Pradillon. ☎ 40-24-96-50. Ouvert toute l'année. 7 chambres seulement, très correctes, de 103 à 200 F. A 50 m, le restaurant de l'hôtel, *le Dé d'Argent,* propose un menu à 75 F avec trois plats dont le crabe mayonnaise suivi d'un poisson du jour ou d'un canard au muscadet. Belle salle à manger avec cheminée. Spécialités à la carte : magret de canard aux salicornes à 80 F ou brochettes de coquilles Saint-Jacques (sur commande). Bon rapport qualité-prix du menu.

— *Restaurant le Pont Blanc* : 17, faubourg Saint-Michel. ☎ 40-24-91-91. Comme l'établissement précédent, ce restaurant est situé hors des remparts, ce qui explique les prix raisonnables qui y sont pratiqués : menu à 75 F avec langoustines et poulet. Ambiance simple et familiale. Il y a aussi un menu à 60 F, simple mais correct.
— *Roc Maria* : 1, rue des Halles. ☎ 40-24-90-51. Ouvert toute l'année. Pas de restaurant dans cet hôtel 2 étoiles de 9 chambres aménagées avec goût dans une demeure ancienne, de 160 à 200 F.

– *Chambres d'hôte* : chez M. Gicquiaud, 114, faubourg de Biezienne. ☎ 40-24-84-91. 4 chambres.

– *Camping Tremondec* : 48, rue du Château-de-Careil. ☎ 40-60-00-07. Ouvert d'avril à octobre. Situé à 1,5 km de la ville et très bien équipé, en dépit de l'absence de piscine.

## A voir

– *La maison du Paludier* : rue du Ber, à Saillé. ☎ 40-62-21-96. Ouverte tout l'après-midi en mai, juin et septembre ; toute la journée en juillet et août. On peut y faire sa provision de sel pour toute l'année. Écomusée très intéressant.

– *Les remparts* : magnifique muraille qui ceinture la ville, sur 1,4 km. Vous serez sensible à ces vieilles pierres dorées de lichens et ces tours empierrées. Ils remontent au XIVe siècle mais furent pour l'essentiel reconstruits au XVe, sous Jean V et François II. Au XVIIIe siècle, le duc d'Aiguillon, gouverneur de Bretagne, fit combler une partie des douves et aménager des promenades. L'ensemble forme un superbe exemple de l'architecture bretonne du Moyen Age.

– *La porte Saint-Michel* : l'ancienne demeure du gouverneur, entrée principale de la ville, a été transformée en *Musée régional* (ouvert de 9 h à 12 h 30 et de 14 h à 19 h, toute l'année). Assez intéressant. Au premier étage, meubles de la Brière, meubles cirés, et meubles des paludiers en bois verni rouge. Au deuxième étage, faïence du Croisic, tableaux, etc. Au troisième, costume de fête des sauniers et paludiers.

– *La collégiale* : elle est célèbre pour les concerts d'orgue qui s'y déroulent l'été. A l'extérieur : remarquez la *chaire à prêcher* du XVe siècle, desservie par l'escalier à vis du clocher, très rare en Bretagne. A l'intérieur, superbes *chapiteaux* dont les motifs grotesques apportent une note d'humour. Les sculptures apparaissent assez maladroites, les artistes bretons de l'époque pratiquant plus volontiers des décors géométriques que des motifs à caractère humain ou animal. Remarquez, entre autres, la superbe *tête*, bouche ouverte et langue tirée. Vous reconnaîtrez aussi la *Flagellation du Christ*, les *martyres de saint Simon* (scié), *saint Étienne* (lapidé) et *saint Laurent* (grillé), les travaux d'agriculture, une sirène-oiseau, des monstres, etc. Dans le chœur, *verrière* du XVIIIe siècle, le *Couronnement de la Vierge*. Sur la droite, chapelle basse à voûte gothique abritant un sarcophage du VIe siècle et un gisant du XVIe siècle.

– *La ville close* : laissez-vous dériver dans les ruelles tortueuses où se cachent les « logis » anciens : manoirs du Tricot, de la Gandinais, etc. La ville a le plan des villes antiques : division en croix avec deux voies principales perpendiculaires, le *cardo* et le *decumanus*, orientées selon les points cardinaux.

Au Moyen Age, tout un quartier de la ville appartenait aux prêteurs et banquiers juifs *(rue de la Juiverie)*, un autre à l'évêque de Nantes qui, chaque année, y faisait une entrée solennelle, un autre aux chevaliers templiers... La ville possédait aussi ses graveurs, orfèvres et sculpteurs qui ont décoré la collégiale.

## LE CROISIC (44490)

Très fréquenté l'été et les week-ends, ce port actif garde beaucoup de cachet. On y débarque des poissons nobles capturés la nuit par une importante flottille de pêcheurs artisans qui pêchent aussi au casier. Les crevettes et les crustacés se font rares ! On les voit plus facilement dans l'*Aquarium* (6, quai du Port-Cignet ; ☎ 40-23-02-44 ou 02-50 ; ouvert de 10 h à 20 h).

De belles demeures anciennes rappellent la prospérité passée de cette petite ville qui voit dans le tourisme une nouvelle raison d'espérer. Le Croisic a conservé son caractère de port breton, nid de corsaires et d'armateurs. Mais il est dommage que l'on ait tant construit aux alentours.

## Adresses utiles

– *Office du tourisme* : place du 18-Juin-1940. ☎ 40-23-00-70.
– *Gare S.N.C.F.* : ☎ 40-23-00-68.

**Où dormir ? Où manger ?**

– *Camping de l'Océan :* « les Frauds ». ☎ 40-23-07-69. A 1,5 km par la jolie route de la Pointe. Près de la mer. Grand terrain bien tranquille et doté de toutes les « commodités ». Jeux d'enfants. Réservez, bien sûr, en été.
– *Hôtel l'Estacade :* 4, quai du Lénigo. Bien situé. ☎ 40-23-03-77. Fermé en décembre et en mars. Chambres à partir de 200 F.

● *Plus chic*

– *Hôtel les Nids :* 15, rue Pasteur, à Port-Lin, la plage du Croisic. ☎ 40-23-00-63. Ouvert d'avril à septembre. Restaurant fermé la première quinzaine de mai. Agréable jardin joliment fleuri. Chambres de 195 à 275 F. Demi-pension obligatoire.

**A voir**

– *Le mont Esprit :* tout de suite à droite en arrivant. Il doit son nom à une déformation des mots « lest pris ». En effet, cette butte est constituée par le lest déposé par les navires venus chercher du sel. Aménagée en parc, elle offre une jolie vue sur le pays guérandais. Juste au pied, prenez à droite la petite route qui mène à des parcs à huîtres. Il n'y a presque personne, vous passerez devant de belles propriétés et pourrez, assis sur un rocher, contempler tranquillement les marais salants avec, au loin, la tour-clocher de l'église de Batz.

– *Le port :* il est doté de plusieurs bassins et abrite quelques beaux voiliers. Tout au long, de belles demeures en granit du XVᵉ au XVIIIᵉ siècle, mais aussi crêperies et restaurants, marchands de souvenirs. Le port se termine par une esplanade dominée par le *mont Lénigo*, construit comme le mont Esprit, à partir de la pierre de lest. Sur la jonchère du Lénigo, on a bâti la nouvelle *criée* où il faut assister à une vente aux enchères. Pittoresque garanti !

– *L'église Notre-Dame-de-la-Pitié :* de style flamboyant, elle a été édifiée en granit de 1494 à 1507. La tour carrée, qui devait rivaliser avec celle de Batz, porte sur sa plate-forme à balustres une tourelle octogonale coiffée d'un dôme à lanterne. A l'intérieur, ex-voto.

– *Les rues anciennes :* autant les quais sont très animés, les week-ends et pendant les vacances, autant les rues de l'intérieur sont presque désertes. Promenez-vous dans la vieille ville et remarquez les portes basses, les façades patinées par les ans : aux nᵒˢ 33 et 35 de la *rue Saint-Christophe* ou au 28, *rue de l'Église,* par exemple.

– *La digue :* très longue, vous aurez l'impression, pour peu qu'il y ait du vent, d'être en plein océan.

– *Le Musée naval :* à la mairie. Ouvert de 10 h à 12 h et de 15 h à 19 h à Pâques et du 10 mai à la mi-septembre. Fermé le mardi. Sa principale curiosité, placée dans les jardins attenants, est un canon provenant du *Soleil-Royal,* coulé à l'entrée du port lors de la bataille des Cardinaux, en 1759. Il est daté de 1670 et porte les armes du comte de Vermandois, amiral de France.

**BATZ-SUR-MER** (44740) ──────────────────────────

Attachante bourgade où l'on se sent loin de La Baule et de la foule des estivants. Au VIIIᵉ siècle, la paroisse couvrait tout le territoire du Croisic et du Pouliguen. Elle a longtemps fondé sa prospérité sur le sel, les oignons et les échalotes. Les villages de Kervalet et de Roffiat ont conservé leur charme d'autrefois. C'est maintenant une station balnéaire familiale (avec son V.V.F.) pourvue de belles plages calmes, Saint-Valentin, Saint-Michel et la Govelle.

– *Maison du tourisme :* 25, rue de la Plage. ☎ 40-23-92-36. Ouvert tous les jours en saison, de 9 h 30 à 12 h et de 15 h 30 à 18 h 30.

**Où dormir ? Où manger ?**

– *Camping la Govelle :* à 2 km environ par la route de la Côte Sauvage. ☎ 40-23-91-63. Ouvert d'avril à fin septembre. Petit camping bien familial, près de la mer. Remarquablement bien équipé.

– *Camping Saint-Valentin* : près de la plage du même nom. ☎ 40-23-91-74. Grand espace dans un cadre agréable. Sanitaires insuffisants.
– *Les Marais Salants* : 24, place de la Gare. ☎ 40-23-92-15. Ouvert d'avril à octobre. Un hôtel simple mais propre. Chambres à prix doux.
– *Crêperie du Temps perdu* : 1, place de l'Église. ☎ 40-23-81-64. Grande variété de crêpes très bonnes et à prix raisonnables. Un des rares endroits où l'on peut manger après 20 h hors saison estivale. Un coin pour les enfants.

**A voir**

– *L'église Saint-Guénolé* : elle est dominée par une tour-clocher de 60 m, qu'on aperçoit de toute la région. Grimpez au sommet du clocher de granit, du XV$^e$ siècle, d'où l'on a une vue sur toute la presqu'île guérandaise. Pardon le 12 août.

– *La chapelle Notre-Dame-du-Mûrier* : elle aurait été élevée par les villageois suite à un vœu lors d'une épidémie de peste au XV$^e$ siècle. Elle est construite en blocs de granit décorés de motifs flamboyants, mais n'a plus ni toiture, ni voûtes. A ciel ouvert, elle en est peut-être d'autant plus émouvante.

– *Le musée des Marais salants* : 29 bis, rue Pasteur. ☎ 40-23-82-79. Ouvert de 10 h à 19 h de juin à septembre et durant les vacances scolaires ; de 15 h à 19 h les week-ends hors saison. Un des plus anciens musées des Arts et Traditions populaires régionaux. Au rez-de-chaussée, mobilier, faïences et vêtements des paludiers des XVIII$^e$ et XIX$^e$ siècles.
On vous y explique le fonctionnement tout à fait ingénieux d'une saline.

**Petit lexique du paludier**

– *Roller* : déciller les cristaux de sel déposés sur les côtés de l'œillet.

– *Porter* : manutentionner la récolte de la ladure jusqu'au tremet ; autrement dit, du tas sur l'œillet au grenier à sel.

– *Trousser* : hisser les cristaux de sel de l'œillet sur la ladure.

– *Fares* : petits bassins où l'eau est encore peu salée.

– *La plage Saint-Michel* : une oasis de calme, protégée par une digue, que domine un menhir.

## LE POULIGUEN (44510) _____

C'est le port de plaisance de La Baule sur la rive gauche, mais aussi un port de pêche encore très actif. Cette activité localisée sur la rive droite donne à la ville une atmosphère très « famille » que l'on ressent bien tout le long du quai Jules-Sandeau. Les belles boutiques, les hôtels aux façades très classiques, le manège pour enfants, la galerie marchande terminée par la terrasse du café « la Potinière », tout cet ensemble inspire confiance et fait penser au bon vieux temps.

– *Office du tourisme* : à Port-Sterwitz. ☎ 40-42-31-05.

**A voir**

– *La plage* : bordée de chemins de planches. Quand la mer s'en retire, elle découvre les rochers des Impairs. Aux abords de la pointe de Pen-Château, la falaise porte de belles villas. D'après la légende bretonne, les korrigans, ces facétieux lutins, logeraient dans les grottes creusées par la mer.

– *La chapelle Sainte-Anne-et-Saint-Julien* : sur la route de Pen-Château. Joli édifice du XVI$^e$ siècle précédé de son calvaire. A l'intérieur, on peut admirer le bénitier en granit du XVI$^e$ siècle et la statue de sainte Anne entourée de la Vierge Marie et de Jésus.

– *La ville* (dont le nom en breton signifie « petite baie blanche » a une longue tradition de port de pêche, établi sur l'étrier qui alimente les marais salants de Guérande. Quelques belles façades méritent le coup d'œil.

## LA BAULE (44500)

Voilà la station des superlatifs qui se veut de plus en plus européenne : n'organise-t-elle pas le festival du Cinéma européen, le championnat d'Europe de saut d'obstacles, un concours international d'Élégance automobile, une rencontre internationale de danse, du folklore de Bali à celui de Rio, etc. ? C'est le train (voir la superbe gare rénovée, classée monument historique) qui, au siècle dernier, a fait naître la station. Aujourd'hui, le T.G.V., en tout juste moins de 3 h, convoie les Parisiens de Neuilly, Passy, Auteuil... jusqu'à leurs belles demeures de villégiature nichées dans les pins, ces pins qui disparaissent peu à peu pour cause de vieillesse ou sous la pioche des promoteurs. Un appartement en front de mer vaut 30 000 F le m² (on comprend pourquoi la pinède est menacée).

La Baule ressemble à ces vieilles dames coquettes, un peu frimeuses, mais au fond très sages, et éminemment sympathiques puisqu'elles parlent verlan et font encore du sport. Pas n'importe lequel, certes, tennis, polo, golf, yachting, équitation. Voilà ce qui se pratique en famille commodément à La Baule, et c'est très bien comme cela. Si le décor a vieilli (cf. le film *La Baule-les-Pins* de Diane Kurys avec Nathalie Baye et Richard Berry), son charme B.C.B.G. demeure et elle reste la star des stations balnéaires et climatiques bretonnes. Il faut absolument rendre visite à La Baule : « la Belle ! », comme on va à Deauville, à Cannes, à Biarritz, et autres « musts » des plages à la mode.

### Adresses utiles

— *Office du tourisme* : place de la Victoire. ☎ 40-24-34-44. Télex : 710 050. Minitel : 36-15 LA BAULE. Ouvert tous les jours en saison. Équipe très compétente et dévouée, travaillant dans un superbe bâtiment ultramoderne comme la mairie (pas étonnant, ils ont eu le même architecte et les mêmes financiers !).
— *Gare S.N.C.F.* : informations : ☎ 40-66-50-50. Réservation T.G.V. : ☎ 40-60-13-20.
— *Aéroport Nantes* : réservation Air Inter : ☎ 40-48-07-70. 8 vols Paris, 3 vols Lyon.
— *Excursion autocars Verney* : ☎ 40-60-87-00.
— *Port de plaisance* : La Baule-Le Pouliguen, terre-plein des Salinières. ☎ 40-60-37-40.

### Où dormir ?

● *Pas cher* (si c'est possible !)

— Pas d'A.J. à La Baule, la plus proche se trouve à *Saint-Nazaire* au foyer des jeunes travailleurs, 30, rue du Soleil-Levant. ☎ 40-22-51-04.
— *Hôtel Violette* : 44, avenue Clemenceau, près de la gare S.N.C.F. ☎ 40-60-32-16. Ouvert toute l'année. Chambres de 100 à 180 F (10 % réduction hors saison).
— *Hôtel Marini* : 22, avenue Clemenceau. ☎ 40-60-23-29. Ouvert en saison seulement. Deux copains exploitent ce petit hôtel sympa. Chambres de 150 à 200 F.

● *Plus chic*

— *Riviera Hôtel* : 16, avenue des Lilas, vers Le Pouliguen. ☎ 40-60-28-97. Ouvert de Pâques à octobre. Au calme. Chambres entre 150 et 300 F, petit déjeuner à 38 F (10 % de réduction hors saison).
— *L'hostellerie du Bois* : 65, avenue Lajarrige. ☎ 40-60-24-78. Logis de France saisonnier, à 300 m de la plage. Jardin fleuri à l'ombre des pins, en retrait d'une rue très animée. 15 chambres entre 190 et 290 F. Demi-pension de 320 à 500 F. Notre meilleure adresse sur la Côte d'Amour car tenue par une équipe de jeunes pros qui font bien leur métier, nous leur faisons confiance.
— *Le Continental* : 236, avenue de Lattre-de-Tassigny. ☎ 40-60-20-81. Ouvert en saison. En plein centre. Entièrement modernisé. Chambres de 150 à 300 F.

● *Campings*

— *La Roseraie* : 20, avenue Jean-Sohier, route du Golf. ☎ 40-60-46-66. Ouvert de Pâques à fin septembre. 120 emplacements tout confort et pas trop loin de la plage.

– *Caravaning municipal :* avenue Rémy-Flandin. ☎ 40-60-17-40. Spécialement réservé aux caravanes, 80 emplacements.

## Où manger ?

Les snacks de bord de mer affichent le hot-dog à 14 F et la cuisse de poulet-frites 19 F. Se méfier des imitations !
– *Crêperie de la Bôle :* 36, avenue du Général-de-Gaulle. ☎ 40-60-19-73. Ouvert toute l'année sauf le lundi. On peut y déjeuner convenablement pour moins de 50 F.
– *La Tocade* (snack-bar) : avenue du Général-de-Gaulle. Propose un plat du jour copieux et bien cuisiné. Le sauté d'agneau, par exemple, à 58 F.
– *La Mascotte :* 26, avenue Marie-Louise. Restaurant d'hôtel saisonnier. Bon menu à 85 F.
– *Duo sur Canapé :* avenue du Marché. Belle carte de tartines grillées aux garnitures pas chères et délicieuses.
– *Le Ship Inn :* 18, place du Maréchal-Leclerc. Sert de bons petits plats dans un décor ultramoderne. Menus entre 60 et 120 F.

## Les boîtes

C'est la nuit qu'on goûte le mieux la frime et le snobisme de La Baule !
– *Marigot Bay Piano-Bar :* 10, avenue Pavie. ☎ 40-24-06-10. Spécialiste des cocktails exotiques à base de rhum plus ou moins étendus z'et aux parfums variés à 45 F. Décoration soignée. Service sympa.
– *Scotch Club :* même adresse. ☎ 40-60-00-30. On y danse avec plaisir entre gens bien comme il faut...

## A voir

– *La plage* de sable fin, longue de 9 km, où la mer se retire au loin pour dégager un vaste espace de jeux. Les rochers découverts abritent des coquillages et autres crabes dont la consommation n'est pas recommandée. A marée haute, c'est un très beau stade nautique.

– *Le boulevard et la promenade de front de mer* changent de nom selon les emplacements, depuis Le Pouliguen jusqu'à Pornichet. Évidemment, les résidences avec loggia (voir l'immeuble de verre et d'aluminium de la thalasso près de l'hôtel Royal) ont presque partout remplacé les villas d'avant-guerre. Il en reste de beaux spécimens dans la pinède mais elles ne voient plus le large depuis longtemps, à La Baule et à Pornichet, comme ailleurs !

– Le *marché torain* qui se développe, avenue du Général-de-Gaulle et rues avoisinantes, constitue une attraction sympathique. Les amateurs de magasinage peuvent aussi aller flâner devant les belles boutiques de la rue Lajarrige, le concepteur de La Baule-les-Pins.

– L'*église Sainte-Thérèse,* la *gare S.N.C.F.,* la *mairie* bâtie en 1974, sont les seuls bâtiments publics dignes d'intérêt. Le quartier autour de la place des Palmiers, entre le bois d'Escoublac et son arboretum des Dryades, et la plage, conserve le style architectural B.C.B.G. qui sied à la station.

## PORNICHET (44380)

La station prolonge La Baule, mais ce n'est pourtant pas son quartier pauvre, bien au contraire. Pornichet a son casino (rénové), son port de plaisance, sa gare S.N.C.F. et sa thalasso. Bref, tout ce qu'il faut pour passer des vacances un peu plus au calme qu'à La Baule.

## Adresses utiles

– *Office du tourisme :* 3, bd de la République, près du marché. ☎ 40-61-33-33. Bureau saisonnier en face de la gare. ☎ 40-61-08-92. Minitel : 36-15 code ITOUR.
– *Gare S.N.C.F. :* ☎ 40-61-08-28. Capitainerie port de plaisance. ☎ 40-61-03-20.
– *Vedettes Navijet :* ☎ 40-61-62-63. Pour des excursions à Belle-Ile, Noirmoutier et l'île d'Yeu. Promenades en mer, Houat, Hoëdic, Le Croisic et La Turballe. Renseignements, réservations : ☎ 40 01 00 00.

### Où dormir ? Où manger ?

— *Normandy Hotel* : 120, avenue de Mazy. ☎ 40-61-03-08. Tout près de la gare. Façade à colombage. 34 chambres aux normes 1 étoile. Chambres avec bains et w.-c. entre 180 et 200 F. Petit déjeuner, 18 F. Restaurant indépendant de l'hôtel. Premier menu à 70 F avec langoustines, colin, tarte aux pommes, vite et bien servi !

— *Les Charmettes* : 7, avenue Flornoy. ☎ 40-61-04-30. Ouvert du 1er juin au 15 septembre. Belle pension charmante située dans un jardin calme, près de l'hôtel de ville. Chambres de 100 à 320 F. Demi-pension de 250 à 300 F. Menus à 95 et à 130 F.

### Où boire un verre ?

— *Le Bidule* : 122, avenue de Mazy. Nulle part ailleurs sur la Côte d'Amour, vous ne trouverez une ambiance semblable ! Cette cave à vin date des années 30, on en a conservé les cuves, des tonneaux servent de table (sans tabouret), M. Gilles sert « au verre » à moutarde sur un comptoir en bois, devant les rayonnages à bouteilles, comme faisait son père ! Et ça marche fort toute l'année, ça change des boîtes de La Baule !

— *Le Lambic Bar* : 134, avenue de Mazy. Grand choix de bières et de whiskys dans une ambiance celte.

### A voir

— *La plage et le boulevard de front de mer* : ici, les grandes résidences n'ont pas encore dévoré toutes les vieilles villas d'avant-guerre.

— *Le port de plaisance du club nautique de Pornichet* : ☎ 40-61-61-06. Abrite les petits bateaux, on y échoue et il n'a que 180 places. Le grand port de 1 100 places, avec sa galerie marchande, apparaît comme un étrier relié au continent par un pont qui double la jetée du petit port de pêche primitif.

## SAINT-NAZAIRE (44600)

Avant 1850, la carte de l'estuaire de la Loire ne présentait que le petit port de pêche de Mean là où s'est développé Saint-Nazaire qui compte maintenant 69 000 habitants. Lieu de construction, puis port d'attache de bien des paquebots transatlantiques d'avant-guerre, ces chantiers navals ont aussi engendré l'aérospatiale !
En 1918, les quais accueillent les 300 000 « sammies » engagés dans la Grande Guerre ; en 1945, la ville sera rasée mais conservera sa base de sous-marins. Les guerres ont beaucoup traumatisé Saint-Nazaire, pourtant sa devise reste « Aperit et nemo claudit » (« elle ouvre et personne ne ferme » !).

### La ville dans l'histoire

Ce qui est bon pour nous aujourd'hui l'était déjà pour les Romains. Ce sont eux qui construisent au nord de l'estuaire un port nommé Corbico, proche d'un site néolithique attesté par le tumulus de Dissignac (encore accessible par la route d'Escoublac). Aux XIVe et XVe siècles, le port de pêche et de commerce est défendu par un château fort appartenant aux ducs de Bretagne. Le village prend le nom de Port-Nazaire, en hommage au saint martyr, décapité à Rome en 52. Fin XVIIIe, le développement de la marine marchande nécessite la création d'un port en eau profonde pour délester les navires se rendant à Nantes. La vocation maritime de la ville est maintenant bien confirmée. La cité « californienne » voit passer les émigrants et autres grands voyageurs en partance vers tous les continents. La marine nazie y installa une importante base de sous-marins qui ne capitulera que le 11 mai 1945. Les chantiers de l'Atlantique, qui avaient lancé le *Normandie* avant la guerre, construiront le *France*, puis des superpétroliers de 500 000 t, et maintenant de luxueux navires de croisière.
Symbole de l'ère des loisirs, c'est durant l'été 1952 que Jacques Tati a tourné sur la plage de Saint-Marc les immortelles *Vacances de M. Hulot*.

### Adresses utiles

— *Office du tourisme* : place François-Blancho. ☎ 40-22-49-58. Ouvert en saison de 9 h 30 à 12 h 30 et de 13 h 30 à 18 h 15.

– *Gare S.N.C.F.* : ☎ 40-66-50-50. Paris via Nantes.

## Où dormir ? Où manger ?

● *Bon marché*

– Profitez donc du pont pour aller sur l'autre rive, à 10 km, à l'*auberge de jeunesse de Saint-Brévin « la Pinède »* : 1, allée de la Jeunesse. ☎ 40-27-25-27. Dispose de 64 lits. On peut y faire sa cuisine, et elle organise des stages de char à voile, catamaran, planche et équitation.

– *Foyer du jeune travailleur :* 30, rue du Soleil-Levant. ☎ 40-22-51-04. Ouvert toute l'année.

– *Crêperie du Jardin de Bretagne :* boulevard de l'Hôpital. ☎ 40-66-81-30. Présente une carte assez étoffée avec soupe de poisson et diverses salades dans un décor original.

– *Camping l'Ève :* rue Fort-de-l'Ève, à Saint-Marc-sur-Mer. ☎ 40-91-60-65. Très jolis emplacements, nombreux services, réservation indispensable en saison. C'est du 3 étoiles !

● *Plus chic*

– *Korail Hôtel :* en face de la gare. ☎ 40-01-89-89. Tout neuf. Bar-brasserie, addition entre 70 et 100 F. Chambres de 190 à 230 F.

– *Cosmopolitain :* 15, rue Albert-de-Mun. ☎ 40-66-31-28. Tout neuf aussi. Au menu à 85 F, fruits de mer, coq au vin, peut-être du chambertin ? Beau chariot de desserts.

– *La ferme des Tabacs à Saint-Brévin :* en pleine campagne, au lieu-dit la Gilardière. ☎ 40-27-07-84. Dans une authentique ferme datant du XV$^e$ siècle, une belle grande cuisine bourgeoise qui fait la différence entre le beurre nantais et le beurre blanc. Menus à partir de 80 F jusqu'à 180 F. Vaut le détour sur la route de la Vendée.

## A voir

– *La ville neuve, l'avenue de la République.* La reconstruction de la ville a été confiée à Noël Lemaresquier, grand prix de Rome, qui conçut un plan octogonal dégageant un vaste terre-plein autour du port. Après avoir déblayé 2 millions de mètres cubes de gravats, une ville neuve surgit en 1960 avec ses « champs » ici baptisés avenue de la République, longue de 1 200 m nord-sud. En son milieu, après la rue Jean-Jaurès, on vient d'y loger « le Bateau », une longue galerie marchande d'aluminium et de verre : le centre Pompidou local ! Toujours pour les amateurs d'architecture moderne, nous signalons le parc des Sports, qui dispose de 4 500 places sous la soucoupe d'un vélum en plastique soutenu par des câbles d'acier.

Rue du Dolmen s'élève un lichaven (ou trilithe), sorte de dolmen de 2 m de haut précédé d'un menhir.

– *Le port.* De la plage du Petit-Traict, on a une vue panoramique sur l'estuaire. Au premier plan subsistent des villas du siècle dernier épargnées par les bombardements. Plus loin, on voit les bassins et formes de radoub pour la construction des navires. On ne peut pas manquer la base des sous-marins (terrasse panoramique) et son écomusée dont l'attraction principale est le sous-marin *Espadon ;* réservation : ☎ 40-22-35-33. On peut visiter les chantiers navals et le port en visite guidée par le S.I., ce qui est une bonne solution car il y a un long chemin à parcourir !

– *Le pont.* En attendant l'ouverture du second pont de Tancarville, celui-ci reste le plus long de France : 3 356 m, dont un tablier de 727 m ! Il a été inauguré le 18 octobre 1975. C'est un pont à haubans, d'une suprême élégance, car son profil en long suit une douce voûte qui le fait s'élever à 60 m au-dessus des plus hautes mers, et son tracé ondule en S entre Mindin et Saint-Nazaire. Il a toutefois un inconvénient, le péage ! 30 F pour une auto de 7 CV ; 5 F pour une moto ; gratuit pour les piétons.

– *Les criques de Chemoulin.* Superbe route côtière D 292 entre Saint-Marc et Sainte-Marguerite. On peut aussi emprunter le sentier côtier qui suit la falaise, jusqu'au sémaphore. En bas, il y a une succession de petites criques sableuses, calmes, douillettes. La seconde plage, au niveau du camping municipal des Jaunais, reçoit les naturistes

# le MANUEL du ROUTARD

## ET S'IL ÉTAIT VRAIMENT INDISPENSABLE ?

Vous saurez tout sur :

Les formalités administratives, les bourses de voyage, les cartes, les compagnies d'assistance, tous les moyens astucieux de voyager, étudiés avec précision et expérience (charters et législation aérienne, le stop, la voiture, le camping-car, la moto, le train).

Le minimum d'objets et de vêtements à emporter, les vaccins, les conseils médicaux rédigés par des médecins spécialistes. Ce qu'il faut savoir sur les chèques de voyage, les cartes de crédit, le marché noir, la photo, les douanes... Où se faire expédier le courrier pour le recevoir...

## NOTRE RECORD ABSOLU DE VENTES !

Les promoteurs n'ont pas tout détruit !

Après des mois de recherches et d'enquêtes, ce guide démontre qu'il reste des coins merveilleux échappés aux bulldozers, des restos incroyables pratiquant des prix d'avant-guerre, de bons vieux bistrots où l'on se fait plein d'amis avant même de lever le coude, des balades curieuses, des architectures insolites. Paris respire encore...

## WEEK-ENDS AUTOUR DE PARIS

Aujourd'hui, on prend la route du week-end comme un Aspro : l'envie de partir taraude la tête avec l'insistance d'une migraine. Mais partir où ? Châteaux-hôtels à moins de 150 F, petites auberges en bord de rivière, villages croquignolets blottis au fond d'un vallon. Tout cela existe à quelques kilomètres de Paris.

Avec ou sans voiture, vous trouverez quelques endroits préservés du temps. Ces lieux qu'on ne confie qu'à ses meilleurs amis. Plus besoin de manger un camembert pour se donner l'illusion d'être en week-end en Normandie. Ce guide sent bon la France.

## LE GUIDE BLEU: UN MONUMENT POUR APPRÉCIER TOUS LES AUTRES.

Si le Guide Bleu apparaît comme un trésor d'intelligence, de précision, de culture et d'ouverture, c'est parce que nous sommes nombreux à le construire : écrivains, architectes, conservateurs de musée et aussi journalistes, enseignants et professionnels du voyage.

## Un calendrier est toujours utile, surtout en voyage

### 1991

| | JANVIER | | FÉVRIER | | MARS | | AVRIL |
|---|---|---|---|---|---|---|---|
| D | 6 13 20 27 | D | 3 10 17 24 | D | 3 10 17 24 31 | D | 7 14 21 28 |
| L | 7 14 21 28 | L | 4 11 18 25 | L | 4 11 18 25 | L | 1 8 15 22 29 |
| M | 1 8 15 22 29 | M | 5 12 19 26 | M | 5 12 19 26 | M | 2 9 16 23 30 |
| M | 2 9 16 23 30 | M | 6 13 20 27 | M | 6 13 20 27 | M | 3 10 17 24 |
| J | 3 10 17 24 31 | J | 7 14 21 28 | J | 7 14 21 28 | J | 4 11 18 25 |
| V | 4 11 18 25 | V | 1 8 15 22 | V | 1 8 15 22 29 | V | 5 12 19 26 |
| S | 5 12 19 26 | S | 2 9 16 23 | S | 2 9 16 23 30 | S | 6 13 20 27 |

| | MAI | | JUIN | | JUILLET | | AOÛT |
|---|---|---|---|---|---|---|---|
| D | 5 12 19 26 | D | 2 9 16 23 30 | D | 7 14 21 28 | D | 4 11 18 25 |
| L | 6 13 20 27 | L | 3 10 17 24 | L | 1 8 15 22 29 | L | 5 12 19 26 |
| M | 7 14 21 28 | M | 4 11 18 25 | M | 2 9 16 23 30 | M | 6 13 20 27 |
| M | 1 8 15 22 29 | M | 5 12 19 26 | M | 3 10 17 24 31 | M | 7 14 21 28 |
| J | 2 9 16 23 30 | J | 6 13 20 27 | J | 4 11 18 25 | J | 1 8 15 22 29 |
| V | 3 10 17 24 31 | V | 7 14 21 28 | V | 5 12 19 26 | V | 2 9 16 23 30 |
| S | 4 11 18 25 | S | 1 8 15 22 29 | S | 6 13 20 27 | S | 3 10 17 24 31 |

| | SEPTEMBRE | | OCTOBRE | | NOVEMBRE | | DÉCEMBRE |
|---|---|---|---|---|---|---|---|
| D | 1 8 15 22 29 | D | 6 13 20 27 | D | 3 10 17 24 | D | 1 8 15 22 29 |
| L | 2 9 16 23 30 | L | 7 14 21 28 | L | 4 11 18 25 | L | 2 9 16 23 30 |
| M | 3 10 17 24 | M | 1 8 15 22 29 | M | 5 12 19 26 | M | 3 10 17 24 31 |
| M | 4 11 18 25 | M | 2 9 16 23 30 | M | 6 13 20 27 | M | 4 11 18 25 |
| J | 5 12 19 26 | J | 3 10 17 24 31 | J | 7 14 21 28 | J | 5 12 19 26 |
| V | 6 13 20 27 | V | 4 11 18 25 | V | 1 8 15 22 29 | V | 6 13 20 27 |
| S | 7 14 21 28 | S | 5 12 19 26 | S | 2 9 16 23 30 | S | 7 14 21 28 |

### 1992

| | JANVIER | | FÉVRIER | | MARS | | AVRIL |
|---|---|---|---|---|---|---|---|
| D | 5 12 19 26 | D | 2 9 16 23 | D | 1 8 15 22 29 | D | 5 12 19 26 |
| L | 6 13 20 27 | L | 3 10 17 24 | L | 2 9 16 23 30 | L | 6 13 20 27 |
| M | 7 14 21 28 | M | 4 11 18 25 | M | 3 10 17 24 31 | M | 7 14 21 28 |
| M | 1 8 15 22 29 | M | 5 12 19 26 | M | 4 11 18 25 | M | 1 8 15 22 29 |
| J | 2 9 16 23 30 | J | 6 13 20 27 | J | 5 12 19 26 | J | 2 9 16 23 30 |
| V | 3 10 17 24 31 | V | 7 14 21 28 | V | 6 13 20 27 | V | 3 10 17 24 |
| S | 4 11 18 25 | S | 1 8 15 22 29 | S | 7 14 21 28 | S | 4 11 18 25 |

| | MAI | | JUIN | | JUILLET | | AOÛT |
|---|---|---|---|---|---|---|---|
| D | 3 10 17 24 31 | D | 7 14 21 28 | D | 5 12 19 26 | D | 2 9 16 23 30 |
| L | 4 11 18 25 | L | 1 8 15 22 29 | L | 6 13 20 27 | L | 3 10 17 24 31 |
| M | 5 12 19 26 | M | 2 9 16 23 30 | M | 7 14 21 28 | M | 4 11 18 25 |
| M | 6 13 20 27 | M | 3 10 17 24 | M | 1 8 15 22 29 | M | 5 12 19 26 |
| J | 7 14 21 28 | J | 4 11 18 25 | J | 2 9 16 23 30 | J | 6 13 20 27 |
| V | 1 8 15 22 29 | V | 5 12 19 26 | V | 3 10 17 24 31 | V | 7 14 21 28 |
| S | 2 9 16 23 30 | S | 6 13 20 27 | S | 4 11 18 25 | S | 1 8 15 22 29 |

| | SEPTEMBRE | | OCTOBRE | | NOVEMBRE | | DÉCEMBRE |
|---|---|---|---|---|---|---|---|
| D | 6 13 20 27 | D | 4 11 18 25 | D | 1 8 15 22 29 | D | 6 13 20 27 |
| L | 7 14 21 28 | L | 5 12 19 26 | L | 2 9 16 23 30 | L | 7 14 21 28 |
| M | 1 8 15 22 29 | M | 6 13 20 27 | M | 3 10 17 24 | M | 1 8 15 22 29 |
| M | 2 9 16 23 30 | M | 7 14 21 28 | M | 4 11 18 25 | M | 2 9 16 23 30 |
| J | 3 10 17 24 | J | 1 8 15 22 29 | J | 5 12 19 26 | J | 3 10 17 24 31 |
| V | 4 11 18 25 | V | 2 9 16 23 30 | V | 6 13 20 27 | V | 4 11 18 25 |
| S | 5 12 19 26 | S | 3 10 17 24 31 | S | 7 14 21 28 | S | 5 12 19 26 |

IL Y A CEUX QUI FRAPPENT
A TOUTES LES PORTES
ET CEUX QUI TAPENT JUSTE :

# 36.15
# LETUDIANT

Chaque jour, des centaines d'offres :
- de jobs,
- de stages,
- de 1er emplois,
  sur toute la France et même à l'étranger…
- Des offres de logement.

Et aussi des conseils d'orientation,
le palmarès des BTS, des prépas…

# INDEX GÉNÉRAL

## « LES ROUTARDS PARLENT AUX ROUTARDS »

Faites-nous part de vos expériences, de vos découvertes, de vos tuyaux pour que d'autres routards ne tombent pas dans les mêmes erreurs. Indiquez-nous les renseignements périmés. Aidez-nous à remettre l'ouvrage à jour. Faites profiter les autres de vos adresses nouvelles, combines géniales... On envoie un exemplaire gratuit de la prochaine édition à ceux dont on retient les suggestions. Quelques remarques cependant :

– N'oubliez pas de préciser sur votre lettre l'ouvrage que vous désirez recevoir. On n'est pas Mme Soleil !

– Pensez à noter les pages du guide concernées par vos corrections ou remarques.

– Quand vous indiquez des hôtels ou des restaurants, pensez à signaler leur adresse précise et, pour les grandes villes, les moyens de transport pour y aller.

– Notre adresse :

> LE GUIDE DU ROUTARD
> 5, rue de l'Arrivée
> 92190 Meudon

## ÉPATANT : « LA LETTRE DU ROUTARD »

Bon nombre de renseignements sont trop fragiles ou éphémères pour être mentionnés dans nos guides, dont la périodicité est annuelle.

Quels sont nos meilleures techniques, nos propres tuyaux, ceux que nous utilisons pour rédiger les GUIDES DU ROUTARD ? Comment découvrir des tarifs imbattables ? Quels sont les pays où il faut voyager cette année ? Quels sont les renseignements que seuls connaissent les journalistes et les professionnels du voyage ?

Quelles sont les agences qui offrent à nos adhérents des réductions spéciales sur des vols, des séjours ou des locations ? Enfin, quels sont nos projets et nos nouvelles parutions ?

Tout ceci compose « LA LETTRE DU ROUTARD » qui paraît désormais tous les 2 mois. Cotisation : 90 F par an, payable par chèque à l'ordre de CLAD CONSEIL : 5, rue de l'Arrivée, 92190 Meudon.

(Bulletin d'inscription à l'intérieur de ce guide. Pas de mandat postal S.V.P.)

Panoramique J.-P. Godeaut, Restaurant Monkey Business

Imprimé en France par Hérissey n° 53520
Dépôt légal n° 1006-3-1991
Collection n° 13 - Édition n° 01

24/1661/8
I.S.B.N. 2.01.016927.1
I.S.S.N. 0768.2034